令和7年版

8 民事訴訟法・民事執行法・民事保全法

はしがき

急増するニーズ・拡がる活躍フィールド

司法書士の業務分野は、高齢化社会や不況を反映し、従来の登記業務に加えて格段に幅が拡がりました。例えば、①高齢者・知的障害者等の意思を補完するための後見人となる業務（成年後見制度）、②クレジット会社・サラ金等へ借金を返済できなくなってしまった方への相談業務（クレサラ問題）、③調停・仲裁など訴訟手続以外の紛争処理手続（ADR）での業務があります。

更に、2003年4月には改正司法書士法が施行され、これまで弁護士にだけ認められていた訴訟代理権が付与（簡易裁判所に限る。）されました。法務大臣の認定を受けた司法書士は紛争性のある事件について法律相談を受け、本人の代理人として法廷に出廷したり、弁論や証拠調べを行うなど様々な法廷活動を行ったり、相手方との和解に応じたりすることも可能となり、そのビジネスフィールドはますます大きくなります。

日本のホームロイヤーとして

司法書士は、司法サービスの規制緩和により弁護士と並ぶ法律家としての地位を築きつつあり、今後最も身近な法律家として国民に認識される日も近いことでしょう。確かに、法律家としての業務は重い責任を背負うことになります。しかし、自らの考え・判断で報酬を得られる喜びを考えますと、一生の仕事とするにふさわしい職業といえるでしょう。

弊社では、30年以上にわたり、司法試験をはじめとした法律系資格を目指される方を支援して参りました。これは知識社会といわれる21世紀の日本を支える人材育成のためです。中でも司法書士は活躍の場が広範で、最も魅力的な資格の一つといえます。

私どもは、皆さまが早期に合格を果たされご活躍されることを心より祈念致します。

過去問分析の意義

試験合格の勉強方法が、学問研究と根本において異なるのは、クリアすべき目標が明確になっていることです。学問の真理発見への途は永遠ですが、合格への途は出口のはっきりした、期限つきの道程にすぎません。そして、その出口＝ゴールは、過去問に示されているのです。過去問攻略が試験合格のための最も有効な手段であることは言うまでもありません。

本書の特長

本書は、司法書士試験における過去問分析の重要性に着目し、その徹底的な分析のうえに作成されました。以下を特長とします。

☆　昭和57年以降令和6年までの過去43年分の過去問を掲載しました。

☆　令和7年4月1日時点で施行が確実な法令に合わせて解説の改訂を行い、最新の解説となっています。

☆　法改正等により、出題当時のままでは不適当な問題については、現行法に則した修正を行い、問題文末尾に「(改)」と記載しています。

☆　個々の問題肢の内容にとどまらず、関連事項を含め合理的に学習ができるよう、随所に図表を掲載するなど、解説を充実させています。

☆　学習の便宜を考え、本試験問題を体系別に編集しました。

☆　体系番号だけではなく、出題番号も明記することで出題年度順に問題を解くことができるようにしました。

☆　切り離して使用できるよう問題と解説を表裏一体とし、解説も可能な限りコンパクトにまとめました。

本書利用の効果

☆　本書で出題の範囲、出題の深さの程度が判明するので、効率的な学習が可能となり、短期で合格を勝ち取ることができます。

☆　本書の利用とともに、実践的な演習講座として、「精撰答練」を併用すれば、より一層の効果が期待できます。

司法書士試験合格を目指す多くの方が本書を有効活用することにより、短期合格を果たされることを期待します。

2024年10月吉日

株式会社東京リーガルマインド
LEC総合研究所　司法書士試験部

目　次

第3編　訴訟の審理

民事執行法 481

※過去出題のない項目についても、目次には体系として掲載しています。

☆本書の効果的活用法☆

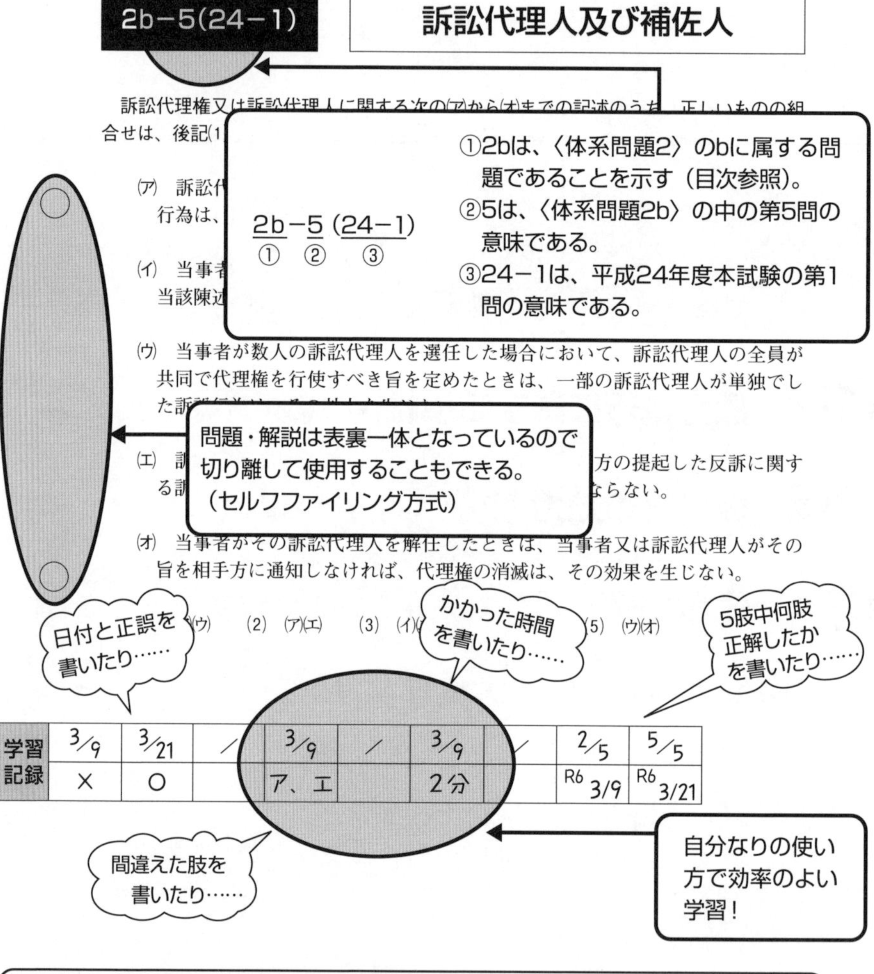

2b－5(24－1)
訴訟代理人及び補佐人
訴訟代理権又は訴訟代理人に関する次の(ア)から(オ)までの記述のうち、正しいものの組
合せは、後記(1
2b－5（24－1）
①　②　③
①2bは、〈体系問題2〉のbに属する問題であることを示す（目次参照）。
②5は、〈体系問題2b〉の中の第5問の意味である。
③24－1は、平成24年度本試験の第1問の意味である。
(ア)　訴訟代
行為は、
(イ)　当事者
当該陳述
(ウ)　当事者が数人の訴訟代理人を選任した場合において、訴訟代理人の全員が
共同で代理権を行使すべき旨を定めたときは、一部の訴訟代理人が単独でし
問題・解説は表裏一体となっているので
切り離して使用することもできる。
（セルフファイリング方式）
(エ)
方の提起した反訴に関す
ならない。
(オ)　当事者がその訴訟代理人を解任したときは、当事者又は訴訟代理人がその
旨を相手方に通知しなければ、代理権の消滅は、その効果を生じない。
日付と正誤を
書いたり……
かかった時間
を書いたり……
5肢中何肢
正解したか
を書いたり……
(2)　(ア)(エ)　(3)　(イ)　(5)　(ウ)(オ)
学習記録
3/9　3/21　／　3/9　／　3/9　／　2/5　5/5
×　○　ア、エ　2分　R6 3/9　R6 3/21
間違えた肢を
書いたり……
自分なりの使い方で効率のよい学習！

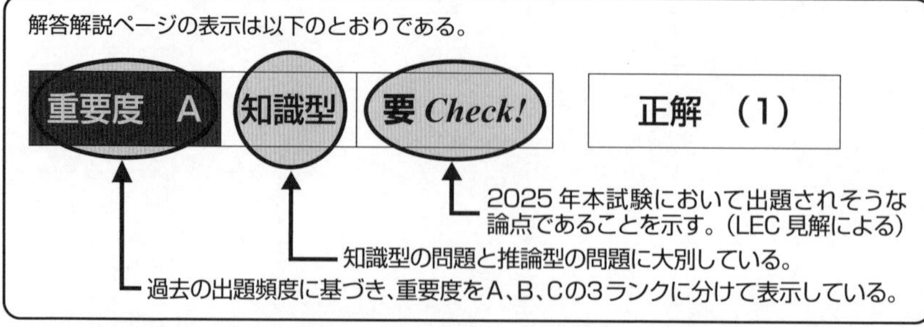

解答解説ページの表示は以下のとおりである。
重要度　A
知識型
要 Check!
正解　(1)
2025 年本試験において出題されそうな論点であることを示す。(LEC 見解による)
知識型の問題と推論型の問題に大別している。
過去の出題頻度に基づき、重要度をA、B、Cの3ランクに分けて表示している。

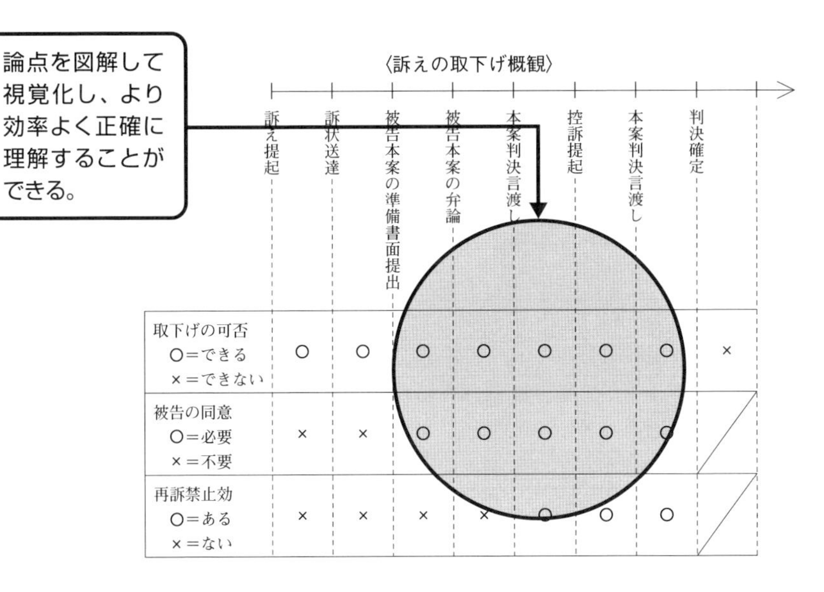

	訴え提起	訴状送達	被告本案の準備書面提出	被告本案の弁論	本案判決言渡し	控訴提起	本案判決言渡し	判決確定
取下げの可否 ○＝できる ×＝できない	○	○	○	○	○	○	○	×
被告の同意 ○＝必要 ×＝不要	×	×	○	○	○	○	○	
再訴禁止効 ○＝ある ×＝ない	×	×	×	×	○	○	○	

原告の恣意により訴えを提起される被告への配慮から、訴訟は被告の普通裁判籍の所在地を管轄する裁判所の土地管轄に属するのが原則である（4Ⅰ）。しかし、事件によっては普通裁判籍以外にも紛争解決に適する裁判籍もあり得るため、事件の性質に応じた独自の土地管轄が定められている（5・
特別裁判籍についての正確な理解が試されている。

要点を押さえた詳細な解説により、効率よい学習が可能となる。

(1)　正　　権利関係の当事者は、通常、義務履行
その受領を受けることになるから（民484Ⅰ参照）、
けることはいずれの当事者にとっても便宜である。そこで、法は、財産権上の訴えについては、義務履行地を管轄する裁判所に提起することができるも

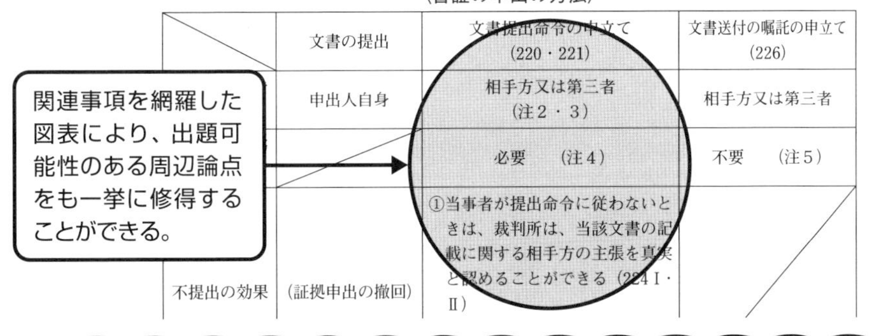

	文書の提出	文書提出命令の申立て（220・221）	文書送付の嘱託の申立て（226）
	申出人自身	相手方又は第三者（注2・3）	相手方又は第三者
		必要　（注4）	不要　（注5）
不提出の効果	（証拠申出の撤回）	①当事者が提出命令に従わないときは、裁判所は、当該文書の記載に関する相手方の主張を真実と認めることができる（224Ⅰ・Ⅱ）	

本書は表が問題、裏が解答解説という形式です。
裏面の正誤等が透けて見えてしまわないよう、巻末の黒の用紙をミシン目から切り取り、下敷きとして利用されることをおすすめいたします。

民事訴訟法・民事執行法・民事保全法索引

過去問

問＼年度	S57	S58	S59	S60	S61	S62	S63	H元	H2
1	15－8	15－4	9c－3	7b－1	5e－2	8a－3	9a－1	2a－1	16a－1
2	15－1	18b－2	3d－1	26－1	18a－1	3b－1	13c－1	5e－3	4b－1
3	6－1	18c－1	15－9	10a－1	13a－1	1a－1	27－1	5c－1	12c－1
4	10b－1	12a－1	15－5	3c－1	10b－2	9c－1	6－2	7c－3	3b－2
5	5e－1	7c－1	9a－3	7b－2	15－2	2b－1	1b－1	13d－2	7c－4
6	18b－1	17f－1	19－1	18b－3	7c－2	18c－2	2b－2	13c－2	31－1
7	17b－1	8b－1	3a－1	15－6	19－2	17a－1	18b－4	19－3	1a－2
8	13d－1	7d－1	2a－2	17d－1	20－1	18a－2	16b－1	17b－2	16b－2

問＼年度	H3	H4	H5	H6	H7	H8	H9	H10	H11
1	1a－3	7c－5	10b－3	2b－4	5e－4	5f－1	10b－4	1a－5	5e－5
2	13a－2	5c－2	33－1	7c－6	9a－2	9c－2	2c－1	2a－3	4b－2
3	15－7	2b－3	1a－4	13a－3	15－3	11a－1	5d－1	12a－4	7c－10
4	13d－3	8a－1	11c－1	12a－3	1b－2	7c－7	7c－8	7c－9	3e－1
5	7b－3	13c－3	15－10	13c－4	13d－5	13a－4	8a－2	13c－5	8b－2
6	18a－3	12a－2	13d－4	22－1	18a－5	20－3	18a－6	17g－1	23－1
7	20－2	16c－1	18a－4	27－2	29－1	26－3	25－2	33－2	31－2
8	26－2	25－1	—	—	—	—	—	—	—

問＼年度	H12	H13	H14	H15	H16	H17	H18	H19	H20
1	3a－2	5c－3	8a－4	1b－3	15－12	7d－4	5e－6	9f－1	3e－2
2	3d－2	7c－11	10a－2	7d－3	15－13	10c－1	5c－4	4c－1	11d－2
3	7b－4	7d－2	11a－2	7c－13	7c－14	3a－3	5c－5	7c－15	7c－16
4	5b－1	9c－4	9e－1	11d－1	9c－5	15－14	8b－3	9c－6	8a－5
5	13d－6	13b－1	7c－12	15－11	13d－7	13a－5	9a－4	13c－6	13d－8
6	20－4	32－1	17d－2	29－2	33－3	17g－2	28－1	27－4	33－5
7	27－3	23－2	25－3	23－3	17b－3	33－4	20－5	18a－7	21－1
8	—	—	—	—	—	—	—	—	—

問＼年度	H21	H22	H23	H24	H25	H26	H27	H28	H29
1	7b－5	2a－4	1b－4	2b－5	11c－4	3c－2	1a－6	3c－3	2a－6
2	7c－17	11a－3	11c－3	15－15	15－16	5e－7	11c－5	2a－5	15－17
3	11c－2	6－3	9f－2	5c－6	5b－2	7c－21	3b－3	4b－4	15－18
4	9c－7	3e－3	4b－3	7c－19	7c－20	9c－9	7c－22	5c－7	9c－10
5	13b－2	8a－6	7c－18	9a－5	9c－8	8a－7	8c－1	12a－5	13d－9
6	26－4	27－5	33－6	32－2	26－5	27－6	33－7	27－7	33－8
7	18a－8	16b－3	22－2	20－6	22－3	17g－3	17a－2	20－7	21－2
8	―	―	―	―	―	―	―	―	―

問＼年度	H30	H31	R2	R3	R4	R5	R6
1	11d－3	1a－7	3c－4	2a－7	11c－6	1a－8	2b－6
2	9f－3	3e－4	4b－5	15－19	15－21	11a－4	10c－2
3	7c－23	5f－2	5c－8	15－20	3b－4	15－23	5e－8
4	13a－6	7c－24	7c－25	7c－26	15－22	7c－27	8c－3
5	12b－1	8c－2	9c－11	9f－4	12a－6	13d－10	13b－3
6	33－9	27－8	33－10	33－11	33－12	33－13	25－4
7	17b－4	23－4	23－5	23－6	17b－5	18a－9	23－7
8	―	―	―	―	―	―	―

民事訴訟法

1a－1(62－3)　管　轄

管轄に関する次の記述のうち、誤っているものはどれか。(改)

(1)　日本に住所のない者に対して動産の引渡しを求める訴えは、その動産の所在地の裁判所に提起することができる。

(2)　本案の訴えにつき、債権者の所在地を管轄する裁判所を管轄裁判所とする合意をしたときには、その裁判所にその本案に係る仮差押命令を求める申立てをすることができる。

(3)　手形及び小切手による請求を除く金銭の給付を目的とする支払督促の申立ては、債務者の普通裁判籍の所在地を管轄する簡易裁判所の裁判所書記官のほか、債務者の事務所又は営業所における業務に関する請求については、それらの所在地を管轄する簡易裁判所の裁判所書記官に対してもすることができる。

(4)　債権執行の申立ては、債務者の普通裁判籍がないときは、差し押さえるべき債権の債務者（第三債務者）の普通裁判籍又はその事務所もしくは営業所の所在地の地方裁判所にすることができる。

(5)　専属管轄の違背は、控訴及び上告の理由とはなるが、再審事由ではない。

学習記録	／	／	／	／	／	／	／	／	／

重要度　A	知識型	

正解　(4)

(1)　正　　日本国内に住所がない者又は住所が知れない者に対する財産権上の訴えは、請求若しくはその担保の目的又は差し押さえることができる被告の財産の所在地の裁判所に訴えを提起することができる（5④）。日本に生活の本拠を有しない者に対する権利の実現を容易にする趣旨である。

(2)　正　　保全命令事件は、本案の管轄裁判所又は仮に差し押さえるべき物若しくは係争物の所在地を管轄する地方裁判所が管轄する（民保12Ⅰ）。本案の訴えにつき管轄の合意（11）がされているのであるから、その合意により定められた管轄裁判所（ここでは債権者の所在地を管轄する裁判所）に仮差押命令を求める申立てをすることができる。

(3)　正　　支払督促の申立てについては、債務者の普通裁判籍の所在地を管轄する簡易裁判所の裁判所書記官に対してするほか（383Ⅰ）、事務所又は営業所を有する者に対する請求でその事務所又は営業所における業務に関するものについては、当該事務所又は営業所の所在地を管轄する簡易裁判所の裁判所書記官に対してもすることができる（383Ⅱ①）。

(4)　誤　　債権執行においては、債務者の普通裁判籍の所在地を管轄する地方裁判所が第１次的に管轄権を有し、この普通裁判籍がないときは、第２次的に差し押さえるべき債権の所在地を管轄する地方裁判所が執行裁判所として管轄する（民執144Ⅰ）。そして、差し押さえるべき債権は、原則としてその債権の債務者（第三債務者）の普通裁判籍の所在地にあるものとする（民執144Ⅱ本文）。しかし、第三債務者の事務所もしくは営業所の所在地の地方裁判所には管轄権はない。

(5)　正　　専属管轄は、公益的配慮から特に一定の裁判所のみに管轄を定めているものだから、その違背は、控訴・上告の理由（299Ⅰ但書・312Ⅱ③）となる。しかし、専属管轄違背の瑕疵は、いったん確定した終局判決を取り消して再び審判をするほどまでに重大なものとはいえず、再審事由（338）に当たらない。

〈専属管轄違背の効果（任意管轄との比較）〉

○＝該当する　×＝該当しない

	控訴理由	上告理由	再審事由
専属管轄違背	○（299Ⅰ但書）	○（312Ⅱ③）	×（338）
任意管轄違背	×（299Ⅰ本文）	×（312）	×（338）

1a−2(2−7)　管　轄

住宅の販売会社Ａと買主Ｂとの売買契約書には、同契約に基づく一切の訴訟の第１審裁判所は、Ａ会社の本店所在地にある甲地方裁判所のみとする旨の約定（以下「本件管轄の合意」という）がある。ＢはＡから買い受けた住宅が品質に関して契約の内容に適合しないものであるとして、上記の売買契約を解除した上、既に支払った代金の返還を求める訴えをＢの住所地にある乙地方裁判所に提起した。上記事例に関する次の記述のうち、正しいものはどれか。（改）

(1)　本件管轄の合意は、その対象となる訴えがあらかじめ特定されていないから無効である。

(2)　本件管轄の合意は、Ｂの契約解除の意思表示により失効した。

(3)　本件管轄の合意によっても法定管轄の全部又は一部を排除することができないから、Ａは管轄違いの抗弁を提出することができない。

(4)　Ａが管轄違いの抗弁を提出しないで応訴すれば、乙地方裁判所は管轄権を有する。

(5)　Ａが管轄違いの抗弁を提出したが、乙地方裁判所がこの主張を認めず、Ｂ勝訴の判決をしたときは、Ａは控訴審において専属的合意管轄違背の主張をすることができる。

学習記録	／	／	／	／	／	／	／	／	／

重要度 A	知識型		正解 (4)

(1) 誤　管轄の合意は、一定の法律関係に基づく訴えに関してしなければならない（11Ⅱ）。この要件は必ずしも訴訟物である権利又は法律関係自体の特定を意味するものではなく、基本となる法律関係を特定することによって訴訟を特定できる場合であればよい。本問の合意は、ＡＢ間の住宅売買契約に基づく一切の訴訟に関してされており、基本となる法律関係が特定されているから、上記の要件を充足する。

(2) 誤　管轄の合意（11）は、私法上の契約と同時に締結される場合でも、それとは別個の訴訟法上の効果の発生を目的とする訴訟法上の合意（訴訟契約）であり、私法上の契約が解除されても影響を受けない。

(3) 誤　法定管轄は主として当事者間の公平や訴訟追行の便宜を考慮して定められているから、当事者は、管轄の合意（11）によって専属管轄以外の法定管轄の全部又は一部を排除することができる。したがって、Ａは管轄違いの抗弁を提出することができる。

(4) 正　管轄の合意（11）の内容が専属的なものであれば、他の裁判所の管轄は排除される。しかし、この専属的な合意は当事者の意思を尊重したにすぎず、法律上の専属管轄（13）が発生するわけではない。したがって、Ａが管轄違いの抗弁を提出しないで応訴すれば、乙地方裁判所に応訴管轄が生ずる（12）。

(5) 誤　控訴審においては、当事者は、専属管轄違背を除き、第一審裁判所が管轄権を有しないことを主張することができない（299Ⅰ）。現行の裁判制度の下では、仮に任意管轄に違背するものであっても、そのことで当事者が著しく不当な判断を下されるおそれは少ないため、既に第一審裁判所の終局判決が下された段階では、管轄権を有する裁判所で裁判を受けるという当事者の利益よりも、手続の安定や訴訟経済が重視されるべきだからである。

〈合意管轄〉

意　　義	当事者間の合意によって生ずる、法定管轄と異なった管轄（11）（注１）
合意の内容	①第一審の管轄裁判所を定めるものであること　（注２） ②一定の法律関係に基づく訴えについてされること　（注３） ③専属管轄以外の法定管轄と異なる定めをすること　（注４）
方　　式	書面をもってする　（注５）
時　　期	訴え提起後に管轄の合意をすることもできる　（注６）
効　　力	合意内容どおりの管轄の変更が生ずる　（注７）

（注１）　管轄の合意の法的性質は、私法上の契約とは別個の裁判外の訴訟契約である。
→　私法上の契約と同一契約書でされた管轄の合意の効力は、私法上の契約の解除によっても失効しない。

（注２）　合意によって事物管轄を定めることもできる。

（注３）　法律関係の特定性に関する出題論点。

○＝できる　×＝できない

合　意　内　容	可否
①将来の全ての訴訟について定めること	×
②特定の契約関係から生ずる一切の紛争について定めること	○

（注４）　管轄の定め方には次の２通りがある。
ａ．法定管轄のほかに管轄裁判所を付加する（付加的合意）。
ｂ．特定の裁判所以外の裁判所の管轄を排除する（専属的合意）。

（注５）　電磁的記録により管轄の合意がなされたときは、書面によってされたものとみなされる（11Ⅲ）。

（注６）　裁判事務の公平な分担・審理の便宜といった公益的な要請から、既に提起された訴えの管轄権を合意によって奪うことは許されない（15）ため、訴え提起後の合意は、移送（17）を申し立てる前提の資料となるにすぎない。

（注７）　専属的合意をした場合であっても、他の裁判所に応訴管轄が生ずる余地はある。

MEMO

1a−3(3−1)　管轄

民事の裁判管轄に関する次の記述のうち、誤っているものはどれか。

(1)　管轄に関する合意は、書面でなければ効力を生じない。

(2)　管轄の有無は、訴えの提起の時を標準として定められる。

(3)　不動産に関する訴えは、不動産所在地の裁判所に提起することができる。

(4)　専属管轄に関する定めがある場合、管轄を有しない裁判所がした判決は無効である。

(5)　不法行為に関する訴えは、不法行為のあった地の裁判所に提起することができる。

学習記録	／	／	／	／	／	／	／	／	／

重要度 A	知識型		正解 (4)

⑴ 正　管轄の合意は、書面でしなければ、その効力を生じない（11Ⅱ）。当事者の意思を明確にすることで、管轄に関する将来の紛争の発生を防止する趣旨である。なお、電磁的記録による管轄の合意も、書面によってされたものとみなされる（11Ⅲ）。

⑵ 正　訴訟要件は一般に口頭弁論終結時に具備されることを要するが、手続の安定のため、法は、管轄について例外を設け、訴えの提起の時を基準として管轄が認められれば足りるとしている（15）。

⑶ 正　不動産に関する利害関係人は、通常不動産所在地に多く存在し、また、その現状に関する証拠調べも不動産所在地で行うのが便宜である。そこで、法は、不動産に関する訴えは、不動産の所在地を管轄する裁判所に提起することができるとしている（5⑫）。

⑷ 誤　専属管轄は、公益的配慮から特に一定の裁判所のみに管轄を定めているものであるから、その違背は、控訴・上告の理由（299Ⅰ但書・312Ⅱ③）となる。しかし、いったん確定した終局判決を取り消して再び審判をするほどまでに重大な瑕疵とはいえないので、再審事由（338）には当たらず、管轄権を有しない裁判所が下した判決も当然には無効とならない。

⑸ 正　不法行為地の裁判所で審理されれば、即時の提訴が容易になり、訴訟資料の収集も迅速かつ適正に行われ得る。そこで、法は、被害者の起訴の便宜や審理の便宜を考慮して、不法行為に関する訴えは、不法行為があった地を管轄する裁判所に提起することができるとしている（5⑨）。

1a−4(5−3)　管　轄

民事の裁判管轄に関する次の記述のうち、誤っているものはどれか。

(1)　手形金の支払請求の訴えは、手形の振出地の裁判所に提起することができる。

(2)　日本に住所のない者に対する財産権上の訴えは、差し押さえることのできる被告の財産の所在地の裁判所に提起することができる。

(3)　営業所を有する者に対する訴えは、その営業所における業務に関するものに限り、その所在地の裁判所に提起することができる。

(4)　登記に関する訴えは、登記すべき地の裁判所に提起することができる。

(5)　相続に関する訴えは、相続開始の時における被相続人の普通裁判籍の所在地の裁判所に提起することができる。

学習記録	／	／	／	／	／	／	／	／	／

重要度　A	知識型		正解　(1)

⑴　誤　　手形又は小切手による金銭の支払の請求を目的とする訴えについての特別裁判籍は、手形又は小切手の支払地であって、振出地ではない（5②）。手形債権者の訴え提起を容易にするとともに、手形又は小切手の振出人・裏書人・引受人などの当事者に、訴えられるであろう裁判所を支払地の記載によって予測させ、不意打ちを防ぐ趣旨である。

⑵　正　　日本国内に住所がない者又は住所が知れない者に対する財産権上の訴えは、請求若しくはその担保の目的又は差し押さえることができる被告の財産の所在地の裁判所に訴えを提起することができる（5④）。日本に生活の本拠を有しない者に対する権利の実行を容易にする趣旨である。

⑶　正　　事務所又は営業所を有する者に対する訴えでその事務所又は営業所における業務に関する訴えは、当該事務所又は営業所の所在地を管轄する裁判所に提起することができる（5⑤）。業務の地域的な拡張により事業の利益がそれだけ拡大されることとの均衡から、これに対する相手方当事者の起訴の便宜を図る趣旨である。

⑷　正　　登記又は登録に関する訴えは、登記又は登録をすべき地を管轄する裁判所に提起することができる（5⑬）。登記又は登録をすべき地は、登記又は登録の公簿を備えた官庁の存する所であり、訴訟資料の収集に便宜だからである。

⑸　正　　相続権若しくは遺留分に関する訴え又は遺贈その他死亡によって効力を生ずべき行為に関する訴えは、相続開始の時における被相続人の普通裁判籍の所在地を管轄する裁判所に提起することができる（5⑭）。相続は被相続人の全法律関係の包括承継を招来する点で利害関係人も多い可能性があり、共通の管轄を認める必要性があり、相続財産も被相続人の普通裁判籍の所在地に存在するのが通常だからである。

〈第一審訴訟の土地管轄の発生原因＝裁判籍（４条～７条）〉

<table>
<tr><td rowspan="2">普通裁判籍</td><td>自然人
（４Ⅱ）</td><td colspan="3">①住所　（注１）
②日本に住所がないとき又は住所が知れないときは居所
③居所がないとき又は居所が知れないときは最後の住所</td></tr>
<tr><td>法人等の団体（４Ⅳ）</td><td colspan="3">①主たる事務所又は営業所
②事務所又は営業所がないときは、代表者その他の主たる業務担当者の住所</td></tr>
<tr><td rowspan="4">特別裁判籍</td><td>独立裁判籍（主なもの）</td><td colspan="3">①財産権上の訴え：義務履行地（５①、民484Ⅰ、商516）（注２）
②手形・小切手金支払請求：支払地（５②）
③日本に住所のない者・住所が知れない者に対する財産権上の訴え（５④）
：請求の目的物の所在地、請求の担保の目的物の所在地
又は差し押さえることができる被告の財産の所在地
④事務所又は営業所を有する者に対する訴えでその事務所又は営業所における業務に関するもの：事務所又は営業所の所在地（５⑤）
⑤社団又は財団に関する一定の訴え：社団又は財団の普通裁判籍所在地（５⑧）
⑥不法行為に関する訴え：不法行為地（５⑨）（注２）
⑦不動産に関する訴え：不動産所在地（５⑫）
⑧登記又は登録に関する訴え：登記又は登録をすべき地（５⑬）
⑨相続権若しくは遺留分又は遺贈等に関する訴え：相続開始時における被相続人の普通裁判籍所在地（５⑭）
⑩特許権等に関する訴え（６）（注３）
⑪意匠権等に関する訴え（６の２）（注４）</td></tr>
<tr><td rowspan="3">併合請求の関連裁判籍</td><td colspan="2">同一被告に対する数個の請求</td><td>一つの裁判所に併合提起することができる（７本文）</td></tr>
<tr><td rowspan="2">数人の被告に対する請求</td><td>訴訟物である権利義務が数人に共通するとき又は同一の原因に基づくとき（38前段）（注５）</td><td>一つの裁判所に併合提起することができる（７但書）</td></tr>
<tr><td>訴訟物である同種の権利義務が同種の原因に基づくとき（38後段）（注６）</td><td>一つの裁判所に併合提起することができない（７但書参照）</td></tr>
</table>

（注１）　法定代理人が制限行為能力者を代理して訴訟を追行する場合は、制限行為能力者本人の住所による。

（注２）　交通事故によって傷害を負った者が不法行為に基づく損害賠償請求訴訟を提起し得る裁判所。

○＝可　×＝不可

被告の住所地	原告の住所地	事故発生地
○ （４Ⅰ・Ⅱ）	○ （５①、民484・722Ⅰ・417）	○ （５⑨）

（注３）　特許権・実用新案権・回路配置権・プログラム著作権に関する訴えの管轄。
東京地方裁判所又は大阪地方裁判所。

（注４）　意匠権、商標権、著作権（プログラム著作権を除く。）、出版権等に関する訴えの管轄。
４条・５条により管轄権を有する裁判所と６条の２により付加される管轄裁判所（東京地方裁判所又は大阪地方裁判所）。

（注５）　ex.　主たる債務者と保証人とを同時に訴える場合。

（注６）　ex.　別個の手形の債務者を同時に訴える場合。

MEMO

1a−5(10−1)　管　轄

特別裁判籍に関する次の記述のうち、誤っているものはどれか。

(1)　財産権上の訴えは、義務履行地を管轄する裁判所に提起することができる。

(2)　手形による金銭の支払の請求を目的とする訴えは、手形の振出地を管轄する裁判所に提起することができる。

(3)　不法行為に関する訴えは、不法行為があった地を管轄する裁判所に提起することができる。

(4)　不動産に関する訴えは、不動産の所在地を管轄する裁判所に提起することができる。

(5)　登記に関する訴えは、登記をすべき地を管轄する裁判所に提起することができる。

学習記録	／	／	／	／	／	／	／	／	／

重要度　A	知識型		正解　(2)

(1)　正　　権利関係の当事者は、通常、義務履行地において履行の提供をし、その受領を受けることになるから（民484Ⅰ参照)、その地に特別裁判籍を設けることはいずれの当事者にとっても便宜である。そこで、法は、財産権上の訴えについては、義務履行地を管轄する裁判所に提起することができるものとした（5①)。

(2)　誤　　手形又は小切手による金銭の支払の請求を目的とする訴えについての特別裁判籍は、手形又は小切手の支払地を管轄する裁判所に訴えを提起することができる（5②)。手形又は小切手の所持者が容易に訴えの提起をすることができるようにすることで、債権の早期回収を可能にするとともに、手形・小切手上に支払地を明記することで手形・小切手の裏書人、引受人等の当事者に管轄する裁判所を一応予測させることで不意打ちを防止する趣旨である。

(3)　正　　不法行為地の裁判所で審理されれば、即時の提訴が容易になり、訴訟資料の収集も迅速かつ適正に行われ得る。そこで、法は、被害者の起訴の便宜や審理の便宜を考慮して、不法行為に関する訴えは、不法行為があった地を管轄する裁判所に提起することができるものとした（5⑨)。

(4)　正　　不動産は一般に財産的価値が高く、これに対する権利関係も複雑で利害関係人も多い可能性がある。また、その現状に関する証拠調べもその場所で行うのが便利である。そこで、法は、多くの利害関係人間の請求を併合審理することにより裁判の統一を図り、併せて迅速な裁判を可能にさせる趣旨から、不動産に関する訴えは、不動産の所在地を管轄する裁判所に提起することができるものとした（5⑫)。

(5)　正　　登記又は登録をすべき地は、目的物の所在地であることが多く、訴訟資料の収集にも便利である。そこで、法は、登記又は登録に関する訴えは、登記又は登録をすべき地を管轄する裁判所に提起することができるものとした（5⑬)。

1a−6(27−1)　管　轄

管轄に関する次の(ア)から(オ)までの記述のうち、判例の趣旨に照らし正しいものの組合せは、後記(1)から(5)までのうち、どれか。

(ア)　所有権に基づいて時価100万円の自動車の引渡しを請求することに併せて、その執行不能の場合における履行に代わる損害賠償としてその時価相当額の支払を請求する訴えは、簡易裁判所の事物管轄に属する。

(イ)　簡易裁判所は、訴訟がその管轄に属する場合においても、相当と認めるときは、当事者の申立てがあるときに限り、訴訟の全部又は一部をその所在地を管轄する地方裁判所に移送することができる。

(ウ)　管轄違いを理由として訴訟の全部を移送する旨の裁判が確定した場合、当該訴訟は、移送の裁判が確定した時から、移送を受けた裁判所に係属したものとみなされる。

(エ)　自然人である被告に対する貸金返還請求訴訟が当該被告の住所の所在地を管轄する裁判所に提起された場合、その後に、当該被告が当該裁判所の管轄区域外に住所を移転しても、土地管轄についての管轄違いによる移送がされることはない。

(オ)　被告が、第一審裁判所において、本案について弁論をせず、かつ、弁論準備手続において申述をしないまま、裁判官の忌避の申立てを行ったときは、その訴えについて土地管轄がないときであっても、その裁判所は、当該訴えについて管轄権を有する。

(1)　(ア)(エ)　　(2)　(ア)(オ)　　(3)　(イ)(ウ)　　(4)　(イ)(エ)　　(5)　(ウ)(オ)

学習記録	／	／	／	／	／	／	／	／	／

重要度　A	知識型		正解　(1)

(ア)　正　　一の訴えで数個の請求をする場合には、その価額を合算したものを訴訟の目的の価額とする（９Ⅰ本文）。しかし、その訴えで主張する利益が各請求について共通である場合におけるその各請求については、この限りでない（９Ⅰ但書）。この点、「訴えで主張する利益が各請求について共通である場合」には、売買契約に基づく目的物引渡請求とその執行不能に備えた損害賠償請求を併合提起する場合（代償請求）も含まれる。したがって、本肢では訴額は合算されず100万円ということになり、140万円を超えないため、簡易裁判所の事物管轄に属する（裁33Ⅰ①）。

(イ)　誤　　簡易裁判所は、訴訟がその管轄に属する場合においても、相当と認めるときは、その専属管轄に属するものを除き（20Ⅰ）、申立てにより又は職権で、訴訟の全部又は一部をその所在地を管轄する地方裁判所に移送することができる（18）。これは、訴訟関係者の出頭の便宜、審理の都合等から地方裁判所で審理する方が当事者にとって利益である場合があるからである。

(ウ)　誤　　移送の裁判が確定したときは、訴訟は、初めから移送を受けた裁判所に係属していたものとみなされる（22Ⅲ）。なお、本条により、訴え提起に基づく時効の完成猶予、期間遵守の効力（147）は、移送の裁判によって影響されることはない。

(エ)　正　　裁判所の管轄は、訴え提起の時を標準として定める（15）。そのため、訴え提起後に、被告が転居したことにより、当初の管轄と異なることとなっても、訴え提起時に定まった管轄には影響を与えない。これは、訴え提起時に管轄があれば、その後の管轄原因の変動には影響されないものとすることにより、審理の円滑、手続の安定を図ろうとするものである。

(オ)　誤　　被告が第一審裁判所において管轄違いの抗弁を提出しないで本案について弁論をし、又は弁論準備手続において申述をしたときは、その裁判所は管轄権を有する（12・応訴管轄）。この点、「本案について弁論をし」とは、被告が、原告の請求の当否につき陳述をすることをいう。本肢においては、被告は、裁判官の忌避の申立てを行っているだけであり、本案について弁論をしているわけではないので、応訴管轄は生じない。

以上から、正しいものは(ア)(エ)であり、正解は(1)となる。

1a−7(31−1)　管　轄

民事訴訟における管轄に関する次の(ア)から(オ)までの記述のうち、正しいものの組合せは、後記(1)から(5)までのうち、どれか。

(ア)　土地管轄についての管轄違いを理由に移送を受けた簡易裁判所は、訴訟がその管轄に属する場合には、更に当該訴訟をその所在地を管轄する地方裁判所に移送することができない。

(イ)　外国の社団の普通裁判籍は、日本における主たる事務所又は営業所があるときであっても、当該事務所又は営業所の代表者その他の主たる業務担当者の住所により定まる。

(ウ)　訴えの提起の時にその管轄区域内に被告の住所がなかったことを理由として、受訴裁判所である地方裁判所が管轄裁判所である地方裁判所に移送する旨の決定をした場合には、その決定が確定する前に被告が当該受訴裁判所の管轄区域内に住所を移したときであっても、当該決定は、適法であり、即時抗告がされても取り消されない。

(エ)　審級を異にする裁判所が同一の事件についてした判決に対する再審の訴えは、上級の裁判所が併せて管轄する。

(オ)　簡易裁判所は、その管轄に属する不動産に関する訴訟につき、被告から移送の申立てがあるときは、その申立ての前に被告が本案について弁論をした場合でない限り、訴訟の全部又は一部をその所在地を管轄する地方裁判所に移送しなければならない。

(1)　(ア)(ウ)　　(2)　(ア)(エ)　　(3)　(イ)(ウ)　　(4)　(イ)(オ)　　(5)　(エ)(オ)

学習記録	／	／	／	／	／	／	／	／	／

重要度　A	知識型		正解　(5)

(ア) 誤　確定した移送の裁判は、移送を受けた裁判所を拘束する（22Ⅰ）。そのため、移送を受けた裁判所は、更に事件を他の裁判所に移送することができない（22Ⅱ）。これは、移送を受けた裁判所による返送、又は転送によって本案審理が遅延し、当事者の利益が害されることを防ぐ趣旨である。しかし、いかなる場合にも絶対に再移送を禁止するものではなく、管轄違い（16）による受移裁判所の18条による再移送のように、移送された事由とは別個の事由によって再移送をすることはできる（東京高決昭32.10.24）。

(イ) 誤　外国の社団又は財団の普通裁判籍は、4条4項の規定にかかわらず、日本における主たる事務所又は営業所により、日本国内に事務所又は営業所がないときは日本における代表者その他の主たる業務担当者の住所により定まる（4Ⅴ）。

(ウ) 誤　訴え提起の時に受訴裁判所に土地管轄がない場合でも、その後に管轄原因が発生すれば、これによって管轄違いの瑕疵は治癒される（鹿児島地判昭31.4.2）。そして、移送の決定及び移送の申立てを却下した決定に対しては、即時抗告をすることができる（21）。したがって、訴え提起の時にその管轄区域内に被告の住所がなかったことを理由として、受訴裁判所である地方裁判所が管轄裁判所である地方裁判所に移送する旨の決定をした場合において、その決定の確定前に被告が当該受訴裁判所の管轄区域内に住所を移したときは、管轄違いの瑕疵は治癒されるため、当該決定は、即時抗告がされることにより取り消されることとなる。

(エ) 正　審級を異にする裁判所が同一の事件についてした判決に対する再審の訴えは、上級の裁判所が併せて管轄する（340Ⅱ）。これは、判断の矛盾や抵触を避ける趣旨であり、上級審と下級審に再審の訴えが別訴として提起された場合、下級審が事件を上級審に移送する。

(オ) 正　簡易裁判所は、その管轄に属する不動産に関する訴訟につき被告の申立てがあるときは、その申立ての前に被告が本案について弁論をした場合を除き、訴訟の全部又は一部をその所在地を管轄する地方裁判所に移送しなければならない（19Ⅱ）。これは、不動産に関する訴訟は、一般に複雑なものであり、地方裁判所での審理に適することを考慮して、被告の事物管轄選択権を認めたものである。

以上から、正しいものは(エ)(オ)であり、正解は(5)となる。

1a−8(R5−1)　管　轄

民事訴訟における管轄に関する次の(ア)から(オ)までの記述のうち、正しいものの組合せは、後記(1)から(5)までのうち、どれか。

(ア)　被告が第一審裁判所において管轄違いの抗弁を提出せずに、訴訟要件が欠けることを理由として訴えの却下を求めた場合には、応訴管轄が生ずる。

(イ)　裁判所の管轄は、口頭弁論終結の時を標準として定める。

(ウ)　裁判所は、管轄に関する事項について、職権で証拠調べをすることができる。

(エ)　不動産の売買契約に基づく売買代金の支払を求める訴えは、不動産に関する訴えとして、不動産の所在地を管轄する裁判所に提起することができる。

(オ)　簡易裁判所に提起された貸金100万円の返還を求める本訴に対し、被告が適法な反訴により地方裁判所の管轄に属する請求をした場合において、本訴原告（反訴被告）の申立てがあるときは、簡易裁判所は、決定で、本訴及び反訴を地方裁判所に移送しなければならない。

(1)　(ア)(エ)　　(2)　(ア)(オ)　　(3)　(イ)(ウ)　　(4)　(イ)(エ)　　(5)　(ウ)(オ)

学習記録	／	／	／	／	／	／	／	／	／

重要度　A	知識型		正解　(5)

(ア)　誤　　被告が第一審裁判所において管轄違いの抗弁を提出しないで本案について弁論をし、又は弁論準備手続で申述をしたときは、その裁判所は、管轄権を有する（12・応訴管轄）。この点、被告が弁論又は申述をする「本案」とは、請求の理由の有無に関する事項をいう。そのため、訴訟要件がないとして訴えを却下するよう申し立てたりしただけでは、応訴管轄は生じない。

(イ)　誤　　裁判所の管轄は、訴えの提起の時を標準として定める（15）。これは、訴え提起時に管轄があれば、その後の管轄原因の変動には影響されないものとすることにより、審理の円滑、手続の安定を図ろうとする趣旨である。したがって、口頭弁論終結の時を標準として定めるとする点で、本肢は誤っている。

(ウ)　正　　裁判所は、管轄に関する事項について、職権で証拠調べをすることができる（14）。これは、受訴裁判所は、被告から管轄違いの抗弁が提出されなくても管轄の存否を調査する義務を負い、そのために必要な証拠調べを職権をもってすることができる旨を定めたものであり、弁論主義に由来する職権証拠調べの禁止の例外規定である。

(エ)　誤　　不動産に関する訴えは、不動産の所在地に訴えを提起することができる（5⑫）。この点、不動産に関する訴えの中には、所有権等の物権に関する確認訴訟や、契約に基づいて不動産の移転登記、引渡し等を求める訴えが含まれる。もっとも、不動産の売買代金、賃料等の支払を求める訴えは、不動産に関する訴えとは解されない。したがって、不動産に関する訴えとして、不動産の所在地を管轄する裁判所に提起することができるとする点で、本肢は誤っている。

(オ)　正　　被告が反訴で地方裁判所の管轄に属する請求をした場合において、相手方の申立てがあるときは、簡易裁判所は、決定で、本訴及び反訴を地方裁判所に移送しなければならない（274 I 前段）。これは、反訴の相手方（原告）が反訴事件について地方裁判所において審理を受ける権利を尊重し、訴訟経済上本訴・反訴を同一の訴訟手続で審理すべき要請を充たそうとする趣旨である。

以上から、正しいものは(ウ)(オ)であり、正解は(5)となる。

1b－1(63－5)　訴訟の移送

訴訟の移送に関する次の(ア)から(オ)までの記述のうち、正しいものの組合せは、後記(1)から(5)までのうちどれか。(改)

(ア)　裁判所は、管轄違いによる移送の裁判をするには、職権で証拠調べをすることができる。

(イ)　移送の裁判があったときは、訴訟係属の効果は、その移送の裁判が確定した時から生ずる。

(ウ)　当事者は、移送の裁判に対して不服を申し立てることができない。

(エ)　移送を受けた裁判所は、移送の裁判をした裁判所に対し再移送をすることができる。

(オ)　移送は、管轄権を有しない裁判所に対してもすることができる。

(1)　(ア)(イ)　　(2)　(ア)(オ)　　(3)　(イ)(ウ)　　(4)　(ウ)(エ)　　(5)　(エ)(オ)

学習記録	／	／	／	／	／	／	／	／	／

重要度　B	知識型			正解　(2)

訴訟の移送とは、ある裁判所にいったん係属した訴訟を、その裁判所の裁判によって他の裁判所に係属させることをいう。

(ア)　正　　訴訟資料の収集及び提出を当事者の責任かつ権能とする民事訴訟制度の下では、証拠調べは当事者の申出に基づかなければならず、職権による証拠調べは許されないのが原則である。しかし、管轄権の有無については、その公益的要請から、職権調査事項とされており、そのために、職権で証拠調べをすることができる（14）。

(イ)　誤　　移送の裁判が確定した場合、その時点で初めて移送先の裁判所に訴えの提起があったものとすると、最初の訴え提起時から移送の裁判確定時までに消滅時効が完成する等の事由が生じ、当事者が不測の損害を被るおそれがある。このような不都合を避けるために、移送の裁判が確定したときは、訴訟は最初から移送を受けた裁判所に係属していたものとみなされる（22Ⅲ）。

(ウ)　誤　　管轄は訴えの提起の時を基準として判断され（15）、管轄違いは専属管轄（専属的合意管轄を除く。）を除き、原則として上訴の理由にはならないため（299Ⅰ）、上訴とは別に不服申立ての道を認める実益がある。そこで、法は、移送の決定及び移送の申立てを却下した決定に対しては、即時抗告をすることができるとしている（21）。

(エ)　誤　　移送を受けた裁判所は、移送の裁判をした裁判所に対して再移送することができない（22Ⅱ参照）。事件の移送を受けた裁判所が、更にその事件を移送することができるとすると、いわば事件のたらい回しによって審理が著しく遅れ、当事者の裁判を受ける権利（憲32）を実質的に侵害することになりかねないからである。

(オ)　正　　移送は、管轄権を有しない裁判所に対してもすることができる。例えば、簡易裁判所から地方裁判所への裁量移送（18）や、当事者の申立て及び相手方の同意のあるときの申立てに係る裁判所への必要的移送（19Ⅰ）である。

以上から、正しいものは(ア)(オ)であり、正解は(2)となる。

〈第一審訴訟の移送〉

<table>
<tr><th colspan="2"></th><th>要　　件</th><th>移送の
要　否</th></tr>
<tr><td colspan="2">管轄違いによる移送（16Ⅰ）</td><td>訴訟の全部又は一部が管轄（土地管轄・事物管轄・職分管轄）の規定に反して提起されたこと</td><td>必要的</td></tr>
<tr><td colspan="2">遅滞を避ける等のための移送（17）</td><td>①当事者及び尋問を受けるべき証人の住所、使用すべき検証物の所在地その他の事情を考慮して、訴訟の著しい遅滞を避け、又は当事者間の衡平を図るため移送の必要があると裁判所が認めること
②移送先の裁判所が管轄権を有すること
③起訴裁判所の専属管轄に属する訴訟でないこと（20）</td><td>裁量的</td></tr>
<tr><td rowspan="4">簡裁から地裁への移送</td><td>（18）</td><td>①地方裁判所へ移送することが相当と認められること
②訴訟が簡易裁判所の専属管轄に属するものでないこと（20）</td><td>裁量的</td></tr>
<tr><td>（19Ⅰ）</td><td>①当事者の申立てがあること
②相手方の同意があること
③移送によって訴訟手続を著しく遅滞させる場合でないこと
④簡易裁判所からその所在地を管轄する地方裁判所へ移送する申立て以外のものについては、被告が本案について弁論をしていないこと、又は弁論準備手続で申述をしていないこと
⑤訴訟が簡易裁判所の専属管轄に属するものでないこと（20）</td><td>必要的</td></tr>
<tr><td>（19Ⅱ）</td><td>①不動産に関する訴訟であること
②被告の申立てがあること
③被告が本案につき弁論をしていないこと
④訴訟が簡易裁判所の専属管轄に属するものでないこと（20）</td><td>必要的</td></tr>
<tr><td>（274Ⅰ）</td><td>①被告が地方裁判所の管轄に属する反訴を提起したこと
②相手方の申立てがあること</td><td>必要的</td></tr>
</table>

MEMO

1b−2(7−4)　訴訟の移送

移送に関する次の記述のうち、誤っているものはどれか。

(1)　移送を受けた裁判所は、更に事件を他の裁判所に移送することができない。

(2)　地方裁判所は、訴訟が管轄区域内の簡易裁判所の管轄に属する場合においても、相当と認めるときは、専属管轄の定めがある場合を除き、自ら審理及び裁判をすることができる。

(3)　移送の裁判が確定したときは、訴訟は、初めから移送を受けた裁判所に係属したものとみなされる。

(4)　裁判所は、その管轄に属する訴訟によって、著しい損害、又は遅滞を避けるため必要があると認めるときは、その専属管轄に属するものを除き、訴訟を他の管轄裁判所に移送することができる。

(5)　控訴裁判所は、事件が管轄違いであることを理由として第１審判決を取り消す場合には、事件を原裁判所に差し戻さなければならない。

学習記録	／	／	／	／	／	／	／	／	／

重要度　B	知識型	

正解　(5)

訴訟の移送とは、ある裁判所にいったん係属した訴訟を、その裁判所の裁判によって、他の裁判所に係属させることをいう。

(1)　正　　移送を受けた裁判所は、更に事件を他の裁判所に移送することができない（22Ⅱ）。事件の移送を受けた裁判所が、更にその事件を移送することができるとすると、いわば事件のたらい回しによって審理が著しく遅れ、当事者の裁判を受ける権利（憲32）を実質的に侵害することになりかねないからである。

(2)　正　　地方裁判所は、受理した訴訟が簡易裁判所の管轄に属するものであっても、相当と認めるときは、専属管轄の規定に違反しない限り、申立て又は職権で、訴訟の全部又は一部を自ら審理及び裁判することができる（16Ⅱ）。訴額は少額でも、複雑で困難な事件もあることから、簡易裁判所よりも地方裁判所において審理を行った方が、当事者にとって利益となる場合があるからである。

(3)　正　　移送の裁判が確定した場合、その時点で初めて移送先の裁判所に訴えの提起があったものとすると、最初の訴え提起時から移送の裁判確定時までに消滅時効が完成する等の事由が生じ、当事者が不測の損害を被るおそれがある。このような不都合を避けるために、移送の裁判が確定したときは、訴訟は最初から移送を受けた裁判所に係属していたものとみなされる（22Ⅲ）。

(4)　正　　第一審裁判所は、訴訟がその管轄に属する場合においても、当事者及び尋問を受けるべき証人の住所、使用すべき検証物の所在地その他の事情を考慮して、訴訟の著しい遅滞を避け、又は当事者間の衡平を図るため必要があると認めるときは、申立てにより又は職権で、訴訟の全部又は一部を他の管轄裁判所に移送することができる（17）。管轄が競合する場合、原告は任意にそのうちの一つの裁判所を選んで訴えを提起することが可能であるが、原告の選ぶ裁判所が常にその事件の迅速な解決に最適であるとは限らないからである。

(5)　誤　　控訴裁判所は、事件が管轄違いであることを理由として第一審判決を取り消すときは、判決で、事件を管轄裁判所に移送しなければならない（309）。原裁判所へ差し戻して改めて管轄裁判所へ移送させる（16Ⅰ）よりも、訴訟経済に資するからである。

1b−3(15−1)　訴訟の移送

移送に関する次の(ア)から(オ)までの記述のうち、誤っているものの組合せは、後記(1)から(5)までのうちどれか。

(ア)　簡易裁判所が、その管轄に属する訴訟を、職権で、その所在地を管轄する地方裁判所に移送したときは、当事者は、その決定に対して不服を申し立てることができる。

(イ)　簡易裁判所は、その管轄に属する訴訟について、当事者がその所在地を管轄する地方裁判所への移送を申し立て、相手方がこれに同意したときは、移送により著しく訴訟手続を遅滞させることとなる場合を除き、被告が本案について弁論をした後であっても、訴訟の全部又は一部を申立てに係る地方裁判所に移送しなければならない。

(ウ)　地方裁判所は、係属した訴訟が、その管轄区域内の簡易裁判所の管轄に属する場合には、その簡易裁判所に当該訴訟を移送しなければならない。

(エ)　簡易裁判所に係属している訴訟の被告が反訴で地方裁判所の管轄に属する請求をした場合には、簡易裁判所は、職権で、本訴及び反訴を地方裁判所に移送しなければならない。

(オ)　簡易裁判所は、その管轄に属する不動産に関する訴訟につき被告の申立てがあるときは、その申立ての前に被告が本案について弁論をした場合を除き、訴訟の全部又は一部をその所在地を管轄する地方裁判所に移送しなければならない。

(1)　(ア)(エ)　(2)　(ア)(オ)　(3)　(イ)(ウ)　(4)　(イ)(オ)　(5)　(ウ)(エ)

学習記録	／	／	／	／	／	／	／	／	／

重要度 B	知識型		正解 (5)

(ア) 正　管轄は訴え提起の時を基準として判断され (15)、管轄違いは専属管轄 (専属的合意管轄を除く。) を除き、原則として上訴の理由にはならないため (299Ⅰ)、上訴とは別に当事者に不服申立ての道を認める実益がある。そこで、法は、移送の決定及び移送の申立てを却下した決定に対しては、即時抗告をすることができるとしている (21)。

(イ) 正　簡裁、地裁を問わず、第一審裁判所は、その管轄に属する訴訟において、当事者の申立て及び相手方の同意があるときは、訴訟の全部又は一部を申立てに係る地方裁判所又は簡易裁判所に移送しなければならない。ただし、移送により著しく訴訟手続を遅滞させることとなるとき、又はその申立てが、簡易裁判所からその所在地を管轄する地方裁判所への移送の申立て以外のものであって、被告が本案について弁論をし、若しくは弁論準備手続において申述をした後にされたものであるときは、この限りでない (19Ⅰ)。

(ウ) 誤　裁判所は、訴訟の全部又は一部がその管轄に属しないと認めるときは、申立てにより又は職権で、これを管轄裁判所に移送しなければならないが (16Ⅰ)、地方裁判所は、訴訟がその管轄区域内の簡易裁判所の管轄に属する場合においても、相当と認めるときは申立てにより又は職権で、訴訟の全部又は一部について自ら審理及び裁判をすることができる (16Ⅱ)。なぜなら、簡易裁判所の判事の任用資格は一般に判事のそれより緩和されていること (裁44)、訴訟関係者の出頭の便宜、審理の都合等からかえって地方裁判所で審理する方が当事者にとって利益であると考えられる場合があるからである。

(エ) 誤　被告が反訴で地方裁判所の管轄に属する請求をした場合において、相手方の申立てがあるときは、簡易裁判所は、決定で、本訴及び反訴を地方裁判所に移送しなければならない (274Ⅰ)。この場合、この決定に対しては、肢(ア)の場合と異なり、不服の申立てができないこと (274Ⅱ) に注意が必要である。

(オ) 正　簡易裁判所は、その管轄に属する不動産に関する訴訟につき被告の申立てがあるときは、訴訟の全部又は一部をその所在地を管轄する地方裁判所に移送しなければならない。ただし、その申立て前に被告が本案について弁論をした場合は、この限りでない (19Ⅱ)。このような申立時期の制限は、原告の裁判所の選択権が訴え提起時までであることとの均衡上、被告が本案について弁論をし、応訴の態度を明らかにした後は、移送の申立ては許すべきではないと考えられるからである。

以上から、誤っているものは(ウ)(エ)であり、正解は(5)となる。

1b−4(23−1)　訴訟の移送

管轄及び移送に関する次の(ア)から(オ)までの記述のうち、正しいものは、幾つあるか。

(ア)　人の普通裁判籍は、住所又は居所により、日本国内に住所若しくは居所がないとき又は住所若しくは居所が知れないときは最後の住所により定まる。

(イ)　当事者が第一審の管轄裁判所を簡易裁判所とする旨の合意をした場合には、法令に専属管轄の定めがあるときを除き、訴えを提起した際にその目的の価額が140万円を超える場合であっても、その合意は効力を有する。

(ウ)　簡易裁判所は、その管轄に属する不動産に関する訴訟につき被告の申立てがあるときは、その申立ての前に被告が本案について弁論をしていない限り、その訴訟の全部又は一部をその不動産の所在地を管轄する地方裁判所に移送しなければならない。

(エ)　移送の決定及び移送の申立てを却下した決定に対しては即時抗告をすることができるが、その即時抗告は、裁判の告知を受けた日から１週間の不変期間内にしなければならない。

(オ)　移送を受けた裁判所は、更に事件を他の裁判所に移送することはできないが、移送を受けた事由とは別個の事由によって再移送することはできる。

(1)　１個　　(2)　２個　　(3)　３個　　(4)　４個　　(5)　５個

学習記録	／	／	／	／	／	／	／	／	／

重要度 B	知識型		正解 (4)

(ア) 誤　自然人の普通裁判籍は、まず住所を基準として決定される。そして、日本国内に住所がないとき又は住所が知れないときは居所により、日本国内に居所がないとき又は居所が知れないときは最後の住所により定まる（4Ⅱ）。

(イ) 正　当事者は第一審に限って、合意に基づいて管轄裁判所を定めることができる（11Ⅰ）。事物管轄は、事件の大小や内容によってこれを行使する裁判所を区別することから生ずる管轄であり、法令に専属管轄の定めがあるときを除き、当事者双方が法定管轄と異なる管轄を望むときは、これを許容してもよい。したがって、地方裁判所の事物管轄に属する事件について簡易裁判所を管轄裁判所とする旨の合意をした場合、訴えを提起した際にその目的の価額が140万円を超える場合であっても、その合意は効力を有する。

(ウ) 正　簡易裁判所は、その管轄に属する不動産に関する訴訟につき被告の申立てがあるときは、その申立ての前に被告が本案について弁論をした場合を除き、訴訟の全部又は一部をその所在地を管轄する地方裁判所に移送しなければならない（19Ⅱ）。

(エ) 正　移送の決定及び移送の申立てを却下した決定に対しては、即時抗告をすることができる（21）。そして、即時抗告は、裁判の告知を受けた日から1週間の不変期間内にしなければならない（332）。

(オ) 正　移送を受けた裁判所は、更に事件を他の裁判所に移送することができない（22Ⅱ）。これは、訴訟が更に遅延し、移送の趣旨が害されることを防ぐ趣旨である。しかし、いかなる場合にも絶対に再移送を禁止するものではなく、移送された事由とは別個の事由によって再移送をすることはできる（東京高判昭47.10.25、東京地決昭61.1.14）。

以上から、正しいものは(イ)(ウ)(エ)(オ)の4個であり、正解は(4)となる。

重要度 B	知識型		正解 (4)

(1) 誤　訴訟能力の存在は個々の訴訟行為の有効要件であるから、それを欠く場合には、訴訟行為は無効となる。しかし、追認によって過去の手続を有効に活かすことは相手方の期待にも反せず、かえって訴訟経済にも資する。この趣旨から、法は、訴訟能力を欠く者がした訴訟行為は、訴訟能力を有するに至った当事者又は法定代理人の追認により、行為の時にさかのぼってその効力を有する旨を規定した（34Ⅱ）。

(2) 誤　法人格のない社団又は財団は実体法上権利能力を有しないが、実際の社会においては、事実上独立した取引主体として活動していることが少なくなく、これに起因する紛争も現実に生じているため、これを紛争主体として認めて紛争を解決する必要性を、無視することはできない。そこで、法は、法人でない社団又は財団についても代表者又は管理人の定めがあることを要件として、その名において訴え、又は訴えられることができるとしている（29）。

(3) 誤　成年被後見人に対し訴訟行為をしようとする者は、この者に法定代理人である成年後見人がいない場合には、有効に訴訟行為をすることができないのが原則である（31本文）。しかし、この場合、常に新たな法定代理人の選任を待たなければならないとすると、その間に消滅時効が完成してしまうなどの相手方当事者が多大な損害を被ることも考えられる。そこで、法は、法定代理人である成年後見人がいない場合に、成年被後見人に対し訴訟行為をしようとする者は、遅滞のため損害を受けるおそれがあることを疎明して、受訴裁判所の裁判長に特別代理人の選任を申し立てて（35Ⅰ）、訴えを提起することができるとしている。

(4) 正　民法上、未成年者が成年に達した場合には、親権者の法定代理権は当然に消滅し（民818Ⅰ・824本文参照）、当事者本人は代理権の消滅を主張することができるはずである。しかし、民事訴訟法においては、手続安定の要請が働き、実体法上、法定代理権が消滅しても、直ちに代理権は消滅せず、相手方にその旨の通知がされて初めて消滅の効力が生ずる（36Ⅰ）。

(5) 誤　当事者の訴訟能力の喪失（124Ⅰ③）により、訴訟手続は中断するが、当事者が訴訟中に保佐開始の審判（民11）を受けても訴訟手続は中断しない。なぜなら、訴訟中に保佐開始の審判を受けた当事者は、その審級に関する限り、保佐人の同意を得ることなく訴訟行為をすることができるからである（32Ⅱ参照）。

2a－1（元－1）　当事者及び法定代

民事訴訟における当事者能力又は訴訟能力に関する次の記述のうち
れか。(改)

(1) 訴訟能力のない者がした訴訟行為は、無効であり、追認に
ることができない。

(2) 法人格のない社団は、その名において原告となり、又は被告
できない。

(3) 成年後見人がいない成年被後見人に対しては、成年後見人が選
では、訴えを提起することができない。

(4) 当事者である未成年者が成年に達した場合、その親権者であった者
理権の消滅が相手方に通知されるまでは、法定代理権消滅の効果は生

(5) 当事者が訴訟中に保佐開始の審判を受けた場合には、訴訟手続は中

学習記録	／	／	／	／	／	／	／	／	／

2a－2(59－8)　当事者及び法定代理人

法人の代表者と訴訟に関する次の記述のうち、正しいものはどれか。

(1)　法人の代表者と四親等内の血族関係にある裁判官は、その法人を当事者とする訴訟について除斥される。

(2)　法人の代表者に対する送達は、その法人の営業所又は事務所においてしなければならない。

(3)　代表者を欠く法人に対して訴えを提起しようとする者の請求により特別代理人を選任したときは、裁判所は、当事者の申立てがなければ、これを解任することができない。

(4)　法人の代表者のうち、現に訴訟において法人を代表しない者を尋問するためには、当事者の尋問によることなく、証人尋問の方法によるべきである。

(5)　被告である法人の代表者の代表権限の欠缺を看過したまま原告の請求を認容した第１審判決について被告が控訴した場合には、控訴審では、原判決を取り消した上、訴えを却下すべきである。

学習記録	／	／	／	／	／	／	／	／	／

重要度　B	知識型		正解　(4)

法人の代表者とは、法人の代表機関として、その法人の名で、自己の意思に基づいて行為する者で、その効果が法人に帰属する関係にある者をいう。例えば、一般社団・財団法人の代表理事（一般法人77Ⅰ・197）、会社の代表取締役（会社349Ⅰ）等である。法人の代表者等は、法定代理人に準じて取り扱われる（37）。

(1) 誤　裁判官が当事者の四親等内の血族であることは、除斥事由に当たる（23Ⅰ②）。しかし、本肢訴訟における当事者は、あくまで法人であって、その代表者ではない。また、23条1項の他の各号の適用もない。したがって、当該裁判官は除斥されない。

(2) 誤　法人はその代表者によってのみ訴訟を追行することができる。この点で、法人と代表者との関係は、本人と法定代理人との関係に類似することから、法人の代表者については、法定代理及び法定代理人に関する規定が準用されている（37）。したがって、法人への送達は、代表者個人の住所に対してするのが原則であるが（37・102Ⅰ・103Ⅰ本文）、当該法人の営業所又は事務所においてすることも可能である（37・103Ⅰ但書）。

(3) 誤　裁判所は、当事者の申立てがなくても、いつでも特別代理人を改任すること、すなわち従来の特別代理人を解任して、新たに特別代理人を選任することができる（37・35Ⅱ）。特別代理人の選任・解任手続において、当事者が関与するのは選任の申立てに限られる（37・35Ⅰ）。

(4) 正　法人の代表者が数名存在する場合には、その訴訟において当事者を代表する代表者だけが法定代理人に準じて扱われ、この者だけが当事者尋問の方法によって尋問される（37・211本文）。他の代表者は、証人尋問の方法による（最判昭27.2.22）。

(5) 誤　控訴審は、被告である法人の代表者の代表権限の欠缺を看過したまま原告の請求を認容した第一審判決を取り消すに当たり、直ちに訴えを却下することは許されず、補正のため事件を第一審に差し戻さなければならない（最判昭45.12.15）。

2a−3(10−2)　当事者及び法定代理人

訴訟能力に関する次の記述のうち、誤っているものはどれか。(改)

(1) 民法上の行為能力者は、訴訟能力者である。

(2) 未成年者は、親権者の同意を得た場合であっても、自ら訴訟行為をすることはできない。

(3) 被保佐人は、保佐人の同意を得なくても、相手方が提起した訴えについて応訴することができる。

(4) 外国人は、その本国法によれば訴訟能力を有しない場合であっても、日本の法律によれば訴訟能力を有すべきときは、訴訟能力者とみなされる。

(5) 成年後見人は、成年被後見人がした訴訟行為を取り消すことができる。

学習記録	／	／	／	／	／	／	／	／	／

重要度 B	知識型		正解 (5)

訴訟能力とは、その者の名において訴訟行為を行い、又は訴訟行為の相手方となり得る能力をいう。

(1) 正　訴訟能力の有無は、訴訟手続の安定性の要請による一定の例外を除き、民法の行為能力を基準として決定される（28前段）。したがって、民法上の行為能力者は、訴訟能力者となる。

(2) 正　未成年者は訴訟無能力者であり、独立して法律行為をすることができる場合（31但書）を除き、法定代理人によらなければ、訴訟行為をすることができない（31本文）。民法上は、未成年者はあらかじめ法定代理人の同意を得て、自ら有効に法律行為をすることができる（民５Ⅰ本文）が、訴訟行為は複雑で見通しのつかないことが多いことから、自ら訴訟行為をすることは認められていない。

(3) 正　被保佐人には、完全な訴訟能力が認められず、訴訟行為をするには原則として保佐人の同意が必要となる（28後段、民13Ⅰ④）。しかし、被保佐人が相手方の提起した訴えについて応訴をする場合には、相手方の訴権を保護する趣旨から、保佐人の同意を要しないものとされている（32Ⅰ）。

(4) 正　外国人は、その本国法によれば訴訟能力を有しない場合であっても、日本の法律によれば訴訟能力を有すべきときは、訴訟能力者とみなされる（33）。これは、本国法で訴訟無能力とされる外国人が、日本では訴訟能力を有する場合にまで、訴訟無能力者として日本人以上に保護する必要はないからである。

(5) 誤　成年被後見人は、法定代理人である成年後見人によらなければ、訴訟行為をすることができず（31本文）、成年被後見人自身で行った訴訟行為は、当然に無効である。民法上の制限行為能力者の行為のように取り消されるまでは有効とすると（民５Ⅱ・９本文・13Ⅳ・17Ⅳ）、その後に取り消された場合に、その行為を前提として進行している手続が覆滅することになり、手続の安定を害するからである。

2a－4(22－1)　当事者及び法定代理人

民事訴訟における訴訟能力に関する次の(ア)から(オ)までの記述のうち、誤っているものの組合せは、後記(1)から(5)までのうちどれか。

(ア)　補助参加人が有効に訴訟行為をするためには、訴訟能力が必要である。

(イ)　未成年者は、訴訟行為につき法定代理人の個別の同意を得れば、自ら訴訟行為をすることができる。

(ウ)　被保佐人が、自ら訴えを提起して訴訟行為をするには、保佐人の同意を要するが、相手方が提起した訴えについて訴訟行為をするには、保佐人の同意を要しない。

(エ)　当事者が訴訟能力を有するかどうかについては、相手方が争わない場合でも、裁判所は、職権で調査しなければならない。

(オ)　訴訟能力を欠く者のした訴訟行為は、無効であり、これを追認して有効とすることはできない。

(1)　(ア)(イ)　　(2)　(ア)(ウ)　　(3)　(イ)(オ)　　(4)　(ウ)(エ)　　(5)　(エ)(オ)

学習記録	／	／	／	／	／	／	／	／	／

重要度 B	知識型		正解 (3)

(ア) 正　訴訟能力は、その者の名において訴訟行為をし、又は訴訟行為の相手方足りうる能力を意味する。したがって、当事者のほかに、補助参加人が訴訟行為をするにも訴訟能力が要求される。

(イ) 誤　未成年者及び成年被後見人は、法定代理人によらなければ、訴訟行為をすることができない（31本文）。民法では、未成年者が法定代理人の同意を要件として自ら法律行為をすることが認められているが（民５Ⅰ本文）、訴訟行為については、このような例外は認められない。なぜなら、訴訟行為は複雑であるため、個別的に同意に基づく訴訟能力を認めることは、手続を不安定にするからである。なお、民法６条１項又は会社法584条に基づいて営業などの許可を与えられた未成年者は、営業などに関して包括的に行為能力を取得し、当該法律関係に関する訴訟において訴訟能力が認められる（31但書）。

(ウ) 正　民法上行為能力を制限される者のうち、被保佐人及び、特定の法律行為をするにはその補助人の同意を要する旨の審判を受けた被補助人が、訴訟行為をするには、保佐人又は補助人の同意若しくはこれに代わる家庭裁判所の許可が必要である（民13Ⅰ④・Ⅲ・17Ⅰ・Ⅲ）。ただし、被保佐人及び特定の法律行為をするにはその補助人の同意を要する旨の審判を受けた被補助人が、相手方が提起した訴え又は上訴について訴訟行為をする場合には、保佐人又は補助人の同意を要しない（32Ⅰ）。これは、相手方の訴権や上訴権を保護するためである。

(エ) 正　当事者の訴訟能力は個々の訴訟行為の有効要件であり、訴え提起という訴訟成立過程に訴訟能力の欠缺がある場合には訴えは不適法となることから、この限りでは訴訟能力の存在は訴訟要件であるといえる。この訴訟要件については、当事者の主張の有無とはかかわりなく、裁判所の職権に基づいてその存否の判断を行う（職権調査事項）。なお、訴訟要件のうち、裁判権、専属管轄、当事者能力、訴訟能力、代理権など、一定の公益性の強い訴訟要件については、判断のための資料も職権によって収集する（職権探知主義）。

(オ) 誤　訴訟能力を欠く者のした訴訟行為、又は訴訟能力を欠く者を相手方とする訴訟行為は無効であるが、法定代理人や、能力を取得又は回復した当事者が追認すれば、行為の時にさかのぼって有効なものとなる（34Ⅱ）。

以上から、誤っているものは(イ)(オ)であり、正解は(3)となる。

2a−5(28−2)　当事者及び法定代理人

当事者適格に関する次の(ア)から(オ)までの記述のうち、判例の趣旨に照らし正しいものの組合せは、後記(1)から(5)までのうち、どれか。

(ア)　共同相続人のうち自己の相続分の全部を他の共同相続人に対し譲渡した者は、遺産確認の訴えの当事者適格を有しない。

(イ)　共同相続人のうちの一人が、遺言執行者の定めがある遺言の無効を主張して、相続財産につき共有持分権を有することの確認を求める訴えを提起するときは、他の共同相続人全員が被告適格を有し、遺言執行者は被告適格を有しない。

(ウ)　権利能力のない社団Ｘの構成員全員に総有的に帰属する不動産につき、当該不動産の所有権の登記名義人が第三者である場合には、Ｘは、その代表者Ｙの個人名義への所有権移転登記手続請求訴訟の原告適格を有さず、Ｙのみが当該訴訟の原告適格を有する。

(エ)　現在の給付の訴えについて、その訴えを提起する者の主張自体から、給付義務者であると主張されている者が給付義務者になり得ないことが明らかであるときは、当該訴えは、被告適格を欠くものとして却下される。

(オ)　甲土地の所有者Ｘが甲土地に隣接する乙土地の所有者Ｙに対し提起した甲土地と乙土地の筆界についての筆界確定の訴えにおいては、Ｙが甲土地の一部分であって甲土地のうち当該筆界の全部に接続している部分を時効取得したとしても、Ｘは当事者適格を失わない。

(1)　(ア)(ウ)　　(2)　(ア)(オ)　　(3)　(イ)(ウ)　　(4)　(イ)(エ)　　(5)　(エ)(オ)

学習記録	／	／	／	／	／	／	／	／	／

重要度　B	知識型			正解　(2)

(ア)　正　　共同相続人のうち自己の相続分の全部を他の共同相続人に譲渡した者は、遺産確認の訴えの当事者適格を有しない（最判平26.2.14）。なぜなら、当該譲渡した者は、積極財産と消極財産を包括した遺産全体に対する割合的な持分を全て失っており、遺産分割の前提問題である特定財産の遺産帰属性を確定する必要がないからである。

(イ)　誤　　共同相続人のうちの一人が、遺言執行者の定めがある遺言の無効を主張して、相続財産につき共有持分権を有することの確認を求める訴えを提起した事案につき、判例は、共同相続人は、遺言執行者を被告とすることができるとした（最判昭31.9.18）。なぜなら、遺言執行者がある場合には、遺言執行者のみが遺言の執行に必要な一切の行為をする権利義務を有する（民1012Ⅰ）ため、遺言執行者はその資格において訴訟の当事者となるからである。

(ウ)　誤　　権利能力のない社団は、構成員全員に総有的に帰属する不動産について、その所有権の登記名義人に対し、当該社団の代表者の個人名義に所有権移転登記手続をすることを求める訴訟の原告適格を有する（最判平26.2.27）。なぜなら、当該不動産は、実質的には当該社団が有しているとみるのが実態に即しており、当該社団が当事者として当該訴訟を追行し、本案判決を受けることを認めるのが簡明であるからである。したがって、Xは、その代表者Yの個人名義への所有権移転登記手続請求訴訟の原告適格を有する。

(エ)　誤　　給付の訴えにおいては、給付義務者であると原告の主張している者に被告適格がある（最判昭61.7.10）。これは、原告自らが給付の訴えという訴訟形態をとり、被告に対し給付請求権を主張する形をとったことにより、被告適格の有無の判断は独立に行われず、被告とされた者に対する原告の給付請求権が存在するかどうかは、本案の判断に吸収されるからである。したがって、給付の訴えを提起する者の主張自体から、給付義務者であると主張されている者が給付義務者になり得ないことが明らかであるときであっても、当該訴えは、却下されない。

(オ)　正　　甲土地と乙土地が隣接する場合において、乙土地の所有者が甲土地のうち境界の全部に接続する部分を時効取得したとしても、甲乙両土地の各所有者は、境界確定の訴えの当事者適格を失わない（最判平7.3.7）。なぜなら、甲土地のうち境界の全部に接続する部分を乙土地の所有者が時効取得した場合においても、甲乙両土地の各所有者は、境界に争いのある隣接土地の所有者同士という関係にあることに変わりはないからである。

以上から、正しいものは(ア)(オ)であり、正解は(2)となる。

2a－6(29－1)　当事者及び法定代理人

民事訴訟における訴訟能力に関する次の(ア)から(オ)までの記述のうち、正しいものの組合せは、後記(1)から(5)までのうち、どれか。

(ア)　未成年者は、その親権者の同意があるときは、自ら訴訟行為をすることができる。

(イ)　被告が未成年者である場合であっても、被告本人に対する当事者尋問をすることができる。

(ウ)　被告が成年被後見人である場合であっても、被告本人に対してされた訴状の送達は有効である。

(エ)　訴訟係属中に原告が成年被後見人になった場合には、その原告について訴訟代理人があるときを除き、訴訟手続が中断する。

(オ)　成年被後見人が自らした訴訟行為は、その成年後見人が追認した場合であっても有効とはならない。

(1)　(ア)(ウ)　　(2)　(ア)(エ)　　(3)　(イ)(エ)　　(4)　(イ)(オ)　　(5)　(ウ)(オ)

学習記録	／	／	／	／	／	／	／	／	／

重要度 B	知識型	

正解 (3)

(ア) 誤　未成年者及び成年被後見人は、法定代理人によらなければ、訴訟行為をすることができない（31本文）。なぜなら、訴訟行為は複雑であるため、個別的に同意に基づく訴訟行為を認めることは、手続を不安定にするためである。したがって、未成年者は親権者の同意を得ても、自ら訴訟行為をすることができない。なお、未成年者が独立して法律行為をすることができる場合（民６Ｉ参照）には、当該未成年者は自ら単独で訴訟行為をすることができる（31但書）。

(イ) 正　当事者尋問を受けるのは、当事者本人及びこれに代わって訴訟追行にあたっている法定代理人であるが、訴訟無能力者である当事者に対しても、法定代理人に代わり、若しくはこれと並んで当事者尋問をすることができる（211但書）。したがって、被告が訴訟能力を有しない未成年者であっても、被告本人に対する当事者尋問をすることができる。

(ウ) 誤　訴訟無能力者に対する送達は、その法定代理人にする（102Ｉ）。なぜなら、送達の受領も訴訟行為の一種であることから、当事者本人が訴訟無能力者の場合には、この者に宛てて送達することはできないからである（31本文参照）。したがって、成年被後見人に対してされた訴状の送達は、効力を生じない。

(エ) 正　当事者が成年被後見人になった場合には、訴訟能力が失われることになる。そして、当事者が訴訟能力（28）を喪失した場合、当事者は自ら単独で有効な訴訟行為をすることができないこととなることから、本人保護のため、新たな訴訟追行者が訴訟に関与することができるようになるまで訴訟手続は中断する（124Ｉ③）。なお、訴訟代理人がいる場合には、訴訟手続は中断しない（124Ⅱ）。

(オ) 誤　訴訟能力、法定代理権又は訴訟行為をするのに必要な授権を欠く者がした訴訟行為は、これらを有するに至った当事者又はその者の法定代理人の追認により、行為の時にさかのぼってその効力を生ずる（34Ⅱ）。なぜなら、訴訟能力を欠く者の訴訟行為を直ちに不適法とすることは、訴訟経済に反するからである。したがって、成年被後見人が自らした訴訟行為であっても、成年後見人は追認することができる。

以上から、正しいものは(イ)(エ)であり、正解は(3)となる。

2a－7(R3－1)　当事者及び法定代理人

民事訴訟における訴訟能力又は法定代理に関する次の(ア)から(オ)までの記述のうち、誤っているものの組合せは、後記(1)から(5)までのうち、どれか。

(ア)　訴訟能力を欠く者による訴えの提起であることが判明したときは、裁判長は、その補正を命ずることなく、命令で、訴状を却下することができる。

(イ)　外国人は、その本国法によれば訴訟能力を有しない場合であっても、日本の法律によれば訴訟能力を有すべきときは、訴訟能力者とみなされる。

(ウ)　被告が訴訟係属中に保佐開始の審判を受けた場合において、訴訟上の和解をするときは、保佐人の特別の授権を要する。

(エ)　訴訟能力を欠く当事者がした訴訟行為は、これを有するに至った当該当事者の追認により、行為の時に遡ってその効力を生ずる。

(オ)　当事者である未成年者が成年に達した場合には、その親権者の法定代理権の消滅は、本人又は代理人から相手方に通知しなくても、訴訟上その効力を生ずる。

(1)　(ア)(エ)　　(2)　(ア)(オ)　　(3)　(イ)(ウ)　　(4)　(イ)(オ)　　(5)　(ウ)(エ)

学習記録	／	／	／	／	／	／	／	／	／

重要度　B	知識型		正解　(2)

(ア)　誤　　訴訟能力、法定代理権又は訴訟行為をするのに必要な授権を欠くときは、裁判所は、期間を定めて、その補正を命じなければならない（34Ⅰ前段）。なお、訴訟要件を欠いており、欠缺が補正されない限り、裁判所は、判決で、訴えを却下しなければならない。

(イ)　正　　外国人は、その本国法によれば訴訟能力を有しない場合であっても、日本法によれば訴訟能力を有すべきときは、訴訟能力者とみなす（33）。なぜなら、外国人が本国法で訴訟無能力者とされたときは、日本においても訴訟無能力者とされるのが原則であるが（法の適用に関する通則4Ⅰ参照）、日本法において訴訟能力を有すべき場合にまで、訴訟無能力者として日本人以上に保護する必要はないからである。

(ウ)　正　　被保佐人、被補助人（訴訟行為をすることにつきその補助人の同意を得ることを要するものに限る。）又は後見人その他の法定代理人が、訴えの取下げ、和解、請求の放棄若しくは認諾又は訴訟脱退をするには、特別の授権がなければならない（32Ⅱ①・Ⅰ・48・50Ⅲ・51）。この点、当事者が訴訟係属中に保佐開始の審判を受けても、その審級に限っては、被保佐人は保佐人の同意なく訴訟行為をすることができるが、32条2項の行為については特別の授権を必要とする。

(エ)　正　　訴訟能力、法定代理権又は訴訟行為をするのに必要な授権を欠く者がした訴訟行為は、これらを有するに至った当事者又は法定代理人の追認により、行為の時にさかのぼってその効力を生ずる（34Ⅱ）。なぜなら、追認によって過去の手続を有効に活かすことは、相手方の期待に反せず、かえって訴訟経済に合致するからである。

(オ)　誤　　法定代理権の消滅は、本人又は代理人から相手方に通知しなければ、その効力を生じない（36Ⅰ）。これは、裁判所及び相手方は容易には代理権の消滅を知ることができないため、訴訟法上の代理権の消滅は、相手方に通知してはじめてその効力が発生することとして、訴訟手続の安定を図るものである。

以上から、誤っているものは(ア)(オ)であり、正解は(2)となる。

2b−1(62−5)　訴訟代理人及び補佐人

次の事項のうち、訴訟代理人が特別の委任を受けなくてもすることができるものはどれか。

⑴　訴訟上の和解をすること

⑵　控訴を提起すること

⑶　反訴を提起すること

⑷　執行文の付与の申立てをすること

⑸　復代理人を選任すること

学習記録	／	／	／	／	／	／	／	／	／

重要度 A	知識型			正解 (4)

(1) できない　訴訟代理人は勝訴判決を得ることを目的として選任されているのが通常であるから、裁判によらず、互譲により紛争に決着をつけることは選任者本人の思惑に必ずしも沿うものとは限らない。そこで、訴訟代理人が訴訟上の和解をするには、特別の委任が必要となる（55Ⅱ②）。

(2) できない　訴訟代理権は審級ごとに別個に与え得る（審級代理の原則）から、訴訟代理人が控訴を提起するには、特別の委任を要する（55Ⅱ③）。当事者本人に、上訴をするかどうか、同一の訴訟代理人に引き続き訴訟追行を委ねるかどうかを、改めて考え直す機会を与えるべきだからである。

(3) できない　訴訟代理人が反訴の提起をするには、特別の委任を要する（55Ⅱ①）。反訴の提起は、新たに独立の訴訟を提起するものであって、受任事件から派生する従たる手続に関するものではないため、改めて本人の意思を確認すべきだからである。

(4) できる　執行文付与の申立て（民執26Ⅰ）は、強制執行に関する訴訟行為であるから、訴訟代理人は特別の授権を受けていなくてもすることができる（55Ⅰ）。執行文付与の申立て等の強制執行に関する訴訟行為は、紛争解決の締めくくりの権利実現行為として、訴訟委任の目的の範囲内に含まれているからである。

(5) できない　訴訟委任は個人的信頼に基づいてされるものであるが、復代理人の選任は、当事者の信頼した代理人以外の者に訴訟行為という重要な行為を追行させることになるから、特別の委任が必要となる（55Ⅱ⑤）。

〈代理権の範囲（特別委任事項）〉

○＝特別委任必要　×＝不要

応訴行為	①相手方の提起した反訴に応訴すること（55Ⅰ）	×
	②訴訟に参加した第三者の相手方又は共同訴訟人として応訴的行為をすること（55Ⅰ）	×
手続開始行為	③反訴の提起（55Ⅱ①）	○
	④控訴・上告の提起（55Ⅱ③）	○
訴訟終了的行為	⑤訴え・控訴・上告の取下げ（55Ⅱ②・③）	○
	⑥訴訟上の和解、請求の放棄・認諾（55Ⅱ②）	○
	⑦48条、50条３項又は51条による訴訟脱退（55Ⅱ②）	○
	⑧手形・小切手訴訟の判決に対する異議の取下げ・取下げの同意（55Ⅱ④）	○
実体権の行使	⑨弁済の受領（55Ⅰ）	×
	⑩取消し・解除・相殺・建物買取請求 （解除につき最判昭36.4.7、相殺につき最判昭35.12.23）	×
その他	⑪強制執行・仮処分・仮差押えに関する行為（55Ⅰ）	×
	⑫復代理人の選任（55Ⅱ⑤）	○

MEMO

2b－2(63－6)　訴訟代理人及び補佐人

訴訟代理に関する次の記述のうち、誤っているものはどれか。

(1)　訴訟代理人の権限を証する書面が私文書であるときは、裁判所は、訴訟代理人に対し、公証人の認証を受けるべき旨を命ずることができる。

(2)　訴訟代理人がした自白は、当事者が直ちにこれを取り消したときは、自白としての効力を生じない。

(3)　弁護士でない訴訟代理人に事件を委任した当事者は、その事件についての強制執行に関する権限を制限することができる。

(4)　数人の訴訟代理人があるときは、各自当事者を代理することができ、当事者がこれと異なる定めをしても、その定めは効力を生じない。

(5)　訴訟代理権は、当事者の死亡により消滅する。

学習記録	／	／	／	／	／	／	／	／	／

重要度 A	知識型		正解 (5)

訴訟上の代理については、訴訟手続の円滑・安定を期するため、民法上の代理よりも、代理権の存在の画一性、明確性が要求される。そのため幾つかの特則が民事訴訟法上設けられている。

(1) 正　訴訟代理人の権限は書面で証明しなければならず（民訴規23 I）、その書面が私文書であるときは、裁判所は、公証人その他の認証の権限を有する公務員の認証を受けるべきことを命ずることができる（民訴規23 II）。訴訟進行中に代理権の存否に関する争いが生ずるのを防止し、訴訟手続の安定と迅速・円滑な進行を図る趣旨である。

(2) 正　訴訟代理人の事実に関する陳述は、当事者が直ちに取り消し、又は更正したときは、その効力を生じない（57）。具体的な事実関係については代理人よりも当事者の方が詳しいはずであるという考慮から、法は、訴訟代理人の事実に関する陳述については、代理人とともに出廷した当事者に更正権を認めているのである。自白も事実に関する陳述であるから、当事者が直ちにこれを取り消したときは、自白としての効力を生じない。

(3) 正　訴訟代理人は、紛争解決の締めくくりである権利実現としての強制執行に関する権限も有している（55 I）。そして、その訴訟代理権は制限することができない（55 III本文）が、弁護士でない訴訟代理人については、信頼性の度合いを考慮して訴訟代理権に制限を加えることができる（55 III但書）。

(4) 正　訴訟代理人が数人あるときは、訴訟の迅速・円滑な進行を図る趣旨から、各自当事者を代理する（56 I）。そして当事者がこれと異なる定めをしても、その定めは効力を生じない（56 II）。

(5) 誤　訴訟手続の迅速な進行を図る必要があること、委任事務の目的・範囲が明確であること、及び受任者が通常は弁護士であり信頼できることなどから、当事者の死亡によっては訴訟代理権は消滅しない（58 I ①）。

2b−3(4−3)　訴訟代理人及び補佐人

訴訟代理人に関する次の記述のうち、誤っているものはどれか。

(1)　当事者が死亡した場合でも、訴訟代理人があるときは訴訟手続は中断しない。

(2)　訴訟代理人の権限は書面で証明することを要する。

(3)　訴訟代理人が控訴をするには、これについて特別の授権を受けることを要しない。

(4)　委任による訴訟代理人が複数いる場合には、その中の一人に訴訟行為をすれば本人に対して訴訟行為をしたことになる。

(5)　訴訟代理人の事実上の陳述は、当事者が直ちにこれを取り消し又は更正したときは、その効力を生じない。

学習記録	／	／	／	／	／	／	／	／	／

重要度 A	知識型		正解 (3)

(1) 正　当事者の死亡は訴訟の中断事由に当たる（124 I ①）。しかし、その当事者が訴訟代理人を選任している場合には、当事者が死亡しても、訴訟代理人の代理権は消滅せず（58 I ①）、訴訟追行に支障がないから、訴訟手続は中断しない（124 II）。

(2) 正　訴訟代理人の権限は書面で証明しなければならない（民訴規23 I）。訴訟進行中に代理権の存否に関する争いが生ずるのを防止し、訴訟手続の安定と迅速・円滑な進行を図る趣旨である。

(3) 誤　訴訟代理権は審級ごとに別個に与え得る（審級代理の原則）から、訴訟代理人が控訴をするには、特別の委任を要する（55 II ③）。当事者本人に、上訴をするかどうか、同一の訴訟代理人に引き続き訴訟追行を委ねるかどうかを、改めて考え直す機会を与えるべきだからである。

(4) 正　訴訟代理人が数人あるときは、訴訟の迅速・円滑な進行を図る趣旨から、各自当事者を代理する（56 I）。したがって、裁判所又は相手方が、数人の訴訟代理人のうちの一人に対して訴訟行為をすれば、当事者本人に対して効力を生ずる。

(5) 正　訴訟代理人の事実に関する陳述は、当事者が直ちに取り消し、又は更正したときは、その効力を生じない（57）。具体的な事実関係については代理人よりも当事者の方が詳しいはずであるという考慮から、法は、訴訟代理人の事実に関する陳述については、代理人とともに出廷した当事者に更正権を認めた。

2b－4(6－1)　訴訟代理人及び補佐人

次の行為のうち、訴訟代理人が委任を受けた事件について特別の委任を受けなくてもすることができるものはどれか。

(1)　反訴の提起

(2)　和解

(3)　弁済の受領

(4)　復代理人の選任

(5)　控訴の取下げ

学習記録	／	／	／	／	／	／	／	／	／

重要度　A	知識型		正解　(3)

(1)　できない　　訴訟代理人が反訴の提起をするには、特別の委任を要する（55Ⅱ①）。反訴の提起は、新たに独立の訴訟を提起するものであって、受任事件から派生する従たる手続に関するものでないため、改めて本人の意思を確認すべきだからである。

(2)　できない　　訴訟代理人は勝訴判決を得ることを目的として選任されているのが通常であるから、裁判によらず、互譲により紛争に決着をつけることは選任者本人の思惑に必ずしも沿うものではない。そこで、訴訟代理人が和解をするには、特別の委任が必要となる（55Ⅱ②）。

(3)　できる　　訴訟代理人は、委任を受けた事件について、弁済を受領することができる（55Ⅰ）。したがって、弁済の受領をするには、特別の委任（55Ⅱ）を要しない。訴訟代理人は、攻撃防御方法を提出することとの関係で、実体法上の権利をも行使することができるからである。

(4)　できない　　訴訟委任は個人的信頼に基づいてされるものであるが、復代理人の選任は、当事者の信頼した代理人以外の者に訴訟行為という重要な行為を追行させることになるから、特別の委任が必要となる（55Ⅱ⑤）。

(5)　できない　　控訴の取下げがされると、控訴期間（285）の経過により、第一審判決が確定するという重大な効果を生ずる（292Ⅱ・262Ⅰ）。そこで、訴訟代理人が控訴を取り下げるには、特別の委任が必要となる（55Ⅱ③）。

2b－5(24－1)　訴訟代理人及び補佐人

訴訟代理権又は訴訟代理人に関する次の(ア)から(オ)までの記述のうち、正しいものの組合せは、後記(1)から(5)までのうちどれか。

(ア)　訴訟代理権を欠く者がした訴訟行為を当事者が追認したときは、当該訴訟行為は、その追認の時からその効力を生ずる。

(イ)　当事者がその訴訟代理人の事実に関する陳述を直ちに取り消したときは、当該陳述は、その効力を生じない。

(ウ)　当事者が数人の訴訟代理人を選任した場合において、訴訟代理人の全員が共同で代理権を行使すべき旨を定めたときは、一部の訴訟代理人が単独でした訴訟行為は、その効力を生じない。

(エ)　訴訟代理人は、委任を受けた事件について、相手方の提起した反訴に関する訴訟行為をするには、特別の委任を受けなければならない。

(オ)　当事者がその訴訟代理人を解任したときは、当事者又は訴訟代理人がその旨を相手方に通知しなければ、代理権の消滅は、その効果を生じない。

(1)　(ア)(ウ)　　(2)　(ア)(エ)　　(3)　(イ)(エ)　　(4)　(イ)(オ)　　(5)　(ウ)(オ)

学習記録	／	／	／	／	／	／	／	／	／

重要度　A	知識型		正解　(4)

(ア)　誤　　代理権の存在は個々の訴訟行為の有効要件であり、これを欠く場合には当該訴訟行為は無効となる。もっとも、当事者は追認によって、当該行為を行為の時にさかのぼって有効にできる（34Ⅱ・59）。

(イ)　正　　訴訟代理人が権限内で行った行為の効果は本人に帰属するが、訴訟代理人と本人がともに出廷して、訴訟代理人の事実に関する陳述を本人が直ちに取り消し、又は更正したときは、代理人の陳述はその効力を生じない（57）。具体的な事実関係は本人の方が訴訟代理人よりも詳しいということに基づくものである。

(ウ)　誤　　複数の訴訟代理人を選任した場合、各訴訟代理人は単独で当事者を代理する（56Ⅰ）。たとえ、本人と複数の訴訟代理人の間で、共同代理人として訴訟追行すべき旨を定めても、裁判所や相手方に対しては効力を生じない（56Ⅱ）。なお、数人の訴訟代理人のうち特定の者に対して、55条２項所定の特別授権を与えることは代理権の制限には当たらず、有効である。

(エ)　誤　　訴訟代理人が反訴の提起など55条２項各号に掲げる事項を行うには、特別の授権を受けなければならない。上記事項は重要な結果をもたらす訴訟行為であるから、本人意思の個別的確認の必要があるからである。これに対して、相手方の提起した反訴に対して応訴をすることは、特別の委任を受けなくてもすることができる（55Ⅰ）。

(オ)　正　　訴訟代理権の消滅については、手続の安定を図るため、本人又は訴訟代理人がその旨を相手方に通知しなければ、その効力を生じない（59･36Ⅰ）。

以上から、正しいものは(イ)(オ)であり、正解は(4)となる。

2b－6(R6－1)　訴訟代理人及び補佐人

訴訟委任に基づく訴訟代理人に関する次の(ア)から(オ)までの記述のうち、誤っているものの組合せは、後記(1)から(5)までのうち、どれか。

(ア)　簡易裁判所においては、その許可を得て、当事者の親族を訴訟代理人とすることができる。

(イ)　相手方の具体的な事実の主張について訴訟代理人がした認否は、当事者が直ちにこれを取り消したときは、その効力を生じない。

(ウ)　訴訟代理権は、委任をした当事者が死亡した場合には、消滅する。

(エ)　当事者が訴訟代理人を解任したときであっても、訴訟代理権の消滅は、本人又は代理人から相手方に通知をしなければ、その効力を生じない。

(オ)　訴訟代理人が委任を受けた事件について控訴をするには、特別の委任を要しない。

(1)　(ア)(ウ)　　(2)　(ア)(エ)　　(3)　(イ)(エ)　　(4)　(イ)(オ)　　(5)　(ウ)(オ)

学習記録	／	／	／	／	／	／	／	／	／

重要度　A	知識型		正解　(5)

(ア)　正　　簡易裁判所においては、その許可を得て、弁護士でない者を訴訟代理人とすることができる（54Ⅰ但書）。

(イ)　正　　訴訟代理人の事実に関する陳述は、当事者が直ちに取り消し、又は更正したときは、その効力を生じない（57）。

(ウ)　誤　　訴訟代理権は、当事者の死亡によっては、消滅しない（58Ⅰ①）。

(エ)　正　　訴訟代理人の代理権の消滅は、本人又は代理人から相手方に通知しなければ、その効力を生じない（59・36Ⅰ）。

(オ)　誤　　訴訟代理人は、委任を受けた事件について控訴をするには、特別の委任を受けなければならない（55Ⅱ③）。これは、控訴、上告等は、訴訟委任の趣旨に反するものとはいえないが、同一の訴訟代理人に引き続き訴訟追行を委ねるかどうかについて、改めて本人の意思決定の機会を付与することを目的とするものである。

以上から、誤っているものは(ウ)(オ)であり、正解は(5)となる。

2c−1(9−2)　その他

訴訟代理権と法定代理権に関する次の記述のうち、正しいものはどれか。

(1)　訴訟代理権の証明は書面でしなければならないが、法定代理権の証明は書面ですることを要しない。

(2)　送達は、訴訟代理人が数人ある場合でも、その一人にすれば足りるが、法定代理人が数人ある場合には、その全員にしなければならない。

(3)　訴訟代理権を欠く者がした訴訟行為は、訴訟能力を有する当事者の追認により、行為の時にさかのぼってその効力を生ずるが、法定代理権を欠く者がした訴訟行為は、訴訟能力を有する当事者の追認があっても、行為の時にさかのぼってその効力を生ずることはない。

(4)　法定代理権の消滅は、本人又は代理人から相手方に通知しなくても、その効力を生ずるが、訴訟代理権の消滅は、本人又は代理人から相手方に通知しなければ、訴訟上その効力を生じない。

(5)　当事者が死亡した場合、法定代理人があるときでも、訴訟手続は中断するが、訴訟代理人があるときは、訴訟手続は中断しない。

学習記録	／	／	／	／	／	／	／	／	／

重要度　C	知識型			正解　(5)

法定代理人が当事者の身代わり的存在であるのに対し、訴訟代理人は第三者的立場にある。しかし、両者とも代理人であることに違いはなく、共通点も多い。

(1) 誤　訴訟代理権については正しく、法定代理権については誤り。将来代理権をめぐる紛争が生ずることを防止する趣旨から、ともに代理権の証明は書面によることが要求されている（訴訟代理権につき民訴規23Ⅰ、法定代理権につき民訴規15前段）。

(2) 誤　訴訟代理権については正しく、法定代理権については誤り。訴訟代理人であると法定代理人であるとを問わず、訴訟上の代理人が数人ある場合には、送達は、そのうちの一人にすれば足りる（56Ⅰ）。訴訟を迅速・円滑に進行させるためである。

(3) 誤　訴訟代理権については正しく、法定代理権については誤り。代理権の存在は個々の訴訟行為の有効要件であるから、それを欠く場合には、訴訟行為は無効となる。しかし、追認によって過去の手続を有効に活かすことは相手方の期待にも反せず、かえって訴訟経済にも資する。そこで、法は、法定代理権を欠く者がした訴訟行為は、訴訟能力を有するに至った当事者又は法定代理人の追認により、行為の時にさかのぼってその効力を生ずる旨を規定した（34Ⅱ）。同規定は訴訟代理にも準用されている（59）。

(4) 誤　訴訟代理権については正しく、法定代理権については誤り。法定代理権の消滅事由が生じても、訴訟手続との関係では、当然には代理権消滅の効果を生じない。法は、訴訟能力を有する本人又は新旧いずれかの代理人が相手方に通知することによって初めて代理権消滅の効果を生ずるとして、訴訟手続の安定を図っている（36Ⅰ）。同規定は訴訟代理にも準用されている（59）。

(5) 正　当事者が死亡した場合、法定代理人があるときでも、訴訟手続は中断する（124Ⅰ①）。当事者の死亡に伴い、法定代理人の代理権も消滅する（28前段、民111Ⅰ①）ので、死亡した当事者の相続人のために訴訟を追行する者がいなくなるからである。一方、訴訟代理人があるときは、訴訟手続は中断しない（124Ⅱ）。当事者が死亡しても、訴訟代理人の代理権は消滅せず（58Ⅰ①）、訴訟代理人が、当事者の相続人のために訴訟を追行できるからである。

〈法定代理人と訴訟代理人との比較〉

○＝代理権の消滅事由に該当する　×＝該当しない

		法定代理人	訴訟代理人
本人の地位	訴訟能力	なし	あり（能力の補充が目的）
	更正権（57）	なし	あり
復代理人選任		自己の責任をもって選任できる（28、民105前段）	特別の委任が必要（55Ⅱ⑤）
代理権の消滅事由	本人の死亡	○（28、民111Ⅰ①）	×（58Ⅰ①）
	代理人の死亡	○（28、民111Ⅰ②）	○（28、民111Ⅰ②・653①）
	本人の後見開始の審判	×（28、民111Ⅰ①参照）	×（28、民111Ⅰ①・653③参照）
	代理人の後見開始の審判	○（28、民111Ⅰ②）	○（28、民111Ⅰ②・653③）
	本人の破産手続開始の決定	×（28、民111Ⅰ①参照）	○（28、民653②）
	代理人の破産手続開始の決定	○（28、民111Ⅰ②）	○（28、民111Ⅰ②・653②）
	辞任・解任	○（28、民844・846）	○（28、民651Ⅰ）
代理権消滅による中断		あり（124Ⅰ③）	なし（124Ⅱ）
その他	訴状・判決書の表示	必要的（134Ⅱ①・253Ⅰ⑤）（注1）	任意的（注2）
	証人適格・鑑定人適格	なし（211本文）	あり
	本人に対する裁判所・相手方の訴訟行為の効力	無効	有効

（注1）　裁判所は、住所等の全部又は一部を秘匿する旨の決定により、住所又は氏名に代わる事項を定めることができる（133Ⅰ）。この場合において、その事項を当該事件に関する手続において記載し、又は記録したときは、当該秘匿対象者の住所又は氏名を記載し、又は記録したものとみなされる（133Ⅴ）。

（注2）　訴状には、原告及びその代理人（法定代理人・訴訟代理人など）の郵便番号及び電話番号等を記載しなければならない（民訴規53Ⅳ）。

MEMO

3a－1(59－7)　訴えの種類

甲所有の土地とこれに隣接する乙及び丙の共有の土地との境界に争いがあったため、甲から境界確定訴訟が提起された場合に関する次の記述のうち、境界確定訴訟を形式的形成訴訟とする立場と相いれないものはどれか。

⑴　仮に本来の境界線が甲の主張するとおりであっても、乙及び丙は甲所有の土地の一部を時効取得したから、現在の境界線は乙及び丙が主張するとおりである旨の抗弁が乙から主張されたときでも、裁判所は、この主張の当否を判断するために証拠調べをする必要はない。

⑵　乙が訴訟の途中で死亡したために乙につき訴訟が中断したときには、丙に対する関係でも訴訟は中断する。

⑶　第１審裁判所が、甲の主張する境界線と乙及び丙の主張する境界線との中間線をもって境界線と定めた場合において、甲が控訴をしたときには、乙及び丙からの附帯控訴がなくても、控訴裁判所は、乙及び丙の主張する境界線どおりに境界線を定めるよう原判決を変更することができる。

⑷　境界確定訴訟においては、判決主文において、係争地相互の境界を示せば足り、その土地の所有者が誰であるかを示す必要はない。

⑸　裁判所は、訴えの提起前に甲と乙及び丙との間に係争部分の中間線をもって境界線とする旨の合意が成立していたことを認定した場合には、その中間線以外の線をもって境界線を定めることはできない。

学習記録	／	／	／	／	／	／	／	／	／

重要度 C	推論型		正解 (5)

境界確定訴訟を形式的形成訴訟とする設問の見解は判例の立場である(大連判大12.6.2等)。境界確定訴訟のほか、共有物分割訴訟(民258Ⅰ)や父を定める訴え(民773)などが形式的形成訴訟に当たる。これらの事件では当事者間の利害の対立が大きいため、審理は訴訟手続で行われるが、形成要件が法定されていないことから、形成の基準及び方法は裁判所の合目的的な裁量判断に委ねられているため、実質上は非訟事件にほかならない。そこで、境界確定訴訟は、通常の訴訟と比して次の点で手続上の特殊性を有する。

①訴えにおける申立て(請求の趣旨)としては、単に争いのある両地間の境界を定める判決を求めれば足り、たとえ当事者が一定の境界線を主張しても、裁判所はこの主張に拘束されない(246の不適用)。
②土地の境界についての合意が成立しても、土地の境界自体は行政区画の規準・課税単位としての公共的性格を有し、私人がこれを動かすことはできないので、合意の内容どおりの境界を確定することは許されない。また、相手方当事者の一定の境界線の主張に対する自白は裁判所を拘束しない(弁論主義の排除)。境界の確定に関する和解・請求認諾の余地もない(処分権主義の排除)。
③裁判所は判決に際して、証拠により境界を確定できないときでも、請求を棄却することは許されず、合目的的に妥当な境界線を定めなければならない。
④控訴審において不利益変更禁止の原則(304)は適用されない。

⑴ 相いれる　形式的形成訴訟である境界確定訴訟は、境界線の確定を目的とするものであって、当事者が主張する取得時効の抗弁の当否は、境界確定には無関係である。したがって、その主張の当否を判断するための証拠調べの必要もない(最判昭43.2.22)。

⑵ 相いれる　土地の共有者が隣地との境界確定を求める訴えは、共有者全員の手続保障を図るため、固有必要的共同訴訟とされるから(最判昭46.12.9)、共有者一人につき訴訟が中断したときは、共有者全員に対する関係でも訴訟は中断する(40Ⅲ)。したがって、丙に対する関係でも訴訟は中断する。

⑶ 相いれる　控訴審の判断は、控訴又は附帯控訴による不服申立ての範囲内に限られるのが原則である(304・不利益変更禁止の原則)。しかし、形式的形成訴訟たる境界確定訴訟においては、処分権主義に基礎を置く同原則の適用はなく、控訴審裁判所は自ら正当と判断する線を境界とするよう原判決を変更することができる(最判昭38.10.15)。

⑷ 相いれる　境界確定訴訟により境界線が確定されれば、その結果、両地所有者の所有権の範囲も事実上定まる結果となるが、この訴えは、直接には

所有権の帰属を確定することを目的とするものではなく、境界線は判決によって合理的に形成されるのであるから、判決主文において、係争地相互の境界を示せば足り、その土地の所有者が誰であるかを示す必要はない。

(5)　**相いれない**　　形式的形成訴訟たる境界確定訴訟においては、当事者間で境界について合意が成立しても、境界自体に変動はないから、裁判所は、判決によって当該合意と異なる境界線を定めることができる（最判昭42.12.26）。

MEMO

3a−2(12−1)　訴えの種類

給付の訴えに関する次の(ア)から(オ)までの記述のうち、正しいものは幾つあるか。

(ア)　給付の訴えにおいて主張される給付請求権には、金銭の支払や物の引渡しを目的とするものは含まれるが、作為又は不作為を目的とするものは含まれない。

(イ)　給付の訴えにおいて主張される給付請求権は、口頭弁論終結時に履行すべき状態になければならない。

(ウ)　給付の訴えを認容する判決においては、裁判所は、担保を立てて、又は立てないで仮執行をすることができることを宣言しなければならない。

(エ)　給付の訴えを認容する判決が確定すると、給付義務が存在するという判断に既判力が生ずる。

(オ)　給付の訴えを却下する判決が確定すると、給付義務が存在しないという判断に既判力が生ずる。

(1)　１個　　(2)　２個　　(3)　３個　　(4)　４個　　(5)　５個

学習記録	／	／	／	／	／	／	／	／	／

重要度 B	知識型		正解 (1)

(ア) 誤　給付の訴えにおいて主張される給付請求権としては、金銭の支払や物の引渡しを求めるものが典型例であるが、その他、建物収去請求や差止請求といった作為又は不作為を求めるものも含まれる。

(イ) 誤　給付の訴えにおいて主張される給付請求権は、あらかじめその請求をする必要がある場合には、口頭弁論終結時に履行すべき状態になくてもかまわない（135・将来の給付の訴え）。そのような請求権には訴えの利益が認められないのが通常であるが、①履行期が到来してもその履行が合理的に期待できない場合や、②給付の性質上、履行期の到来時において即時に給付がされないと債務の本旨に反するか（ex. 民542Ⅰ④・定期売買）又は原告が著しい損害を被る場合（ex. 扶養料請求）には、訴えの利益が認められる。

(ウ) 誤　財産上の給付の訴えを認容する判決について、仮執行をすることができることを宣言（仮執行宣言）するか否かは、原則として裁判所の裁量判断に委ねられているから（259Ⅰ、例外として259Ⅱ・310・376Ⅰ）、裁判所は、必ずしも仮執行をすることができることを宣言しなくてもよい。

(エ) 正　既判力とは、確定した終局判決の内容である判断の拘束力ないし通用性をいう。確定判決は、原則として主文に包含するものに限り、既判力を有する（114Ⅰ）。したがって、給付の訴えを認容する判決が確定すると、判決の主文には、被告に原告への給付を命ずる旨が記され、給付義務が存在するという判断に既判力が生ずる。

(オ) 誤　訴えを却下する判決は、訴訟の目的である権利義務の存否につき、裁判所は何ら判断を示していないので、給付の訴えを却下する判決が確定しても、給付義務が存在しないという判断には、既判力は生じない。訴え却下という訴訟判決の場合には、判決主文中で判断された訴訟要件などの欠缺につき既判力が生ずる（114Ⅰ）。

以上から、正しいものは(エ)の１個であり、正解は(1)となる。

3a−3(17−3)　訴えの種類

次の対話は、境界確定の訴えに関する学生Ａと学生Ｂとの対話である。語句群の中から適切な語句を選択して対話を完成させた場合、（①）から（④）までに入る語句の組合せとして正しいものは、後記(1)から(5)までのうちどれか。

学生Ａ：　境界確定の訴えは、（①）だといわれているけれど、（①）とはどのようなものかな。
学生Ｂ：　（①）とは、法律関係の変動を目的とする点で形成の訴えに属するといえるけれど、訴訟物たる形成原因又は形成権が存在しない点に特徴があるね。境界確定の訴えのほかには、（②）などがその例として挙げられているよ。
学生Ａ：　（①）の訴訟法上の特色として、（③）が適用されないんだよね。
学生Ｂ：　そうだね。境界確定の訴えの場合、原告は、訴状の中で自己の主張する境界の位置を明示する必要はないし、仮に明示したとしても、裁判所は、これに拘束されないね。
学生Ａ：　自白の拘束力もないといわれているから、その限度では、境界確定の訴えには（④）も適用されないということだね。

〔語句群〕
(ア)　実体法上の形成の訴え　　(イ)　訴訟法上の形成の訴え
(ウ)　形式的形成の訴え　　(エ)　父を定める訴え
(オ)　嫡出否認の訴え　　(カ)　弁論主義
(キ)　処分権主義

(1)　①　(ア)　②　(オ)　③　(カ)　④　(キ)
(2)　①　(ウ)　②　(エ)　③　(キ)　④　(カ)
(3)　①　(イ)　②　(エ)　③　(キ)　④　(カ)
(4)　①　(ア)　②　(オ)　③　(キ)　④　(カ)
(5)　①　(ウ)　②　(エ)　③　(カ)　④　(キ)

学習記録	／	／	／	／	／	／	／	／	／

重要度　B	知識型		正解　(2)

実体法上の形成の訴えとは、実体法上の権利関係の変動を目的とする訴えであり、離婚の訴え（民770、人訴２①）や、嫡出否認の訴え（民775、人訴２②）等がこれに当たる。

訴訟法上の形成の訴えとは、訴訟法上の効果の変動を目的とする訴えであり、再審の訴え（338）や、定期金賠償判決変更の訴え（117）等がこれに当たる。

形式的形成の訴えとは、法律関係の変動を目的とする点では形成の訴えに属するが、形成の基準となる具体的な要件が定められておらず、判決の具体的な内容は裁判所の裁量による訴えであり、境界確定の訴え（大連判大12.6.2）や、父を定める訴え（民773、人訴２②）等がこれに当たる。したがって、①の空欄には、(ウ)形式的形成の訴え、②の空欄には、(エ)父を定める訴えが入る。

次に、境界確定の訴えは、訴状の中で自己の主張する境界の位置を明示する必要はなく、明示した場合であっても、裁判所はこれに拘束されず、原告の示した境界を越えて、裁判所が境界を定めることができることから、処分権主義（246）の適用はない。また、当事者が自白をしても、裁判所はその自白に拘束されることはなく、その自白の限度において、弁論主義も適用されない。したがって、③の空欄には、(キ)処分権主義、④の空欄には、(カ)弁論主義が入る。

以上から、正しい組合せは、①(ウ)、②(エ)、③(キ)、④(カ)であり、正解は(2)となる。

3b－1(62－2)　訴え提起の方式

請求の趣旨及び原因として「原告は被告に対し金100万円の支払請求権を有している。よって、その支払を求める」との記載がされた訴状が裁判所に提出された場合において、裁判所又は裁判長がするべき裁判として適切なものは、次のうちどれか。

(1)　裁判所は、証拠調べを経て請求の当否について裁判をする。

(2)　裁判所は、直ちに訴えを却下する旨の判決をする。

(3)　裁判長は、原告に補正すべき旨の命令をする。

(4)　裁判長は、直ちに訴状を却下する旨の命令をする。

(5)　裁判長は、被告の意見を聴いた後、訴えを却下する旨の決定をする。

学習記録	／	／	／	／	／	／	／	／	／

重要度　B	知識型	

正解　(3)

当事者（原告）は、裁判所による法的判断になじむような形式で、訴訟物である審判対象を明示しなければならない。給付訴訟では、同一当事者間で同じ内容の給付を求める請求が幾つも成立する可能性があるので、請求の趣旨の記載だけで請求が特定されているとは限らず、請求の原因の記載によって、その給付請求権の発生原因である事実を明らかにして、請求を特定しなければならない。

本問の「原告は被告に対し金100万円の支払請求権を有している。よって、その支払を求める」との記載だけでは、当事者間に種々の取引が行われているときには、どのような原因に基づく金100万円の支払請求権か不明確である。

そこで、裁判長は、相当の期間を定め、その期間内に不備を補正すべきこと（請求の原因の記載の補正）を命じなければならない（137Ⅰ前段）。そして、原告が不備を補正しないときは、裁判長は、命令で、訴状を却下しなければならない（137Ⅱ）。

以上から、正解は(3)となる。

3b－2(2－4)　訴え提起の方式

訴えの提起に関する次の記述のうち、正しいものはどれか。（改）

(1)　訴えによる時効の完成猶予の効力は、被告に訴状が送達された時に生じる。

(2)　訴えの提起は、訴状を裁判所に提出して行わなければならない。

(3)　訴えの提起があった場合には、裁判所は口頭弁論期日を指定し、呼出状を当事者に送達して呼び出さなければならない。

(4)　訴訟要件を欠き、その欠缺を補正することができない訴えについては、裁判所は口頭弁論を経なければ、判決をもってこれを却下することができない。

(5)　訴状に貼る印紙に不足がある場合においては、裁判長はこの補正を命じ、これに従わないときは訴状を却下しなければならない。

学習記録	／	／	／	／	／	／	／	／	／

重要度　B	知識型		正解　(5)

(1) 誤　　訴えによる時効の完成猶予の効力は、訴えを提起した時に生ずる(147)。訴えを提起した時とするのは、個々の場合の訴訟進行の遅速によって訴訟中に時効が完成してしまうことを防ぐためである。

(2) 誤　　訴えの提起は、訴状を裁判所に提出してするのが原則である(134 I)。しかし、簡易裁判所においては手続が簡略化されており、口頭による起訴が認められている（271）。また、当事者双方は、任意に裁判所に出頭し、訴訟について口頭弁論をすることができ（273前段）、この場合においては、訴えの提起は、口頭の陳述によってする（273後段）。簡易裁判所で取り扱う事件が一般的に少額軽微であるため、手続の慎重さよりも手続の迅速性を図るべきだからである。

(3) 誤　　期日の呼出しは、呼出状の送達、当該事件について出頭した者に対する期日の告知その他相当と認める方法によってする（94 I）。期日の呼出しの目的は、訴訟関係者の出席を確保することにあるから、確実に目的が達せられる見込みがあるときにまで、送達というコストのかかる方法による必要はないからである。

(4) 誤　　判決は口頭弁論に基づいて行うのが原則である（87 I 本文・必要的口頭弁論の原則）。しかし、訴えが不適法でその不備を補正することができないときは、裁判所は、口頭弁論を経ないで、判決で、訴えを却下することができる（140）。訴訟要件の欠缺を補正することができないときは、口頭弁論を開いても無意味だからである。

(5) 正　　訴えを提起するときは、訴額に応じた手数料額に相当する収入印紙を訴状に貼付しなければならず、この印紙の貼付の有無も裁判長の訴状審査の対象となる。印紙の貼付に不備があるときは、裁判長は、原告に対し相当の期間を定めて補正を命じ（137 I）、その期間内に補正がされないときは、命令で訴状を却下する（137 II）。補正の余地があるにもかかわらず、直ちに訴状の却下を命じ、改めて原告に訴状を提出させることは訴訟経済上得策ではないことから、法は、裁判長に、補正命令を発する権能を認めた。

3b－3(27－3)　訴え提起の方式

訴えの提起に関する次の(ア)から(オ)までの記述のうち、判例の趣旨に照らし正しいものの組合せは、後記(1)から(5)までのうち、どれか。

(ア)　訴状審査により訴状に請求の原因が記載されていないことが判明した場合、裁判長は、直ちに当該訴状を却下しなければならない。

(イ)　法律関係を証する書面の成立の真否を確定するための確認の訴えは、不適法である。

(ウ)　簡易裁判所においては、訴えは、口頭で提起することができる。

(エ)　遺言者の生前における遺言の無効確認の訴えは、現在の法律関係の確認を求めるものとして適法である。

(オ)　原告が貸金返還請求の訴えを地方裁判所に提起した場合、当該訴えに係る貸金返還請求権についての時効の完成猶予の効力は、その訴状を当該地方裁判所に提出した時に生ずる。

(1)　(ア)(エ)　　(2)　(ア)(オ)　　(3)　(イ)(ウ)　　(4)　(イ)(エ)　　(5)　(ウ)(オ)

学習記録	／	／	／	／	／	／	／	／	／

重要度　B	知識型		正解　(5)

(ア)　誤　　訴状には、①当事者及び法定代理人、②請求の趣旨及び原因を記載しなければならない（134Ⅱ）。そして、提出された訴状に134条２項に規定する事項が記載されていない場合、裁判長は、相当の期間を定めて、その不備を補正すべきことを命じなければならない（137Ⅰ）。そして、原告が不備を補正しないときは、裁判長は、命令で、訴状を却下しなければならない（137Ⅱ）。なお、裁判所は、住所等の全部又は一部を秘匿する旨の決定により、住所又は氏名に代わる事項を定めることができる（133Ⅰ）。この場合において、その事項を当該事件に関する手続において記載し、又は記録したときは、当該秘匿対象者の住所又は氏名を記載し、又は記録したものとみなされる（133Ⅴ）。

(イ)　誤　　確認の訴えは、法律関係を証する書面の成立の真否を確定するためにも提起することができる（134の2）。

(ウ)　正　　簡易裁判所における訴えは、口頭で提起することができる（271）。

(エ)　誤　　遺言者が生存中に受遺者に対してする遺言無効確認の訴えは、訴えの利益を欠くものとして認められない（最判昭31.10.4）。なぜなら、この訴えは未確定な将来の権利関係についての確認であり、原告が新たに遺言することで受遺者とされた者の地位は変動することがあるため、即時に確定する必要のある法的地位とはいえないとして、確認の利益がないとされるからである。

(オ)　正　　訴え提起による時効の完成猶予の効力は、訴えを提起した時に生ずる（147）。そして、地方裁判所において、訴えを提起した時とは、訴状が提出された時である（134Ⅰ）。この点、時効の完成猶予の効力発生の基準時が訴え提起時とされているのは、訴状送達までの時間の経過が、原告に不利に働くのを防ぐためである。なお、簡易裁判所に口頭で訴えを提起する場合においては、訴え提起による時効の完成猶予は、裁判所書記官に対する口頭起訴の陳述をした時に生ずる（271、民訴規１Ⅱ）。

以上から、正しいものは(ウ)(オ)であり、正解は(5)となる。

3b−4(R4−3)　訴え提起の方式

訴えの利益に関する次の(ア)から(オ)までの記述のうち、判例の趣旨に照らし正しいものの組合せは、後記(1)から(5)までのうち、どれか。

(ア)　訴え提起前の協議において被告が既に履行期にある請求権の存在を認め、訴え提起後もこれを争わないことが明らかなときは、その請求権に係る給付の訴えには、訴えの利益が認められない。

(イ)　甲土地が原告の所有であることの確認を求める本訴に対し、甲土地が被告の所有であることを前提としてその所有権に基づき甲土地の返還を求める反訴が提起された場合において、所有権確認を求める本訴には、訴えの利益が認められない。

(ウ)　現に生存している遺言者が提起した遺言無効確認の訴えには、訴えの利益が認められない。

(エ)　債権者がその債権について執行証書を所持している場合において、同一の債権に係る給付の訴えには、訴えの利益が認められない。

(オ)　将来の給付を求める訴えには、あらかじめその請求をする必要がある場合に限り、訴えの利益が認められる。

(1)　(ア)(ウ)　　(2)　(ア)(エ)　　(3)　(イ)(エ)　　(4)　(イ)(オ)　　(5)　(ウ)(オ)

学習記録	／	／	／	／	／	／	／	／	／

重要度 B	知識型		正解 (5)

(ア) 誤　現在給付の訴えは、事実審の口頭弁論終結時までに期限の到来する無条件の給付請求権を訴訟物として、給付判決を求める訴えであるから、その請求内容は、判決による確定に適したものであるといえ、現に給付請求権があるにもかかわらず、それが履行されていないという状況があるだけで、訴えの利益は肯定される。このことは、被告が給付義務の存在を争っているかどうかといった点にはかかわらないため、訴えを提起された被告が請求原因事実を全て認めて抗弁事実を主張しない場合や、請求を認諾する場合であっても、訴えの利益は否定されない。

(イ) 誤　確認請求が反訴請求の当否の判断に全て吸収される関係にある場合、本訴は確認の利益を欠くと判断される。この点、原告が甲土地の所有権を有することの確認を求める本訴に対し、被告が所有権に基づき甲土地の返還を求める反訴の提起をした場合、訴訟物が異なり、確認請求が反訴請求の当否の判断に全て吸収される関係にあるとはいえず、所有権確認を求める本訴は訴えの利益が認められる。

(ウ) 正　遺言者が生存中に受遺者に対してする遺言無効確認の訴えは、訴えの利益を欠くものとして認められない（最判昭31.10.4）。なぜなら、この訴えは未確定な将来の権利関係についての確認であり、原告が新たに遺言することで受遺者とされた者の地位は変動することがあるため（民1023Ⅰ参照）、即時に確定する必要のある法的地位とはいえず、確認の利益がないからである。

(エ) 誤　債権者がその債権について執行証書（民執22⑤）を所持している場合、執行証書は既判力のない債務名義であるため、債権者は、請求権の存在を既判力によって確定する利益があるから、現在給付の訴えの利益が認められる。

(オ) 正　将来の給付を求める訴えは、あらかじめその請求をする必要がある場合に限り、提起することができる（135）。

以上から、正しいものは(ウ)(オ)であり、正解は(5)となる。

3c－1(60－4)　訴え提起後の措置

送達に関する次の記述のうち、正しいものはどれか。(改)

(1) 送達を受けるべき者が勤務する会社の事務所における送達は、その者の住所又は居所における送達を試みて、それができなかった場合でなければ、することができない。

(2) 最初の口頭弁論期日における呼出しは、いずれの審級の裁判所においても、呼出状を送達してしなければならない。

(3) 裁判所書記官が書類を書留郵便に付して発送する送達は、郵便がこれを受ける者に到達した時にその効力が生じる。

(4) 送達を受けるべき者の営業所において、その者に出会わない場合においてその事理を弁識することができる雇人が正当な事由がないのに書類の受領を拒んだときは、その営業所に書類を差し置くことができる。

(5) 被保佐人に対する送達は、保佐人にすれば足りる。

学習記録	／	／	／	／	／	／	／	／	／

重要度　C	知識型		正解　(4)

(1)　誤　　就業場所における送達は、①送達を受けるべき者の住所等が知れないとき、②住所等において送達をするのに支障があるとき、③送達を受けるべき者が就業場所において送達を受ける旨の申述をしたとき、のいずれかに該当する場合に認められる（103Ⅱ）。必ずしも、送達を受けるべき者の住所又は居所に送達を試みて、それができなかった場合であることを要しない。

(2)　誤　　期日の呼出しは、呼出状の送達、当該事件について出頭した者に対する期日の告知その他相当と認める方法によってする（94Ⅰ）。期日の呼出しの目的は、訴訟関係者の出席を確保することにあるから、確実に目的が達せられる見込みがあるときにまで、送達というコストのかかる方法による必要はないからである。

(3)　誤　　裁判所書記官が書類を書留郵便に付して発送した場合には、その発送の時に送達があったものとみなされる（107Ⅲ）。書留郵便が名宛人に到達する蓋然性は高く、また、到達時に送達の効力が生ずるとすると、到達時が裁判所において必ずしも明白でないため、送達の効力発生時を確定することが困難になるからである。

(4)　正　　就業場所以外の送達をすべき場所において送達を受けるべき者に出会わないときは、使用人その他の従業者又は同居者であって、書類の受領について相当のわきまえのあるものに書類を交付することができる（106Ⅰ前段・補充送達）。そして、これらの者が正当な理由なくこれを受けることを拒んだときは、送達をすべき場所に書類を差し置くことができる（106Ⅲ・差置送達）。

(5)　誤　　被告が訴訟無能力者（31本文）であるときは、その法定代理人が送達を受けるべき者となる（102Ⅰ）。しかし、被保佐人は訴訟無能力者ではないし、保佐人も法定代理人ではない。したがって、被保佐人に対する送達は、被保佐人にすれば足りることになる（32参照）。

〈送達場所〉

原　則	送達名宛人の住所、居所、営業所又は事務所（103Ⅰ本文）
例　外	①送達名宛人が出頭した場合：裁判所（100・書記官送達） ②法定代理人に対する送達の場合：本人の営業所又は事務所に送達することもできる（103Ⅰ但書） ③送達名宛人が刑事施設に収容されている者の場合：刑事施設の長（102Ⅲ） ④送達名宛人が雇用・委任等に基づき就業する場所（103Ⅱ）（注１） ⑤送達実施機関が送達名宛人に出会った場所（105・出会送達）（注２） ⑥送達名宛人が送達場所（及び送達受取人）を定めて届け出た場合：その場所（104Ⅱ）

（注１）　就業場所における送達の要件

①次のいずれかの場合に該当すること

ａ．送達名宛人の住所等の原則的送達場所が知れないとき

ｂ．原則的送達場所における送達に支障があるとき

ｃ．送達名宛人が就業場所において送達を受ける旨を申述したとき

→　就業場所における送達をすることができるのは、送達名宛人の住所等において送達を試みたが送達できなかった場合に限られない。

②送達名宛人が現実に業務についている場所であること

（注２）

〈出会送達の類型〉

○＝できる　×＝できない

	出会送達	受領拒否による差置送達
①送達名宛人が日本に送達場所（住所等）を有することが明らかでない場合	○	○
②送達場所を有する送達名宛人が出会った場所で送達を受けることを拒まなかった場合	○	×

MEMO

3c−2(26−1)　訴え提起後の措置

送達に関する次の(ア)から(オ)までの記述のうち、判例の趣旨に照らし誤っているものの組合せは、後記(1)から(5)までのうち、どれか。

(ア)　送達は、特別の定めがある場合を除き、職権でする。

(イ)　訴訟無能力者に対する送達は、その法定代理人にする。

(ウ)　送達を受けるべき者が送達場所とともに送達受取人を受訴裁判所に届け出た場合には、当該送達を受けるべき者に出会った場所においてした送達は、その者がその送達を受けることを拒まなかったときでも、無効である。

(エ)　就業場所以外の場所でする補充送達は、送達を受けるべき者が実際にその書類の交付を受けて内容を了知しなければ、無効である。

(オ)　書留郵便に付する送達は、送達を受けるべき者に到達したか否か及びいつ到達したかにかかわらず、その発送の時にその効力を生ずる。

(1)　(ア)(ウ)　(2)　(ア)(オ)　(3)　(イ)(エ)　(4)　(イ)(オ)　(5)　(ウ)(エ)

学習記録	／	／	／	／	／	／	／	／	／

重要度　C	知識型		正解　(5)

(ア)　正　　送達は、特別の定めがある場合を除き、職権でする（98Ⅰ）。

(イ)　正　　訴訟無能力者に対する送達は、その法定代理人にする（102Ⅰ）。これは、送達の受領も訴訟行為の一種であることから、当事者本人が訴訟無能力者の場合には、この者に宛てて送達することはできない（31本文参照）からである。

(ウ)　誤　　①送達名宛人が日本国内に住所などの送達場所を有することが明らかでないとき（105前段）、②送達名宛人が日本国内において住所等を有することが明らかであるか、又は送達場所の届出（104Ⅰ前段）をしている名宛人であっても、送達を拒まないときは（105後段）、送達を受けるべき者に出会った場所において送達することが認められる（105・出会送達）。

(エ)　誤　　就業場所以外の送達をすべき場所において送達を受けるべき者に出会わないときは、使用人その他の従業者又は同居者であって、書類の受領について相当のわきまえのあるものに書類を交付することができる（106Ⅰ・補充送達）。この送達受領資格者は、送達の受領に関して、いわば送達名宛人の法定代理人の地位に立つ（高松高判昭28.5.28）。したがって、送達受領資格者に書類が交付されれば送達の効力が生じ、現実に送達名宛人に書類が渡されたか否かは送達の効力とは無関係である。

(オ)　正　　裁判所書記官は、送達名宛人の住所など本来の送達場所に対して書留郵便等に付して発送することで送達できる場合がある（107Ⅰ・Ⅱ）。同条項により書類を書留郵便等に付して発送した場合には、その発送の時に、送達があったものとみなされる（107Ⅲ）。

以上から、誤っているものは(ウ)(エ)であり、正解は(5)となる。

3c－3(28－1)　訴え提起後の措置

送達に関する次の(1)から(5)までの記述のうち、判例の趣旨に照らし正しいものは、どれか。

(1)　送達の日時は、送達報告書によってのみ証明することができる。

(2)　当事者が第一審の受訴裁判所にした送達を受けるべき場所の届出は、当該裁判所による終局判決の言渡しによって当然にその効力を失い、控訴審においてはその効力を有しない。

(3)　交付送達によって送達をすることができなかったときは、裁判所書記官は、書類を書留郵便に付して発送しなければならない。

(4)　公示送達の効力は、裁判所の掲示場に掲示を始めた日に生ずる。

(5)　訴訟能力を認めることができない未成年者がその父母の共同親権に服している場合、当該未成年者に対する送達は、当該父母のいずれか一人にすれば足りる。

学習記録	／	／	／	／	／	／	／	／	／

重要度　C	知識型		正解　(5)

(1) 誤　送達をした者は、書面を作成し、送達に関する事項を記載して、これを裁判所に提出しなければならない（109・送達報告書）。この点、送達報告書がなくても送達は無効ではなく、送達の日時・場所等の証明はいかなる資料によってもよい（大判昭8.6.16）。

(2) 誤　当事者、法定代理人又は訴訟代理人は、送達を受けるべき場所（日本国内に限る。）を受訴裁判所に届け出なければならない（104）。この点、送達場所の届出の効力は、訴訟が終了するまで存続し、第一審でなされた届出は、控訴審でも効力を有する。

(3) 誤　交付送達は、原則として、送達を受けるべき者に送達すべき書類を交付してする（101）が、場所や方法の例外として、就業場所送達（103Ⅱ）、出会送達（105）、補充送達（106Ⅰ・Ⅱ）、差置送達（106Ⅲ）、裁判所書記官送達（100）がある。そして、補充送達も差置送達もできない場合には、裁判所書記官が、書留郵便等に付する送達をすることができる（107Ⅰ）。また、公示送達（110）は、当事者の住所、居所その他送達をすべき場所が知れない場合や書留郵便等に付する送達ができない場合等、他の送達方法が不可能な場合の最後の手段として認められる。

(4) 誤　日本国内における公示送達は、掲示を始めた日から２週間を経過することによって、その効力を生ずる（112Ⅰ本文）。なお、日本国内における同一の当事者に対する２回目以降の公示送達は、掲示を始めた日の翌日に効力を生ずる（112Ⅰ但書）。

(5) 正　未成年者等の訴訟無能力者（31本文）に対する送達は、その法定代理人に対して行い（102Ⅰ）、数人が共同して代理権を行うべき場合には、送達は、その一人にすれば足りる（102Ⅱ）。

3c－4(R2－1)　訴え提起後の措置

送達に関する次の(ア)から(オ)までの記述のうち、判例の趣旨に照らし正しいものの組合せは、後記(1)から(5)までのうち、どれか。

(ア)　裁判所書記官は、その所属する裁判所の事件について出頭した者に対し、自ら送達をすることはできない。

(イ)　公示送達は、裁判所書記官が送達すべき書類を保管し、いつでも送達を受けるべき者に交付すべき旨を裁判所の掲示場に掲示してする。

(ウ)　就業場所以外の送達をすべき場所において送達を受けるべき者本人が不在の場合には、その同居者が成年者であるときに限り、当該同居者に対して送達すべき書類を交付することができる。

(エ)　執行官が送達をするときは、交付送達の方法によらなければならず、出会送達をすることはできない。

(オ)　訴訟無能力者に対する送達は、その法定代理人にする。

(1)　(ア)(エ)　　(2)　(ア)(オ)　　(3)　(イ)(ウ)　　(4)　(イ)(オ)　　(5)　(ウ)(エ)

学習記録	／	／	／	／	／	／	／	／	／

重要度 C	知識型		正解 (4)

(ア) 誤　裁判所書記官は、その所属する裁判所の事件について出頭した者に対しては、自ら送達をすることができる（100）。なぜなら、ある事件について裁判所に出頭した者は、別の事件の書類について裁判所書記官による送達がされたとしても、それにより不当に不利益を受けることにはならないし、別途送達をして余計な時間や費用をかけることは、かえって訴訟経済に反し、当事者の利益を害することにもなるからである。なお、「その所属する裁判所の事件」には、民事訴訟事件だけでなく、保全事件や強制執行事件、刑事事件等も含まれる。

(イ) 正　公示送達は、裁判所書記官が送達すべき書類を保管し、いつでも送達を受けるべき者に交付すべき旨を裁判所の掲示場に掲示してする（111）。これは、送達すべき書類そのものを掲示場に掲示すると、書類が破損するおそれがあるためである。

(ウ) 誤　就業場所以外の送達をすべき場所において、送達を受けるべき者に出会わないときは、使用人その他の従業者又は同居者であって、書類の受領について相当のわきまえのあるものに書類を交付することができる（106 I 前段・補充送達）。そして、使用人その他の従業者又は同居者は、いずれも送達の性質を理解し、受領した書類を送達名宛人に交付することが期待できる程度の能力、すなわち事理を弁識することができる知能を備えていなければならないが、その能力さえあれば、未成年者でもよい（大判大14.11.11参照）。

(エ) 誤　送達実施機関が本来の送達場所でなく、名宛人に出会った場所で送達する方法を、出会送達（105）という。そして、執行官は送達実施機関である（99 I）から、執行官による出会送達も認められる。なお、出会送達は、①送達名宛人が日本国内に住所等を有することが明らかでないとき（105前段）、②送達名宛人が日本国内に住所等を有することが明らかであるか、又は送達を受けるべき場所の届出（104 I 前段）をしている送達名宛人が、送達を受けることを拒まないとき（105後段）に認められる。

(オ) 正　訴訟無能力者に対する送達は、その法定代理人にする（102 I）。なぜなら、送達の受領も訴訟行為の一種であることから、当事者本人が訴訟無能力者の場合には、この者に宛てて送達をすることはできないからである（31本文参照）。なお、数人が共同して代理権を行うべき場合には、送達は、その一人にすれば足りる（102 II）。

以上から、正しいものは(イ)(オ)であり、正解は(4)となる。

3d－1(59－2)　訴え提起の効果

二重起訴の禁止に関する次の記述のうち、判例の趣旨に反するものはどれか。

(1)　甲が乙に代位して提起した訴訟が係属中であっても、乙が甲の代位権を争って独立当事者参加することは、妨げられない。

(2)　同一債権の数量的一部を請求する前訴が係属中に後訴で残部を請求することは、前訴で一部請求であることを明示した場合を除き、許されない。

(3)　手形債権支払請求訴訟の提起後、被告がその原因たる売買代金債務の不存在確認訴訟を提起することは、妨げられない。

(4)　甲が乙に対して土地の所有権の登記手続請求訴訟を提起し、その訴訟においてその土地の所有権の確認を併せて請求することは、許されない。

(5)　甲が乙に対して土地の所有権の確認訴訟を提起した場合に、乙がその土地は自己の所有であると主張して甲に対して所有権確認の反訴を提起することは、妨げられない。

学習記録	／	／	／	／	／	／	／	／	／

重要度　B	知識型	

正解　(4)

(1) 反しない　独立当事者参加においては、原告・参加人の請求の当否を同時に矛盾なく統一的に判断するため合一確定が法律上保障されており（47Ⅳ・40Ⅰ・Ⅲ)、二重起訴禁止の趣旨である重複審理・矛盾判断のおそれがないため、二重起訴に当たらない。したがって、甲が乙に代位して提起した訴訟が係属中であっても、乙が甲の代位権を争って独立当事者参加することは、許される（最判昭48.4.24)。

(2) 反しない　同一債権の数量的一部であることを明示して前訴が提起されたときは、前訴の訴訟物となるのは当該一部である（最判昭37.8.10）から、これと後訴の残部請求との訴訟物の同一性は否定され、後訴の残部請求は二重起訴（142）に当たらず、許される。これに対して、同一債権の数量的一部であることを明示しないで前訴が提起されたときは、前訴の訴訟物となるのは債権の全部であるから（最判昭32.6.7)、後訴の残部請求との訴訟物との同一性は肯定され、後訴の残部請求は二重起訴に当たり、許されない。

(3) 反しない　手形債権支払請求訴訟における訴訟物（手形法上の手形債権）はその原因たる売買代金債務不存在確認訴訟における訴訟物（民法上の売買代金債権）と異なる（大阪高判昭62.7.16参照)。したがって、訴訟物の同一性は否定され、二重起訴（142）に当たらないから、手形債権支払請求訴訟提起後、被告がその原因である売買代金債務不存在確認訴訟を提起することは許される。

(4) 反する　甲が乙に対して土地の所有権の登記手続請求を提起し、その訴訟においてその土地の所有権の確認を併せて請求することは、許される。前訴の手続内で新たな請求を併合することは、二重起訴の禁止の趣旨である重複審理・矛盾判断の回避に抵触するおそれがなく、二重起訴（142）に当たらないからである。

(5) 反しない　甲が乙に対して土地の所有権の確認訴訟を提起した場合に、乙がその土地は自己の所有であると主張して甲に対して所有権確認の反訴を提起することは、許される。前訴の手続内で反訴（146）の方法で訴えを提起することは、二重起訴の禁止（142）の趣旨である重複審理・矛盾判断の回避に抵触するおそれがないため、二重起訴に当たらないからである。

3d−2(12−2)　訴え提訴の効果

重複起訴の禁止に関する次の(ア)から(オ)までの記述のうち、判例の趣旨に照らし誤っているものの組合せは、後記(1)から(5)までのうちどれか。

(ア)　ＡがＢに対して提起した不動産の所有権確認訴訟の係属中に、ＡがＣに対し、同一の不動産に関して所有権確認の別訴を提起することは、重複起訴の禁止に反する。

(イ)　ＡがＢに対して提起した貸金債務不存在確認訴訟の係属中に、ＢがＡに対し、同一の貸金債権に関して貸金返還請求の別訴を提起することは、重複起訴の禁止に反する。

(ウ)　ＡがＢに対し、債権者代位権に基づきＣに代位して提起した貸金返還請求訴訟の係属中に、ＣがＢに対し、同一の貸金債権に関して貸金返還請求の別訴を提起することは、重複起訴の禁止に反する。

(エ)　ＡがＢに対して提起した貸金返還請求訴訟の係属中に、別訴において、Ａが同一の貸金返還請求権を自働債権として相殺の抗弁を主張する場合にも、重複起訴の禁止の趣旨は妥当し、当該抗弁を主張することはできない。

(オ)　裁判所は、重複起訴の禁止に反する場合であっても、その旨の被告の抗弁が主張されない限り、訴えを却下することはできない。

(1)　(ア)(ウ)　　(2)　(ア)(オ)　　(3)　(イ)(ウ)　　(4)　(イ)(エ)　　(5)　(エ)(オ)

学習記録	／	／	／	／	／	／	／	／	／

重要度　B	知識型		正解　(2)

(ア)　誤　　AがBに対して提起した不動産の所有権確認訴訟の係属中に、AがCに対し、同一不動産に関して所有権確認の別訴を提起することは、重複起訴の禁止（142）に反しない。訴訟物である権利関係が同一であるとしても、前訴と後訴とでは、当事者の同一性を欠き、同一の事件とはいえないからである。

(イ)　正　　AがBに対して提起した貸金債務不存在確認訴訟の係属中に、BがAに対し、同一の貸金債権に関して貸金返還請求の別訴を提起することは、重複起訴の禁止（142）に反する。貸金債務不存在確認訴訟と貸金返還請求訴訟とでは、当事者の同一性及び訴訟物の内容である権利関係の同一性が認められ、同一の事件といえるからである。

(ウ)　正　　AがBに対し、Cに代位（民423）して提起した貸金返還請求訴訟の係属中に、CがBに対し、同一の貸金債権に関して貸金返還請求の別訴を提起することは、重複起訴の禁止（142）に反する（大判昭14.5.16）。債権者代位訴訟は法定訴訟担当であって、AB間の判決の効力は被担当者Cにも及ぶ（115Ⅰ②）ため、当事者の同一性も認められ、同一の事件といえるからである。

(エ)　正　　AがBに対して提起した貸金返還請求訴訟の係属中に、別訴において、Aが同一の貸金返還請求権を自働債権として相殺の抗弁を主張する場合にも、重複起訴の禁止（142）の趣旨は妥当し、当該抗弁を主張することはできない(最判平3.12.17)。相殺の抗弁に対する判断には既判力が生ずる(114Ⅱ)ため、別訴中の抗弁として主張されたときでも、訴訟物である権利関係の同一性が認められ、同一の事件といえるからである。

(オ)　誤　　裁判所は、重複起訴の禁止（142）に反する場合、その旨の被告の抗弁が主張されなくても、訴えを却下することができる。重複起訴の禁止（142）に反しないことという訴訟要件は、判決の正当性確保あるいは訴訟機能維持といった公共的な役割と結合しており、職権調査事項だからである。

以上から、誤っているものは(ア)(オ)であり、正解は(2)となる。

3e－1(11－4)

処分権主義

次の記述のうち、裁判所の措置が処分権主義に反するものはどれか。

(1)　Ａは、Ｂとの間で、売買契約を締結する際に、当該契約に基づく訴訟についてはＡの住所地の地方裁判所を管轄裁判所とする旨の合意をしていたので、Ａの住所地の地方裁判所に当該契約に基づく訴訟を提起した。ところが、裁判所は、専属管轄違反を理由として、訴訟を他の裁判所に移送する旨の決定をした。

(2)　ＡがＢ及びＣを共同被告として訴えている訴訟において、Ｂが口頭弁論期日において請求を認諾する旨の意思表示をした。ところが、裁判所は、当該訴訟が固有必要的共同訴訟であることを理由としてＢの請求の認諾を認めず、証拠調べを実施した上で、Ａ敗訴の判決を言い渡した。

(3)　ＡがＢに対して債務不存在確認訴訟を提起した。裁判所は、証拠調べの結果、Ａの債務が存在するとの心証を得たことから、Ｂの反訴の提起がないにもかかわらず、Ａの債務が存在することを確認する旨の判決を言い渡した。

(4)　ＡがＢに対して100万円の支払を求める損害賠償請求訴訟を提起したところ、Ｂは、Ａの損害は20万円であると主張して争った。ところが、裁判所は、証拠調べの結果、Ａの損害は60万円であったと認定して、Ｂに60万円の支払を命ずる判決を言い渡した。

(5)　ＡがＢに対して貸金返還請求訴訟を提起した。裁判所は、Ａの請求を認めて、Ｂに金銭の支払を命ずる判決をするに当たり、Ａの申立てがないにもかかわらず、当該判決につき仮執行宣言を付した。

学習記録	／	／	／	／	／	／	／	／	／

重要度　C	知識型		正解　(3)

処分権主義とは、当事者に、審判を求め、かつ、その対象を特定・限定できる権能と、判決によらずに訴訟を終了させる権能を認める建前をいう。

(1) 反しない　　訴えについて法令に基づく専属管轄の定めがある場合には、当事者の合意による管轄は生じない（13Ⅰ・11）。この場合において、当事者間で管轄の合意をし、原告が当該合意で定めた裁判所に起訴したときは、裁判所は常に管轄違いとして移送することを要する。したがって、本肢における裁判所の措置は処分権主義に反しない。

(2) 反しない　　固有必要的共同訴訟とは、共同訴訟とすることが法律上強制され、かつ、合一確定の必要のある訴訟をいう（40Ⅰ）。この固有必要的共同訴訟においては、合一確定を実現するため、共同訴訟人一人の訴訟行為は、他の共同訴訟人の利益となるもののみ効力を生じ、不利益となるものは効力が生じないとされている（40Ⅰ）。そして、請求の認諾は、他の共同訴訟人の不利益となるものであるから、共同訴訟人の一人が単独で行っても、その効力が生じない。したがって、本肢における裁判所の措置は処分権主義に反しない。

(3) 反する　　処分権主義の下では、裁判所は、当事者の申し立てていない事項については、判決をすることができない（246）。本肢においては、Aの申立事項は、あくまでAの債務の不存在の確認であり、Aの債務の存在の確認はそれを超えるものである。したがって、本肢の裁判所の措置は処分権主義に反する。

(4) 反しない　　処分権主義の下では、審判範囲の特定についても、当事者の意思が尊重され、当事者の申立事項と判決事項は一致していなければならない（246）。この点、本肢のような判決事項が量的に申立事項を下回る場合（量的一部認容）は、申立事項と判決事項とは形式的に一致していないが、相手方にとって不意打ちにはならず、また、原告としては、通常、全部認容か全部棄却かの二者択一を望むわけではなく、最大限自己に有利な判決を得ようとするものである。したがって、100万円の支払を求める申立事項に対して、60万円の支払を命ずる一部棄却判決を下した裁判所の措置は処分権主義に反しない。

(5) 反しない　　財産権上の請求に関する判決については、裁判所は、必要があると認めるときは、申立てにより又は職権で、担保を立てて、又は立てないで仮執行をすることができることを宣言することができる（259Ⅰ）。したがって、本肢において、Aの申立てがないにもかかわらず裁判所が職権により仮執行宣言を付したことは、処分権主義に反しない。

3e－2(20－1)　処分権主義

民事訴訟法の講義において、数量的に可分な債権の一部を請求する場合（以下「一部請求」という。）の訴訟物について、学生Ａは「当該債権全体と考えるべきである。」と述べ、学生Ｂは「請求された当該債権の一部と考えるべきである。」と述べた。次の(ア)から(オ)までの記述のうち、学生Ｂの見解からの帰結となるものの組合せとして最も適切なものは、後記(1)から(5)までのうちどれか。(改)

(ア)　一部請求の訴訟が係属中に残額について請求するための別訴が提起された場合、残額請求の別訴は却下される。

(イ)　一部請求の訴訟の係属中に請求金額を増額しようとする場合、訴えの追加的変更による。

(ウ)　一部請求の訴訟の判決が確定した場合に時効の更新の効力が生ずる範囲は、請求された当該債権の一部に限られることなく、当該債権の全体に及ぶ。

(エ)　一部請求の訴訟の第一審で当該一部請求の全部を認容する判決を得た場合、残額について請求するために控訴を提起することができる。

(オ)　一部請求の訴訟が係属中に、別訴において、当該債権の残部を自働債権とする相殺の抗弁を主張することができる。

(1)　(ア)(ウ)　　(2)　(ア)(オ)　　(3)　(イ)(エ)　　(4)　(イ)(オ)　　(5)　(ウ)(エ)

学習記録	／	／	／	／	／	／	／	／	／

重要度　C	推論型			正解　(4)

一部請求とは、数量的に可分な債権の一部を他の残部から切り離し、その一部を独立の訴訟物として主張することをいう。原告が債権の一部を訴求することができる点には争いがないが、この場合の訴訟物が債権の一部であると捉えるか、債権全体と捉えるかについては争いがある。本問における学生Aの見解は訴訟物を「当該債権全体と考えるべきである」とする立場（一部請求否定説）であり、学生Bの見解は訴訟物を「請求された当該債権の一部と考えるべきである」とする立場（一部請求肯定説）である。なお、判例は、「一部請求であることが明示されていれば、訴訟物はその一部に限定される。」として、明示的一部請求肯定説に立つ（最判昭37.8.10）。

(ア)　学生Ｂの見解からの帰結とはならない　　学生Ｂの見解によると、訴訟物を請求された債権の一部と考えるため、残額については前訴の訴訟物とは別個の訴訟物と捉えることとなる。一方、学生Ａの見解によると、前訴における訴訟物は債権全体と考えるため、前訴係属中に残額について請求するための別訴の提起は、二重起訴の禁止（142）に抵触し、残額請求の別訴が却下されると考えられる。したがって、本肢は一部請求の訴訟物を「債権全体と考えるべき」とする学生Ａの見解からの帰結となる。

(イ)　学生Ｂの見解からの帰結となる　　一部請求の訴訟の係属中に請求金額を増額しようとする場合、学生Ｂの見解によれば、一部請求の訴訟の訴訟物と、残部とは別個の訴訟物と捉えるため、訴えの追加的変更によることとなる。学生Ａの見解によると、債権全体を訴訟物と捉えるので請求金額を増額しても単なる上限の移動にすぎないことになり、訴えの追加的変更には当たらないことになる。したがって、本肢は学生Ｂの見解からの帰結となる。

(ウ)　学生Ｂの見解からの帰結とはならない　　判決の確定による時効の更新の効力は、訴訟物にのみ生ずることとなる。学生Ｂの見解によると、訴訟物を請求された当該債権の一部と捉えるので、当該一部請求の部分についてのみ時効の更新の効力が及ぶこととなる（最判昭34.2.20）。学生Ａの見解によると、一部請求の訴訟の判決が確定した場合に時効の更新の効力が生ずる範囲は、請求された当該債権の一部に限られることなく、当該債権の全部に及ぶことになる。したがって、本肢は学生Ｂの見解からの帰結とはならない。

(エ)　学生Ｂの見解からの帰結とはならない　　訴訟物を債権全体と捉える学生Ａの見解によると、一部請求の訴訟の第一審で当該一部請求の全部を認容する判決を得た場合、既判力によって残額請求の別訴の提起が遮断されてしまうため上訴する利益が認められ、控訴を提起することができる。学生Ｂの見解によると、訴訟物は当該一部請求の部分であり、残額については別訴を提起することができるため上訴の利益が認められず、控訴をすることができないこととなる。したがって、本肢は学生Ｂの見解からの帰結とはならない。

(オ)　学生Ｂの見解からの帰結となる　　学生Ｂの見解によると、訴訟物となるのは請求された債権の一部と考えるため、当該債権の残部については別個の訴訟物と捉えることになる。したがって、一部請求の訴訟が係属中に、別訴において、当該債権の残部を自働債権とする相殺の抗弁を主張することは可能となる。したがって、本肢は学生Ｂの見解からの帰結となる。

以上から、学生Ｂの見解からの帰結となるものは(イ)(オ)であり、正解は(4)となる。

MEMO

3e－3(22－4)　処分権主義

申立事項と判決事項に関する次の(ア)から(オ)までの記述のうち、判例の趣旨に照らし正しいものの組合せは、後記(1)から(5)までのうちどれか。

(ア)　建物の賃貸借契約の終了を理由とする建物明渡請求訴訟において、原告が立退料の支払と引換えに明渡しを求めている場合には、裁判所は、原告の申出額を超える立退料の支払と引換えに明渡しを命ずる判決をすることはできない。

(イ)　筆界確定訴訟において、裁判所は、原告が主張している筆界よりも原告所有地の面積が大きくなるような筆界を定める判決をすることができる。

(ウ)　原告が被告に対して200万円の売買代金の残代金債務が100万円を超えては存在しない旨の確認を求める訴訟において、裁判所は、売買残代金債務が150万円を超えては存在しない旨を確認する判決をすることはできない。

(エ)　建物収去土地明渡請求訴訟において、被告が建物買取請求権を行使し、建物代金の支払があるまで建物の引渡しを拒む旨の抗弁を提出した場合には、裁判所は、建物の時価を認定した上で、その額の支払と引換えに建物の引渡しを命ずる判決をしなければならない。

(オ)　売買代金支払請求訴訟において、売買代金債権は存在するが、その履行期が未到来であることが明らかになった場合には、裁判所は、原告が当該債権を有する旨を確認する判決をすることができる。

(1)　(ア)(ウ)　　(2)　(ア)(エ)　　(3)　(イ)(エ)　　(4)　(イ)(オ)　　(5)　(ウ)(オ)

学習記録	／	／	／	／	／	／	／	／	／

重要度　C	知識型		正解　(3)

(ア)　誤　　建物賃貸借契約終了を理由とする建物明渡請求訴訟において、原告が立退料の支払と引換えに明渡しを求めている場合、裁判所が相当と認める額まで、立退料を増額して明渡しを命ずる判決は、質的一部認容判決として許される（最判昭46.11.25）。

(イ)　正　　筆界確定訴訟は形式的形成訴訟に当たり、処分権主義は妥当しない。このため、裁判所は、原告が主張している筆界よりも原告所有地の面積が大きくなるような筆界を定める判決をすることができる。

(ウ)　誤　　原告が被告に対して200万円の売買代金の残代金債務が100万円を超えては存在しない旨の確認を求める訴訟において、裁判所が、残代金債務が150万円を超えては存在しない旨を確認する判決をすることは、原告の請求の量的一部を認容する判決であり、許される（最判昭40.9.17）。

(エ)　正　　留置権や同時履行の抗弁権などは、権利抗弁と呼ばれ、裁判所がこれを斟酌するには、当該権利を主張すべき当事者が、それらを基礎付ける客観的事実を主張するだけではなく、権利を行使する旨の意思表示をすることを必要とする（最判昭27.11.27）。この点、被告が建物買取請求権を行使し、代金の提供があるまで建物の引渡しを拒む旨の抗弁を提出したときは、裁判所は建物の価格（時価）を確定の上、建物代金の支払と引換えに建物の引渡しを命ずる判決をすべきとされている（大判昭9.6.15、最判昭33.6.6）。

(オ)　誤　　民事訴訟においては、当事者の申立事項が裁判所による審判の対象となる（246・処分権主義）。そして、この申立事項には、訴訟物及びそれについての審判の形式を含む。つまり、給付、確認、形成の審判形式は、原告によって特定され、それが裁判所を拘束する。したがって、原告が売買代金支払請求訴訟を提起して、現在の給付の訴えとして訴訟物が設定されているときには、裁判所が当該債権の存在と履行期の未到来の心証を得ても、原告が当該債権を有する旨の確認判決をすることはできない（大判大8.2.6）。

以上から、判例の趣旨に照らし正しいものは(イ)(エ)であり、正解は(3)となる。

3e−4(31−2)　処分権主義

処分権主義に関する次の(ア)から(オ)までの記述のうち、判例の趣旨に照らし正しいものの組合せは、後記(1)から(5)までのうち、どれか。

(ア)　裁判所が当事者の主張しない主要事実を認定し、これに基づいて判決をすることは、民事訴訟法第246条に違反する。

(イ)　買主が売主に対し売買契約に基づく動産の引渡しを求める訴訟において、売主から買主が売買代金を支払うまでは当該動産の引渡しを拒絶するとの同時履行の抗弁が主張された場合に、その抗弁が認められるときは、裁判所は、当該売買代金の支払と引換えに当該動産の引渡しを命ずる判決をすることとなる。

(ウ)　買主が売主に対し売買契約に基づく動産の引渡しを求める訴訟において、売主から引渡しについて履行期の合意があるとの抗弁が主張された場合に、その抗弁が認められるときは、裁判所は、当該動産の引渡義務の存在を確認する判決をすることとなる。

(エ)　300万円の貸金債務のうち150万円を超えて貸金債務が存在しないとの確認を求める訴訟において、裁判所が200万円を超えて貸金債務が存在しないと判決をすることは、民事訴訟法第246条に違反しない。

(オ)　土地の賃借人が当該土地の賃借権に基づき当該土地上の工作物の撤去を求める訴訟において、裁判所が当該賃借人の主張しない占有権を理由として請求を認容することは、民事訴訟法第246条に違反しない。

(参考)
民事訴訟法
第246条　裁判所は、当事者が申し立てていない事項について、判決をすることができない。

(1)　(ア)(ウ)　　(2)　(ア)(オ)　　(3)　(イ)(ウ)　　(4)　(イ)(エ)　　(5)　(エ)(オ)

学習記録	／	／	／	／	／	／	／	／	／

重要度　C	知識型	

正解　(4)

⑦　誤　　裁判資料の収集及び提出は、当事者の権能であり責任であるとする原則を、弁論主義という。そして、弁論主義は、①裁判所は、当事者のいずれもが主張しない事実を、裁判の基礎にしてはならない（第１原則 主張責任）、②裁判所は、当事者間で争いのない事実については、証拠調べなしに裁判の基礎にしなければならない（第２原則 自白の裁判所拘束力）、③当事者間に争いのある事実について証拠調べをするときは、当事者の申し出た証拠によらなければならない（第３原則 職権証拠調べの禁止）という３つの原則を内容とする。したがって、裁判所が当事者の主張しない主要事実を判決の資料として認定することは、弁論主義の第１原則に違反し、処分権主義の内容である246条には違反しない。

⑴　正　　同時履行の抗弁は権利抗弁であり、これを行使することが要件となる（最判昭27.11.27）。そして、この抗弁が認められるときは、裁判所は、引換給付の判決をすることとなる（大判明44.12.11）。

⑼　誤　　給付、確認、形成の審判形式は、原告によって特定され、それが裁判所を拘束する（処分権主義）。この点、判例も、原告が給付判決を求めているにもかかわらず、裁判所が期限未到来を理由として訴訟物たる請求権について確認判決をすることは許されないとしている（大判大8.2.6）。

㈣　正　　裁判所が、当事者の申し立てていない事項につき判決をすることや当事者の申し立てた事項の範囲を超えて判決をすることは、処分権主義に反し、許されない（246・申立事項と判決事項の一致）。そして、債務の上限を示した債務不存在確認請求訴訟については、不存在確認が求められている部分が訴訟物となる。この点、原告が300万円の債務のうち150万円を超える債務は存在しないことの確認を求めている場合に、裁判所が300万円の債務のうち200万円を超える債務は存在しないとの確認判決をすることは、処分権主義に反しない（最判昭40.9.17）。

㈭　誤　　判例は、賃借権に基づく妨害排除請求に対して、占有権を理由として請求を認容することは、処分権主義違背に当たるとしている（最判昭36.3.24）。

以上から、正しいものは⑴㈣であり、正解は⑷となる。

4b−1(2−2)　審理の進行

次の場合中、責問権の放棄の対象とならないものはどれか。

(1)　口頭弁論期日の呼出しがなかった場合

(2)　法定代理人を証人として尋問した場合

(3)　宣誓をさせないで証人尋問をした場合

(4)　訴状を受領する能力のない者に訴状を送達した場合

(5)　専属管轄に違背して管轄権のない裁判所が証拠調べをした場合

学習記録	／	／	／	／	／	／	／	／	／

重要度　B	知識型	

正解　(5)

責問権とは、裁判所又は相手方の訴訟手続違反の行為に対して異議を述べ、その効力を争うことができる当事者の権能をいう。これは、当事者が適法かつ適正な手続で自己の権利を実現する利益を有することから認められたものである。したがって、責問権の放棄（90）の対象となるのは、専ら当事者の利益保護を目的としている規定（任意規定）違反ということになり、公益性の強い規定（強行規定）違反は対象とはならない。

⑴　対象となる　　口頭弁論の呼出しを定める規定（94Ⅰ）は、口頭弁論の準備期間の確保等の当事者の利益保護を主たる目的とする任意規定であるから、その違背は、責問権の放棄（90）の対象となる（大判昭4.5.23）。

⑵　対象となる　　法定代理人に対する尋問は、当事者尋問の手続による（211）。法定代理人は、当事者の身代わりとして訴訟を追行するので、証人とは異なる尋問手続によるとされたのである。もっとも、これは、当事者の利益保護を主たる目的とする任意規定であるから、その違背は、責問権の放棄（90）の対象となる。

⑶　対象となる　　宣誓（201）は、証人尋問の公正を担保するものであるから公益性を有する。しかし、その公益性は絶対的なものではなく、当事者の利益保護を主たる目的とする任意規定といえるので、責問権の放棄（90）の対象となる（最判昭29.2.11）。

⑷　対象となる　　送達（98以下）は、当事者その他の訴訟関係人に対し訴訟上の書類の内容を了知させることで当事者の利益保護を主たる目的とする任意規定であるから、その違背は、責問権の放棄（90）の対象となる（最判昭28.12.24）。

⑸　対象とならない　　専属管轄は、公益的配慮から特に一定の裁判所のみに管轄を定めているものだから、強行規定である。したがって、当事者の利益保護を主たる目的とする任意規定とはいえないので、その違背は、責問権の放棄（90）の対象とならない。

4b−2(11−2)　審理の進行

次の記述のうち、裁判所の措置が弁論主義に反するものはどれか。

(1) 裁判長が、口頭弁論の期日において、訴訟関係を明瞭にするため、当事者に対して立証を促すこと。

(2) 当事者の申立てがないのに、職権で、当事者本人を尋問すること。

(3) 当事者の一方の提出した証拠を相手方にとって有利な事実の認定のために用いること。

(4) 当事者が、ある法規について一致した解釈をしているのに、これと異なる解釈に立って判決をすること。

(5) 証拠調べの結果に基づき、いずれの当事者も主張していない主要事実を認定すること。

学習記録	／	／	／	／	／	／	／	／	／

重要度　B	知識型	

正解　(5)

弁論主義とは、裁判の基礎となる事実と証拠（訴訟資料）の収集及び提出を当事者の権能かつ責任とする建前をいう。民事訴訟の対象である私人間の権利関係は、裁判外では私的自治の原則に属し、当事者の自由な処分に委ねられているため、権利関係の判断の基礎となる訴訟資料の収集と提出を当事者の権能かつ責任としたものである。

(1) 反しない　裁判長は、口頭弁論の期日において、訴訟関係を明瞭にするために、当事者に対して立証を促すことができる（149Ⅰ・釈明権）。これは、弁論主義の形式的な適用による不公平を実質的に修正するために認められるものである。したがって、裁判長が、口頭弁論の期日において、訴訟関係を明瞭にするために、当事者に対して立証を促すことは、弁論主義に反しない。

(2) 反しない　弁論主義の下では、当事者の申立てに基づき、当事者の申し出た証拠方法についてのみ証拠調べが開始されるのが原則である（職権証拠調べの禁止）。しかし、当事者尋問については、当事者の申立てによるばかりでなく、職権によることも認められている（207Ⅰ前段）。事件の事実関係については当事者が最も熟知しており、事実認定に極めて重要な役割を演ずることも少なくないからである。したがって、当事者の申立てがないのに、職権で、当事者本人を尋問することは、弁論主義に反しない。

(3) 反しない　弁論主義は、訴訟資料の収集及び提出についての裁判所と当事者との間の役割分担の問題であって、提出された証拠をどのように評価するかは自由心証主義（247）の問題である。したがって、当事者の一方が提出した証拠を相手方にとって有利な事実の認定のために用いることは、弁論主義に反しない（最判昭28.5.14参照）。

(4) 反しない　弁論主義の下では、裁判所は、当事者間に争いのない事実はそのまま判決の基礎にしなければならない（179・第2原則）。しかし、法解釈については、裁判所の専権事項であって、弁論主義の適用はない。したがって、当事者が、ある法規について一致した解釈をしているのに、これと異なる解釈に立って判決をすることは、弁論主義に反しない。

(5) 反する　弁論主義の下では、裁判所は、当事者が主張していない事実を認定して判決の基礎とすることは許されない（第1原則）。そして、主要事実がここにいう事実に当たることについては、争いはない。したがって、証拠調べの結果に基づいたものであったとしても、いずれの当事者も主張していない主要事実を認定することは、弁論主義に反する。

4b－3(23－4)

審理の進行

次の対話は、主要事実と間接事実に関する教授と学生との対話である。教授の質問に対する次の(ア)から(オ)までの学生の解答のうち、判例の趣旨に照らし誤っているものの組合せは、後記(1)から(5)までのうちどれか。

教授：　民事訴訟では、主要事実と間接事実という区別をよく用いますが、そもそも主要事実とは、どういう事実をいうのですか。

学生：(ア)　例えば、貸金返還請求訴訟の原告であるＡがＢに対して貸金債権を有していると主張する場合に、その貸金債権の発生が認められるために直接必要な事実は、主要事実に当たります。具体的には、民法第587条に規定されている要件に該当する事実であるＡＢ間における金銭の授受及び返還合意がこれに当たります。

教授：　では、その例で、Ｂが、既に借受金を弁済したと主張している場合に、この事実は、主要事実になりますか。

学生：(イ)　弁済の事実は、民法第587条に規定されている事実ではありませんので、主要事実ではなく、間接事実になります。

教授：　主要事実は、訴訟においてどのように取り扱われますか。

学生：(ウ)　主要事実には、弁論主義が適用されますので、判決の基礎とするためには、当事者がその事実を主張している必要があります。したがって、証人の証言からその事実が判明しても、当事者がその事実を主張していない場合には、裁判所は、その事実を判決の基礎とすることはできません。

教授：　間接事実は、訴訟においてどのように取り扱われますか。

学生：(エ)　間接事実は、当事者が主張していないものであっても、裁判の資料とすることができます。つまり、訴訟において、被告が原告の主張する主要事実を否認している場合に、裁判所が、当事者の主張していない間接事実を認定し、もって、原告が主張する主要事実を認定しないことも可能です。

教授：　それでは、当事者の一方が主張している間接事実を他方の当事者が争っていない場合には、裁判所は、その事実と異なる事実を認定することができますか。

学生：(オ)　いいえ。原告が主張する間接事実について被告が争わない場合には、裁判所は、その事実に拘束されますので、これに反する事実を認定して裁判の資料とすることはできません。

(参考)
民法
(消費貸借)
第587条　消費貸借は、当事者の一方が種類、品質及び数量の同じ物をもって返還をすることを約して相手方から金銭その他の物を受け取ることによって、その効力を生ずる。

(1)　(ア)(イ)　(2)　(ア)(ウ)　(3)　(イ)(オ)　(4)　(ウ)(エ)　(5)　(エ)(オ)

学習記録	／	／	／	／	／	／	／	／	／

重要度　B	知識型		正解　(3)

㈠　正　　権利の発生、変更又は消滅という法律効果の判断に直接必要な事実を主要事実という。例えば、貸金返還請求訴訟において原告が貸金債権の発生を主張する場合、民法587条に規定されている要件に該当する事実である金銭の授受及び返還の約束が主要事実となる。

㈡　誤　　弁済の事実は権利の消滅をもたらすものであり、貸金返還請求訴訟等において被告の抗弁となるが、抗弁は実体法上の要件に該当する事実を主張立証して権利の消滅等という法律効果を導くものであり、やはり主要事実である。

㈢　正　　裁判所は、当事者が主張していない事実を認定して裁判の基礎とすることはできない（弁論主義の第１原則）。この点、この弁論主義の第１原則は、主要事実について適用がある。そのため、当事者が主要事実について主張していない場合、たとえ証拠上その存在が認められたときであっても、その事実を判決の基礎とすることはできない。

㈣　正　　弁論主義の第１原則（肢㈢の解説参照）は、間接事実（主要事実の存否を推認するのに役立つ事実）については適用がない。そのため、間接事実は当事者が弁論で主張しなくても、証拠によって弁論に顕れたものであれば、裁判所はこれを認定することができる。また、当事者が主張した主要事実のうち相手方が争った事実については立証を要する。したがって、被告が原告の主張する主要事実を否認している場合に、裁判所が当事者の主張していない間接事実を認定し、原告の主張する主要事実を認定しないこともできる。

㈤　誤　　裁判所は当事者間に争いのない事実についてはそのまま判決の資料としなくてはならない（弁論主義の第２原則 自白の拘束力）。この点、弁論主義の第２原則は主要事実について適用される。したがって、間接事実について当事者間に争いがない場合、弁論主義の第２原則は適用されず自白の拘束力は否定される（最判昭31.5.25、最判昭41.9.22）。そのため、上記の場合、裁判所は証拠から当該間接事実に反する事実を認定して裁判の資料とすることができる。

以上から、誤っているものは㈡㈤であり、正解は⑶となる。

4b−4(28−3)　審理の進行

弁論主義に関する次の(ア)から(オ)までの記述のうち、判例の趣旨に照らし正しいものの組合せは、後記(1)から(5)までのうち、どれか。

(ア)　間接事実についての自白は、裁判所を拘束しないが、自白した当事者を拘束し、当該当事者は、当該自白を撤回することができない。

(イ)　所有権に基づく土地明渡請求訴訟において、原告が自ら被告に対しその土地の使用を許したとの事実を主張し、当該事実が証拠により認められる場合には、被告が抗弁として当該事実を自己の利益に援用しなかったときであっても、裁判所は、原告の請求の当否を判断するについて当該事実を斟酌しなければならない。

(ウ)　裁判所が民事訴訟法第186条に基づく調査の嘱託によって得られた調査の結果を証拠とするには、当事者の援用が必要である。

(エ)　留置権のような権利抗弁にあっては、抗弁権取得の事実関係が訴訟上主張されたとしても、権利者においてその権利を行使する意思を表明しない限り、裁判所においてこれを斟酌することはできない。

(オ)　外国の法規を適用すべき民事訴訟事件において、裁判所は、当該法規の内容及び解釈については、当事者の主張及び立証に基づかなければならず、職権による探知は許されない。

（参考）
民事訴訟法
（調査の嘱託）
第186条　裁判所は、必要な調査を官庁若しくは公署、外国の官庁若しくは公署又は学校、商工会議所、取引所その他の団体に嘱託することができる。

(1)　(ア)(イ)　(2)　(ア)(オ)　(3)　(イ)(エ)　(4)　(ウ)(エ)　(5)　(ウ)(オ)

学習記録	／	／	／	／	／	／	／	／	／

重要度　B	知識型		正解　(3)

(ア) 誤　自白の対象は、主要事実に限定され、間接事実についての自白は、裁判所及び自白した当事者のいずれをも拘束しない（最判昭41.9.22）。なぜなら、自白された間接事実が裁判所を拘束し、裁判所がその事実を主要事実の認定の資料としなければならないとすることは、主要事実の認定を裁判所の自由な心証に委ねていることと矛盾するからである。

(イ) 正　所有権に基づく土地明渡請求訴訟において、本来被告の主張立証すべき使用貸借の事実を原告が主張した場合、被告が援用せずとも、裁判所は、この事実を斟酌して審理するべきである（最判昭41.9.8）。

(ウ) 誤　調査の嘱託によって得られた調査の結果を証拠とするには、当事者が援用する必要はなく、裁判所が口頭弁論において提示して、当事者に意見陳述の機会を与えれば足りる（最判昭45.3.26）。なぜなら、調査の嘱託は証拠調べの一種であるから、当事者が援用しないことによってその結果を証拠から排除することを許すのは不合理だからである。

(エ) 正　留置権のような権利抗弁は、抗弁権取得の事実関係が訴訟上主張されたとしても、権利者がその権利を行使する意思を表明しない限り、裁判所においてこれを斟酌することはできない（最判昭27.11.27）。

(オ) 誤　外国の法規については、裁判官が知っているとは限らず、また、裁判官の職責ともいえないので、証拠による証明の対象となる。ただし、弁論主義の適用はなく、むしろ裁判所は職権探知の義務を負う。

以上から、正しいものは(イ)(エ)であり、正解は(3)となる。

4b−5(R2−2)　審理の進行

弁論主義に関する次の(ア)から(オ)までの記述のうち、判例の趣旨に照らし誤っているものの組合せは、後記(1)から(5)までのうち、どれか。

(ア)　被告が主張責任を負わない自己に不利益な主要事実を進んで陳述した場合であっても、原告がこれを援用しなかったときは、裁判所は、当該事実を判決の基礎とすることができない。

(イ)　債務不履行に基づく損害賠償請求訴訟においては、当事者が過失相殺をすべきであるとの主張をしたときに限り、裁判所は、過失相殺をすることができる。

(ウ)　被告が自白した主要事実について、被告において当該事実が真実に合致しないことを証明することができない場合であっても、原告の同意があるときは、被告はその自白を撤回することができる。

(エ)　損害が生じたことが認められる場合において、損害の性質上その額を立証することが極めて困難であるときは、裁判所は、口頭弁論の全趣旨及び証拠調べの結果に基づき、相当な損害額を認定することができる。

(オ)　裁判所は、職権で、必要な調査を官庁・公署その他の団体に嘱託することができる。

(1)　(ア)(イ)　　(2)　(ア)(エ)　　(3)　(イ)(オ)　　(4)　(ウ)(エ)　　(5)　(ウ)(オ)

学習記録	／	／	／	／	／	／	／	／	／

重要度　B	知識型		正解　(1)

(ア)　誤　　弁論主義は事実・証拠の収集についての裁判所と当事者側との役割分担の問題であり、主張責任を負う者が主張した事実であると、相手方が主張した事実であるとを問わず、双方当事者のいずれかが主張した事実であれば、裁判所はこれを裁判の基礎とすることができる（主張共通の原則)。そのため、主張責任を負わない当事者が、自己に不利益な主要事実を主張し、相手方が当該事実の主張を援用しないときであっても、裁判所は当該事実を判決の基礎とすることができる（最判昭41.9.8)。

(イ)　誤　　債務不履行による過失相殺（民418）は、債務者の主張がなくても、裁判所が職権ですることができる（最判昭43.12.24)。なぜなら、留置権や同時履行の抗弁権などの権利抗弁の場合には、それらを基礎づける客観的事実だけでなく、権利を行使する旨の当事者の意思表示が主張されない限りは、判決の基礎とすることができないが、債務不履行による過失相殺の抗弁は、権利抗弁ではないからである。

(ウ)　正　　裁判上の自白をした当事者は、原則として自白を撤回してこれに反する事実を主張することができない。しかし、例外として、①相手方の同意がある場合（最判昭34.9.17)、②刑事上罰すべき他人の行為により自白するに至った場合（最判昭33.3.7)、③自白が真実に反しかつ錯誤に基づいてされたことが証明された場合（大判大11.2.20）のいずれかに該当するときは、撤回することができる。

(エ)　正　　損害賠償請求訴訟において、損害が生じたことが認められる場合に、損害の性質上その額を立証することが極めて困難であるときは、裁判所は、口頭弁論の全趣旨及び証拠調べの結果に基づき、相当な損害額を認定することができる（248)。なぜなら、損害賠償請求権の存在を認めるためには、裁判所は、その発生原因である損害とともに損害額を認定しなければならず、それについての証明責任は損害賠償請求権を主張する当事者が負うが、損害額の立証が性質上極めて困難な場合にも請求者に当該損害額の立証を要求し、それができなければ請求棄却判決をするのでは、当事者間に不公平が生ずるからである。

(オ)　正　　裁判所は、必要な調査を官庁若しくは公署、外国の官庁若しくは公署又は学校、商工会議所、取引所その他の団体に嘱託することができる（186)。これは、公正さを疑われることのない客観的な事項（例えば、一定の日時や地域の天候、ある地方の商慣習など）について、特定の団体に調査を委託し、その調査報告を証拠資料とする簡易・迅速な証拠調べを認めたものである。そして、この調査の嘱託は、当事者の申立て又は職権で行うことができる。

以上から、誤っているものは(ア)(イ)であり、正解は(1)となる。

4c−1(19−2)　その他

当事者の主張の要否に関する次の(ア)から(オ)までの記述のうち、判例の趣旨に照らし正しいものの組合せは、後記(1)から(5)までのうちどれか。

(ア)　同時履行の抗弁については、当事者がその主張をしない限り、裁判所は、これを判決の基礎とすることはできない。

(イ)　法律行為につき、当事者が公序良俗に反し無効であるとの主張をしない限り、裁判所は、当該行為が公序良俗に反し無効であると判断することはできない。

(ウ)　債務不履行に関する過失相殺は、債務者が過失相殺をすべきであるとの主張をしなくても、裁判所が職権ですることができる。

(エ)　主要事実であっても、裁判所が職務上知り得たものについては、当事者が主張しなくても、裁判所は、これを判決の基礎とすることができる。

(オ)　原告に当事者能力がない場合であっても、被告がその旨の主張をしない限り、裁判所は、訴えを却下することができない。

(1)　(ア)(ウ)　(2)　(ア)(オ)　(3)　(イ)(エ)　(4)　(イ)(オ)　(5)　(ウ)(エ)

学習記録	／	／	／	／	／	／	／	／	／

重要度 B	知識型		正解 (1)

(ア) 正　裁判所は、当事者が申し立てていない事項について、判決をすることができない(246)。そのため、留置権や同時履行の抗弁権などの権利抗弁については、権利を行使する旨の当事者の主張がなければ裁判所は調査を開始し得ない。したがって、当事者が主張しない限り、裁判所が同時履行の抗弁を判決の基礎とすることはできない。

(イ) 誤　判例(最判昭36.4.27)によると、裁判所は、当事者が特に公序良俗違反(民90)による無効の主張をしなくても、同条違反に該当する事実の陳述さえあれば、その有効無効の判断をすることができる。

(ウ) 正　民法418条による過失相殺は、当事者の申立てを待つことなく、職権で斟酌することができる(最判昭43.12.24)。したがって、債務不履行に関する過失相殺は、債務者の主張がなくても、裁判所が職権ですることができる。なお、この場合において、債権者に過失があったという事実は、債務者においてその証明責任を負う。

(エ) 誤　請求を理由付ける事実である主要事実については、当事者の主張がない限り、裁判所がこれを判決の基礎とすることはできない(弁論主義の第1原則)。したがって、裁判所が職務上知り得たものであっても、当事者が主張しない主要事実を判決の基礎とすることはできない。なお、裁判官がその職務を行うことにより知った事実については、証明することを要しない(179)。

(オ) 誤　当事者能力の有無は、訴訟要件の一つであり、弁論主義に服するものではなく、裁判所の職権調査事項である。そして、裁判所は、当事者能力を判断するために必要な資料を提出させることができる(民訴規14)。したがって、裁判所は、原告に当事者能力がないことにつき、被告の主張を待つことなく調査し、当事者能力がないと認められる場合には、訴えを却下することができる。

以上から、正しいものは(ア)(ウ)であり、正解は(1)となる。

5b−1(12−4)　口頭弁論に関する諸主義

直接主義に関する次の(1)から(5)までの記述のうち，判例の趣旨に照らし誤っているものはどれか。

(1) 合議体の裁判官の過半数が交代した場合において，その前に尋問をした証人について，当事者が更に尋問の申出をしたときは，裁判所は，当該証人の尋問をしなければならない。

(2) 単独の裁判官が交代し，その直後の口頭弁論の期日において，原告が出頭しなかった場合には，被告は，従前の口頭弁論の結果を陳述することはできない。

(3) 合議体で審理をしていた事件について，合議体で審理及び裁判をする旨の決定が取り消され，その中の一人の裁判官が単独で審理を進めることとなった場合には，当事者は，従前の口頭弁論の結果を陳述する必要はない。

(4) 裁判所は，証人が受訴裁判所に出頭するについて不相当な費用又は時間を要するときは，受命裁判官又は受託裁判官に裁判所外で証人の尋問をさせることができる。

(5) 判決が，その基本となる口頭弁論に関与していない裁判官によってされたことは，上告の理由となる。

学習記録	／	／	／	／	／	／	／	／	／

重要度　C	知識型		正解　(2)

⑴　正　　合議体の裁判官の過半数が代わった場合において、その前に尋問をした証人について、当事者が更に尋問の申出をしたときは、裁判所は、当該証人の尋問をしなければならない（249Ⅲ）。

⑵　誤　　裁判官が代わった場合には、当事者は、従前の口頭弁論の結果を陳述しなければならないものとされている（249Ⅱ・弁論の更新）。そして、弁論の更新は、当事者の一方が出頭しなかった場合には、出頭した他方の当事者が、双方の従前の弁論結果を陳述すれば足りる（最判昭31.4.13）。弁論の更新は従前の口頭弁論の結果の陳述にすぎず、出頭した当事者のみによる弁論の更新を認めても何ら不都合はないからである。

⑶　正　　裁判官が代わった場合には、当事者は、従前の口頭弁論の結果を陳述しなければならない（249Ⅱ・弁論の更新）。そこで、事件が合議体で審理されていた場合には、一人の裁判官の交代でも、従前の審理に関与していない裁判官が新たに審理に関与することになるので、弁論の更新が必要となる。これに対して、合議体の事件が単独体の審理に移った場合において、その中の一人の裁判官が単独で審理を進めるときは、直接主義の要請は担保されているので、弁論の更新は必要なく（最判昭26.3.29）、当事者は、従前の口頭弁論の結果を陳述する必要はない。

⑷　正　　証拠調べは、直接主義の要請から、受訴裁判所の法廷で行うのが原則である。しかし、訴訟経済の見地から、例外的に、証人が受訴裁判所に出頭するについて不相当な費用又は時間を要するときは、裁判所は、受命裁判官又は受託裁判官に裁判所外で証人の尋問をさせることができる（195②）。

⑸　正　　判決裁判所の構成員として判決をする裁判官は、その基本となる口頭弁論に関与した裁判官でなければならず（249Ⅰ）、これに対する違反は法律に従って判決裁判所を構成しなかったものとして絶対的上告理由となる（312Ⅱ①、最判昭32.10.4）。

5b－2(25－3)　口頭弁論に関する諸主義

弁論主義に関する次の(ア)から(オ)までの記述のうち、判例の趣旨に照らし正しいものの組合せは、後記(1)から(5)までのうち、どれか。

(ア)　所有権に基づく土地の明渡請求訴訟において、原告が被告に対して当該土地の使用を許した事実を原告自身が主張し、裁判所がこれを確定した場合には、被告が当該事実を自己の利益に援用しなかったときでも、裁判所は、当該事実を判決の基礎とすることができる。

(イ)　裁判所は、原告及び被告の間に仲裁の合意があることが証拠から認められる場合には、被告が当該合意の存在を主張していないときであっても、訴えを却下することができる。

(ウ)　裁判所は、売買代金請求訴訟において、被告が同時履行の抗弁権を基礎付ける客観的事実を主張し、この事実が証拠から認められる場合には、被告が当該抗弁権を行使する旨の意思を表明していないときであっても、同時履行の抗弁を判決の基礎とすることができる。

(エ)　裁判所は、債務不履行に基づく損害賠償請求訴訟において、債務者である被告が原告である債権者の過失となるべき事実を主張し、この事実が証拠から認められる場合には、被告が過失相殺の主張をしていないときであっても、過失相殺の抗弁を判決の基礎とすることができる。

(オ)　土地の所有権の移転の登記手続請求訴訟において、当該土地につき、原告がＡから原告の被相続人Ｂへの売却及びＢから原告への相続があったことを主張し、被告がＡからＣへの売却があったことを主張した場合において、ＡからＢへの売却の後、ＢからＣへの死因贈与があったことが証拠から認められるときは、裁判所は、ＢからＣへの死因贈与があったことを判決の基礎とすることができる。

(1)　(ア)(ウ)　　(2)　(ア)(エ)　　(3)　(イ)(ウ)　　(4)　(イ)(オ)　　(5)　(エ)(オ)

学習記録	／	／	／	／	／	／	／	／	／

重要度 C	知識型		正解 (2)

(ア) 正　主張責任を負う者が主張した事実であると相手方が主張した事実であるとを問わず、双方当事者のいずれかが主張した事実である限り、相手方が援用しない自己に不利益な事実であっても、裁判所はこれを裁判の基礎とすることができる（主張共通の原則)。

(イ) 誤　仲裁契約は、判決の正当性確保又は訴訟機能維持といった公共的役割とは関係の少ない私的な利益に関する訴訟要件であるため、当事者からの申立てを待って初めて調査を開始すれば足りる（抗弁事項）。そして、抗弁事項に当たる訴訟要件の判断資料の収集責任は当事者にあるため（弁論主義)、当事者の主張なくして裁判所は当該要件の認定をすることができない。したがって、裁判所は、原告及び被告の間に仲裁の合意があることが証拠から認められる場合であっても、被告が当該合意の存在を主張していないときは、訴えを却下することができない。

(ウ) 誤　同時履行の抗弁権など権利抗弁では、実体法上の抗弁権の成立に関する主要事実については主張共通の原則が妥当するが、その行使の事実の主張・立証は、その法的効果を主張する者によってなされなければならない。したがって、被告が同時履行の抗弁権を基礎付ける客観的事実を主張し、この事実が証拠から認められる場合であっても、被告が当該抗弁権を行使する旨の意思を表明していないときには、裁判所は同時履行の抗弁を判決の基礎とすることができない。

(エ) 正　過失相殺（民418・722Ⅱ）は、債務者の主張がなくても裁判所はこれを判決の基礎とすることができる（最判昭43.12.24)。

(オ) 誤　主要事実については、当事者による主張がなされない限り、裁判所は、これを判決の基礎とすることはできない。この点、所有権取得の経過来歴が主要事実に当たるかについて判例は、Xが、BがAから買った土地をBから相続したとして、所有権に基づき移転登記を請求したのに対し、Yがその夫CがAから買った土地を相続したと争った事例で、Yが抗弁として主張しないのにCがBから死因贈与により取得したとの事実を認定しXの請求を排斥した原審判決は弁論主義に違反するとしている（最判昭55.2.7)。

以上から、正しいものは(ア)(エ)であり、正解は(2)となる。

5c－1(元－3)　口頭弁論の準備

地方裁判所の民事訴訟手続における準備書面に関する次の記述のうち、誤っているものはどれか。なお、映像と音声の送受信による通話の方法による口頭弁論については、考慮しないものとする。(改)

(1)　口頭弁論は、書面で準備しなければならない。

(2)　準備書面に記載のない事実は、相手方が在廷していないときには、口頭弁論で主張することができない。

(3)　準備書面には、記名押印しなければならない。

(4)　口頭弁論期日に欠席した当事者から、事前に準備書面が提出されているときは、その記載事項は、陳述したものとみなすことができる。

(5)　被告が本案について準備書面を提出した後においては、訴えの取下げは、被告の同意がなければ効力を生じない。

学習記録	／	／	／	／	／	／	／	／	／

重要度　B	知識型	

正解　(4)

(1) 正　　簡易裁判所の場合（276Ⅰ）を除き、口頭弁論は、書面で準備しなければならない（161Ⅰ）。

(2) 正　　相手方が在廷していない口頭弁論においては、準備書面（相手方に送達されたもの又は相手方からその準備書面を受領した旨を記載した書面が提出されたものに限る。）に記載した事実でなければ、主張することができない（161Ⅲ）。

(3) 正　　訴状、準備書面その他の当事者又は代理人が裁判所に提出すべき書面には、当事者又は代理人は、記名押印しなければならない（民訴規２Ⅰ）。なお、氏名等について秘匿決定があった場合には、この限りでない（民訴規52の12Ⅰ・民訴133Ⅴ）。

(4) 誤　　訴状等の陳述擬制（158）は、簡易裁判所を除き（277）、続行期日では認められない。

(5) 正　　訴えの取下げは、相手方が本案について準備書面を提出し、弁論準備手続において申述をし、又は口頭弁論をした後にあっては、相手方の同意を得なければ、その効力を生じない（261Ⅱ本文）。

〈準備書面の要否〉

簡裁以外		必要的（161Ⅰ・297）
簡裁	原則	任意的（276Ⅰ）
	例外	相手方が準備しなければ陳述できないと認めるべき事項については書面による準備又は相手方への通知が必要（276Ⅱ）

5c−2(4−2)　口頭弁論の準備

弁論準備手続に関する次の記述のうち、誤っているものはどれか。(改)

(1)　裁判所は口頭弁論を開くことなく、直ちに弁論準備手続をすることができない。

(2)　弁論準備手続は、公開しなくてもよい。

(3)　訴訟代理人がいる場合でも、弁論準備手続をする裁判所は訴訟関係を明確にするために必要があると認める場合には、当事者本人の出頭を命じることができる。

(4)　当事者が弁論準備手続の期日に出頭しないときは、裁判所は弁論準備手続を終結することができる。

(5)　当事者は、弁論準備手続が終結された後の口頭弁論において弁論準備手続の結果を陳述することを要する。

学習記録	/	/	/	/	/	/	/	/	/

重要度　B	知識型	

正解　(1)

(1) 誤　　裁判所は、事件の内容や性質に応じて、口頭弁論を開くことなく、直ちに、事件を弁論準備手続（168～174）に付することができる。早期に争点及び証拠の整理を行うことで、立証すべき事実が明確になって集中的な証拠調べ（182）が可能となり、口頭弁論の内容を充実したものにすることができるからである。

(2) 正　　弁論準備手続は、準備的口頭弁論（164～167）とは異なり、口頭弁論手続ではないから、公開しなくてもよい。もっとも、弁論準備手続においては、実質的に重要な審理が行われることから（170Ⅱ）、裁判所は、相当と認める者の傍聴を許すことができ（169Ⅱ本文）、当事者が申し出た者については、手続を行うのに支障を生ずるおそれがあると認める場合を除き、その傍聴を許さなければならない（169Ⅱ但書）。

(3) 正　　弁論準備手続には、口頭弁論の規定の準用があり、訴訟代理人がいる場合でも、裁判所は、訴訟関係を明確にするため必要があると認める場合には、当事者本人の出頭を命ずる釈明処分をすることができる（170Ⅴ・151Ⅰ①）。

(4) 正　　弁論準備手続の目的は、早期に争点及び証拠の整理を行い、立証すべき事実を明確にすることで集中的な証拠調べ（182）を可能にし、口頭弁論の内容を充実したものにすることにある。しかし、このような目的を達成するためには当事者の協力が不可欠である。そこで、法は、当事者が期日に出頭せず、又は準備書面等の提出期間内（162）に準備書面の提出若しくは証拠の申出をしないときは、裁判所は、弁論準備手続を終了することができる旨を規定した（170Ⅴ・166）。

(5) 正　　当事者は、口頭弁論において、その後の証拠調べで証明すべき事実を明らかにして弁論準備手続の結果を陳述しなければならない（173、民訴規89）。直接主義、公開主義の要請から、弁論準備手続でされた主張及び証拠を訴訟資料とするために、口頭弁論において弁論準備手続の結果の陳述を要求したものである。

〈弁論準備手続〉

意　　義	口頭弁論で集中的に証拠調べができるように、原則として裁判所の下に当事者が協議をして争点と証拠を整理する手続　（注１・２）
手続の開始及び実施	〈開始〉 裁判所は、争点及び証拠の整理を行うため必要があると認めるときは、当事者の意見を聴いて、事件を弁論準備手続に付することができる（168） 〈実施〉 ①証拠の申出に関する裁判、文書の証拠調べ等をすることができる（170Ⅱ） ②裁判所は、相当と認めるときは、当事者の意見を聴いて、電話会議システムによって、手続を行うことができる（170Ⅲ）（注３）
手続の公開	〈当事者の立会い〉 当事者双方に立会権がある（169Ⅰ） 〈傍聴〉 原則：裁判所は、裁量により、相当と認める者の傍聴を許すことができる（169Ⅱ本文） 例外：当事者が申し出た者については、手続を行うのに支障を生ずるおそれがあると認める場合を除き、傍聴を許さなければならない（169Ⅱ但書）
欠　　席	当事者不出頭の場合、裁判所は弁論準備手続を終了することができる（170Ⅴ・166）（注４）
説明義務	弁論準備手続の終結後に攻撃又は防御の方法を提出した当事者は、相手方の求めがあるときは、相手方に対し、その終結前に提出できなかった理由を説明しなければならない（174・167）

（注１）　弁論準備手続は口頭弁論の一部ではない点で準備的口頭弁論と異なる。

（注２）　弁論準備手続において証拠の申出をすることはできる。

（注３）　弁論準備手続の期日に出頭しないで電話会議システムによる手続に関与した当事者は、その期日に出頭したものとみなされる（170Ⅳ）。

（注４）　当事者の一方が最初の弁論準備手続期日に欠席したときは、欠席者から準備書面が提出されていれば、その内容が陳述されたものとみなされて審理が行われる（170Ⅴ・158）。

〈書面による準備手続〉

意　　義	準備書面の交換や電話会議システムの利用によって、当事者の出頭なしに、争点及び証拠の整理を行う手続
手続の開始	裁判所が相当と認めるときは、当事者の意見を聴いて、事件を書面による準備手続に付する旨の決定をする（175）
主　宰　者	原則：裁判長（176 I 本文） 例外：高等裁判所では受命裁判官に行わせることができる（176 I 但書）
証明すべき事実の確認	裁判所は、書面による準備手続の終結後の最初の口頭弁論の期日において、その後の証拠調べによって証明すべき事実を当事者との間で確認する（177）
説明義務	書面による準備手続が行われた事件について、証明すべき事実の確認がされた後に攻撃又は防御の方法を提出した当事者は、相手方の求めがあるときは、相手方に対し、確認前に提出できなかった理由を説明しなければならない（178）

〈準備的口頭弁論〉

意　　義	争点及び証拠の整理を口頭弁論手続で行う方式
手続の開始	裁判所が、争点及び証拠の整理のために必要があると判断した場合に、決定をもって開始する（164）
欠席等による終了	当事者が期日に出頭せず、又は定められた期間内（162）に、準備書面の提出若しくは証拠の申出をしないときは、裁判所は、準備的口頭弁論を終了することができる（166）（注）
説明義務	準備的口頭弁論の終了後に攻撃防御方法を提出する当事者は、相手方の求めがあるときは、その終了前に提出できなかった理由を説明する義務を負う（167）

（注）映像と音声の送受信により、口頭弁論の期日に出頭しないでその手続に関与した当事者は、その期日に出頭したものとみなされる（87の２Ⅲ）。

5c−3(13−1)　口頭弁論の準備

次の(1)から(5)までの記述のうち、準備的口頭弁論及び弁論準備手続の両手続に共通しないものはどれか。なお、映像と音声の送受信による通話の方法による口頭弁論については、考慮しないものとする。(改)

(1) 裁判所は、手続を終了又は終結するに当たり、その後の証拠調べにより証明すべき事実を当事者との間で確認するものとされている。

(2) 裁判長は、相当と認めるときは、手続を終了又は終結するにあたり、手続における争点及び証拠の整理の結果を要約した書面を当事者に提出させることができる。

(3) 裁判所は、当事者が期日に出頭しないときは、手続を終了又は終結することができる。

(4) 手続の終了又は終結後に攻撃又は防御の方法を提出した当事者は、相手方の求めがあるときは、相手方に対し、手続の終了又は終結前にそれを提出することができなかった理由を説明しなければならない。

(5) 裁判所は、相当と認めるときは、当事者の意見を聴いて、いわゆる電話会議方式によって、期日における手続を行うことができる。

学習記録	／	／	／	／	／	／	／	／	／

重要度　B	知識型		正解　(5)

⑴　共通する　　準備的口頭弁論（164～167）も、弁論準備手続（168～174）も、いずれも争点及び証拠を整理してその後の証拠調べ手続を迅速にかつ集中して行うことを目的とするものである。そこで、裁判所は、準備的口頭弁論又は弁論準備手続を終了又は終結するに当たり、その後の証拠調べにより証明すべき事実を当事者との間で確認すべきものとされている（165Ⅰ・170Ⅴ）。

⑵　共通する　　準備的口頭弁論及び弁論準備手続のいずれにおいても、裁判長は、相当と認めるときは、準備的口頭弁論又は弁論準備手続を終了又は終結するに当たり、当事者に準備的口頭弁論又は弁論準備手続における争点及び証拠の整理の結果を要約した書面を提出させることができる（165Ⅱ・170Ⅴ）。

⑶　共通する　　準備的口頭弁論及び弁論準備手続のいずれにおいても、当事者が争点整理手続において不協力であるときは、その目的を達成することができない。そこで、当事者が期日に出頭しないときは、裁判所は、準備的口頭弁論又は弁論準備手続を終了又は終結することができる（166・170Ⅴ）。

⑷　共通する　　準備的口頭弁論又は弁論準備手続の終了又は終結後に攻撃又は防御の方法を提出した当事者は、相手方の求めがあるときは、相手方に対し、準備的口頭弁論又は弁論準備手続の終了又は終結前にこれを提出することができなかった理由を説明しなければならない（167・174）。

⑸　共通しない　　弁論準備手続においては、裁判所は、相当と認めるときは、当事者の意見を聴いて、最高裁判所規則で定めるところにより、裁判所及び当事者双方が音声の送受信により同時に通話をすることができる方法（いわゆる電話会議方式）によって、弁論準備手続の期日における手続を行うことができる（170Ⅲ）。一方、口頭弁論においては、裁判所は、相当と認めるときは、当事者の意見を聴いて、最高裁判所規則で定めるところにより、裁判所及び当事者双方が映像と音声の送受信により相手の状態を相互に認識しながら通話をすることができる方法（いわゆるウェブ会議）によって、口頭弁論の期日における手続を行うことができる（87の２Ⅰ）。この点、準備的口頭弁論も口頭弁論の一種であるため、ウェブ会議により期日の手続が可能とされるが、電話会議によることはできない。

5c−4(18−2)　口頭弁論の準備

争点及び証拠の整理手続に関する次の(1)から(5)までの記述のうち、正しいものはどれか。

(1)　準備的口頭弁論の期日においては、証人尋問を実施することはできない。

(2)　裁判所が準備的口頭弁論を行うに当たっては、当事者の意見を聴かなければならない。

(3)　当事者の一方からの申立てがある場合は、裁判所は、弁論準備手続に付する裁判を取り消さなければならない。

(4)　弁論準備手続の期日において、裁判所は、訴えの変更を許さない旨の決定をすることができる。

(5)　書面による準備手続においては、当事者の訴訟追行の状況を考慮して必要があると認める場合でなければ、裁判長は、答弁書若しくは準備書面の提出又は証拠の申出をすべき期間を定める必要はない。

学習記録	／	／	／	／	／	／	／	／	／

重要度　B	知識型		正解　(4)

⑴　誤　　争点及び証拠の整理を口頭弁論期日において行う手続が準備的口頭弁論であり、その法律上の性質は口頭弁論にほかならないから、証拠調べについても制限はない（164～167）。

⑵　誤　　準備的口頭弁論を行うかは裁判所の裁量であり、当事者の同意は必要とされていない（164参照）。

⑶　誤　　裁判所が、弁論準備手続に付する裁判を必要的に取り消さなくてはならないのは、当事者双方の申立てがある場合である（172但書）。なお、裁判所は、相当と認めるときは、申立てにより又は職権で、弁論準備手続に付する裁判を取り消すことができる（172本文）。

⑷　正　　裁判所は、弁論準備手続の期日においては、口頭弁論の期日外においてすることができる裁判をすることができ（170Ⅱ）、このような裁判として、例示されている証拠の申出に関する裁判のほか、訴えの変更の許否の裁判等をすることができるとされている。

⑸　誤　　書面による準備手続においては、裁判長又は高等裁判所における受命裁判官は、答弁書若しくは特定の事項に関する主張を記載した準備書面の提出又は特定の事項に関する証拠の申出をすべき期間を定めなければならない（176Ⅱ・162）。したがって、当事者の訴訟追行の状況を考慮して必要があると認める場合でなければ当該申出期間を定める必要はないとする点で、本肢は誤っている。

5c－5(18－3)　口頭弁論の準備

訴えを提起しようとする者が訴えの被告となるべき者に対し訴えの提起を予告する通知を書面でした場合（以下本問において当該通知を「予告通知」という。）の、訴えの提起前における照会等に関する次の(1)から(5)までの記述のうち、正しいものはどれか。

(1)　被告となるべき者は、訴えを提起しようとする者からの予告通知の書面を受領すれば、これに対する返答をするに先立ち、予告通知をした者に対し、訴えの提起前における照会をすることができる。

(2)　予告通知の書面には、提起しようとする訴えに係る請求の趣旨及び原因を記載する必要はなく、その訴えに係る請求の要旨及び紛争の要点を記載すればよい。

(3)　訴えの提起前における照会がされたにもかかわらず、正当な理由なくこれに回答しなかったときは、過料の制裁を受けることがある。

(4)　訴え提起前の証拠収集処分においては、裁判所は、文書の所持者に対して、文書の提出を命じることができる。

(5)　裁判所が訴え提起前の証拠収集処分をしたにもかかわらず、予告通知をした者が訴えを提起しないときは、裁判所は、予告通知を受けた者の申立てにより、予告通知をした者に対して、訴えを提起すべきことを命じなければならない。

学習記録	／	／	／	／	／	／	／	／	／

重要度　B	知識型		正解　(2)

予告通知者及び答弁要旨書によって予告通知に返答した被予告通知者は、訴えを提起した場合の主張又は立証を準備するために必要であることが明らかな事項について、書面で回答するよう相手方に対して書面で照会することができる（132の2・132の3・訴えの提起前における照会）。

(1) 誤　予告通知を受けた者（以下「被予告通知者」という。）が、予告通知をした者（以下「予告通知者」という。）に対して訴えの提起前における照会をするには、予告通知に対する返答をした後でなければならない（132の3Ⅰ）。

(2) 正　訴状には、請求の趣旨及び原因を記載する必要があるが（134Ⅱ②）、予告通知の書面には、提起しようとする訴えに係る請求の要旨及び紛争の要点を記載すれば足りる（132の2Ⅲ）。

(3) 誤　訴えの提起前における照会において、照会の要件（132の2Ⅰ本文・Ⅳ）が具備されていない又は除外事由（132の2Ⅰ但書）があるといった正当な理由がないにもかかわらず回答しなかったときでも、法律上特別の制裁は設けられていない。

(4) 誤　予告通知者又は答弁要旨書によって予告通知に返答した被予告通知者は、裁判所に対し、訴え提起前の証拠収集処分の申立てをすることができる（132の4）。処分の内容としては、132条の4第1項各号に掲げる、文書の送付嘱託、官公署等に対する調査の嘱託、専門的な知識経験を有する者に対する意見陳述の嘱託、執行官に対する現況調査命令に限られている。あくまで本来の訴訟係属前の処分であるため、文書提出命令のように文書の提出義務をめぐる審理が必ずしも容易ではないものについては認められていない。

(5) 誤　裁判所が訴え提起前の証拠収集処分をしたにもかかわらず、予告通知者が訴えを提起しないときであっても、予告通知者に対し、起訴命令（民保37Ⅰ参照）を発することは予定していないため、裁判所は、被予告通知者の申立てにより、予告通知をした者に対して、訴えを提起すべきことを命ずることはできない。

5c−6(24−3)　口頭弁論の準備

弁論準備手続に関する次の記述のうち、正しいものは、どれか。

(1)　弁論準備手続は、最初にすべき口頭弁論の期日後でなければ、行うことができない。

(2)　弁論準備手続において当事者が申し出た者については、裁判所は、手続を行うのに支障を生ずるおそれがあると認める場合を除き、その傍聴を許さなければならない。

(3)　弁論準備手続の期日においては、補助参加の許否についての決定をすることができない。

(4)　弁論準備手続の期日に当事者の一方が出頭することができない場合に、裁判所及び当事者双方が音声の送受信により同時に通話をすることができる方法によって手続を行うには、他方の当事者がその期日に出頭していなければならない。

(5)　裁判所は、決定により、受訴裁判所を構成する裁判官以外の裁判官に弁論準備手続を行わせることができる。

学習記録	／	／	／	／	／	／	／	／	／

重要度　B	知識型		正解　(2)

(1)　誤　　事件を弁論準備手続に付するには、裁判所が口頭弁論期日を開いて、当事者と審理の進行を協議した上で行うのが通例であるが、当事者に異議がないときは、最初の口頭弁論期日の指定に代えて、弁論準備手続に付す旨の決定をすることもできる（民訴規60Ⅰ但書）。

(2)　正　　裁判所は、相当と認める者の傍聴を許すことができる（169Ⅱ本文）。ただし、当事者が申し出た者については、手続を行うのに支障を生ずるおそれがあると認める場合を除き、その傍聴を許さなければならない（169Ⅱ但書）。

(3)　誤　　裁判所は、弁論準備手続の期日において、口頭弁論の期日外においてすることができる裁判をすることができる（170Ⅱ）。この裁判には、補助参加の許否の裁判（44Ⅰ）も含まれる。

(4)　誤　　裁判所は、相当と認めるときは、当事者の意見を聴いて、最高裁判所規則で定めるところにより、裁判所及び当事者双方が音声の送受信により同時に通話をすることができる方法によって、弁論準備手続の期日における手続を行うことができる（170Ⅲ）。したがって、他方の当事者がその期日に出頭していなくても、当該手続を行うことができる。

(5)　誤　　裁判所は、受命裁判官に弁論準備手続を行わせることができる（171Ⅰ）。ここで、受命裁判官とは、受訴裁判所の構成員のうちの一部の裁判官が命を受けて一定の職務行為を行う場合の、その裁判官のことを指す。したがって、受訴裁判所を構成する裁判官以外の裁判官に弁論準備手続を行わせることはできない。

5c－7(28－4)　口頭弁論の準備

弁論準備手続に関する次の記述のうち、正しいものは、どれか。

(1) 裁判所は、当事者の一方が事件を弁論準備手続に付することについて同意していない場合には、事件を弁論準備手続に付することができない。

(2) 当事者の一方が弁論準備手続の期日に出頭しないときは、裁判所は、弁論準備手続を終結することができる。

(3) 裁判所は、当事者の双方がいずれも弁論準備手続の期日に出頭していない場合には、裁判所及び当事者双方が音声の送受信により同時に通話をすることができる方法によって、弁論準備手続の期日における手続を行うことができない。

(4) 弁論準備手続の期日においては、ビデオテープを検証の目的とする検証をすることができる。

(5) 弁論準備手続の終結後に攻撃又は防御の方法を提出した当事者は、相手方の求めがないときであっても、裁判所に対し、弁論準備手続の終結前にこれを提出できなかった理由を説明しなければならない。

学習記録	／	／	／	／	／	／	／	／	／

重要度　B	知識型		正解　(2)

(1) 誤　　裁判所が、事件を弁論準備手続に付すために、当事者の意見を聴取すべきことは定められている（168）が、当事者の同意までは必要とされていない。

(2) 正　　当事者が期日に出頭しないときは、裁判所は、弁論準備手続を終了することができる（170Ⅴ・166）。この点、裁判所は、当事者の双方が不出頭の場合も、一方のみが不出頭の場合も、弁論準備手続を終了することができる。

(3) 誤　　裁判所は、相当と認めるときは、当事者の意見を聴いて、最高裁判所規則で定めるところにより、裁判所及び当事者双方が音声の送受信により同時に通話をすることができる方法によって、弁論準備手続の期日における手続を行うことができる（170Ⅲ）。

(4) 誤　　裁判所は、弁論準備手続の期日において、証拠の申出に関する裁判その他の口頭弁論の期日外においてすることができる裁判及び文書（231条に規定する物件を含む。）の証拠調べをすることができる（170Ⅱ）が、検証は、裁判官が対象に接して性状等を直接認識することに意味があり、文書の記載からその思想内容を認識することに意味のある文書の証拠調べ（書証）とは異なる。したがって、弁論準備手続の期日においては、ビデオテープを検証の目的とする検証をすることはできない。

(5) 誤　　弁論準備手続の終結後に攻撃又は防御の方法を提出した当事者は、相手方の求めがあるときは、相手方に対し、弁論準備手続の終結前にこれを提出することができなかった理由を説明しなければならない(174・167)。これは、弁論準備手続終了後に弁論準備手続で提出しなかった資料を提出しようとする当事者に信義則上の負担を課す規律を通じて、事実上、新たな資料の提出をしにくい状況を作り出し、これによって弁論準備手続において提出できる全ての資料を提出するように当事者を誘導することを目指すものである。

5c－8(R2－3)　口頭弁論の準備

争点及び証拠の整理手続に関する次の(ア)から(オ)までの記述のうち、正しいものの組合せは、後記(1)から(5)までのうち、どれか。

(ア)　裁判所は、当事者の同意がない場合であっても、準備的口頭弁論を行うことができるが、当事者の同意がない場合には、事件を弁論準備手続に付することができない。

(イ)　準備的口頭弁論の期日は、裁判所の許可を受けた者でなくても傍聴することができるが、弁論準備手続の期日は、裁判所の許可を受けた者でなければ傍聴することができない。

(ウ)　弁論準備手続においては、当事者の一方が期日に出頭した場合に限り、裁判所及び当事者双方が音声の送受信により同時に通話をすることができる方法により、期日における手続を行うことができるが、書面による準備手続においては、この方法により協議をすることができない。

(エ)　弁論準備手続の期日においては、証拠調べとして、文書及び図面、写真、録音テープ、ビデオテープその他の情報を表すために作成された物件で文書でないものしか取り調べることができないが、準備的口頭弁論の期日においては、それら以外の証拠も取り調べることができる。

(オ)　当事者は、弁論準備手続の終結後であっても、攻撃又は防御の方法を提出することができるが、準備的口頭弁論の終了後には、攻撃又は防御の方法を提出することができない。

(1)　(ア)(エ)　　(2)　(ア)(オ)　　(3)　(イ)(ウ)　　(4)　(イ)(エ)　　(5)　(ウ)(オ)

学習記録	／	／	／	／	／	／	／	／	／

重要度 B	知識型		正解 (4)

(ア) 誤　準備的口頭弁論を行うかは裁判所の裁量であり、当事者の同意は必要とされていない(164参照)。また、裁判所が、事件を弁論準備手続に付すために、当事者の意見を聴取すべきことは定められている(168)が、当事者の同意までは必要とされていない。

(イ) 正　準備的口頭弁論は、口頭弁論の一種であるから、その期日は公開され、裁判所の許可を受けた者でなくても傍聴することができる。これに対して、弁論準備手続では、裁判所は相当と認める者の傍聴を許すことができ、当事者が申し出た者については手続に支障を生じない限り傍聴を認めなければならないが、原則としては非公開である(169Ⅱ)。

(ウ) 誤　裁判所は、相当と認めるときは、当事者の意見を聴いて、最高裁判所規則で定めるところにより、裁判所及び当事者双方が音声の送受信により同時に通話をすることができる方法(いわゆる電話会議システム)によって、弁論準備手続の期日における手続を行うことができる。(170Ⅲ)。また、書面による準備手続においても、裁判長又は高等裁判所における受命裁判官は、必要があると認めるときは、電話会議システムによって、争点及び証拠の整理に関する事項その他口頭弁論の準備のため必要な事項について、当事者双方と協議をすることができる(176Ⅲ前段)。

(エ) 正　弁論準備手続では、証拠の申出に関する裁判、その他の口頭弁論の期日外ですることができる裁判及び文書の証拠調べをすることができる(170Ⅱ)。この点、弁論準備手続で行うことができるのは、基本的には争点及び証拠の整理であるが、争点や証拠の整理の実効性を高めて口頭弁論の集中を実現するため、文書に限って、本来口頭弁論で行われるべき証拠調べまでできるとされている。そして、いわゆる準文書(図面、写真、録音テープ、ビデオテープ、その他の情報を表すために作成された物件)も弁論準備手続での証拠調べの対象となる。これに対して、準備的口頭弁論においては、一般の口頭弁論の規定が全て適用されるので、争点整理に関するものである限り、証拠調べを含めて、あらゆる行為をすることができる。

(オ) 誤　準備的口頭弁論の終了後に攻撃又は防御の方法を提出した当事者は、相手方の求めがあるときは、相手方に対し、準備的口頭弁論の終了前にこれを提出することができなかった理由を説明しなければならない(167)。そして、当該規定は、弁論準備手続の終結後に攻撃又は防御の方法を提出した当事者について準用されている(174・167)。

以上から、正しいものは(イ)(エ)であり、正解は(4)となる。

5d－1(9－3)　口頭弁論における当事者の訴訟行為

口頭弁論における当事者の陳述に関する次の記述のうち、正しいものはどれか。

(1) 相手方の主張した事実を知らない旨の陳述をした当事者は、その事実を争わないものと推定される。

(2) 訴訟代理人の事実に関する陳述については、当事者は、いつでも、これを取り消し又は更正することができる。

(3) 裁判所は、裁判上の自白が成立した事実についても、証拠調べの結果に基づき、これと異なる事実を認定することができる。

(4) 当事者本人が当事者尋問において陳述した事実は、口頭弁論において陳述したものとみなされる。

(5) 公示送達により呼出しを受けた当事者は、口頭弁論期日に出頭せず、答弁書その他の準備書面を提出しない場合でも、相手方の主張した事実を自白したものとみなされることはない。

学習記録	／	／	／	／	／	／	／	／	／

重要度　C	知識型	

正解　(5)

⑴　誤　　当事者が相手方の主張した事実を知らない旨の陳述（不知）をした場合、そこには消極的ながら争う意思が見受けられるので、この陳述をした当事者は、その事実を争ったもの（否認）との推定を受ける（159Ⅱ）。

⑵　誤　　具体的な事実関係については代理人よりも当事者の方が詳しいはずであるという考慮から、訴訟代理人の事実に関する陳述については、代理人とともに出廷した当事者に更正権が認められている（57）。ただし、その場に居合わせながら代理人の行為を傍観していた当事者に、いつまでも更正権を行使することを認めるのは不当なので、当事者は、直ちに更正権を行使して、訴訟代理人の陳述を取消し又は更正しなければならない。なお、訴訟代理人の陳述の直後に期日が閉じられた場合や、本人がその期日に欠席していた場合には、次の期日の最初に更正することができる。

⑶　誤　　裁判上の自白が成立した事実は不要証となる（179）。私的自治の訴訟法的反映から、裁判所の心証形成そのものが排除され、証拠により真実に反すると認められる場合でも、裁判所はそのまま事実認定しなければならない。

⑷　誤　　当事者本人が当事者尋問（207以下）において陳述した事実は、訴訟資料ではなく、証拠資料である。弁論主義の下では、不意打ち防止の趣旨から、証拠資料をもって訴訟資料に代替することは認められない。したがって、当事者尋問において陳述した事実は、口頭弁論において陳述したものとはみなされない。

⑸　正　　口頭弁論に出頭しない当事者が、公示送達によって呼出しを受けているときは、相手方の主張した事実を自白したものとみなされることはない（159Ⅲ但書）。争う機会が現実に保障されていたとはいえないからである。

5e−1(57−5)　口頭弁論期日における当事者の欠席

公示送達の方法によらない呼出しを受けたにもかかわらず、被告が最初の口頭弁論期日に出頭しなかった場合に裁判所がとり得る措置に関する次の記述のうち、正しいものはどれか。なお、映像と音声の送受信による通話の方法による口頭弁論については、考慮しないものとする。(改)

○ (1) 原告もまた最初の口頭弁論期日に出頭しなかったが、被告が答弁書において、原告の請求を基礎づける事実を全部認めているときには、裁判所は訴状及び答弁書に記載された事項を陳述したものとみなし、弁論を終結して原告勝訴の判決をすることができる。

(2) 被告が、答弁書その他の準備書面を提出せず、また訴状に記載された事実によれば、原告の請求が理由があると認められる場合であっても、裁判所は、原告に本案についての弁論をさせることなく期日を延期することができる。

(3) 被告が、答弁書その他の準備書面を提出しなかったときには、訴状に請求の趣旨が記載されている限り、請求を基礎づける事実の記載が不十分であっても、裁判所は請求の認諾があったものとみなすことができる。

(4) 被告が、答弁書その他の準備書面を提出せず、また訴状に記載された事実によれば、原告の請求が理由があると認められる場合であっても、原告が訴状と同時に提出した書証からその請求の一部が理由がないものと認められる可能性があるときには、裁判所は、証拠調べをした上でなければ判決をすることができない。

○ (5) 最初の期日が、当事者の合意により変更され、第２回目の期日に最初の口頭弁論が開かれた場合には、被告が答弁書その他の準備書面を提出せず、また訴状に記載された事実によれば、原告の請求が理由があると認められるときでも、裁判所は被告がその事実を自白したものとみなして原告勝訴の判決をすることはできない。

学習記録	／	／	／	／	／	／	／	／	／

重要度　A	知識型		正解　(2)

(1)　誤　　最初の口頭弁論期日に当事者双方が欠席した場合には、当事者の一方が欠席した場合とは異なって、訴状及び答弁書に記載された事項を陳述したものとみなされることはない(158参照)。当事者が双方欠席した場合にまで、陳述したものとみなすと、口頭主義・当事者双方審尋主義等の口頭弁論の諸原則を骨抜きにしてしまうからである。したがって、記載された事項が弁論に顕出されることはなく、訴訟が裁判をするのに熟した（243Ⅰ）といえることはないから、弁論を終結して原告勝訴の判決をすることはできない。

(2)　正　　公示送達の方法によらない呼出しを受けた被告が、答弁書その他の準備書面を提出せずに最初の口頭弁論期日に欠席した場合、出席した原告の訴状に記載された事実（161Ⅲ）について自白したものとみなされる（159Ⅲ・Ⅰ）。この結果、その期日で裁判をするのに熟すれば、裁判所は直ちに弁論を終結して終局判決をし（243Ⅰ）、弁論の続行が必要ならば続行期日を指定することになるが、いずれによるかは裁判所の裁量による。したがって、裁判所は、原告に本案についての弁論をさせることなく期日を延期することができる。

(3)　誤　　請求の認諾は、口頭弁論等の期日において被告の口頭陳述によってなされる必要がある（266Ⅰ）ため、被告が答弁書その他の準備書面を提出せず、口頭弁論期日に出頭しなかった場合に、請求の認諾があったものとみなすことはできない。

(4)　誤　　被告が答弁書その他の準備書面を提出せずに欠席した場合には、出席した原告が提出した訴状に記載された事実につき、自白したものとみなされる（159Ⅲ本文・Ⅰ本文)。したがって、自白された事実は不要証事実となるから（179)、裁判所は、証拠調べをせずに判決を下すことができる。

(5)　誤　　「最初にすべき口頭弁論の期日」（158）とは、口頭弁論が現に行われた最初の期日のことをいうから（大判昭12.3.20)、最初の期日が当事者の合意により変更された場合は、その第２回目の期日が「最初にすべき口頭弁論の期日」となる。そして、公示送達の方法によらない呼出しを受けた被告が、答弁書その他の準備書面を提出せずに最初の口頭弁論期日（第２回目の期日）に欠席した場合、出席した原告の訴状に記載された事実（161Ⅲ）について自白したものとみなされる（159Ⅲ・Ⅰ）ため、その期日で裁判をするのに熟すれば、裁判所は原告勝訴の判決をすることができる。

〈当事者の一方の欠席〉

<table>
<tr><th>期　日</th><th colspan="2">効　　　果</th></tr>
<tr><td rowspan="5">最初の期日
（注１）</td><td colspan="2">①裁判所は欠席当事者の提出した訴状・答弁書その他の準備書面の記載事項を陳述したものとみなし、出頭当事者に弁論を命ずることができる（158）（注２）</td></tr>
<tr><td colspan="2">②出頭当事者は準備書面に記載していない事実を主張することができない（161Ⅲ）</td></tr>
<tr><td colspan="2">③欠席当事者が、出頭当事者の準備書面により予告されている事実を、自己の準備書面により明らかに争っていない場合には、擬制自白が成立する（159Ⅲ）（注３）</td></tr>
<tr><td colspan="2">④欠席当事者が出頭当事者の主張事実を争っていると認められる場合には、出頭当事者の準備書面に記載してあった証拠の申出を裁判所が採用する限り、証拠調べが行われる（181Ⅰ）</td></tr>
<tr><td colspan="2">⑤最初の期日で裁判をするのに熟すれば弁論を終結し（243Ⅰ・244）、熟しなければ続行期日を指定する</td></tr>
<tr><td rowspan="2">続行期日</td><td>原　則</td><td>欠席当事者の陳述を擬制することはできない（判例・通説）
→　欠席当事者の従前の弁論と出頭当事者の口頭陳述を突き合わせて審理が進められる</td></tr>
<tr><td>例　外</td><td>簡易裁判所では陳述擬制が認められる（277）</td></tr>
</table>

（注１）「最初にすべき口頭弁論の期日」とは、弁論が実際に最初にされる期日という意味である。
→　第１回期日が延期され、第２回期日に実際に最初の弁論がされた場合には、第２回期日が「最初にすべき口頭弁論の期日」となる。

（注２）158条を適用するか期日を延期するかは裁判所の裁量に委ねられている。
cf. 欠席したことだけを理由として欠席当事者を敗訴させる判決（欠席判決）をすることはできない。

（注３）欠席当事者の擬制自白に関する論点
①準備書面を提出していなかった場合を含む
②公示送達による呼出しを受けた者については成立しない（159Ⅲ但書）
③擬制自白が成立した事実について証拠調べをすることはできない（179）

MEMO

5e−2(61−1)　口頭弁論期日における当事者の欠席

簡易裁判所以外の裁判所の口頭弁論期日における当事者の欠席に関する次の記述のうち、誤っているものはどれか。

(1) 当事者双方が証拠調べ期日に欠席した場合でも、裁判所は、証拠調べをすることができる。

(2) 最初の口頭弁論期日に原告が欠席した場合には、裁判所は、訴状に記載された事項を原告が陳述したものとみなし、被告に弁論を命ずることができる。

(3) 口頭弁論の続行の期日に被告が欠席した場合でも、裁判所は、それまでに被告が準備書面を提出していれば、それに記載された事項を被告が陳述したものとみなすことができる。

(4) 当事者双方が判決言渡しの期日に欠席した場合でも、裁判所は、判決の言渡しをすることができる。

(5) 当事者双方が口頭弁論期日に欠席すると、訴訟の終了の結果を生ずることがある。

学習記録	／	／	／	／	／	／	／	／	／

重要度　A	知識型			正解　(3)

(1)　正　　①証拠調べには必ずしも当事者の訴訟行為を要しないこと、②出頭した証人、鑑定人等が当事者の不出頭のために何回も呼び出される迷惑を避ける必要があることから、証拠調べは、当事者が期日に出頭しない場合においてもすることができる（183）。

(2)　正　　原告又は被告が最初にすべき口頭弁論の期日に出頭せず、又は出頭したが本案の弁論をしないときは、裁判所は、その者が提出した訴状又は答弁書その他の準備書面に記載した事項を陳述したものとみなし、出頭した相手方に弁論をさせることができる（158・陳述擬制）。

(3)　誤　　陳述擬制が認められるのは、最初にすべき口頭弁論の期日に限られる（158）。

(4)　正　　当事者双方が判決言渡しの期日に欠席した場合でも、裁判所は、判決の言渡しをすることができる（251Ⅱ）。

(5)　正　　裁判所は、当事者の双方が口頭弁論期日に出頭しない場合において、審理の現状及び当事者の訴訟追行の状況を考慮して相当と認めるときは、終局判決をすることができる（244本文）。また、①当事者双方が、口頭弁論期日に出頭しない場合において、１か月以内に期日指定の申立てをしないとき、又は②当事者双方が連続して２回、口頭弁論期日に出頭しないときは、訴えの取下げがあったものとみなされる（263）。したがって、当事者双方が口頭弁論期日に欠席すると、訴訟の終了の結果を生ずることがある。

〈当事者の双方の欠席〉

当該期日の処理	原　則	終了する
	例　外	証拠調べ（183）及び判決の言渡し（251Ⅱ）は、当事者が在廷しなくてもできる
その後の手続	①欠席した期日から１か月以内に当事者が新期日の指定を裁判所に申し立てないときは、訴えを取り下げたものとみなされる（263前段）（注）	
	②上記の期間内ならば裁判所はいつでも職権で新期日を指定することができる（93Ⅰ）	
	③当事者の申立てにより又は職権で指定された期日にも欠席した場合（連続して２回欠席した場合）には、訴えを取り下げたものとみなされる（263後段）	

（注）　裁判所は、当事者が在廷しないままでも、裁判をするのに熟したと認めるときは、弁論を終結することができるから、263条前段が適用されるのは弁論を終結せずかつ新期日を指定しないでその期日を終了した場合に限られる（最判昭41.11.22）。

5e－3(元－2)　口頭弁論期日における当事者の欠席

口頭弁論期日における当事者の欠席に関する次の記述のうち、正しいものはどれか。(改)

(1) 最初の口頭弁論期日に原告が欠席し、被告が出席した場合には、原告の請求を棄却しなければならない。

(2) 口頭弁論期日に当事者双方が欠席した場合においても、裁判官が更迭した場合における従前の口頭弁論の結果の陳述の手続をすることができる。

(3) 口頭弁論期日に当事者双方が欠席した場合において、１月内に当事者から期日指定の申立てがされないときは、訴えが取り下げられたものとみなされる。

(4) 最初の口頭弁論期日に原告が出席し、被告が欠席した場合には、更に期日を定めなければならない。

(5) 当事者の一方が欠席した口頭弁論期日においては、口頭弁論を終結することができない。

学習記録	／	／	／	／	／	／	／	／	／

重要度　A	知識型		正解　(3)

(1)　誤　　口頭主義の関係から、欠席当事者が事前に訴状や準備書面を提出していても、その訴訟上の効果を認めることはできないのが原則である。しかし、審理は原告による訴状に記載した請求の趣旨の陳述から始まるので、口頭弁論の最初の期日に原告が欠席すると審理を開始することができない。そこで、最初の口頭弁論期日に原告が欠席した場合には、原告は、既に提出している訴状その他の準備書面の記載内容を陳述したものとみなされる（158）。そして、出頭した当事者の現実の弁論と欠席者の提出書面の記載とを突き合わせて審理を進めた結果、裁判所は、訴訟が裁判をするのに熟したときは、終局判決をし（243Ⅰ）、そうでなければ続行期日を指定することになる。

(2)　誤　　直接主義の要請から、判決は、その基本となる口頭弁論に関与した裁判官がしなければならないのが原則である（249Ⅰ）。裁判官が更迭された場合、直接主義を貫くと、訴訟を全部最初からやり直すことになり、訴訟経済に反するため、裁判長は、少なくとも当事者の一方が出頭した口頭弁論において、出頭した当事者に、従前の口頭弁論の結果を陳述させることができる（249Ⅱ、最判昭31.4.13・弁論の更新）。しかし、口頭弁論期日に当事者双方が欠席した場合においては、直接主義の要請に真っ向から反することから、裁判長は、従前の口頭弁論の結果の陳述の手続をとることはできない。

(3)　正　　当事者双方が、口頭弁論期日に出頭しない場合において、1か月以内に期日指定の申立てをしないときは、訴えの取下げがあったものとみなされる（263前段）。このような場合は、当事者双方とも訴訟を行う意思がないと認められるからである。

(4)　誤　　出頭した原告に弁論をさせ、欠席した被告が提出した書面に記載された事項を陳述したものとみなして（158）審理を進めた結果、裁判所は、訴訟が裁判をするのに熟したときは、終局判決をし（243Ⅰ）、もしそうでなければ続行期日を指定することになる。

(5)　誤　　裁判所は、当事者の一方が欠席した場合において、審理の現状及び当事者の訴訟追行の状況を考慮して相当と認めるときは、出頭した相手方の申出があれば、終局判決をすることができる（244）。

5e−4(7−1)　口頭弁論期日における当事者の欠席

民事訴訟における当事者の欠席に関する次の記述のうち、誤っているものはどれか。(改)

(1)　簡易裁判所の訴訟手続において、当事者の双方が最初の口頭弁論期日に欠席した場合には、裁判所は、原告の訴状及び被告の答弁書に記載した事項を陳述したものとみなして弁論を続行することができる。

(2)　判決の言渡しは、その期日に当事者の双方が欠席した場合でもすることができる。

(3)　地方裁判所の訴訟手続において、口頭弁論期日に当事者の一方が欠席した場合でも、その期日が最初の口頭弁論期日でないときは、裁判所は、その当事者の提出した準備書面に記載した事項を陳述したものとみなして、相手方に弁論を命ずることができない。

(4)　弁論準備手続の期日に当事者の双方が欠席した場合において、１月内に当事者から期日指定の申立てがされないときは、訴えが取り下げられたものとみなされる。

(5)　控訴審において、最初の期日に被控訴人が出頭し、控訴人が欠席したときは、裁判所は控訴状に記載した事項を陳述したものとみなして、被控訴人に弁論を命ずることができる。

学習記録	／	／	／	／	／	／	／	／	／

重要度 A　知識型　　**正解 (1)**

(1) 誤　簡易裁判所で取り扱う事件が比較的軽微であることから、紛争を迅速かつ低廉に解決することが要求され、その反映として陳述擬制の規定（158）は、最初にすべき口頭弁論期日のみならず、続行期日にも拡張されている（277）。しかし、当事者双方が欠席した場合にまで陳述擬制を認める旨の特則は、存在しない。簡易裁判所が軽微な事件を扱うため、その手続を簡易化できるとしても、当事者双方が口頭弁論に欠席している場合にまで陳述擬制を認めては、口頭主義が全く骨抜きになってしまうからである。

(2) 正　判決の言渡しは、当事者が在廷しない場合においても、することができる（251Ⅱ）。判決の言渡しには、当事者の新たな訴訟行為を必要とせず、また、その後判決書は当事者に送達され（255）、当事者はその内容を知ることができるからである。

(3) 正　口頭主義との関係から、欠席当事者が事前に準備書面を提出していても、その訴訟上の効果を認めることはできないのが原則である。ただし、原告又は被告が最初にすべき口頭弁論の期日に出頭しないときは、裁判所は、その者が提出した訴状又は答弁書その他の準備書面に記載した事項を陳述したものとみなし、出頭した相手方に弁論をさせることができる（158）。この陳述擬制は、口頭主義の例外であるため、少額裁判所としての特殊性から口頭主義を後退させている簡易裁判所を除き（277）、最初の口頭弁論期日でないときは認められない。

(4) 正　当事者双方が、口頭弁論又は弁論準備手続の期日に出頭しない場合において、1か月以内に期日指定の申立てをしないときは、訴えの取下げがあったものとみなされる（263前段）。このような場合は、当事者双方とも訴訟を行う意思がないと考えられるからである。

(5) 正　控訴審においても、陳述擬制は認められる（297・158、最判昭25.10.31）。最初にすべき口頭弁論期日について陳述擬制が認められた趣旨は、原告による請求の陳述から審理が開始するので、原告が欠席した場合に陳述擬制を認めなければ、裁判所は審理を開始することができないことにあり、また原告が欠席した場合に陳述擬制を認めたこととの均衡から、被告が欠席した場合にも陳述擬制の成立を認めることにある。そして、この趣旨は、控訴審の審理においても同様に当てはまるからである。

5e－5(11－1)　口頭弁論期日における当事者の欠席

当事者の出頭に関する次の記述のうち、誤っているものはどれか。なお、映像と音声の送受信による通話の方法による口頭弁論については、考慮しないものとする。(改)

(1)　当事者双方が最初にすべき口頭弁論の期日に出頭しないときは、裁判所は、当事者双方が提出した訴状又は答弁書その他の準備書面に記載した事項を陳述したものとみなすことができる。

(2)　裁判所は、攻撃又は防御の方法でその趣旨が明瞭でないものについて当事者が釈明をすべき期日に出頭しないときは、申立てにより又は職権で、その攻撃又は防御の方法を却下することができる。

(3)　当事者双方が、連続して２回、口頭弁論の期日に出頭しないときは、訴えの取下げがあったものとみなされる。

(4)　裁判所は、当事者双方が期日に出頭しない場合においても、証拠調べをすることができる。

(5)　裁判所は、当事者双方が口頭弁論の期日に出頭しない場合において、審理の現状及び当事者の訴訟追行の状況を考慮して相当と認めるときは、終局判決をすることができる。

学習記録	／	／	／	／	／	／	／	／	／

重要度　A	知識型	

正解　(1)

(1)　誤　　陳述擬制が認められるのは、原告又は被告が、最初にすべき口頭弁論の期日に出頭せず、又は出頭したが本案の弁論をしないときである（158）。すなわち、当事者双方が欠席した場合にまで陳述擬制を認める旨の特則は、存在しない。当事者双方が口頭弁論に欠席している場合にまで陳述擬制を認めては、口頭主義が全く骨抜きになってしまうからである。

(2)　正　　攻撃又は防御の方法でその趣旨が明瞭でないものについて当事者が釈明をすべき期日に出頭しないときは、裁判所は、申立てにより又は職権で、却下の決定をすることができる（157Ⅱ）。攻撃防御方法の提出者が裁判所の釈明権行使に応じて早期に釈明しなければ、裁判所がこれを却下し得るとすることにより、迅速かつ集中的な審理を促す趣旨である。

(3)　正　　当事者双方が、連続して２回、口頭弁論の期日に出頭しないときは、訴えの取下げがあったものとみなされる（263後段）。同一審級での連続２回の欠席は、両当事者が訴訟追行の意欲を失ったと考えるのに十分だからである。

(4)　正　　証拠調べは、当事者が期日に出頭しない場合においても、することができる（183）。証拠調べには必ずしも当事者の訴訟行為を要しないし、また、出頭した証人、鑑定人等が当事者の不出頭のために何回も呼び出される迷惑を避ける必要があるからである。

(5)　正　　裁判所は、当事者の双方が口頭弁論の期日に出頭しなかった場合において、審理の現状及び当事者の訴訟追行の状況を考慮して相当と認めるときは、直ちに終局判決をすることができる（244本文）。これは、訴訟追行に熱意を示さない当事者に対する制裁規定であって、裁判所はその時までの審理の状況、当事者の提出した攻撃防御方法、弁論の全趣旨等を総合し、更に主張責任・証明責任に関する法理を適用して、その時点で可能な判決ができる旨を明らかにしたものである。

5e−6(18−1)　口頭弁論期日における当事者の欠席

当事者が期日に欠席した場合に関する次の(ア)から(オ)までの記述のうち、誤っているものの組合せは、後記(1)から(5)までのうちどれか。

(ア)　簡易裁判所の訴訟手続においては、原告又は被告が口頭弁論の続行期日に欠席しても、その者が提出した準備書面を陳述したものとみなすことができる。

(イ)　当事者双方が口頭弁論期日に欠席し、３か月以内に期日指定の申立てをしないときは、訴えの取下げがあったものとみなされる。

(ウ)　弁論準備手続の期日における手続は、当事者双方が欠席しても、裁判所及び当事者双方が音声の送受信により同時に通話することができる方法によって行うことができる。

(エ)　証人尋問は、当事者双方が期日に欠席しても、実施することができる。

(オ)　被告が、口頭弁論期日の呼出しを公示送達によって受けた場合において、当該期日に欠席したときは、相手方の主張した事実を自白したものとみなされる。

(1)　(ア)(ウ)　　(2)　(ア)(オ)　　(3)　(イ)(エ)　　(4)　(イ)(オ)　　(5)　(ウ)(エ)

学習記録	／	／	／	／	／	／	／	／	／

重要度　A	知識型		正解　(4)

(ア)　正　　簡易裁判所の訴訟手続においては、原告又は被告が口頭弁論の続行期日に欠席しても、その者が提出した準備書面を陳述したものとみなすことができる（277・158）。簡易裁判所以外の裁判所の陳述擬制の規定（158）は、簡易裁判所においては口頭弁論の続行期日にも準用されている（277）。

(イ)　誤　　当事者双方が口頭弁論期日に欠席した場合において、訴えの取下げがあったものとみなされるのは、１か月以内に期日指定の申立てをしないときである（263前段）。

(ウ)　正　　裁判所は、相当と認めるときは、当事者の意見を聴いて、最高裁判所規則で定めるところにより、裁判所及び当事者双方が音声の送受信により同時に通話をすることができる方法によって、弁論準備手続の期日における手続を行うことができる（170Ⅲ）。

(エ)　正　　証人尋問は証拠調べの一種である。証拠調べは、当事者が期日に出頭しない場合においても、することができる（183）。①証拠調べには必ずしも当事者の訴訟行為を要しないこと、②出頭した証人等が当事者の不出頭のために何度も呼び出される迷惑を避ける必要があるからである。

(オ)　誤　　被告が、口頭弁論期日の呼出しを公示送達によって受けた場合において、当該期日に欠席したときは、被告が相手方の主張した事実を知っているとは考えにくいことから、擬制自白の規定（159Ⅲ本文・Ⅰ本文）の適用の基礎を欠き、相手方の主張した事実を自白したものとみなされることはない（159Ⅲ但書）。

以上から、誤っているものは(イ)(オ)であり、正解は(4)となる。

5e−7(26−2)　口頭弁論期日における当事者の欠席

当事者が期日に欠席した場合に関する次の(ア)から(オ)までの記述のうち、誤っているものの組合せは、後記(1)から(5)までのうち、どれか。なお、映像と音声の送受信による通話の方法による口頭弁論については、考慮しないものとする。（改）

(ア)　相手方が在廷していない口頭弁論においては、準備書面のうち、相手方に送達されたもの又は相手方からその準備書面を受領した旨を記載した書面が提出されたものに記載した事実でなければ、主張することができない。

(イ)　当事者が弁論準備手続の期日に出頭しないときは、裁判所は、弁論準備手続を終了することができる。

(ウ)　証拠調べは、当事者が期日に出頭しない場合には、することができない。

(エ)　請求の放棄をする旨の書面を提出した当事者が口頭弁論の期日に出頭しないときは、裁判所は、その旨の陳述をしたものとみなすことができない。

(オ)　判決の言渡しは、当事者が在廷しない場合においても、することができる。

(1)　(ア)(ウ)　　(2)　(ア)(オ)　　(3)　(イ)(エ)　　(4)　(イ)(オ)　　(5)　(ウ)(エ)

学習記録	／	／	／	／	／	／	／	／	／

重要度　A	知識型		正解　(5)

(ア)　正　　相手方が在廷していない口頭弁論においては、準備書面（相手方に送達されたもの又は相手方からその準備書面を受領した旨を記載した書面が提出されたものに限る。）に記載した事実でなければ、主張することができない（161Ⅲ）。

(イ)　正　　当事者が弁論準備手続期日に不出頭の場合には、裁判所は弁論準備手続期日を終了することができる（170Ⅴ・166）。これは、実質的な準備活動をしないなどの事由によって弁論準備手続の進行がはかどらない場合について、裁判所は弁論準備手続を終了することを定め、当事者の不熱心な訴訟追行に対応したものである。

(ウ)　誤　　証拠調べは、当事者が期日に出頭しない場合においても、することができる（183）。これは、証人尋問に呼び出された証人が、当事者の欠席により何回も証人尋問に呼び出されるのは証人に迷惑であり、また、当事者の欠席により訴訟が遅延することを防止するためである。

(エ)　誤　　請求の放棄をする旨の書面を提出した当事者が、口頭弁論等の期日に出頭しないときは、裁判所は、その旨の陳述をしたものとみなすことができる（266Ⅱ）。

(オ)　正　　判決の言渡しは、当事者が在廷しない場合においても、することができる（251Ⅱ）。これは、判決の言渡しには当事者の訴訟行為は必要ないから、認められたものである。

以上から、誤っているものは(ウ)(エ)であり、正解は(5)となる。

5e−8(R6−3)　口頭弁論期日における当事者の欠席

当事者の出頭に関する次の(ア)から(オ)までの記述のうち、正しいものの組合せは、後記(1)から(5)までのうち、どれか。

(ア)　原告が最初にすべき口頭弁論の期日に出頭しないときであっても、裁判所は、原告が提出した訴状に記載した事項を陳述したものとみなし、その期日に出頭した被告に弁論をさせることができる。

(イ)　訴えの取下げに被告の同意が必要な場合において、被告が出頭しない口頭弁論の期日で原告が口頭で訴えを取り下げ、その期日から2週間以内に被告が異議を述べないときは、被告は、訴えの取下げに同意したものとみなされる。

(ウ)　当事者本人を尋問する場合において、その当事者が正当な理由なく出頭しなかったときは、裁判所は、尋問事項に関する相手方の主張を真実と認めなければならない。

(エ)　裁判所は、当事者の一方が弁論準備手続の期日に出頭した場合に限り、裁判所及び当事者双方が音声の送受信により同時に通話をすることができる方法によって、その期日における手続を行うことができる。

(オ)　被告が口頭弁論の期日に出頭したが、原告の主張した事実を争わず、その他何らの防御の方法をも提出しない場合において、原告の請求を認容するときは、裁判所は、判決書の原本に基づかないで判決を言い渡すことができる。

(1)　(ア)(ウ)　　(2)　(ア)(オ)　　(3)　(イ)(エ)　　(4)　(イ)(オ)　　(5)　(ウ)(エ)

学習記録	／	／	／	／	／	／	／	／	／

重要度 A	知識型		正解 (2)

(ア) 正　原告又は被告が最初にすべき口頭弁論の期日に出頭せず、又は出頭したが本案の弁論をしないときは、裁判所は、その者が提出した訴状又は答弁書その他の準備書面に記載した事項を陳述したものとみなし、出頭した相手方に弁論をさせることができる（158）。

(イ) 誤　相手方が出頭しない口頭弁論の期日で訴えの取下げが口頭でされた場合において、口頭弁論の期日の調書の謄本の送達があった日から２週間以内に相手方が異議を述べないときは、訴えの取下げに同意したものとみなす（261Ⅴ後段）。

(ウ) 誤　当事者本人を尋問する場合において、その当事者が、正当な理由なく出頭しなかったときは、裁判所は、尋問事項に関する相手方当事者の主張を真実と認めることができる（208）。

(エ) 誤　裁判所は、相当と認めるときは、当事者の意見を聴いて、最高裁判所規則で定めるところにより、裁判所及び当事者双方が音声の送受信により同時に通話をすることができる方法によって、弁論準備手続の期日における手続を行うことができる（170Ⅲ）。

(オ) 正　判決の言渡しは、原則として判決書の原本に基づいてする（252）。しかし、被告が口頭弁論で原告の主張した事実を争わず、その他何らの防御の方法をも提出しない場合において、原告の請求を認容するときは、判決の言渡しは、判決書の原本に基づかないですることができる（254Ⅰ①）。

以上から、正しいものは(ア)(オ)であり、正解は(2)となる。

5f－1(8－1)　その他

口頭弁論に関する次の記述のうち、正しいものはどれか。

(1)　訴えについては口頭弁論を経なければ、判決をすることができない。

(2)　決定をもって完結する事件の審理については、口頭弁論を開くことができない。

(3)　口頭弁論期日における裁判長の訴訟指揮に対しては不服を申し立てることができない。

(4)　口頭弁論期日に当事者の一方が欠席した場合には出席した方の当事者は、準備書面に記載していない事実についても主張することができる。

(5)　和解は口頭弁論期日においてもすることができる。

学習記録	／	／	／	／	／	／	／	／	／

重要度　C	知識型		正解　(5)

⑴ 誤　訴えについて判決をするには、原則として口頭弁論を開くこととされている（87Ⅰ本文・必要的口頭弁論の原則）。しかし、訴訟経済の見地あるいは法律審である上告審の性格等から、例外的に口頭弁論を経ずに判決をすることができる場合が個々に規定されている（87Ⅲ）。例えば、担保提供義務違反による訴え却下（78本文）、欠缺補正不能の不適法な訴えの却下（140）、口頭弁論を経ない上告の棄却（319）などである。

⑵ 誤　決定をもって完結すべき事件につき口頭弁論を経るか否かは、裁判所の自由裁量に委ねられている（87Ⅰ但書・任意的口頭弁論）。

⑶ 誤　当事者は、口頭弁論の指揮に関する裁判長の命令、又は釈明権に関する裁判長若しくは陪席裁判官の処置（149Ⅰ・Ⅱ）に対し、異議を述べることができる（150）。

⑷ 誤　相手方が在廷していない場合において、準備書面に記載されていない事実を主張することを認めると、相手方が知らない事項について擬制自白が成立することになり（159Ⅲ）、不意打ちとなる。そこで、相手方が在廷していない口頭弁論においては、準備書面（相手方に送達されたもの又は相手方からその準備書面を受領した旨を記載した書面が提出されたものに限る。）に記載した事実でなければ、主張することができないものとされている（161Ⅲ）。

⑸ 正　和解には、裁判上の和解と裁判外の和解があり、訴訟上の和解（267）とは、訴訟係属中に当事者双方が訴訟物である権利関係についての主張をお互いに譲歩することによって、訴訟を終了させる旨の期日における合意のことをいう。そして、その期日には、口頭弁論期日、弁論準備手続又は和解期日が含まれる。

5f－2(31－3)　その他

口頭弁論に関する次の(ア)から(オ)までの記述のうち、判例の趣旨に照らし誤っているものの組合せは、後記(1)から(5)までのうち、どれか。なお、映像と音声の送受信による通話の方法による口頭弁論については、考慮しないものとする。（改）

(ア)　原告が最初にすべき口頭弁論の期日に出頭しない場合において、被告が当該期日に出頭したときは、裁判所は、当該原告が提出した訴状に記載した事項を陳述したものとみなして当該被告に弁論をさせなければならない。

(イ)　口頭弁論の方式に関する規定の遵守は、口頭弁論調書が滅失したときを除き、口頭弁論調書によってのみ証明することができる。

(ウ)　訴訟代理人がある場合であっても、裁判所は、訴訟関係を明瞭にするため、当事者本人に対し、口頭弁論の期日に出頭することを命ずることができる。

(エ)　当事者の申立てがなくても、裁判所は、終結した口頭弁論の再開を命ずることができる。

(オ)　裁判所が口頭弁論の制限を命ずる決定をした場合には、当事者は、当該決定に対して即時抗告をすることができる。

(1)　(ア)(イ)　　(2)　(ア)(オ)　　(3)　(イ)(ウ)　　(4)　(ウ)(エ)　　(5)　(エ)(オ)

学習記録	／	／	／	／	／	／	／	／	／

重要度　C	知識型	

正解　(2)

㈠ 誤　原告又は被告が最初にすべき口頭弁論の期日に出頭しないときは、裁判所は、その者が提出した訴状又は答弁書その他の準備書面に記載した事項を陳述したものとみなし、出頭した相手方に弁論をさせることができる(158・陳述擬制)。したがって、弁論をさせなければならないとする点で、本肢は誤っている。

㈡ 正　口頭弁論の経過を明らかにするために裁判所書記官によって作成される文書を口頭弁論調書と呼ぶ。口頭弁論の方式に関する規定の遵守は、調書が滅失したときを除き、調書によってのみ証明することができる（160Ⅲ）。これは、民事訴訟法が、方式に関する争いによって審理が遅延することを避けるために、調書作成の方法が法定され、かつ、当事者に異議申立ての機会が与えられていることを前提として、調書に絶対的証拠力を認めたものである。

㈢ 正　裁判所は、訴訟関係を明瞭にするため、当事者本人又はその法定代理人に対し、口頭弁論の期日に出頭することを命ずることができる(151Ⅰ①)。これは、訴訟代理人がいても、その弁論の趣旨が不明瞭な場合に直接事情を知っている本人又はそれに準ずる者から事情を聴取した方が、事実関係と争点が明瞭になる場合が多いと考えられるからである。

㈣ 正　裁判所は、当事者の申立てがなくても、終結した口頭弁論の再開を命ずることができる（153)。なぜなら、弁論を再開するか否かの判断は、裁判所の訴訟指揮権に属する判断であって、裁判所の裁量的判断に委ねられているからである。

㈤ 誤　口頭弁論の制限の決定（152Ⅰ）は、裁判所の裁量に基づく訴訟指揮のための決定であるから、当事者は不服申立てをすることができない。

以上から、誤っているものは㈠㈤であり、正解は(2)となる。

6－1(57－3)　訴訟手続の停止

訴訟代理人がいない場合における訴訟手続の中断に関する次の記述のうち、誤っているものはどれか。

⑴　主たる債務者と連帯保証人とを共同被告とする訴訟において、主たる債務者に対する訴訟手続が同人の死亡によって中断したときには、連帯保証人に対する訴訟手続も中断する。

⑵　被告である株式会社が株主総会の決議によって解散したときでも、訴訟手続は中断しない。

⑶　被告である未成年者の共同親権者である父母が双方とも死亡したときには、訴訟手続は中断する。

⑷　数人の選定当事者が訴訟を遂行している場合においては、選定当事者の１人がその資格を失ったときでも、訴訟手続は中断しない。

⑸　会社の代表者がその資格を失ったときでも、その者が訴訟において会社を代表する者でないときは、訴訟手続は中断しない。

学習記録	／	／	／	／	／	／	／	／	／

重要度 B	知識型		正解 (1)

訴訟手続の中断とは、訴訟の係属中に、一方の当事者側の訴訟追行者に交代すべき事由が発生した場合に、その当事者の手続関与の機会を実質的に保障するために、新追行者が訴訟に関与することができるようになるまで手続の進行を停止することをいう。

(1) 誤　主たる債務者と連帯保証人とを共同被告とする訴訟は、通常共同訴訟である（最判昭27.12.25）。通常共同訴訟においては、合一確定の要請が働かないため、共同訴訟人の一人の訴訟行為、共同訴訟人の一人に対する相手方の訴訟行為及び共同訴訟人の一人について生じた事項は、他の共同訴訟人に影響を及ぼさない（39・共同訴訟人独立の原則）。したがって、主たる債務者に対する訴訟手続が同人の死亡によって中断したときでも、連帯保証人に対する訴訟手続は中断しない。

(2) 正　株式会社は、合併による消滅（124Ⅰ②）以外の解散事由で消滅する場合には、清算の目的の範囲内では存続する（会社476）。したがって、株主総会決議による解散の場合には、訴訟手続は中断しない（大判大5.3.4）。

(3) 正　法定代理人の死亡は訴訟手続の中断事由である（124Ⅰ③）。法定代理人が死亡した場合には、訴訟無能力者である未成年者本人は、訴訟行為を行うことができないので（31本文参照）、訴訟代理人がいない以上（124Ⅱ）、新たに訴訟追行権者である法定代理人が就任するまでその手続を中断する必要があるからである。したがって、被告である未成年者の共同親権者である父母が死亡したときは、訴訟手続は中断する。

(4) 正　選定当事者の全員の死亡その他の事由による資格の喪失により、選定者の全員又は新たな選定当事者が受継するまでの間、訴訟手続は中断する（124Ⅰ⑥）。しかし、選定当事者の一部にその資格を喪失した者があるにとどまるときは、他の選定当事者において全員のために訴訟行為をすることができるので（30Ⅴ）、訴訟手続は中断しない。

(5) 正　会社の代表者がその資格を失ったときでも、その者が訴訟において会社を代表する者でないときは、訴訟手続は中断しない（124Ⅰ③・37、大判明45.5.3参照）。会社の代表者が複数いる場合には、他の代表者も当該訴訟において当然に責任を分担すべきだからである。

〈中断事由（124、破44）〉

○＝承継又は中断が生ずる　×＝生じない

事　由（注1）			訴訟の承継	承継人・新追行者	手続の中断
当事者の消滅	死亡（注2）	通常の場合	○	相続人	○
当事者の消滅	死亡（注2）	一身専属権に関する訴訟（注3）	×	なし	訴訟終了
当事者の消滅	死亡（注2）	相手方当事者が唯一の相続人	○	相手方相続人	訴訟終了
当事者の消滅	死亡（注2）	相続人不存在	○	相続財産管理人or 相続財産清算人	○
当事者の消滅	解散	合併による解散	○	新設会社or 存続会社	○
当事者の消滅	解散	合併以外の事由による解散	×	清算人	×
当事者の訴訟能力の喪失	未成年者の営業許可の取消し		×	法定代理人	○
当事者の訴訟能力の喪失	後見開始の審判（注4）		×	法定代理人	○
法定代理人（注6）	死亡		×	新法定代理人	○
法定代理人（注6）	代理権消滅	後見開始の審判の取消し	×	当事者本人	○
法定代理人（注6）	代理権消滅	訴訟を追行する代表者の資格喪失	×	他の代表者	（注5）
法定代理人（注6）	代理権消滅	訴訟を追行しない代表者の資格喪失	×	なし	×
訴訟代理人の死亡・資格喪失			×	当事者本人	×
資格喪失	受託者の任務終了		○	新受託者or委託者	○
資格喪失	選定当事者全員の資格喪失		○	新選定当事者 or当事者全員	○
資格喪失	選定当事者の一部の資格喪失		○	他の選定当事者	×
破産	当事者に対する破産手続開始の決定		○	破産管理人 （破44Ⅱ）	○
破産	破産手続の終了（注7）		○	破産者	○

（注1）「訴訟代理人の死亡・資格喪失」の欄以外は訴訟代理人がいないものとする。
（注2）訴訟係属中に当事者が行方不明になった場合、手続は中断しない。
　cf. 失踪宣告がされた場合（民30）。
（注3）ex. 生活保護受給権に関する訴訟（最大判昭42.5.24）。
　cf. 慰謝料請求訴訟の原告が死亡し、その相続人がいる場合、訴訟は当然に終了しない。
（注4）cf. 訴訟係属中に当事者に対して保佐開始の審判がされた場合、訴訟手続は中断しない（32、民13Ⅰ④）。
（注5）他に代表者がいても中断するかに否かについては争いがある。
（注6）相手方に通知しなければ中断しない（36・37）。
（注7）破産手続の終了とは、破産手続廃止の決定・破産手続開始の決定の取消しなど破産手続が終了する場合の総称である。

MEMO

6-2(63-4)　訴訟手続の停止

訴訟手続の中断に関する次の記述のうち、誤っているものはどれか（ただし、当事者に訴訟代理人がないものとする）。(改)

⑴ 信託の受託者として当事者となっていた者が、任務の終了により受託者でなくなったときは、訴訟手続は中断する。

⑵ 判決の言渡しは、訴訟手続の中断中でもすることができる。

⑶ 数人の選定当事者がいる場合において、そのうちの一人が辞任したときは、訴訟手続は中断する。

⑷ 当事者が破産手続開始の決定を受けたときは、破産財団に関する訴訟手続は中断する。

⑸ 訴訟手続の受継の申立ては、受継をすべき者又はその相手方がすることができる。

学習記録	／	／	／	／	／	／	／	／	／

重要度　B	知識型		正解　(3)

(1)　正　　当事者である受託者の信託の任務終了（124Ⅰ④イ）により、信託に関する権利義務は、前受託者から新受託者に承継されたものとみなされ（信託75Ⅰ）、これに伴い信託の権利義務に関する当事者適格も移転する。したがって、承継人の訴訟関与が可能になるまで訴訟手続は中断する。

(2)　正　　判決の言渡しは、訴訟手続の中断中であっても、することができる（132Ⅰ）。

(3)　誤　　選定当事者の全員の死亡その他の事由による資格の喪失により、選定者の全員又は新たな選定当事者が受継するまでの間、訴訟手続は中断する（124Ⅰ⑥）。しかし、選定当事者の一部にその資格を喪失した者があるにとどまるときは、他の選定当事者において全員のために訴訟行為をすることができるため（30Ⅴ）、訴訟手続は中断しない。

(4)　正　　当事者が破産手続開始の決定を受けたときは、破産財団に関する訴訟手続は、中断する（破44Ⅰ）。当事者が破産手続開始の決定を受けたときは、その者の有する財産は原則として破産財団に組み込まれ（破34Ⅰ）、その処分権能は破産管財人に専属する（破78Ⅰ）。その結果、破産者は、破産財団に属する財産に関する訴訟については、当事者適格を喪失することになり、当該訴訟は、破産管財人に受継されることとなる。

(5)　正　　受継の申立てとは、中断した訴訟手続を続行しようという意思を通知する、裁判所に対する申述をいう。受継の申立ては中断事由の生じた側の新追行者からされるのが通常である。しかし、新追行者が中断の原因となった事実や自分が新追行者であることを知らなかったり、あるいは知りながらこれを放置するおそれもあり、このような場合にいつまでも訴訟を中断しておくのは、当事者にとっても受訴裁判所にとっても望ましいことではない。また、新訴訟追行者が訴訟手続に関与できるようになれば、訴訟手続の進行を停止させておく理由はない。そこで、速やかに訴訟手続を続行できるように、相手方にも受継の申立権が認められている（126）。

6−3(22−3)　訴訟手続の停止

訴訟手続の中断に関する次の(ア)から(オ)までの記述のうち、正しいものの組合せは、後記(1)から(5)までのうちどれか。なお、(エ)を除く各記述においては、原告は訴訟代理人を選任していなかったものとする。

(ア)　口頭弁論が終結した後に訴訟手続が中断した場合には、裁判所は、中断中であっても、判決の言渡しをすることができる。

(イ)　債権者である原告が、債権者代位権に基づき、債務者の被告に対する債権を代位行使している訴訟手続は、原告の債務者に対する債権が消滅したとしても、中断しない。

(ウ)　裁判所が原告の死亡の事実を知ったときは、裁判所は、職権で、訴訟手続を中断する旨の決定をしなければならない。

(エ)　原告が訴訟代理人を選任して訴訟を追行していたところ、当該訴訟代理人が死亡した場合には、訴訟手続は、新たな訴訟代理人が選任されるまで中断する。

(オ)　原告が死亡したため訴訟手続が中断した場合には、死亡した原告の相続人は、訴訟手続の受継の申立てをすることができるが、被告は、これをすることができない。

(1)　(ア)(イ)　　(2)　(ア)(オ)　　(3)　(イ)(エ)　　(4)　(ウ)(エ)　　(5)　(ウ)(オ)

学習記録	／	／	／	／	／	／	／	／	／

重要度 B	知識型		正解 (1)

(ア) 正　判決の言渡しは、訴訟手続の中断中であっても、することができる(132 I)。

(イ) 正　債権者である原告が、債権者代位権に基づき、債務者の被告に対する債権を代位行使している訴訟手続は、権利義務の主体以外の第三者が、法が定める効果（民423）に基づき、主体に代わって訴訟物についての当事者適格を認められる場合に当たる（法定訴訟担当）。この場合、債権者は、自分自身の権利を保全ないし確保することを訴訟の目的とする。そして、債権者の債務者に対する債権が消滅したときは、債権者は当事者適格を失い、訴訟要件が欠けることとなり、訴えが却下される。

(ウ) 誤　中断は、法定事由があれば、当然に訴訟手続の停止の効果が発生する(124 I参照)。そして、その事由についての裁判所や当事者の知･不知とは関係がない。そのため、裁判所は、職権で訴訟手続を中断する旨の決定をする必要はない。

(エ) 誤　訴訟は、従来の当事者の当事者能力が消滅し、別の当事者が前者の当事者適格を承継した場合に中断する（124 I 参照）。この点、法定代理人が死亡した場合は、本人自身が訴訟行為をすることができず、かつ、本人のために訴訟行為をする者が存在しないため、訴訟が中断する（124 I ③）。これに対して、原告が訴訟代理人を選任して訴訟を追行していたところ、当該訴訟代理人が死亡した場合は、訴訟代理権が消滅しても、本人が直ちに訴訟追行できるため、中断事由とされていない。

(オ) 誤　原告が死亡したため訴訟手続が中断した場合には、相続人などの承継人は、当然に新当事者としての地位を取得するが、当事者として訴訟行為を行うためには、受継の手続を経なければならない（124 I ①）。そして、中断が生じた側の当事者として新たに訴訟追行をすべき者は、受継義務に基づいて受継の申立てをする。また、相手方当事者にも申立権が認められている(126)。

以上から、正しいものは(ア)(イ)であり、正解は(1)となる。

7b－1(60－1)　証明の対象

裁判上の自白に関する次の記述のうち、誤っているものはどれか。

(1)　自白の撤回は、相手方に異議がない場合又は自白が真実に合致せず、かつ、錯誤に基づいてされたことが証明された場合でなければ許されない。

(2)　書証の成立に関しては、いったんその成立を認めても、その後その成立を否認することが許される。

(3)　原告が交通事故により負傷したことを理由に被告に対して金500万円の慰謝料の支払を求める訴訟において、被告が請求の原因をすべて認めたときは、裁判所は、被告が原告に対して金500万円を支払うことを命ずる判決をしなければならない。

(4)　原告が主張した間接事実を被告が認めた場合であっても、裁判所は、これと相反する事実を証拠により認定することを妨げられない。

(5)　当事者の一方が自己に不利益な事実を主張した場合においても、相手方がその事実を援用することにより自白が成立する前であれば、その主張を自由に撤回することができる。

学習記録	／	／	／	／	／	／	／	／	／

重要度　A	知識型		正解　(1)

(1)　誤　　裁判上の自白（179）は、相手方の信頼・利益を害さない場合には、その撤回が認められる。具体的には、①相手方の同意がある場合（最判昭34.9.17）、②自白をした当事者が、自白にかかわる事実が真実に適合せず、かつ自白が錯誤に出たことを証明した場合（大判大11.2.20、なお、その後判例は、自白した事実が真実に合致しないことの証明ができれば、その自白が錯誤に出たものと認めて差し支えないとして、後者の証明を緩和する傾向にある（最判昭 25.7.11）。）、③相手方又は第三者の詐欺・脅迫等の刑事上罰すべき行為に基づく場合（最判昭33.3.7）、のいずれかの要件を満たせば、自白を撤回することができる。本肢は、撤回の許される場合を、①と②に限定しており、③の場合を除外しているので誤りとなる。

(2)　正　　書証の成立に関する事実は、証拠の信用性にかかわる補助事実であり、補助事実についての自白は裁判所や当事者を拘束しない（最判昭52.4.15）。したがって、書証の成立に関しては、いったんその成立を認めても、その後その成立を否認することができる。

(3)　正　　裁判所は、当事者間に争いのない事実はそのまま判決の基礎としなければならず、これに反する判断をすることができない（179・裁判上の自白）。訴訟資料の収集及び提出を、当事者の権能かつ責任とする弁論主義の帰結である（弁論主義の第２原則）。したがって、被告が請求の原因を全て認めたときは、当事者間では全ての請求原因事実について裁判上の自白が成立したといえるから、裁判所は、原告の請求どおり、被告が原告に対して金500万円を支払うことを命ずる判決をしなければならない。

(4)　正　　裁判上の自白の対象となる事実は、主要事実に限られ、主要事実の存在を推認するのに役立つ間接事実は含まれない（最判昭31.5.25、最判昭41.9.22）。したがって、原告が主張した間接事実を被告が認めた場合であっても、裁判上の自白は成立しないから、これと相反する事実を証拠により認定することを妨げられない。

(5)　正　　相手方の主張がないのに先に自己に不利益な事実を陳述する場合を先行自白といい、相手方の援用により自白としての効力を生ずる。しかし、相手方が援用するまでは、一般の陳述と同じく自由に撤回でき（大判昭8.9.12）、撤回されるとその後に相手が援用しても自白は成立しないことになる。

〈自白の撤回〉

原　則	撤回することはできない
例　外	次のいずれかの場合に該当するときは撤回できる ①相手方の同意がある場合 ②自白内容が真実に反しかつ錯誤に基づいてされたことが証明された場合（注） ③刑事上罰すべき他人の行為により自白するに至った場合（最判昭33.3.7）

（注）自白事実が真実に反することの証明があれば、特段の事情のない限り、錯誤によるものと推定される（最判昭25.7.11）。

MEMO

7b−2(60−5)　証明の対象

次の事項中、裁判所が証拠により認定しなければならないものはどれか。

⑴　被告が最初の口頭弁論期日に出頭し、原告の主張を争う旨を記載した答弁書を提出したが、弁論をしないで退廷した場合における訴状に記載された事実

⑵　口頭弁論において、当事者の一方が主張する相手方に不利益な事実をその相手方が認めた場合の当該事実

⑶　口頭弁論において、当事者の一方が主張するその相手方に不利益な事実を相手方が明らかに争わず、かつ、弁論の全趣旨からも争っているものと認められない場合の当該事実

⑷　その裁判所がした他の事件についての判決の内容

⑸　西暦1985年２月１日の曜日

学習記録	／	／	／	／	／	／	／	／	／

重要度 A	知識型		正解 (1)

(1) 必要　最初の口頭弁論期日に出頭した被告が弁論をしないで退廷した場合でも、被告が、原告の主張を争う旨を記載した答弁書を提出していれば、その提出した答弁書に記載された事項は陳述したものとみなされ（158)、擬制自白（159Ⅲ・Ⅰ）は成立しない。したがって、訴状に記載された事実はなお、裁判所が証拠により認定しなければならない。

(2) 不要　期日において、当事者の一方が主張する相手方に不利益な事実をその相手方が認めることを裁判上の自白といい、自白された事実は証拠により認定することを要しない（179)。

(3) 不要　当事者が口頭弁論において相手方の主張した事実を明らかに争わず、かつ、弁論の全趣旨からも争っているものと認められない場合には、当該事実は、自白されたものとみなされ（159Ⅰ・擬制自白)、証拠により認定することを要しない（179)。

(4) 不要　顕著な事実、すなわち、①公知の事実（通常の知識と経験を有する一般人が信じて疑わない程度に知れ渡っている事実）及び、②裁判所に顕著な事実（裁判所がその職務を遂行するに当たって、又はこれと関連して知ることができた事実）については、証明することを要しない（179)。これは、このような事実については裁判官の恣意的認定のおそれはなく、事実認定の適正は担保されているからである。したがって、その裁判所がした他の事件についての判決の内容は、裁判所に顕著な事実に当たるため、裁判所が証拠により認定することを要しない。

(5) 不要　西暦1985年２月１日の曜日は、顕著な事実のうち公知の事実に当たる。公知の事実については、不特定・多数人が真実と信じているということに基づき、いつでも事実の真否を問い直すことができるという性質上、裁判官の恣意的認定のおそれはなく、事実判断の適正は担保されているため、証拠により認定することを要しない（179)。

〈要　件〉

出頭当事者の擬制自白（159Ⅰ）	口頭弁論において、相手方の主張事実を争うことを明らかにせず、弁論の全趣旨に照らしても争っていると認められないこと
欠席当事者の擬制自白（159Ⅲ）	①相手方がその主張事実を準備書面によって予告していること（161Ⅲ） ②欠席当事者に対する呼出しが公示送達によるものでないこと（159Ⅲ但書） ③最初の期日に当事者の一方が欠席した場合は、裁判所が期日を延期せず、かつ欠席者が相手方の主張を争う旨を記載した準備書面を提出していないこと

MEMO

7b－3(3－5)　証明の対象

裁判上の自白、擬制自白に関する次の記述のうち、誤っているものはどれか。

(1)　裁判上の自白が成立した事実については、証明は要しない。

(2)　当事者が当事者尋問において自己に不利益な事実を認める陳述をした場合、裁判上の自白が成立する。

(3)　相手方が主張する事実を知らない旨の陳述は、その事実を争うものと推定される。

(4)　裁判上の自白は、相手方の同意がある場合には、撤回することができる。

(5)　公示送達により呼出しを受けた当事者は、口頭弁論期日に欠席し、かつ答弁書その他の準備書面を提出しなかったときでも、相手方の主張した事実を自白したものとみなされることはない。

学習記録	／	／	／	／	／	／	／	／	／

重要度　A	知識型		正解　(2)

⑴ 正　　裁判所において、当事者が自白した事実については、証明は要しない(179)。自白された事実については、裁判所の心証形成そのものが排除され、証拠により真実に反すると認められる場合でも、裁判所はそのまま判決の基礎として採用しなければならない（弁論主義の第２原則)。

⑵ 誤　　裁判上の自白（179）とは、相手方の主張する自己に不利益な事実を認めて争わない旨の、弁論としての陳述である。当事者尋問を受けて供述することは弁論としての陳述に当たらないから、当事者が当事者尋問（207）において自己に不利益な事実を認める陳述をしても、裁判上の自白は成立しない。

⑶ 正　　相手方が主張する事実を知らない旨の陳述は、その事実を争ったものと推定される（159Ⅱ)。これは、相手方が主張する事実を知らないのであれば、その事実を争うのが通常だからである。

⑷ 正　　裁判上の自白（179）の当事者に対する拘束力の根拠は、相手方の信頼･利益を保護することにあるから、相手方の信頼･利益を害さない場合には、その撤回も認められる。具体的には、①自白の撤回について相手方の同意がある場合（最判昭34.9.17)、②自白をした当事者が、自白にかかわる事実が真実に適合せず、かつ自白が錯誤に出たことを証明した場合（大判大11.2.20、なお､その後判例は､自白した事実が真実に合致しないことの証明ができれば､その自白が錯誤に出たものと認めて差し支えないとして、後者の証明を緩和する傾向にある（最判昭25.7.11)｡)、③自白が相手方又は第三者の詐欺・脅迫等の刑事上罰すべき行為に基づく場合（最判昭33.3.7)、のいずれかの要件を満たせば、自白を撤回することができる。

⑸ 正　　欠席者が公示送達による呼出しを受けて出頭しない場合は、欠席者が相手方の主張した事実を知っているとは考えにくいことから、擬制自白の規定（159Ⅲ本文・Ⅰ本文）の適用の基礎を欠き、相手方の主張した事実を自白したものとみなされることはない（159Ⅲ但書)。

7b−4(12−3)　証明の対象

自白の擬制に関する次の(1)から(5)までの記述のうち、正しいものはどれか。

(1)　自白が擬制されるのは、事実の主張に限られず、請求の放棄や認諾についても自白が擬制される。

(2)　弁論準備手続においては、自白が擬制されることはない。

(3)　当事者の一方が口頭弁論の期日に出頭しなかったために相手方の主張した事実を争わなかった場合には、自白は擬制されない。

(4)　当事者が相手方の主張した事実を知らない旨の陳述をした場合には、その事実を争わないものとして、自白が擬制される。

(5)　自白が擬制されるかどうかは、口頭弁論終結時を基準として判断される。

学習記録	／	／	／	／	／	／	／	／	／

重要度 A	知識型		正解 (5)

(1) 誤　自白が擬制される(159Ⅰ)のは、事実上の主張に限られ、請求の放棄や認諾(266)については、自白が擬制されるという概念はない。自白が事実上の主張を対象とするのに対し、請求の放棄・認諾は、請求自体に関するものであって判決をも不要とするものであり、両者はその対象を異にするものだからである。

(2) 誤　弁論準備手続においても、相手方の主張した事実を争うことを明らかにしない場合には、自白が擬制される(170Ⅴ・159Ⅰ本文)。弁論準備手続には、限定的な範囲ではあるが口頭弁論の規定が準用されるからである。

(3) 誤　当事者の一方が口頭弁論の期日に出頭しなかったために相手方の主張した事実を争わなかった場合にも、自白が擬制される(159Ⅲ本文・Ⅰ本文)。これは、期日に出頭しなかった当事者が、期日に出頭して相手方の主張を争う機会がありながら争わなかったことに対する制裁である。なお、公示送達により呼出しを受けた場合には、争う機会の保障があったとはいえないので擬制自白は成立しない(159Ⅲ但書)。

(4) 誤　当事者が相手方の事実を知らない旨の陳述をした場合には、その事実を争ったものと推定される(159Ⅱ)。当事者が相手方の主張した事実を知らないと陳述した場合、そこには消極的ながら争う意思が見受けられるからである。

(5) 正　相手方の主張した事実を争うことを明らかにしない場合でも、弁論の全趣旨により、相手方の主張した事実を争ったものと認めるべきときは、自白は擬制されない(159Ⅰ但書)。この点、弁論の全趣旨とは口頭弁論の一体性をいうから、自白が擬制されるかどうかは口頭弁論終結時を基準として判断される。

7b−5(21−1)　証明の対象

貸金返還請求訴訟における裁判所に対する自白の拘束力の有無に関する次の(ア)から(オ)までの記述のうち、判例の趣旨に照らし正しいものの組合せは、後記(1)から(5)までのうちどれか。ただし、(ア)の記述において、被告の陳述の撤回について、原告の同意はないものとする。（改）

(ア)「原告は、被告に対し、100万円を弁済期を定めずに貸し付けた。」との原告の主張に対し、被告はこれを認める旨陳述したが、その後、その陳述内容が真実に反することを証明し、この陳述を撤回した。この場合、この陳述が錯誤に基づくものであることを被告が特段立証していないとしても、裁判所は、被告の自白に拘束されない。

(イ) 原告が、被告との間で消費貸借契約を締結したことを立証するため、原告と被告との間で交わされた消費貸借契約書を書証として提出したところ、被告は、その契約書について真正に成立したものと認める旨陳述した。この場合、裁判所は、被告の自白に拘束されない。

(ウ)「原告と被告との間の消費貸借契約に基づく貸金債権が弁済期の到来から５年間の経過をもって時効により消滅した。」との被告の主張に対し、原告は「被告は、弁済期の到来から３年後に、当該貸金債務について、後日支払う旨の延期証を差し入れた。」との主張をした。被告がこれを認める旨陳述した場合、裁判所は、被告の自白に拘束されない。

(エ)「被告は、Ａに対し、以前から、事業に失敗したので借入先として原告を紹介してほしいと依頼していた。」との原告の主張に対し、被告はこれを認める旨陳述した。この場合、裁判所は、被告の自白に拘束される。

(オ) 原告が、被告に対する貸付けの際、利息として20万円を天引きしたので、実際には80万円を交付したとの事実については、原告と被告との間に争いがないところ、「元本100万円の消費貸借が成立した。」との原告の主張に対し、被告はこれを認める旨陳述した。この場合、裁判所は、原告の上記主張についての被告の自白に拘束される。

(1)　(ア)(イ)　　(2)　(ア)(エ)　　(3)　(イ)(ウ)　　(4)　(ウ)(オ)　　(5)　(エ)(オ)

学習記録	／	／	／	／	／	／	／	／	／

訴訟の審理

重要度　A	知識型		正解　(1)

⑺　正　　訴訟の当事者は、①刑事上罰すべき他人の行為（詐欺・強迫など）により自白がされた場合、②相手方の同意がある場合、③自白内容が真実に反し、かつ錯誤に基づく場合には、自白を撤回できる。判例は、③の錯誤については、錯誤の立証の困難さを考慮し、反真実の証明がされた場合には錯誤を立証しなくても、自白は錯誤によるものと認めてよいとする（最判昭25.7.11）。

⑷　正　　消費貸借契約書の成立の真否は、証拠の信用性に関する事実（補助事実）である。補助事実については自白の拘束力が生ずることはない。判例も、文書の成立が真正である旨の自白について、自白の拘束力を否定している（最判昭52.4.15）。

⑼　誤　　債務の承認は、債権の消滅時効の成立を妨げる抗弁事実であり、主要事実である。被告が原告の主張する主要事実を認める旨の陳述をすると、裁判上の自白が成立し、裁判所は、被告の自白に拘束されることとなる。

㈤　誤　　主要事実（金銭消費貸借契約の存在）を推認するのに役立つ事実は、間接事実である。判例は、間接事実に関する自白は、裁判所を拘束しないとする（最判昭31.5.25、最判昭41.9.22）。

㈥　誤　　法律の解釈に関する自白（権利自白）は裁判所を拘束しない（最判昭30.7.5）。主要事実から生ずる法律効果の判断はまさに裁判所の職責であり、当事者の一致した陳述によって左右される必要はないからである。

以上から、判例の趣旨に照らし正しいものは⑺⑷であり、正解は⑴となる。

7c−1(58−5)　証拠調べ手続

証拠の申出に関する次の記述のうち、誤っているものはどれか。(改)

(1) 証拠の申出は、弁論準備手続においてもすることができる。

(2) 書証の申出は、自らその文書を所持していないときはすることができない。

(3) 証拠の申出は、口頭弁論期日前においてもすることができる。

(4) 鑑定の申出は、鑑定人を指定することを要しない。

(5) 証拠の申出は、証拠決定がされた後でも、証拠調べを開始する前であれば撤回することができる。

学習記録	／	／	／	／	／	／	／	／	／

重要度　A	知識型	要 *Check!*		正解　(2)

証拠の申出とは、特定の証拠方法の取調べを要求する申立てのことをいう。証拠の申出は、当事者の申立てによるのが原則である（弁論主義の第3原則）。

(1) 正　　弁論準備手続（168以下）は、立証すべき事実を明確にして、これについての集中証拠調べ（182）を実現することを目的とするから、この目的を実現するために、弁論準備手続内で、証拠の申出をすることができる（170Ⅱ）。

(2) 誤　　書証の申出は、文書を提出し、又は文書の所持者にその提出を命ずることを申し立ててしなければならない（219）。したがって、書証の申出は、自ら目的文書を所持していないときでもすることができる。

(3) 正　　証拠の申出は、口頭弁論期日前においてもすることができる（180Ⅱ）。これは、即時に調べることの困難な証拠方法についてはあらかじめ証拠の申出を促すことで、期日における集中的な証拠調べ（182）を可能にする趣旨である。

(4) 正　　鑑定人とは、法規あるいは経験則についての専門的知識又は経験則を利用して得られた事実認識を裁判所の命令により報告する者であり、この報告を獲得するための証拠調べを鑑定という（212以下）。したがって、鑑定人は、過去の事実や状態について自己の認識したところを訴訟において供述すべき証人（190以下）と異なり、一般的な法規・経験則あるいはこれらへの具体的事実の当てはめの結果を報告する者であり、その報告をする能力のある者ならば代替性がある。そこで、鑑定の申出には、鑑定人を指定する必要はなく、受訴裁判所、受命裁判官又は受託裁判官が鑑定人を指定する（213）。

(5) 正　　証拠調べの開始後は、証拠共通の原則により、相手方に有利な証拠資料が現れる可能性が生ずるから、相手方の同意がなければ証拠の申出を撤回することはできない。また、証拠調べの終了後は、裁判官が既に心証を得ているため、証拠の申出を撤回する余地はない（最判昭32.6.25）。しかし、証拠決定後でも、証拠調べ開始前であれば、証拠の申出を撤回することができる。

7c−2(61−6)　証拠調べ手続

証拠に関する次の記述のうち、正しいものはどれか。

(1)　証人尋問の申出を却下する決定に対しては、抗告をすることができる。

(2)　証拠保全手続において証人尋問がされた場合に、その結果が本訴訟に上程されると、証人尋問の結果として証拠となる。

(3)　鑑定人は、必ず鑑定の結果を書面で陳述することを要する。

(4)　被告が正当な事由がないのに本人尋問の呼出しに応じないときは、裁判所は、原告の請求を正当なものとみなすことができる。

(5)　文書の送付嘱託は、文書提出義務のない者に対してすることはできない。

学習記録	／	／	／	／	／	／	／	／	／

重要度 A　知識型　要 *Check!*　　**正解 (2)**

(1) 誤　証人尋問の申出等の証拠の申出を却下する決定は、終局判決前の裁判であって、控訴裁判所の判断を受ける（283本文）。また証拠の申出に関する裁判については、必要的口頭弁論を経ていると解されているため、抗告することはできない（328Ⅰ）。

(2) 正　証拠保全とは、将来の証拠調べが不能あるいは困難となる事情があるとき、訴え提起前あるいは訴訟係属中証拠調べ期日前に、事前に証拠調べをしてその結果を確保しておくための証拠調べをいい（234）、証拠保全手続における証拠調べは、証人尋問、書証、検証等の手続によって行われる（民訴規152）。そして、証拠保全の証拠調べが行われる場合には、その証拠調べを行った裁判所の裁判所書記官は、本案の訴訟記録の存する裁判所の裁判所書記官に対し、証拠調べに関する記録を送付しなければならず（民訴規154）、これが口頭弁論に提出されることにより、本訴訟における証拠調べの結果と同じ効力を有することになる。したがって、証拠保全手続における証人尋問は、その結果が本訴訟に上程されると、本訴訟における証拠となる。

(3) 誤　裁判長は、鑑定人に、書面又は口頭で、意見を述べさせることができる（215Ⅰ）。なお、裁判所は鑑定人に意見を述べさせた場合において当該意見の内容を明瞭にし、又はその根拠を確認するため必要があると認めるときは、申立て又は職権で鑑定人に更に意見を述べさせることができる（215Ⅱ）。

(4) 誤　当事者本人を尋問する場合において、その当事者が、正当な理由なく、出頭せず、又は宣誓若しくは陳述を拒んだときは、裁判所は、この当事者の義務違反に対する制裁として、尋問事項に関する相手方の主張を真実と認めることができる（208）。

(5) 誤　文書の送付嘱託（226）は、文書の所持者に文書の提出を依頼するものであり、所持者に文書提出義務（220）があるかどうかにかかわらず、することができる。

7c－3(元－4)　証拠調べ手続

証拠調べに関する次の記述のうち、裁判所が職権ですることができるものはどれか。

(1)　証人尋問

(2)　文書提出命令

(3)　検証

(4)　当事者尋問

(5)　鑑定

学習記録	／	／	／	／	／	／	／	／	／

重要度 A　知識型　要 *Check!*　　**正解　(4)**

(1) できない　　証人尋問は、当事者が証人を指定して申し出ることによってされる（民訴規106）。弁論主義の下では、判決の基礎となる事実の確定に必要な証拠の提出は当事者の権能かつ責任とされているからである。

(2) できない　　文書提出命令は、当事者による申立てがなければすることができない（219）。弁論主義からの要請である。

(3) できない　　検証は、当事者の申立てによってされる（232Ⅰ・219）。弁論主義の下では、判決の基礎となる事実の確定に必要な証拠の提出は当事者の権能及び責任とされているからである。

(4) できる　　裁判所は、申立てにより又は職権で、当事者本人を尋問することができる（207Ⅰ前段）。事件の事実関係については当事者が最も熟知しており、事実認定に極めて重要な役割を演ずることも少なくないことから、当事者の申立てによるばかりでなく、職権によることも認められている。

(5) できない　　証人尋問の規定は、特別の定めがある場合を除き、鑑定について準用されている（216、民訴規134）。鑑定の場合、鑑定人の指定（213）、鑑定の嘱託（218）は裁判所の訴訟指揮の一環として行われるが、裁判所が職権で証拠調べをすることができる旨の特別の定めは存在しない。したがって、鑑定は当事者の申出によってされる（216・180Ⅰ、民訴規134・106）。弁論主義からの要請である。

〈職権証拠調べの可否〉

○＝職権証拠調べができる
×＝できない

証拠調べの種類		可　否
通常訴訟	専属管轄に関する証拠調べ（14）	○
	当事者尋問（207Ⅰ）	○
	訴訟係属中の証拠保全（237）(注１・２)	○
	調査の嘱託（186）	○
	文書送付の嘱託（226）	×
	鑑定	×（通説）
人事訴訟における証拠調べ（人訴20）		○

(注１)　証拠保全手続において証人尋問がされた場合に、その結果が本訴訟に上程されると、その証人尋問の結果は、本訴訟における証拠となる（民訴規154参照）。
(注２)　証拠保全の手続において行うことができる証拠調べの種類に制限はない。

7c−4(2−5)　証拠調べ手続

証拠に関する次の(ア)から(オ)までの記述のうち、誤っているものは幾つあるか。（改）

(ア)　公知の事実及び裁判所に顕著な事実については、証明を要しない。

(イ)　証拠調べは、当事者が期日に出頭しないときは、行うことができない。

(ウ)　証人尋問が終了した後は、証拠調べの申出の撤回は許されない。

(エ)　受命裁判官が行った証拠調べについては、その結果を口頭弁論に顕出しなければ、証拠資料とすることができない。

(オ)　裁判所は、他の証拠調べによって心証を得ることができないときに限り、申立てにより又は職権で、当事者本人を尋問することができる。

(1)　１個　　(2)　２個　　(3)　３個　　(4)　４個　　(5)　５個

学習記録	／	／	／	／	／	／	／	／	／

重要度 A	知識型	要 *Check!*		正解 (2)

⑺ 正　民事訴訟における事実の存否の判断は、事実認定の過程を客観化し、その適正を担保する見地から、証拠調べに基づいて行われなければならず、裁判官の私知利用は許されないのが原則である。しかし、顕著な事実（179)、すなわち公知の事実及び職務上顕著な事実については、その性質上裁判官の恣意的認定のおそれはなく、事実判断の適正は担保されているため、証明を要しない（179)。

⑴ 誤　証拠調べは、当事者が期日に出頭しない場合においても、することができる（183)。①証拠調べには必ずしも当事者の訴訟行為を要しないこと、②出頭した証人、鑑定人等が当事者の不出頭のために何回も呼び出される迷惑を避ける必要があることからである。

⑼ 正　証人尋問が終了した後は、証拠調べの申出を撤回することは許されない（最判昭32.6.25)。証拠調べが済んだ後は、裁判官が既に心証を得ているからである。

⒢ 正　証拠調べは受訴裁判所の法廷で行うのが原則である。しかし、受訴裁判所は、現場検証など証拠調べの性質から相当と認めるときは、裁判所外において証拠調べをすることができる（185 I)。ただし、公開主義及び直接主義の要請から、この証拠調べの結果を証拠資料とするためには、その結果が口頭弁論に顕出されなければならない。

⒣ 誤　裁判所は、申立てにより又は職権で、当事者本人を尋問することができる（207 I 前段)。

以上から、誤っているものは⑴⒣の２個であり、正解は⑵となる。

7c−5(4−1)　証拠調べ手続

文書提出命令に関する次の記述のうち、誤っているものはどれか。

(1)　当事者が訴訟において引用した文書を自ら所持するときは、裁判所は相手方の申立てにより、その文書の提出を命じることができる。

(2)　文書の提出を命じる決定に対し、当事者は即時抗告をすることができない。

(3)　第三者が文書提出命令に従わないときは、裁判所はその第三者を過料に処すことができる。

(4)　第三者に対し文書提出命令を出すには、裁判所はその第三者を審尋しなければならない。

(5)　挙証者が文書の所持者に対して閲覧請求権を有する場合には、裁判所は挙証者の申立てにより、その文書の提出を命じることができる。

学習記録	／	／	／	／	／	／	／	／	／

重要度 A | **知識型** | **要 *Check!*** | **正解 (2)**

(1) 正　当事者が訴訟において引用した文書を所持するときは、これを提出する義務を負う（220①・223Ⅰ）。訴訟で当事者が自己の主張を基礎付けるために積極的に用いたものについては、これを秘匿する意思はなく、また、文書の内容について相手方に立証の機会を保障することが公平だからである（東京高決昭40.5.20）。

(2) 誤　文書提出命令に対してはその文書の所持者から、文書提出命令の申立てを却下する決定に対しては申立人から、即時抗告をすることができる（223Ⅶ）。前者は提出命令が個人のプライバシーや財産権に対する干渉となり、後者はその文書を証拠とする道を遮断することになるため、この段階で不服申立てを認める必要があるからである。

(3) 正　文書を所持する第三者に対して、法は過料の制裁をもって文書提出を間接的に強制している（225Ⅰ）。一方、当事者が文書提出命令に従わない場合は、挙証者の主張を真実と認めること（224Ⅰ）をもって、文書提出を強制している。挙証者の主張を真実と認めても、当事者ではない第三者にとっては効果がないため、その強制方法に差異がある。

(4) 正　第三者に対して文書の提出を命ずる場合には、その第三者の利益を不当に害することがないように、裁判所は、その第三者を審尋しなければならない（223Ⅱ）。

(5) 正　挙証者が文書の所持者に対しその引渡し又は閲覧を求めることができるときは、所持者はこれを提出する義務を負う（220②・223Ⅰ）。こうした文書については、文書の記載内容についても挙証者の支配が及ぶと考えられ、また、所持者の秘密保持の利益を損なうこともないからである。

〈書証の申出の方法〉

	文書の提出	文書提出命令の申立て (220・221)	文書送付の嘱託の申立て (226)
文書の所持者 (注１)	申出人自身	相手方又は第三者 (注２・３)	相手方又は第三者
文書提出義務があること		必要　　(注４)	不要　　(注５)
不提出の効果	(証拠申出の撤回)	①当事者が提出命令に従わないときは、裁判所は、当該文書の記載に関する相手方の主張を真実と認めることができる(224Ⅰ・Ⅱ) ②第三者が提出命令に従わないときは、20万円以下の過料(225Ⅰ)	

(注１)　自ら所持しない文書についての書証の申出をすることができる。

(注２)　第三者に対して文書の提出を命ずるときは、その第三者を審尋しなければならない(223Ⅱ)。

(注３)　文書提出命令の申立てを却下する決定及び文書の提出を命ずる決定に対しては、即時抗告をすることができる(223Ⅶ)。

(注４)　文書提出義務がある場合(220)

①当事者が訴訟において引用した文書を自ら所持するとき

②挙証者が文書の所持者に対しその引渡し又は閲覧を求めることができるとき

③文書が挙証者の利益のために作成され、又は挙証者と文書の所持者との間の法律関係について作成されたとき

④前３号に掲げる場合のほか、文書が次に掲げるもののいずれにも該当しないとき

イ　文書の所持者又は文書の所持者と196条各号に掲げる関係を有する者についての同条に規定する事項が記載されている文書

ロ　公務員の職務上の秘密に関する文書でその提出により公共の利益を害し、又は公務の遂行に著しい支障を生ずるおそれがあるもの

ハ　197条１項２号に規定する事実又は同項３号に規定する事項で、黙秘の義務が免除されていないものが記載されている文書

ニ　専ら文書の所持者の利用に供するための文書(国又は地方公共団体が所持する文書にあっては、公務員が組織的に用いるものを除く)

ホ　刑事事件に係る訴訟に関する書類若しくは少年の保護事件の記録又はこれらの事件において押収されている文書

(注５)　文書送付の嘱託は、文書提出義務を負う者に対してすることもできる。

訴訟の審理

MEMO

7c－6(6－2)

証拠調べ手続

証拠に関する次の記述のうち、誤っているものはどれか。(改)

(1)　証人が正当な理由なく出頭しない場合には、裁判所はその勾引を命ずることができる。

(2)　証拠の申出は、口頭弁論期日にしなければならない。

(3)　証拠調べは、当事者双方が期日に出頭しない場合でも、することができる。

(4)　証人尋問の申出は、証人を指定してしなければならない。

(5)　証人が受訴裁判所に出頭するについて不相当な費用又は時間を要するときは、証人の尋問は、受命裁判官又は受託裁判官によりすることができる。

学習記録	／	／	／	／	／	／	／	／	／

重要度 A	知識型	要 *Check!*	正解 (2)

(1) 正　証人は不代替的な存在であるから、正当な理由なくして出頭しないときは、裁判所は、実力で証人を出頭すべき場所に引致するため、勾引を命ずることができる（194 I）。

(2) 誤　即時に取り調べることの困難な証拠方法については、あらかじめ証拠の申出を許すことで、期日における集中的な証拠調べを可能にする必要があるから、証拠の申出は、期日前においてもすることができる（180 II・期日外の証拠申出）。

(3) 正　証拠調べは、当事者が期日に出頭しない場合においても、することができる（183）。①証拠調べには必ずしも当事者の訴訟行為を要しないこと、②出頭した証人、鑑定人等が当事者の不出頭のために何回も呼び出される迷惑を避ける必要があるからである。

(4) 正　証人尋問の申出は、証人を指定してしなければならない（民訴規106）。証人は、裁判所の命令に基づき、過去の事実や状態について自己の認識したところを訴訟において供述すべき義務を負う第三者であり、特定された不代替的人物に当たるからである。

(5) 正　証拠調べは、直接主義及び公開主義の要請から、受訴裁判所の法廷で行うのが原則である。しかし、この原則を貫くと裁判所や当事者などの時間や労力を増大させることになるので、審理促進、訴訟経済の見地から例外的に受命裁判官又は受託裁判官による裁判外での証人尋問が認められている（195）。すなわち、受訴裁判所は、証人が受訴裁判所に出頭するについて不相当な費用又は時間を要する場合は、受命裁判官又は受託裁判官に裁判所外で証人の尋問をさせることができる（195②）。

7c−7(8−4)　証拠調べ手続

文書の証拠調べに関する次の記述のうち、誤っているものはどれか。

(1)　文書証拠調べの方法は、記載内容を証拠資料とする場合は書証であり、その外形、存在を証拠資料とする場合は検証である。

(2)　文書提出命令は相手方当事者に対して発することはできるが、第三者に対して発することはできない。

(3)　当事者が文書提出命令に従わないときは、裁判所はその文書に関する相手方の主張を真実と認めることができる。

(4)　私文書については、その成立が真正であることを証明しなければならない。

(5)　文書については証拠保全の申立てをすることができる。

学習記録	／	／	／	／	／	／	／	／	／

重要度 A	知識型	要 *Check!*

正解 (2)

(1) 正　書証とは、文書を閲読してそれに記載された意味内容を証拠資料にするための証拠調べであり、検証とは、裁判官がその感覚作用によって、直接に事物の形状・性質を認識し、その結果を証拠資料にする証拠調べである。したがって、証拠方法が文書であっても、その記載内容を証拠資料とする場合は書証であり、その外形、存在を証拠資料とする場合は、検証である（東京地決平1.6.2参照）。

(2) 誤　文書提出命令は、文書の所持者に対して発せられ（223Ⅰ）、ここでいう文書の所持者には、相手方当事者のみならず第三者も含まれる（223Ⅱ参照）。これは、文書の証拠としての利用価値の高さに着目して、第三者に対しても発することができるとしたものである。

(3) 正　当事者が文書提出命令に従わない場合は、裁判所は、その文書の記載に関する相手方の主張を真実と認めることができる（224Ⅰ）。このような方法によることが、敗訴を避けようとする当事者に対し文書提出を促すには、最も効果的だからである。

(4) 正　私文書であると、公文書であるとを問わず、文書の成立の真否、すなわちその文書が作成者の意思に基づいて作成されたか否かが争われると、その真正の証明をしなければならない（228Ⅰ）。これは、文書の証拠調べにおいては、その成立の真否が重要であることから、特に規定されたものである。なお、私文書について、本人又は代理人の署名又は押印があるときは、真正に成立したものとの推定を受ける（228Ⅳ）。一方、公文書について、その方式及び趣旨により公務員が職務上作成したものと認めるべきときは、真正に成立した文書との推定を受ける（228Ⅱ）。

(5) 正　証拠保全決定に基づき行われる証拠調べの種類には制限がない（234）。したがって、文書については証拠保全の申立てをすることができる。

7c−8(9−4)

証拠調べ手続

証人尋問に関する次の記述のうち、正しいものはどれか。

(1)　後に尋問を受ける予定の証人であっても、裁判長の許可があれば、他の証人の尋問中に在廷することができる。

(2)　未成年者を証人として尋問する場合には、親権者又は後見人の同意がなければ、宣誓をさせることができない。

(3)　証人が受訴裁判所に出頭する義務を負っているときは、裁判所は、裁判所外で受命裁判官に証人尋問をさせることができない。

(4)　当事者の尋問が争点に関係のない事項にわたることを理由として裁判長が尋問の制限を命じた場合には、当事者は、これに異議を述べることはできない。

(5)　正当な事由なく出頭しない証人は、過料に処せられることはあっても、罰金に処せられることはない。

学習記録	／	／	／	／	／	／	／	／	／

重要度　A	知識型	要 *Check!*

正解　(1)

(1) 正　同一期日に複数の証人を尋問する場合には、証人が他の証人の目を気にすることなく自由に証言できる環境を確保する趣旨から、尋問すべき証人のみを在廷させるのを原則とする。しかし、後に尋問すべき証人に前の証人の供述を聞かせておいた方が、記憶の喚起に役立つなどかえって好都合な場合も考えられるので、後に尋問を受ける予定の証人であっても、裁判長の許可があれば、他の証人の尋問中に在廷することができる（民訴規120）。

(2) 誤　16歳未満の者又は宣誓の趣旨を理解できない者を証人として尋問させる場合には、宣誓をさせることはできない（201Ⅱ）。宣誓義務（201Ⅰ）は宣誓によって証人に真実を供述させる決意をさせ証言内容の真実性を担保するためのものであるが、宣誓の趣旨を理解する能力をもたない者に宣誓を要求することは無意味だからである。16歳以上で宣誓の趣旨を理解できる者であれば、法定代理人の同意がなくても宣誓をさせることはできるし、16歳未満の者であれば、法定代理人の同意にかかわらず宣誓をさせることはできない。

(3) 誤　証人が受訴裁判所に出頭する義務を負っている場合でも、正当な理由により出頭することができないとき（195①）や、証人が受訴裁判所に出頭するについて不相当な費用又は時間を要するとき（195②）は、受訴裁判所は、証人の重要性の程度や出頭に要する費用などを考慮して、受命裁判官又は受託裁判官に裁判所外で証人の尋問をさせることができる。また、現場において証人を尋問することが事実を発見するために必要なとき（195③）や当事者に異議がないとき（195④）も、受訴裁判所は、受命裁判官又は受託裁判官に裁判所外で証人の尋問をさせることができる。

(4) 誤　審理の適正かつ効率的な進行を確保する趣旨から、裁判長には訴訟指揮権が認められている（148Ⅰ）から、裁判長は、当事者の尋問が争点に関係のない事項にわたることを理由として尋問の制限を命ずることができる（民訴規114Ⅱ）。この尋問の制限により不利益を受けた当事者は、これに異議を述べることができる（民訴規117Ⅰ）。

(5) 誤　正当な理由なく出頭しない証人に対しては、過料に処せられる（192）ことがあるほか、証人義務を励行させる趣旨から、刑罰としての罰金に処せられる（193）こともある。

7c−9(10−4)　証拠調べ手続

証人尋問と当事者尋問に関する次の記述のうち、誤っているものはどれか。

(1) 証人尋問は、当事者の申立てがなければすることができないが、当事者本人の尋問は、裁判所が職権ですることもできる。

(2) 受訴裁判所に出頭するため不相当の費用を要する者に対する受命裁判官による裁判所外での尋問は、その者が、証人である場合には行うことができるが、当事者本人である場合には行うことができない。

(3) 正当な理由なく出頭しない者の勾引は、その者が、証人である場合には行うことができるが、当事者本人である場合には行うことができない。

(4) 宣誓は、証人を尋問する場合には、法律に特別の定めがある場合を除き、これをさせなければならないが、当事者本人を尋問する場合には、裁判所が裁量によりこれをさせるかどうかを決めることができる。

(5) 宣誓をした者が虚偽の陳述をした場合、その者が、証人であるときは偽証罪による刑事罰が科せられるが、当事者本人であるときは、刑事罰を科されることはなく、過料の制裁が科されるのみである。

学習記録	／	／	／	／	／	／	／	／	／

重要度 A　知識型　要 *Check!*　　正解 (2)

(1) 正　弁論主義の下では、当事者の申立てに基づき、当事者の申し出た証拠方法についてのみ証拠調べが開始されるのが原則であり、証人尋問（190以下）についてはこれが妥当する。これに対して、当事者尋問については、当事者の申立てによるばかりでなく、職権によることも認められている（207Ⅰ前段）。直接の利害関係人である当事者に客観的な陳述を期待し難い点は否定できないが、事件の事実関係については当事者が最も熟知している点も無視できず、事実認定に極めて重要な役割を演ずることも少なくないからである。

(2) 誤　受訴裁判所は、証人が受訴裁判所に出頭するについて不相当な費用又は時間を要するときは、受命裁判官又は受託裁判官に裁判所外で証人の尋問をさせることができる（195②）。証人尋問は、直接主義及び公開主義の要請から、受訴裁判所の法廷で行うのが原則であるが、訴訟経済上、この原則を貫くことが困難な場合もあるからである。そして、そのような場合は当事者尋問においても生じ得るので、受命裁判官による裁判所外での尋問は、当事者本人に対しても行うことができる（210・195②）。

(3) 正　証人は不代替的な存在であるから、正当な理由なくして出頭しないときは、実力で証人を出頭すべき場所に引致するため、勾引を命ずることができる（194Ⅰ）。これに対して、当事者の義務違反に対する制裁は、尋問事項に関する相手方の主張を真実と認めることである（208）から、当事者本人を勾引させることはできない。

(4) 正　証人には、特別の定めがある場合を除き、宣誓をさせなければならない（201Ⅰ）。証言内容の真実性を担保する趣旨である。これに対して、尋問に際して当事者本人に宣誓させるかどうかは、裁判所の裁量に委ねられている（207Ⅰ後段）。これは、訴訟の結果に重大な利害関係を有する当事者に対して、制裁（209Ⅰ）を前提に不利益なことを無理やり述べさせるのは酷である場合があるからである。

(5) 正　法律により宣誓した証人による虚偽の陳述に対する制裁が、偽証罪（刑169）による刑事罰であるのに対して、宣誓した当事者による虚偽の陳述に対する制裁は、過料（209Ⅰ）にすぎない。証人は第三者として客観的な陳述が強く要請されるのに対して、当事者は自分の利害に関する事実について陳述するため、そこに虚偽が入り込むこともある程度は仕方がないからである。

7c−10(11−3)　証拠調べ手続

証拠保全に関する次の記述のうち、誤っているものはどれか。

(1) 裁判所は、必要があると認めるときは、訴訟の係属中、職権で、証拠保全の決定をすることができる。

(2) 証拠保全の申立ては、相手方を指定することができない場合には、することができない。

(3) 証拠保全の申立てを却下した決定に対しては、抗告をすることができる。

(4) 証拠保全として検証を行う場合には、裁判所は、申立人の申立てにより、検証物の提示を命ずることができる。

(5) 証拠保全に関する費用は、訴訟費用の一部となる。

学習記録	／	／	／	／	／	／	／	／	／

重要度 A | **知識型** | **要 *Check!*** | **正解 (2)**

証拠保全(234以下)とは、将来の証拠調べが不能あるいは困難となる事情があるとき、訴え提起前あるいは訴訟係属中証拠調べ期日前に、事前に証拠調べをしてその結果を確保しておくための証拠調べをいう。

(1) 正　証拠保全の目的は、将来の証拠調べが不能又は困難となることを回避することにあるから、当事者からの申立てを待っていてはその目的を達することができない場合がある。そこで、裁判所は、必要があると認めるときは、訴訟の係属中、職権で、証拠保全の決定をすることができる(237)。

(2) 誤　証拠保全の申立ては、相手方を指定することができない場合においても、することができる(236前段)。相手方を指定できなければ証拠保全の申立てができないとすると、将来の証拠調べが不能又は困難となることを回避するという制度目的が達成できないおそれがあるからである。この場合においては、裁判所は、相手方となるべき者のために特別代理人を選任することができる(236後段)。

(3) 正　証拠保全の申立てを却下した決定は、口頭弁論を経ないで訴訟手続に関する申立てを却下した決定に当たるから、抗告をすることができる(328Ⅰ)。なお、証拠保全の決定に対しては、不服を申し立てることができない(238)。この不服申立てを許すと、将来の証拠調べが不能又は困難となることを防ぐという証拠保全の目的を害するからである。

(4) 正　証拠保全(234)として検証を行う場合には、裁判所は、申立人の申立てにより、検証物の提示を命ずることができる(232Ⅰ)。証拠保全は証拠の章の規定に従い行われるため、証拠保全として検証が行われるときは、検証の規定が準用されるからである。

(5) 正　証拠保全は、事前に証拠調べをしてその結果を確保しておくための証拠調べであって、本訴訟の事実認定のためにされるものであるから、その費用は、当該訴訟の追行及び審判のために直接必要なものとして、訴訟費用の一部となる(241)。

7c−11(13−2)　証拠調べ手続

文書提出命令に関する次の(ア)から(オ)までの記述のうち、文書の所持者が訴訟当事者であるか、又は第三者であるかにかかわらず正しいものの組合せは、後記(1)から(5)までのうちどれか。

(ア)　文書提出命令の申立てをするときは、文書の提出義務の原因を明らかにしなければならない。

(イ)　裁判所は、文書の提出を命じようとするときは、その文書の所持者を審尋しなければならない。

(ウ)　文書の所持者が文書提出命令に従わないときは、裁判所は、その文書の記載に関する申立人の主張を真実と認めることができる。

(エ)　文書の所持者が文書提出命令に従わないときは、裁判所は、決定で、20万円以下の過料に処する。

(オ)　文書提出命令に対しては、その文書の所持者は、即時抗告をすることができる。

(1)　(ア)(イ)　　(2)　(ア)(オ)　　(3)　(イ)(エ)　　(4)　(ウ)(エ)　　(5)　(ウ)(オ)

学習記録	／	／	／	／	／	／	／	／	／

重要度 A　知識型　要 *Check!*　　**正解 (2)**

(ア) いずれについても正　文書提出命令の申立ては、その文書の所持者が訴訟当事者であるか、又は第三者であるかにかかわらず、文書の提出義務の原因を明らかにしてしなければならない（221 I ⑤)。これは、提出義務の根拠として複数のものが認められることから（220)、裁判所が義務の存否を判断するために要求されるものだからである。

(イ) 訴訟当事者については誤　裁判所は、第三者に対して文書の提出を命じようとするときは、その第三者を審尋しなければならない（223 II)。この審尋は、口頭弁論中に陳述する機会を与えられない第三者の手続保障を確保する趣旨から文書提出命令の手続における特則として定められたものであり、訴訟当事者の場合には当てはまらない。

(ウ) 第三者については誤　当事者が文書提出命令に従わないときは、裁判所は、当該文書の記載に関する相手方の主張を真実と認めることができる（224 I）のに対して、第三者が文書提出命令に従わないときは、裁判所は、決定で、20万円以下の過料に処する（225 I)。文書の所持者が文書提出命令に従わない場合については、その所持者の地位に即して異なる制裁が規定されている。

(エ) 訴訟当事者については誤　(ウ)の解説参照。

(オ) いずれについても正　文書提出命令に対しては、その文書の所持者は、訴訟当事者であるか、又は第三者であるかにかかわらず、即時抗告をすることができる（223 VII)。文書を提出することによって被る不利益は、その文書の所持者が訴訟当事者であるか、又は第三者であるかによって異ならないからである。

以上から、文書の所持者が訴訟当事者であるか、又は第三者であるかにかかわらず正しいものは(ア)(オ)であり、正解は(2)となる。

7c－12(14－5)　証拠調べ手続

次の(1)から(5)までの証拠調べの申出があった場合に、証拠調べを行うことができないものはどれか。(改)

(1)　簡易裁判所の訴訟手続における鑑定人の意見陳述

(2)　第一審で弁論準備手続を終結した事件における控訴審での新たな証人の尋問

(3)　第一審で時機に後れた攻撃防御方法として証人の尋問の申出が却下された事件における控訴審での同一の証人の尋問

(4)　手形訴訟における手形の提示に関する事実についての証人の尋問

(5)　少額訴訟における在廷している証人の尋問

学習記録	／	／	／	／	／	／	／	／	／

重要度　A	知識型	要 *Check!*

正解　(4)

⑴　できる　　簡易裁判所の取り扱う事件は、少額・軽微で複雑な争点を含まないものが多いことから、訴訟手続の簡易・迅速化のための特則規定が定められており､鑑定手続についても特則規定が置かれている(278)。この規定は、鑑定人の意見陳述を排除しているのではなく、鑑定人の意見陳述に代え、書面の提出をさせることができる旨を明記したものである。したがって、簡易裁判所の訴訟手続においても､鑑定人に意見の陳述をさせることができる(212以下)。

⑵　できる　　第一審で弁論準備手続を終結した事件における控訴審においても、新たな証人の尋問の申出をすることができる。この場合においては、相手方の求めがあるときは、相手方に対し、第一審の弁論準備手続の終結前にこれを提出することができなかった理由を説明しなければならない（298Ⅱ・167)。

⑶　できる　　第一審で時機に後れた攻撃防御方法として証人の尋問の申出が却下された事件においても、控訴審での同一の証人の尋問をすることができる。控訴審の弁論は第一審の弁論の続行とみられるため、攻撃防御方法が時機に後れた（297・157）かどうかは、第一審及び控訴審を通じて判断されるからである。ただし、控訴審でも時機に後れた攻撃防御方法として却下されることがある（大判昭8.2.7)。

⑷　できない　　手形訴訟における手形の提示に関する事実について、証人の尋問をすることはできない。手形訴訟においては、手続を簡略化し迅速に債権者に債務名義を取得させることを目的とした判決手続であるから、原則として、証拠調べは書証に限定されており（352Ⅰ)、例外としても、文書成立の真否又は手形の提示に関する事実について、当事者本人の尋問が認められている（352Ⅲ）のみである。

⑸　できる　　少額訴訟においては、在廷している証人の尋問をすることができる（371・372)。少額訴訟は、少額軽微な紛争について、紛争額に見合った時間と労力で効果的に事件の解決を図ることができるように、手続を簡易化した簡易裁判所の訴訟手続であり、この場合における証拠調べは、即時に取り調べることができる証拠に限定されているが、在廷している証人の尋問はこれに該当するからである。

7c−13(15−3)　証拠調べ手続

次の対話は、文書の証拠調べに関する教授と学生との間の対話である。教授の質問に対する次の(ア)から(オ)までの学生の解答のうち、誤っているものの組合せは、後記(1)から(5)までのうちどれか。

教授：　書証とは、文書に記載されている作成者の意思や認識を裁判所が閲読して、その意味内容を係争事実の認定のための資料とする証拠調べをいいます。それでは、この書証の申出は、どのようにして行うのでしょうか。

学生：(ア)　法律上、二つの方法があります。一つは、自己の所持する文書について書証の申出をする場合の方法で、文書を提出して行います。もう一つは、相手方当事者又は第三者が所持する文書について書証の申出をする場合で、この場合には、文書の所持者にその提出を命ずることを申し立てる方法によらなければなりません。

教授：　次に、文書については、その成立が真正であることを証明しなければならないとされていますが、成立の真正とは、どのようなことをいうのでしょうか。

学生：(イ)　文書が作成者の意思に基づいて作成されたことを意味します。

教授：　裁判所が、提出された文書の成立について相手方に認否をさせた場合において、相手方が文書の成立を認めてその成立に争いがないときは、どのような効果が生ずるでしょうか。

学生：(ウ)　自白が成立するので、裁判所は、証拠に基づかなくてもその文書の成立を真正であると扱うことができますが、この自白は、裁判所を拘束しません。

教授：　それでは、成立の真正が証明されると、どうなるのでしょうか。

学生：(エ)　いわゆる形式的証拠力が認められることになるので、実質的証拠力、すなわち、文書の内容が真実であるという推定が働くことになります。

教授：　公文書の成立の真正については、特別の規定があるでしょうか。

学生：(オ)　公文書については、その方式及び趣旨によって公務員が職務上作成したと認められれば、真正に成立した公文書と推定される旨の規定があります。

(1)　(ア)(ウ)　　(2)　(ア)(エ)　　(3)　(イ)(ウ)　　(4)　(イ)(オ)　　(5)　(エ)(オ)

学習記録	／	／	／	／	／	／	／	／	／

重要度　A	知識型	要 *Check!*

正解　(2)

(ア)　誤　　書証の申出は、挙証者が自ら所持する文書を提出すること、及び相手方又は第三者が所持する文書であってその提出義務を負うものについては、文書提出命令の申立て（221）によらなければならないと規定している（219）。また、このほかに、文書の所持者が任意に提出に協力する見込みのある文書については、文書送付の嘱託の申立てによりすることができる（226）。したがって、書証の申出は文書送付の嘱託の申立てによってもすることができるため、本肢は誤りとなる。

(イ)　正　　文書が「真正に成立した」とは、文書が作成者（であると挙証者が主張する者）の意思に基づいて作成されたことをいう。

(ウ)　正　　相手方が文書の成立を認めて、その成立に争いがないときは、自白が成立し、裁判所は、証拠に基づかなくても、その成立を真正であると扱うことができる。しかし、文書の成立自体は補助事実であるから、裁判所は、その自白に拘束されない（最判昭52.4.15）。

(エ)　誤　　文書が「真正に成立した」とは、文書が作成者の意思に基づいて作成されたことをいう。文書が作成者の意思によって作成されたこと、すなわち真正であることが証明された場合、その文書は形式的証拠力を有する。もっとも、文書の成立が真正であるといっても、それは文書が作成者の意思に基づいて作成されたことが認められるだけであって、実質的証拠力、すなわち文書の記載事項や内容までが真実であるという推定が働くわけではない。この実質的証拠力の有無は裁判官の自由心証によって定まる。

(オ)　正　　公文書は、その方式と記載内容から判断される趣旨とによって公務員によって職務上作成されたと認められるときは、真正に作成されたものと推定される（228Ⅱ）。

以上から、誤っているものは(ア)(エ)であり、正解は(2)となる。

7c−14(16−3)

証拠調べ手続

下記の表は、民事訴訟における証人尋問と当事者尋問について比較したものであり、次の(ア)から(オ)までの記述について、証人尋問又は当事者尋問に当てはまるものには「○」を、当てはまらないものには「×」を記載している。この表の(ア)から(オ)までの記述についての「○」と「×」の記載が共に正しいものの組合せは、後記(1)から(5)までのうちどれか。

(ア)　裁判所は、当事者を異にする事件について口頭弁論の併合を命じた場合において、その前にその尋問をした者について、尋問の機会がなかった当事者が尋問の申出をしたときは、その尋問をしなければならない。

(イ)　裁判所は、弁論準備手続において、その尋問をすることができる。

(ウ)　簡易裁判所の事件においては、裁判所は、相当と認めるときは、その尋問に代え、書面の提出をさせることができる。

(エ)　裁判所は、職権により、その尋問をすることができる。

(オ)　裁判所は、大規模訴訟に係る事件について、当事者に異議がないときは、受命裁判官に裁判所内でその尋問をさせることができる。

	証人尋問	当事者尋問
(ア)	○	×
(イ)	×	○
(ウ)	○	○
(エ)	○	○
(オ)	×	○

(1)　(ア)(ウ)　　(2)　(ア)(エ)　　(3)　(イ)(エ)　　(4)　(イ)(オ)　　(5)　(ウ)(オ)

学習記録	／	／	／	／	／	／	／	／	／

訴訟の審理

重要度　A　知識型　要 *Check!*　**正解　(1)**

(ア)　証人尋問：正　当事者尋問：誤　　裁判所は、当事者を異にする事件について口頭弁論の併合を命じた場合において、その前に尋問をした証人について、尋問の機会がなかった当事者が尋問の申出をしたときは、その尋問をしなければならない（152)。一方、併合前の当事者尋問については、再尋問は義務付けられておらず、裁判所の裁量による。

(イ)　証人尋問：誤　当事者尋問：誤　　弁論準備手続においては、証人尋問及び当事者尋問をすることはできない。

(ウ)　証人尋問：正　当事者尋問：正　　簡易裁判所の事件においては、裁判所は、相当と認めるときは、証人尋問及び当事者尋問に代え、書面の提出をさせることができる（278)。

(エ)　証人尋問：誤　当事者尋問：正　　証人尋問は、当事者の申出に基づいて開始される（民訴規106)。これに対して、当事者尋問は、裁判所の職権によりすることができる（207 I 前段)。

(オ)　証人尋問：正　当事者尋問：正　　裁判所は、大規模訴訟に係る事件について、当事者に異議がないときは、受命裁判官に裁判所内で証人又は当事者本人の尋問をさせることができる（268)。

したがって、本問の表は以下のとおりとなる。

	証人尋問	当事者尋問
(ア)	○	×
(イ)	×	×
(ウ)	○	○
(エ)	×	○
(オ)	○	○

以上から、「○」と「×」の記載が共に正しいものは(ア)(ウ)であり、正解は(1)となる。

7c−15(19−3)　証拠調べ手続

書証に関する次の(1)から(5)までの記述のうち、判例の趣旨に照らし誤っているものはどれか。

(1) 相手方が文書の成立の真正を認めた場合でも、裁判所は、当該文書の成立が真正なものではないと認定することができる。

(2) 方式及び趣旨により公務員が職務上作成したものと認められる文書は、真正に成立した公文書と推定される。

(3) 文書の成立の真否は、筆跡又は印影の対照によっても、証明することができる。

(4) 当事者が文書提出命令に従わないときは、裁判所は、当該文書の記載に関する相手方の主張を真実と認めることができる。

(5) 書証の申出は、文書を提出してするか、文書提出命令の申立てをしてしなければならない。

学習記録	／	／	／	／	／	／	／	／	／

重要度　A	知識型	要 *Check!*

正解　(5)

(1)　正　　自白の対象となるのは、具体的事実であるが、自白は、具体的事実のうち主要事実についてのみ裁判所を拘束し、間接事実、補助事実については、裁判所を拘束しない。そして、文書の成立の真正は、補助事実である。したがって、相手方が文書の成立の真正を認めた場合でも、裁判所は、当該文書の成立が真正なものではないと認定することができる。

(2)　正　　文書は、その成立が真正であることを証明しなければならない（228Ⅰ）。ただし、文書はその方式及び趣旨により公務員が職務上作成したものと認めるべきときは、真正に成立した公文書と推定する（228Ⅱ）。

(3)　正　　文書の成立の真否は、筆跡又は印影の対照によっても証明することができる（229Ⅰ）。

(4)　正　　当事者が文書提出命令に従わないときは、裁判所は、当該文書の記載に関する相手方の主張を真実と認めることができる（224Ⅰ）。

(5)　誤　　書証の申出は、挙証者が自ら所持する文書を提出すること、又は相手方又は第三者が所持する文書であってその提出義務を負うものについては、文書提出命令の申立て（221）によらなければならない（219）。ただし、文書の所持者が任意に提出に協力する見込のある文書については、219条の規定にかかわらず、文書の所持者にその文書の送付を嘱託することを申し立ててすることができる（226本文）。したがって、書証の申出は文書送付嘱託の申立てによってもすることもできるため、本肢は誤りとなる。

7c－16(20－3)　証拠調べ手続

証拠に関する次の(ア)から(オ)までの記述のうち、判例の趣旨に照らし正しいものは幾つあるか。

(ア)　証拠の申出は、証明すべき事実及びこれと証拠との関係を具体的に明示してしなければならない。

(イ)　証拠の申出は、期日前においてもすることができる。

(ウ)　証拠の申出は、証拠調べが開始される前は自由に撤回することができるが、証拠調べが終了した後は一方的に撤回することはできない。

(エ)　当事者が故意又は重大な過失により時機に後れてした証拠の申出が裁判所により却下されるのは、これにより訴訟の完結を遅延させることとなると認められる場合である。

(オ)　期日における証拠調べは、当事者の一方又は双方が出頭しない場合においても、することができる。

(1)　１個　(2)　２個　(3)　３個　(4)　４個　(5)　５個

学習記録	／	／	／	／	／	／	／	／	／

重要度　A	知識型	要 *Check!*

正解　(5)

(ア)　正　　証拠の申出は、証明すべき事実及びこれと証拠との関係を具体的に明示してしなければならない（民訴規99Ⅰ）。これは、裁判所が証拠申出の採否及びその限度を判断するために要求されるものであり、この記載を欠いても不適法ではないが、証明すべき事実の特定のために重要であるから、裁判所は釈明を求めるべきであると解されている。

(イ)　正　　証拠の申出は、期日前においてもすることができる（180Ⅱ）。この期日外の証拠の申出は、証拠調べの準備行為にすぎないにもかかわらず、形式的に口頭弁論主義を貫くと、証拠調べの準備のために期日を１回無駄にすることになり、ひいては訴訟遅延となることから認められている。

(ウ)　正　　弁論主義の下、証拠調べ開始前においては、証拠の申出を自由に撤回することができる。一方、証拠調べが終了した後においては、これに影響を受けた裁判官の心証を消し去ることができないため、撤回の余地はない（最判昭32.6.25）。なお、証拠調べ開始後、終了までの時期における撤回につき通説は、相手方の同意がある場合にのみ撤回が許されると解している。なぜなら、相手方に有利な証拠資料が現れる可能性があるからである。

(エ)　正　　当事者の故意又は重大な過失により時機に遅れて提出した攻撃又は防御の方法については、これにより訴訟の完結を遅延させることとなると認めたときは、裁判所は、申立てにより又は職権で、却下の決定をすることができる（157Ⅰ）。

(オ)　正　　証拠調べは、当事者が期日に出頭しない場合においても、することができる（183）。これは、証人尋問に呼び出された証人が、当事者の欠席により何回も呼び出されるのは迷惑であるし、当事者の欠席により訴訟が遅延することを防止するためである。

以上から、正しいものは(ア)(イ)(ウ)(エ)(オ)の５個であり、正解は(5)となる。

7c－17(21－2)　証拠調べ手続

証拠の収集又は立証の準備に関する次の(ア)から(オ)までの記述のうち、正しいものは幾つあるか。

(ア)　当事者は、訴訟の係属中、相当な期間を定めて、相手方に対し、主張又は立証を準備するために必要な事項について、相手方の意見を書面で回答するよう照会をすることができる。

(イ)　裁判所が、訴訟の当事者以外の者に対し、その所持する文書の提出を命じたが、その者が文書提出命令に従わない場合、裁判所は、その文書の記載に関する相手方の主張を真実と認めることができる。

(ウ)　文書送付の嘱託は、文書所持者の文書提出義務の有無にかかわらず申し立てることができる。

(エ)　裁判所による調査の嘱託は、官庁・公署、会社その他の団体のみならず、自然人である個人に対しても行うことができる。

(オ)　証拠保全の申立ては、訴えの提起後においてもすることができる。

(1)　１個　　(2)　２個　　(3)　３個　　(4)　４個　　(5)　５個

学習記録	／	／	／	／	／	／	／	／	／

重要度　A	知識型	要 *Check!*

正解　(2)

(ア)　誤　　当事者照会手続においては、①具体的又は個別的でない照会、②相手方を侮辱し、又は困惑させる照会、③既にした照会と重複する照会、④意見を求める照会、⑤相手方が回答するために不相当な費用又は時間を要する照会、⑥196条又は197条の規定により証言を拒絶することができる事項と同様の事項についての照会についてはすることができない（163）。

(イ)　誤　　第三者が文書提出命令に従わないときは、裁判所は、決定で、20万円以下の過料に処する（225Ⅰ）。したがって、第三者が文書提出命令に従わないときは、当該文書の記載に関する相手方の主張を真実と認めることができるとする点で、本肢は誤っている。なお、当事者が文書提出命令に従わないときは、当該文書の記載に関する相手方の主張を真実と認めることができる（224Ⅰ）。

(ウ)　正　　文書送付嘱託の方法による書証の申出は、文書の所持者に対してすることができる（226本文）。文書送付嘱託の申立ては、文書所持者が文書提出義務を負っているか否かを問わずにすることができる。なお、当事者が法令により文書の正本又は謄本の交付を求めることができる場合は、この限りではない（226但書）。

(エ)　誤　　裁判所は、必要な調査を官庁若しくは公署、外国の官庁若しくは公署又は学校、商工会議所、取引所その他の団体に嘱託することができる（186）。しかし、自然人である個人に対しては調査の嘱託を行うことができない。

(オ)　正　　証拠保全の申立ては、訴え提起の前後を問わずすることができる（235参照）。

以上から、正しいものは(ウ)(オ)の２個であり、正解は(2)となる。

7c−18(23−5)　証拠調べ手続

次の対話は、民事訴訟における証拠調べに関する教授と学生との対話である。教授の質問に対する次の(ア)から(オ)までの学生の解答のうち、正しいものの組合せは、後記(1)から(5)までのうちどれか。

教授：　民事訴訟における証拠調べの方法の一つに、調査の嘱託がありますね。この調査の嘱託は、裁判所が職権ですることはできますか。

学生：(ア)　はい。調査の嘱託は、当事者からの申立てがあった場合のみならず、職権でもすることができます。

教授：　それでは、調査嘱託がされた場合には、どのようにして証拠調べが行われますか。

学生：(イ)　調査嘱託の嘱託先から報告書が送付された場合には、その報告書は文書ですから、当事者がこれを書証として提出し、取り調べられなければ、証拠資料にはなりません。

教授：　書証の申出の方法には、文書の送付を嘱託することを申し立ててする方法がありますね。この文書送付の嘱託は、例えば、どのような場合に利用されますか。

学生：(ウ)　不動産の登記事項証明書について、書証の申出をする場合に用いることができます。

教授：　文書送付の嘱託を受けた文書の所持者がこれに応じなかった場合には、どのような効果がありますか。

学生：(エ)　文書の所持者が、正当な理由なく文書送付の嘱託に応じなかった場合には、裁判所は、当該所持者に対し、決定で、過料の制裁を科すことができます。

教授：　それでは、ビデオテープを証拠として提出することを当事者が申し出ようとする場合には、その当事者からの申立てを受けて、裁判所がビデオテープの所持者にその送付を嘱託することはできますか。

学生：(オ)　ビデオテープについても、民事訴訟法上、文書に準ずる物件として、文書送付の嘱託の規定が準用されますので、ビデオテープの所持者にその送付を嘱託することができます。

(1)　(ア)(イ)　　(2)　(ア)(オ)　　(3)　(イ)(ウ)　　(4)　(ウ)(エ)　　(5)　(エ)(オ)

学習記録	／	／	／	／	／	／	／	／	／

重要度 A | 知識型 | 要 *Check!* 　　**正解 (2)**

(ア) 正　　裁判所は、必要な調査を官庁若しくは公署、外国の官庁若しくは公署又は学校、商工会議所、取引所その他の団体に嘱託することができる（186）。そして、調査の嘱託は、当事者の申立て又は職権によって行う。

(イ) 誤　　調査の嘱託は、裁判所が証拠調べの一種として行うもので、調査報告書は、それが口頭弁論に顕出され、当事者に意見を述べる機会を与えれば、そのまま証拠資料となる。すなわち、当事者が改めて書証として提出することを要しない。

(ウ) 誤　　不動産登記記録や戸籍等の謄抄本などのように、当事者が法令によって文書の正本又は謄本の交付を求めることができる場合には、文書送付の嘱託を申し立てることはできない（226但書）。なぜなら、当該場合には、当事者自らその交付を受けて、これを書証として提出すべきであり、文書送付の嘱託を求める利益を欠くからである。

(エ) 誤　　文書送付の嘱託の申出に対し、所持者が嘱託に応じなかった場合でも制裁を科す旨の規定はない。

(オ) 正　　ビデオテープ等は、磁気媒体や光媒体上に作成者の意思が記録されているときには、文書と共通の性質をもつが、法廷において適切な装置を利用すれば、裁判官が視覚又は聴覚によってその内容を直接に認識することができる。このため、文書に準じるものとして書証による証拠調べに適し、文書に関する規定が準用される（231）。そのため、ビデオテープの所持者にその送付を嘱託することができる（231・226）。

以上から、正しいものは(ア)(オ)であり、正解は(2)となる。

7c－19(24－4)　証拠調べ手続

貸金返還請求訴訟における証人尋問又は当事者尋問に関する次の(ア)から(オ)までの記述のうち、判例の趣旨に照らし誤っているものの組合せは、後記(1)から(5)までのうちどれか。

(ア)　証人尋問及び当事者尋問のいずれも、当事者の申立てにより又は裁判所の職権で、することができる。

(イ)　裁判所は、証人尋問においては、証人の尋問に代えて書面の提出をさせることができるが、当事者尋問においては、簡易裁判所の訴訟手続に限り、当事者本人の尋問に代えて書面の提出をさせることができる。

(ウ)　通常共同訴訟において、共同訴訟人Ａ及びＢのうちＡのみが第一審判決に対して控訴を提起し、Ｂについては第一審判決が確定している場合には、Ｂは、Ａについての控訴審において証人となることができる。

(エ)　宣誓能力のある限り、証人尋問における証人は、法令に特別の定めがある場合を除き、宣誓義務を負うが、当事者尋問における当事者本人は、裁判所が宣誓を命じた場合においてのみ、宣誓義務を負う。

(オ)　証人尋問及び当事者尋問のいずれについても、呼出しを受けた証人又は当事者が正当な理由なく出頭しない場合の制裁として、過料の規定が民事訴訟法に定められている。

(1)　(ア)(エ)　　(2)　(ア)(オ)　　(3)　(イ)(ウ)　　(4)　(イ)(エ)　　(5)　(ウ)(オ)

学習記録	／	／	／	／	／	／	／	／	／

重要度　A	知識型	要 *Check!*

正解　(2)

(ア) 誤　　弁論主義の下では、当事者の申立てに基づき、当事者の申し出た証拠方法についてのみ証拠調べが開始されるのが原則であり、証人尋問については、当事者が証人を指定して申し出ることによってされる（190以下、民訴規106）。一方、当事者尋問については、当事者の申立てによるばかりでなく、職権によることも認められている（207 I 前段）。なぜなら、直接の利害関係人である当事者に客観的な陳述を期待し難い点は否定できないが、事件の事実関係については当事者が最も熟知している点も無視し得ず、事実認定に極めて重要な役割を演ずることも少なくないからである。

(イ) 正　　証人尋問については、裁判所は、相当と認める場合において、当事者に異議がないときに限り、証人の尋問に代えて書面の提出をさせることができる（205）。しかし、当該規定は、当事者尋問に準用されていない（210参照）。もっとも、簡易裁判所の訴訟手続においては、審理の簡易、迅速化のため、裁判所は、相当と認めるときは、当事者本人の尋問に代えて書面の提出をさせることができる（278）。

(ウ) 正　　共同訴訟人は、他の共同訴訟人と相手方との間の訴訟についても、尋問事項が自己と相手方との間の訴訟に全く無関係な場合に限り、証人となることができる。そして、通常共同訴訟において、共同訴訟人A及びBのうちAのみが、第一審判決に対して控訴を提起し、Bについては第一審判決が確定している場合、Bに関する訴訟は既に終了しているのであるから、Bは、Aについての控訴審において証人となることができる（最判昭34.3.6）。

(エ) 正　　証人には、特別の定めがある場合を除き、宣誓をさせなければならない（201 I）。これは、証言内容の真実性を担保する趣旨である。なお、宣誓とは、証人が裁判所の面前で良心に従って真実を述べる旨を陳述する行為をいい、原則として事前宣誓の形がとられる（民訴規112 I）。一方、尋問に際して当事者本人に宣誓させるかどうかは、裁判所の裁量に委ねられている（207 I 後段）。これは、訴訟の結果に重大な利害関係を有する当事者に対して宣誓を前提とする制裁（209 I）を科するのは酷であるとの判断に基づくものである。

(オ) 誤　　証人が正当な理由なく出頭しない場合は、過料に処せられる（192）。一方、当事者が正当な理由なく出頭しない場合は、裁判所は、尋問事項に関する相手方の主張を真実と認めることができるだけであって（208）、過料には処せられない。

以上から、誤っているものは(ア)(オ)であり、正解は(2)となる。

7c－20(25－4)　証拠調べ手続

文書提出命令に関する次の(ア)から(オ)までの記述のうち、判例の趣旨に照らし誤っているものの組合せは、後記(1)から(5)までのうち、どれか。

(ア)　専ら文書の所持者の利用に供するための文書（国又は地方公共団体が所持する文書にあっては、公務員が組織的に用いるものを除く。）は、挙証者と当該文書の所持者との間の法律関係について作成された文書として、文書提出義務の対象となることはない。

(イ)　公務員の職務上の秘密に関する文書について、当該監督官庁が、当該文書の提出により他国との信頼関係が損なわれるおそれがあることを理由として、当該文書がその提出により公共の利益を害し、又は公務の遂行に著しい支障を生ずるおそれがあるものに該当する旨の意見を述べたときは、裁判所は、その提出を命ずることができない。

(ウ)　裁判所は、第三者に対して文書の提出を命じようとする場合には、その第三者を審尋しなければならない。

(エ)　当事者が文書提出命令に従わない場合において、相手方が、当該文書の記載に関して具体的な主張をすること及び当該文書により証明すべき事実を他の証拠により証明することが著しく困難であるときは、裁判所は、その事実に関する相手方の主張を真実と認めなければならない。

(オ)　証拠調べの必要性を欠くことを理由として文書提出命令の申立てを却下する決定に対しては、その必要性があることを理由として独立に不服の申立てをすることはできない。

(1)　(ア)(ウ)　(2)　(ア)(オ)　(3)　(イ)(ウ)　(4)　(イ)(エ)　(5)　(エ)(オ)

学習記録	／	／	／	／	／	／	／	／	／

重要度　A	知識型	要 *Check!*	正解　(4)

(ア)　正　　民事訴訟法は、文書の所持者がその提出を拒むことができる文書を規定している（220④反対解釈）。この点、専ら文書の所持者の利用に供するための文書（国又は地方公共団体が所持する文書にあっては、公務員が組織的に用いるものを除く。）の所持者はその提出を拒むことができる（220④ニ）。したがって、専ら文書の所持者の利用に供するための文書（国又は地方公共団体が所持する文書にあっては、公務員が組織的に用いるものを除く。）は、挙証者と当該文書の所持者との間の法律関係について作成された文書として、文書提出義務の対象となることはない。

(イ)　誤　　公務員の職務上の秘密に関する文書について、当該監督官庁が、当該文書の提出により他国との信頼関係が損なわれるおそれがあることを理由として、当該文書がその提出により公共の利益を害し、又は公務の遂行に著しい支障を生ずるおそれがあるものに該当する旨の意見を述べたときは、「裁判所がその意見について相当の理由があると認めるに足りない場合に限り」、文書の所持者に対し、その提出を命ずることができる（223Ⅳ）。

(ウ)　正　　第三者に対して文書の提出を命じようとする場合には、その第三者の利益を不当に害することがないように、裁判所は、その第三者を審尋しなければならない（223Ⅱ）。

(エ)　誤　　当事者が文書提出命令に従わない場合において、相手方が当該文書の記載に関して具体的な主張をすること及び当該文書により証明すべき事実を他の証拠により証明することが著しく困難であるときは、裁判所は、その事実に関する相手方の主張を真実と認めることが「できる」（224Ⅲ）。

(オ)　正　　文書提出命令の申立てについての決定に対しては、即時抗告をすることができる（223Ⅶ）。もっとも、証拠調べの必要性を欠くことを理由として文書提出命令の申立てを却下する決定に対しても即時抗告が認められるか否かについては争いがあり、判例は消極説を採用することを明らかにしている（最決平12.3.10）。なぜなら、証拠調べの必要性の判断は本案の審理に関与していない抗告裁判所においては困難であり、他の証拠調べ手続において証拠調べの必要性の判断が抗告事由とならないこととの均衡を考慮すべきだからである。

以上から、誤っているものは(イ)(エ)であり、正解は(4)となる。

7c−21(26−3)　証拠調べ手続

証拠調べに関する次の(ア)から(オ)までの記述のうち、正しいものの組合せは、後記(1)から(5)までのうち、どれか。

(ア)　裁判所は、補助参加人を証人として尋問することができる。

(イ)　口頭弁論期日において証人尋問の申出を却下された当事者は、その却下決定に対し、即時抗告により不服を申し立てることができる。

(ウ)　裁判所は、文書提出命令の申立てに係る文書が刑事事件に係る訴訟に関する書類に該当するかどうかの判断をするため必要があると認めるときは、文書の所持者にその提示をさせることができる。

(エ)　文書の所持者が文書提出命令に従わないときは、文書提出命令の申立人は、当該文書提出命令を債務名義として強制執行をすることができる。

(オ)　訴えの提起前において証拠保全の申立てをし、検証を求めるときは、当該検証に係る検証物の所在地を管轄する地方裁判所又は簡易裁判所にしなければならない。

(1)　(ア)(ウ)　　(2)　(ア)(オ)　　(3)　(イ)(ウ)　　(4)　(イ)(エ)　　(5)　(エ)(オ)

学習記録	／	／	／	／	／	／	／	／	／

重要度 A	知識型	要 *Check!*

正解 (2)

(ア) 正　裁判所は補助参加人を証人として尋問することができる（福岡高決昭28.10.30）。なぜなら、補助参加人は当該訴訟の当事者として扱われないからである。

(イ) 誤　即時抗告は、現行法上個別に明文でその申立てを許す規定がある場合に限って認められる。この点、証人尋問の却下決定に対しては終局判決に対する上訴によって争い得るから（283参照）、即時抗告ができる場合として規定されていない。

(ウ) 誤　裁判所は、文書提出命令の申立てに係る文書が220条４号イからニまでに掲げる文書のいずれかに該当するかどうかの判断をするため必要があると認めるときは、文書の所持者にその提示をさせることができる（223Ⅵ前段）。そして、220条４号イからニまでには、刑事事件に係る訴訟に関する書類は含まれていない（同条同号ホ参照）。

(エ) 誤　文書提出義務は当事者の国に対する公法上の義務であり、申立人に対する私法上の義務ではない。そのため、文書の所持者が提出命令に従わないときでも、その提出命令を債務名義として民事執行法に基づく強制執行を行うことはできない。

(オ) 正　訴えの提起前における証拠保全の申立ては、尋問を受けるべき者若しくは文書を所持する者の居所又は検証物の所在地を管轄する地方裁判所又は簡易裁判所にしなければならない（235Ⅱ）。なぜなら、証拠方法の所在地の裁判所は、証拠保全の必要性の判断もしやすいし、迅速な証拠調べにも対応可能であるからである。

以上から、正しいものは(ア)(オ)であり、正解は(2)となる。

7c−22(27−4)　証拠調べ手続

民事訴訟における証拠調べに関する次の(ア)から(オ)までの記述のうち、正しいものの組合せは、後記(1)から(5)までのうち、どれか。

(ア)　裁判所は、管轄に関する事項について、職権で、証拠調べをすることができる。

(イ)　裁判所は、当事者の申立てがあるときに限り、訴訟の係属中、証拠保全の決定をすることができる。

(ウ)　裁判所は、当事者の申立てがあるときに限り、検証をするに当たり、鑑定を命ずることができる。

(エ)　裁判所は、当事者本人が未成年者である場合、職権でその法定代理人を尋問したときは、更に職権で当該未成年者である当事者本人を尋問することができない。

(オ)　裁判所は、職権で、必要な調査を官庁若しくは公署、外国の官庁若しくは公署又は学校、商工会議所、取引所その他の団体に嘱託することができる。

(1)　(ア)(イ)　(2)　(ア)(オ)　(3)　(イ)(エ)　(4)　(ウ)(エ)　(5)　(ウ)(オ)

学習記録	／	／	／	／	／	／	／	／	／

重要度 A	知識型	要 *Check!*		正解 (2)

(ア) 正　裁判所は、管轄に関する事項について、職権で証拠調べをすることができる（14）。これは、弁論主義に由来する職権証拠調べの禁止の例外規定である。

(イ) 誤　裁判所は、必要があると認めるときは、訴訟の係属中、職権で、証拠保全の決定をすることができる（237）。これは、訴訟の係属中に限り、例外的に裁判所による職権証拠調べを認めたものである。したがって、訴訟の係属中であれば、当事者の申立てがなくても、裁判所は、必要があると認めるときは、証拠保全の決定をすることができる。

(ウ) 誤　裁判所又は受命裁判官若しくは受託裁判官は、検証をするに当たり、必要があると認めるときは、鑑定を命ずることができる（233）。これは、検証するに当たって、裁判所等が必要に応じて鑑定を実施することを認めた規定である。したがって、当事者の申立てがなくても、裁判所は、検証をするに当たり、必要があると認めるときは、鑑定を命ずることができる。

(エ) 誤　法定代理人を尋問する場合には、当事者尋問の手続による（211・207）。そして、法定代理人を尋問した場合でも、当事者本人を重ねて尋問することができる（211但書）。

(オ) 正　裁判所は、必要な調査を官庁若しくは公署、外国の官庁若しくは公署又は学校、商工会議所、取引所その他の団体に嘱託することができる（186）。これは、公正さを疑われることのない客観的な事項（例えば、気象台に対する一定の日時や地域の天候、農水省に対するある年度の一定地域の農作物の作柄など）については、調査を嘱託しても、証拠調べの公正さは失われないため、調査を委託してその報告を証拠資料とする簡易迅速な証拠調べを認めたものである。そして、この調査嘱託は、当事者の申立て又は職権で行うことができる。

以上から、正しいものは(ア)(オ)であり、正解は(2)となる。

7c−23(30−3)　証拠調べ手続

文書の証拠調べに関する次の(ア)から(オ)までの記述のうち、判例の趣旨に照らし正しいものの組合せは、後記(1)から(5)までのうち、どれか。

(ア)　書証として提出された公文書の成立の真否について疑いがあるときは、裁判所は、職権で、当該官庁又は公署に照会をすることができる。

(イ)　書証として提出された私文書は、その作成者とされた本人の署名がある場合であっても、その押印がないときは、真正に成立したものと推定されない。

(ウ)　訴訟の当事者は、他の訴訟において行われた証人尋問の口頭弁論調書について、書証の申出をすることができる。

(エ)　裁判所は、文書提出命令の申立てに係る文書の一部に提出の義務があると認めることができない部分がある場合には、その部分以外の部分につき当該申立てを理由があると認めるときであっても、当該申立ての全部を却下しなければならない。

(オ)　第三者に対してされた文書提出命令に対し、当該文書提出命令の申立人ではない本案事件の当事者は、即時抗告をすることができる。

(1)　(ア)(イ)　　(2)　(ア)(ウ)　　(3)　(イ)(オ)　　(4)　(ウ)(エ)　　(5)　(エ)(オ)

学習記録	／	／	／	／	／	／	／	／	／

重要度 A | **知識型** | **要 *Check!*** | **正解 (2)**

(ア) 正　書証として提出された公文書の成立の真否について疑いがあるときは、裁判所は、職権で、当該官庁又は公署に照会をすることができる（228Ⅲ）。

(イ) 誤　書証として提出された私文書は、本人又はその代理人の署名「又は」押印があるときは、真正に成立したものと推定する（228Ⅳ）。

(ウ) 正　書証の申出は、文書を提出し、又は文書の所持者にその提出を命ずることを申し立ててしなければならない（219）。そして、証人尋問の口頭弁論調書も文書に該当することから、書証の申出をすることができる。

(エ) 誤　裁判所は、文書提出命令の申立てを理由があると認めるときは、決定で、文書の所持者に対し、その提出を命ずる（223Ⅰ前段）。そして、この場合において、文書に取り調べる必要がないと認める部分又は提出の義務があると認めることができない部分があるときは、その部分を除いて、提出を命ずることができる（223Ⅰ後段）。

(オ) 誤　文書提出命令の申立てについての決定に対しては、文書の提出を命じられた所持者及び申立てを却下された申立人以外の者は抗告の利益を有せず、本案事件の当事者であっても、即時抗告をすることはできない（最決平12.12.14）。

以上から、正しいものは(ア)(ウ)であり、正解は(2)となる。

7c−24(31−4)　証拠調べ手続

民事訴訟における証人尋問及び当事者尋問に関する次の(ア)から(オ)までの記述のうち、正しいものの組合せは、後記(1)から(5)までのうち、どれか。

(ア)　裁判所は、弁論準備手続の期日において、当事者尋問をすることができる。

(イ)　証人尋問は、当事者が期日に出頭しない場合においても、することができる。

(ウ)　証人尋問が実施される前に当事者が当該証人尋問の申出を撤回した場合には、その当事者は、その審級において、同一の証人について証人尋問の申出をすることは許されない。

(エ)　裁判所は、主要事実について当事者間に争いがある場合において、相当と認めるときは、職権で証人尋問をすることができる。

(オ)　当事者本人を尋問する場合において、その当事者が正当な理由なく出頭しないときは、裁判所は、尋問事項に関する相手方の主張を真実と認めることができる。

(1)　(ア)(ウ)　　(2)　(ア)(オ)　　(3)　(イ)(エ)　　(4)　(イ)(オ)　　(5)　(ウ)(エ)

学習記録	／	／	／	／	／	／	／	／	／

重要度 A	知識型	要 *Check!*		正解 (4)

(ア) 誤　弁論準備手続では、その期日において、証拠の申出に関する裁判その他の口頭弁論の期日外ですることができる裁判及び文書の証拠調べをすることができるが（170Ⅱ）、当事者尋問をすることができるとする規定はない。

(イ) 正　証拠調べは、当事者が期日に出頭しない場合においても、することができる（183）。そして、証人尋問も人証の証拠調べであるから、証拠調べ手続に関する183条が適用される。

(ウ) 誤　証拠の申出は、証拠調べに着手される前であれば、申立人は自由にこれを撤回することができる。そして、証拠の申出が適法に撤回されると、その証拠申出はなかったことになり、その後にその審級において、同一当事者が同一証拠につき証拠の申出をすることも妨げられない。

(エ) 誤　事実と証拠の収集を当事者の権能と責任に委ねる弁論主義の原則の下では、証拠調べは原則として当事者の申立てによらなくてはならず、裁判所が職権で証人尋問をすることはできない（弁論主義の第３原則 職権証拠調べの禁止）。

(オ) 正　当事者本人を尋問する場合において、その当事者が、正当な理由なく、出頭せず、又は宣誓若しくは陳述を拒んだときは、裁判所は、尋問事項に関する相手方の主張を真実と認めることができる（208）。これは、証拠方法が当事者本人であるという特質を踏まえ、当事者が文書提出命令に従わない場合（224）と類似の制裁を定めたものである。

以上から、正しいものは(イ)(オ)であり、正解は(4)となる。

7c－25(R2－4)　証拠調べ手続

証拠保全に関する次の(ア)から(オ)までの記述のうち、誤っているものの組合せは、後記(1)から(5)までのうち、どれか。

(ア)　裁判所は、あらかじめ証拠調べをしておかなければその証拠を使用することが困難となる事情があると認めるときは、申立てにより、証拠保全の決定をすることができる。

(イ)　証拠保全の手続においては、当事者尋問を行うことができない。

(ウ)　証拠保全の決定に対しては、不服を申し立てることができない。

(エ)　裁判所は、急速を要する場合には、証拠保全の手続における証拠調べの期日に相手方を呼び出さずに証拠調べをすることができる。

(オ)　証拠保全の手続において尋問をした証人について、再度、当事者が口頭弁論における尋問の申出をした場合には、裁判所は、その申出を却下しなければならない。

(1)　(ア)(ウ)　　(2)　(ア)(オ)　　(3)　(イ)(エ)　　(4)　(イ)(オ)　　(5)　(ウ)(エ)

学習記録	／	／	／	／	／	／	／	／	／

重要度 A	知識型	要 *Check!*		正解 (4)

(ア) 正　証拠保全とは、訴訟における証拠調べの対象となることが予定される証拠方法について、その証拠調べが不能又は困難になるおそれがある場合に、証拠資料を保全するためにあらかじめ証拠調べを行う手続である。そして、裁判所は、あらかじめ証拠調べをしておかなければその証拠を使用することが困難となる事情があると認めるときは、申立てにより、証拠保全による証拠調べをすることができる（234）。

(イ) 誤　証拠保全の手続における証拠調べは、本訴訟における証拠調べの規定によって行われ、原則として、あらゆる種類の証拠方法について認められる（234）。また、訴訟の係属中、必要があると認めるときは、裁判所は職権で証拠保全の決定をすることができ、この場合、証拠保全が許されるのは本案の訴訟手続において職権で証拠調べが許される範囲に限られるが、当事者尋問は職権ですることができる（237・207）。したがって、証拠保全の手続においては、当事者尋問を行うことができる。

(ウ) 正　証拠保全の決定に対しては、不服を申し立てることができない（238）。これは、不服申立てを許して証拠保全決定の当否を慎重に審理することと、証拠保全の緊急性とは相容れない面があり、証拠保全としての証拠調べがなされることはそれほど大きな不利益を相手方に与えないと考えられるからである。なお、証拠保全の申立てを却下した決定に対しては、抗告をすることができる（328Ⅰ）。

(エ) 正　証拠調べには当事者双方の立会いの機会を与えるため、申立人及び相手方（相手方を指定できない場合で特別代理人の選任があれば当該代理人）を呼び出すのを原則とする（240本文・236）。ただし、急速を要する場合、例えば、証人が瀕死状態にあるときや、事故現場を急遽保全する必要があるときなどにおいては、呼び出しをしなくてもよい（240但書）。

(オ) 誤　証拠保全の手続において尋問をした証人について、当事者が口頭弁論における尋問の申出をしたときは、裁判所は、その尋問をしなければならない（242）。これは、証拠保全の証拠調べは、必ずしも受訴裁判所が行うとは限らず（235・239参照）、相手方が立ち会っていない場合（236・240但書参照）や、当事者双方が立ち会ったとしても尋問のために十分な準備ができなかった場合もあり得ることから、直接審理主義の要請の強い証人尋問については、当事者から口頭弁論における再尋問の申出があれば、裁判所はそれに応じなければならないとしたものである。

以上から、誤っているものは(イ)(オ)であり、正解は(4)となる。

7c－26(R3－4)　証拠調べ手続

書証に関する次の(ア)から(オ)までの記述のうち、判例の趣旨に照らし正しいものの組合せは、後記(1)から(5)までのうち、どれか。

(ア)　私文書は、本人の署名又は押印があるときは、真正に成立したものとみなされる。

(イ)　文書の成立の真正についての自白は、裁判所を拘束しない。

(ウ)　裁判所は、第三者に対して文書の提出を命じようとする場合には、その第三者を審尋しなければならない。

(エ)　訴訟の当事者が文書提出命令に従わないときは、裁判所は、決定で、過料に処する。

(オ)　証拠調べの必要性を欠くことを理由として文書提出命令の申立てを却下する決定に対しては、その必要性があることのみを理由として即時抗告をすることができる。

(1)　(ア)(エ)　　(2)　(ア)(オ)　　(3)　(イ)(ウ)　　(4)　(イ)(エ)　　(5)　(ウ)(オ)

学習記録	／	／	／	／	／	／	／	／	／

重要度　A	知識型	要 *Check!*

正解　(3)

(ア)　誤　　私文書は、本人又はその代理人の署名又は押印があるときは、真正に成立したものと推定する（228Ⅳ）。

(イ)　正　　文書の成立の真正は補助事実であり、証拠の信用性に関する事実である補助事実に関しては、裁判上の自白の成立は否定されている（最判昭52.4.15）。なぜなら、自白制度の趣旨が、弁論主義に基づいて主要事実についての相手方の証明の負担を免除し、争点を圧縮するところにある以上、間接事実について自白の効力を認めるのは、この趣旨を逸脱し、また、自白された補助事実が裁判所を拘束することとなれば、自由心証主義（247）の原則に反するからである。

(ウ)　正　　裁判所は、第三者に対して文書の提出を命じようとする場合には、その第三者を審尋しなければならない（223Ⅱ）。これは、相手方当事者については、書面で意見を述べる機会が付与されるが（民訴規140Ⅱ）、第三者が所持者である場合は、当然にはこのような機会を有しないため、第三者に審尋の機会を与えることを趣旨とする。

(エ)　誤　　当事者が文書提出命令に従わないときは、裁判所は、当該文書の記載に関する相手方の主張を真実と認めることができる（224Ⅰ）。なお、第三者が文書提出命令に従わないときは、裁判所は、決定で、20万円以下の過料に処する（225Ⅰ）。

(オ)　誤　　文書提出命令の申立てについての決定に対しては、即時抗告をすることができる（223Ⅶ）。しかし、証拠調べの必要性を欠くことを理由として文書提出命令の申立てを却下する決定に対しては、その必要性があることを理由として独立に不服の申立てをすることはできない（最判平12.3.10）。

以上から、正しいものは(イ)(ウ)であり、正解は(3)となる。

7c−27（R5−4）　証拠調べ手続

民事訴訟における証人尋問及び当事者尋問に関する次の(ア)から(オ)までの記述のうち、正しいものの組合せは、後記(1)から(5)までのうち、どれか。

(ア)　当事者尋問の申出は、証明すべき事実を特定しなくても、することができる。

(イ)　当事者本人を尋問する場合において、その当事者は、裁判長の許可を受けなくとも、書類に基づいて陳述することができる。

(ウ)　簡易裁判所の訴訟手続において、裁判所は、相当と認めるときは、当事者本人の尋問に代え、書面の提出をさせることができる。

(エ)　16歳未満の者を証人として尋問する場合であっても、法定代理人の同意があれば、宣誓をさせることができる。

(オ)　裁判所は、正当な理由なく出頭しない証人の勾引を命ずることができる。

(1)　(ア)(ウ)　　(2)　(ア)(エ)　　(3)　(イ)(エ)　　(4)　(イ)(オ)　　(5)　(ウ)(オ)

学習記録	／	／	／	／	／	／	／	／	／

重要度　A	知識型	要 *Check!*

正解　(5)

(ア)　誤　　当事者尋問は、原則として要証事実について証明責任を負う当事者から申し出る。この点、当該申出は、証明すべき事実を特定してしなければならない（180 I）。

(イ)　誤　　当事者本人の尋問において、当事者本人は、裁判長の許可を受けたときを除き、書類に基づいて陳述することができない（210・203）。これは、メモなどの書類を見ながら質問に答えると、ありのままの記憶に基づく自由な証言が阻害されるおそれがあり、また偽証もしやすくなるため、原則として書類に基づいて陳述をすることは認められないが、備忘的な記録・資料を用いなければ正確な記憶を呼び戻すことができない場合などもあるので、裁判長の許可があれば、書類に基づいて陳述することも認められるとしたものである。

(ウ)　正　　簡易裁判所の訴訟手続において、裁判所は、相当と認めるときは、証人若しくは当事者本人の尋問又は鑑定人の意見の陳述に代え、書面の提出をさせることができる（278）。審理の簡易迅速化と訴訟経済を図るためである。

(エ)　誤　　証人には、特別の定めがある場合を除き、宣誓をさせなければならない（201 I）。もっとも、16歳未満の者を証人として尋問する場合には、宣誓をさせることができない（201 II）。これは、宣誓の趣旨を理解することができたとしても、16歳未満の者に対しては政策的観点から画一的に宣誓を禁じている。

(オ)　正　　裁判所は、正当な理由なく出頭しない証人の勾引を命ずることができる（194 I）。

以上から、正しいものは(ウ)(オ)であり、正解は(5)となる。

7d−1(58−8)　その他

甲が乙に対して貸金100万円を有することを理由にして、その返還請求訴訟を提起した場合に関する次の記述のうち、正しいものはどれか。

(1) 乙が「100万円を受領したことは認めるが、それは甲から贈与を受けたものである」と主張し、証拠調べの結果、その金員の受領が消費貸借によるものか贈与によるものかが不明であったときには、甲の請求は棄却される。

(2) 乙が「100万円を借り受けたことは認めるが、既にこれを弁済した。仮にその事実が認められないとしても、甲の債権は、時効によって消滅した」と主張したときには、裁判所は、まず乙の主たる主張である弁済の有無につき証拠調べをしなければならない。

(3) 証拠調べの結果、甲が主張する100万円の金員は、麻薬を買い入れるための資金として乙に貸し付けられたものであることが判明した場合には、裁判所は、乙の主張がなくても、甲乙間の消費貸借が、公序良俗に反する無効な契約であることを理由に甲の請求を棄却しなければならない。

(4) 乙が「甲から借り受けた100万円は、既に弁済した。仮にその事実が認められない場合には、乙が甲に対して有する売掛代金債権200万円をもってその対当額につき相殺する」と主張し、甲がその反対債権の存在及びそれが相殺適状にあることを認めたときには、裁判所は、乙が主張する弁済の有無につき証拠調べをすることなく直ちに甲の請求を棄却することができる。

(5) 乙が100万円は弁済ずみである旨を主張し、これに対し、甲が「乙から100万円の返済を受けたことは認めるが、乙との間でその金員は、この訴訟において請求している債権とは別個の債権100万円の弁済に充当する旨の合意をした」と主張し、証拠調べの結果、甲が主張するその別個の貸金債権が存在することは認められたが、乙が返済した100万円の充当について甲が主張する合意があったかどうかが判明しなかったときには、甲の請求は全部棄却される。

学習記録	／	／	／	／	／	／	／	／	／

重要度 A	知識型		正解 (1)

⑴ 正　貸金返還請求訴訟の場合、原告が証明責任を負う主要事実（権利根拠事実）は、①金銭の授受と、②返還の約束である（民587）。本肢では、①については乙に自白が成立するから証拠による証明が不要となり（179）、そのまま判決の基礎として採用される。これに対して、②については証明責任により原告の不利益に、つまり返還の約束はないものとして取り扱われる。したがって、甲の請求は棄却される。

⑵ 誤　乙は、弁済による債権消滅を主たる主張とし、時効による債権消滅を仮定的主張としているが、裁判所は、弁済の有無と時効の成否のいずれの証拠調べを先にしてもよい。既判力は主文に包含するものに限り生じ、判決理由中の判断、すなわち弁済の有無や時効の成否についての判断には生じない（114Ⅰ）からである。

⑶ 誤　当事者の弁論に現れない主要事実（又は準主要事実）については、裁判所はこれを判決の基礎とすることはできない（弁論主義の第１原則）。貸付金が麻薬購入資金であるという事実は、原告の貸金返還請求権の発生を妨げる権利障害規定（民90）の要件事実に当たり、それは被告（借主）が証明責任を負う主要事実（又は準主要事実）である。本肢の場合、「証拠調べの結果、…判明した」との文言から、当該事実の陳述自体はないことがわかる。したがって、乙による主張がなく、また、当該事実の陳述がない以上、裁判所はその主要事実を判決の基礎とすることはできず、当該消費貸借が公序良俗に反して無効であることを理由に甲の請求を棄却することはできない。

⑷ 誤　被告が順序を付けて複数の抗弁を提出した場合であっても、原則として裁判所はその順序に拘束されない。しかし、予備的相殺の抗弁は、他の防御方法の全てについて理由がない場合に初めて審理されなければならない。したがって、裁判所は、まず、乙が主張する弁済の事実の有無について審理しなければならない。

⑸ 誤　貸金返還請求訴訟における弁済の事実は原告の権利を消滅させる規定（民474以下）の要件事実であり、被告が証明責任を負う抗弁事実に当たる。そして、弁済は、①給付がされたこと、②当該債務の弁済としての給付であること、③債務の本旨に従った給付であること、という三つの要件からなる。甲の主張する弁済の充当に関する合意の有無が判明しなかったということは、②の事実が真偽不明であることを意味するから、当該事実は証明責任により被告乙の不利益に、つまり当該債務の弁済としての給付ではないとして取り扱われる。したがって、甲の請求は、乙の弁済の抗弁が認められないことから、全部棄却されない。

7d－2(13－3)　その他

自由心証主義に関する次の(ア)から(オ)までの記述のうち、正しいものの組合せは、後記(1)から(5)までのうちどれか。

(ア)　自由心証主義は、職権探知主義が採られている訴訟には適用されない。

(イ)　自由心証主義は、主要事実及び間接事実のみならず、補助事実についても適用される。

(ウ)　自由心証主義の下では、弁論の全趣旨のみで事実認定をすることも許される。

(エ)　自由心証主義の下では、反対尋問を経ない伝聞証言には証拠能力が認められない。

(オ)　自由心証主義の下では、一方の当事者が提出した証拠を相手方当事者に有利な事実の認定に用いてはならない。

(1)　(ア)(ウ)　　(2)　(ア)(オ)　　(3)　(イ)(ウ)　　(4)　(イ)(エ)　　(5)　(エ)(オ)

学習記録	／	／	／	／	／	／	／	／	／

重要度 A	知識型		正解 (3)

(ア) 誤　職権探知主義は、証拠資料の探索・収集を裁判所の職責でもあるとする建前であって、収集された証拠資料をどのように評価するかは、職権探知主義の射程外の問題である。そして、この評価に関する原則が自由心証主義（247）である。したがって、自由心証主義は、職権探知主義がとられている訴訟（人訴20、行訴24･38 I･41･43）においても適用される（1、行訴7）。

(イ) 正　自由心証主義は、主要事実のみならず、間接事実及び補助事実についても認められる。主要事実とは法律効果の判断に直接必要な事実をいう。これに対し、間接事実とは主要事実の存否を推認するのに役立つ事実を、補助事実とは証拠の証明力に影響を与える事実をいう。間接事実及び補助事実につき自由心証主義が認められないとするならば、主要事実の評価に当たっても自由な心証によって評価することができず、実質的に自由心証主義が機能していないこととなるのである。

(ウ) 正　自由心証主義を規定する247条は、「口頭弁論の全趣旨及び証拠調べの結果をしん酌して…」と規定し、弁論の全趣旨と証拠調べの結果とを均等に扱っていることから、自由心証主義の下では、弁論の全趣旨のみによって事実認定をすることも許される（最判昭27.10.21）。

(エ) 誤　自由心証主義の下では、反対尋問を経ていない伝聞証言であっても、証拠能力が認められる（最判昭27.12.5）。私人間の紛争解決を目的とする民事訴訟法においては、伝聞証言その他の伝聞証拠の採否は裁判官の自由な心証による判断に任せて差し支えないという判断の下に、証拠能力制限の規定を設けていないのである。

(オ) 誤　自由心証主義の下では､いかなる証拠にどの程度の証拠力（証拠価値）を認めるかの判断も裁判官の自由な心証に委ねられているから、一方の当事者が提出した証拠を相手方当事者に有利な事実の認定に用いることもできる。

以上から、正しいものは(イ)(ウ)であり、正解は(3)となる。

7d-3(15-2)　その他

法律上の事実推定に関する次の記述中の(ア)から(ク)までに「甲事実」又は「乙事実」のいずれか適切な語句をそれぞれ当てはめた場合に「乙事実」が用いられる回数は、幾つあるか。

「法律上の事実推定の規定は、証明困難な推定事実（甲事実）の発生原因事実の代わりに、証明の容易な前提事実（乙事実）の証明をすれば足りるとする趣旨の定めである。(ア)の代わりに(イ)の証明をすれば、(ウ)を構成要件とする法律効果が認められるが、(エ)を直接証明することも妨げない。相手方としては、(オ)の証明を妨げる立証をしてもよいが、(カ)が存在しても、(キ)は存在しない旨を証明して推定を覆すことが許される。しかし、推定を覆すための(ク)が存在しない旨の証明は、本証であって、反証ではない。したがって、法律上の事実推定の規定は、その効果の主張者に対しては、証明主題の選択を許すとともに、これを争う者に対しては、反対事実について証明責任を負わせることになる。」

(1)　2個　　(2)　3個　　(3)　4個　　(4)　5個　　(5)　6個

学習記録	／	／	／	／	／	／	／	／	／

重要度　A	知識型		正解　(2)

法律上の事実推定とは、ある実体規定でAという法律効果の要件事実とされている甲事実につき、他の法規で「乙事実（前提事実）あるときは甲事実（推定事実）あるものと推定する。」と定める場合である。例えば、取得時効を主張する者は、その要件として10年又は20年の占有の継続（甲事実）を立証しなければならない（民162）が、前後両時において占有していたこと（乙事実）さえ証明できれば、その間の占有継続が推定されることになる（民186Ⅱ）。これを問題文に当てはめてみると、「(ア　甲事実）の代わりに（イ　乙事実）の証明をすれば、(ウ　甲事実）を構成要件とする法律効果が認められるが」、(イ　乙事実）は一方当事者の証明困難を容易にするために認められたものであるから、「(エ　甲事実）を直接証明することも妨げない。」となる。

また、相手方としては、たとえ一方当事者により乙事実が証明されたとしても、甲事実について不存在であることを証明することによって推定を覆すことができる。ただし、この場合、乙事実が証明されることにより、反対事実の証明責任は相手方に転換されるから（証明責任の転換）、真偽不明（反証）の程度にしただけでは足りず本証をしなければならない。これを問題文に当てはめてみると、「相手方としては、(オ　乙事実）の証明を妨げる立証をしてもよいが、(カ　乙事実）が存在しても、(キ　甲事実）は存在しない旨を証明して推定を覆すことが許される。しかし、推定を覆すための（ク　甲事実）が存在しない旨の証明は、本証であって、反証ではない。」となる。

以上から、乙事実が用いられるのは(イ)(オ)(カ)の３個であり、正解は(2)となる。

7d−4(17−1)　その他

次の(1)から(5)までの記述のうち、自由心証主義の原則と関係のないものはどれか。

(1) 裁判所は、証拠調べの結果だけでなく、弁論の全趣旨からも事実を認定することができる。

(2) 裁判所は、相当と認めるときは、裁判所外で受命裁判官に証拠調べをさせることができる。

(3) 裁判所は、当事者双方が証拠調べの終了後に当該証拠を証拠として用いないこととする旨の合意をしても、この合意に拘束されない。

(4) 裁判所は、当事者の一方の申出に係る証拠を相手方当事者にとって有利な事実の認定のためにも用いることができる。

(5) 裁判所は、反対尋問を経ていない伝聞証拠も事実の認定に用いることができる。

学習記録	／	／	／	／	／	／	／	／	／

重要度　A	知識型	

正解　(2)

裁判所が判決の基礎となる事実を認定するに当たって、口頭弁論の全趣旨及び証拠調べの結果をしん酌して、自由な心証により事実についての主張を真実と認めるべきか否かを判断する原則を、自由心証主義という（247）。

(1)　関係がある　　自由心証主義の下では、裁判所は、証拠調べの結果だけでなく、弁論の全趣旨からも事実を認定することができる。したがって、本肢は、自由心証主義の原則と関係のあるものである。

(2)　関係はない　　事実認定のための弁論の聴取や、証拠の取調べを受訴裁判所の裁判官自身が行う原則を、直接主義という。そして、直接主義の原則の下であっても、裁判所は、相当と認めるときは、裁判所外で受命裁判官に証拠調べをさせることができる（185 I）。したがって、本肢は、直接主義の原則と関係のあるものであり、自由心証主義の原則とは関係のないものである。

(3)　関係がある　　自由心証主義の原則は強行的であり、当事者の合意によっても制限することはできないことから、裁判所は、当事者双方が証拠調べの終了後に当該証拠を証拠として用いないこととする旨の合意をしても、この合意に拘束されない。したがって、本肢は、自由心証主義の原則と関係のあるものである。

(4)　関係がある　　自由心証主義の下では、いかなる証拠にどの程度の証拠力を認めるかの判断も裁判官の自由な心証に委ねられており、裁判所は、当事者の一方の申出に係る証拠を相手方当事者にとって有利な事実の認定のためにも用いることができる。したがって、本肢は、自由心証主義の原則と関係のあるものである。

(5)　関係がある　　証人が自ら見聞きした事実ではなく、第三者が見聞きした事実についての第三者の認識を陳述する証言を伝聞証拠と呼ぶ。自由心証主義の下では、証拠方法の無制限が認められていることから、伝聞証拠であっても、裁判所は、事実の認定に用いることができる（最判昭27.12.5）。したがって、本肢は、自由心証主義の原則と関係のあるものである。

8a－1(4－4)　訴えの取下げ

訴えの取下げに関する次の記述のうち、誤っているものはどれか。(改)

(1) 裁判が確定するまでであれば、訴えを取り下げることができる。

(2) 相手方が本案について準備書面を提出し、弁論準備手続において申述をし、又は口頭弁論をした後、書面による訴えの取下げがあった場合には、裁判所はその書面を相手方に送達しなければならない。

(3) 口頭弁論期日において口頭で訴えの取下げがあった場合、相手方がその期日で異議を述べなければ、訴えの取下げについて同意があったものとみなされる。

(4) 本案につき終局判決があった後に訴えを取り下げた者は、同一の訴えを提起することができない。

(5) 訴えの取下げがあった部分については、最初から訴訟の係属がなかったことになる。

学習記録	／	／	／	／	／	／	／	／	／

重要度　A	知識型		正解　(3)

⑴ 正　民事訴訟は私的紛争を扱うため、私的自治の訴訟法的反映から当事者による訴訟の処分が広く認められており（処分権主義）、訴えは、判決が確定するまで、その全部又は一部を取り下げることができる（261Ⅰ）。ただし、訴えの取下げは、相手方が本案について準備書面を提出し、弁論準備手続において申述をし、又は口頭弁論をした後にあっては、相手方の同意を得なければ、その効力を生じない（261Ⅱ本文）。

⑵ 正　相手方が本案について準備書面を提出し、弁論準備手続において申述をし、又は口頭弁論をした場合（261Ⅱ本文）において、訴えの取下げが書面でされたときは、裁判所はその書面を相手方に送達しなければならない（261Ⅳ、民訴規162Ⅰ）。これにより、相手方は取下げに同意するか否かの考慮をする機会が与えられ、不必要な訴訟準備から免れることができる。

⑶ 誤　訴えの取下げが口頭弁論、弁論準備手続又は和解の期日において口頭でされた場合において、相手方がその期日に出頭したときは訴えの取下げがあった日から、相手方がその期日に出頭しなかったときはその期日の調書の謄本（261Ⅳ）の送達があった日から2週間以内に相手方が異議を述べないときは、訴えの取下げに同意したものとみなされる（261Ⅴ後段）。したがって、相手方がその期日に異議を述べなかったとしても、直ちに取下げに同意したものとはみなされない。

⑷ 正　本案について終局判決があった後に訴えを取り下げた者は、同一の訴えを提起することができない（262Ⅱ）。判決言渡し後の訴えの取下げについてのみ再訴が禁止されるのは、判決に至るまでの裁判所の努力を徒労に帰せしめたことに対する制裁の意図があるからである（最判昭52.7.19）。

⑸ 正　訴訟は、訴えの取下げがあった部分については、初めから係属していなかったものとみなされる（262Ⅰ）。訴えの取下げをする原告の合理的意思に合致するからである。

〈訴えの取下げ概観〉

	訴え提起	訴状送達	被告本案の準備書面提出	被告本案の弁論	本案判決言渡し	控訴提起	本案判決言渡し	判決確定
取下げの可否 ○＝できる ×＝できない	○	○	○	○	○	○	○	×
被告の同意 ○＝必要 ×＝不要	×	×	○	○	○	○	○	
再訴禁止効 ○＝ある ×＝ない	×	×	×	×	○	○	○	

MEMO

8a−2(9−5)　訴えの取下げ

訴えの取下げに関する次の記述のうち、正しいものはどれか。

(1)　原告が訴えの取下げをしたのが第１審の終局判決を受ける前であれば、後に同一の訴えを提起することも許される。

(2)　被告が第１回口頭弁論期日に出頭した場合には、答弁書その他の準備書面を提出せず、弁論せずに退廷したときであっても、原告がその後に訴えを取下げるには、被告の同意を得なければならない。

(3)　訴えの取下げは、書面でしなければ、効力を生じない。

(4)　控訴審においては、控訴の取下げをすることはできるが、訴えの取下げをすることはできない。

(5)　第１審の終局判決を受ける前に、訴訟代理人が訴えの取下げをするには、原告本人からの特別の委任を受けることを要しない。

学習記録	／	／	／	／	／	／	／	／	／

重要度 A	知識型		正解 (1)

(1) 正　再訴禁止効が働くのは、本案について終局判決があった後のことである（262Ⅱ）。これは、終局判決後に訴えを取り下げることにより判決に至るまでの裁判所の努力を徒労に帰せしめたことに対する制裁の意図である（最判昭52.7.19）。したがって、原告が訴えの取下げをしたのが第一審の終局判決を受ける前であれば、後に同一の訴えを提起することも許される。

(2) 誤　訴えの取下げは、被告が本案について準備書面を提出し、弁論準備手続において申述をし、又は口頭弁論をした後にあっては、被告の同意を得なければ、その効力を生じない（261Ⅱ）。これは、訴えの取下げにより訴訟係属が遡及的に消滅する（262Ⅰ）と、被告がそれまでの訴訟行為によって得た利益も失うこととなるので、被告の利益を守るために規定された。したがって、被告が第1回口頭弁論期日に出頭した場合でも、答弁書その他の準備書面を提出せず、かつ弁論せずに退廷したときには、守るべき被告の利益はいまだ生じていないから、原告は、被告の同意を得ずに訴えを取り下げることができる。

(3) 誤　画一的な処理による手続の正確性・安定性を図る趣旨から、訴えの取下げは、書面でしなければならないのが原則である（261Ⅲ本文）。しかし、口頭弁論、弁論準備手続又は和解の期日においては、口頭で取り下げることができる（261Ⅲ但書）。これらの場合には、弁論の要領が調書に記載される（民訴規67Ⅰ①）ため、申述の明確性は十分担保され得るからである。

(4) 誤　控訴人は、控訴審の終局判決が下されるまでは控訴を取り下げることができる（292Ⅰ）。また、訴訟係属中であれば判決が確定するまで訴えの取下げをすることができる（261Ⅰ）。

(5) 誤　訴訟代理人が確定判決を受ける前に訴えの取下げをするには、特別の委任を要する（55Ⅱ②）。訴えの取下げは、確定判決に至らずに訴訟を終了させるものであり、勝訴判決を得ることを目的として訴訟委任をする本人の意思の中には当然には含まれていないと考えられるから、特別授権事項とされている。

8a−3(62−1)　訴えの取下げ

訴え等の取下げに関する次の記述のうち、正しいものはどれか。

(1) 訴えの取下げが被告の脅迫によって行われたときは、原告は、その取下げの無効を主張して期日指定の申立てをすることができる。

(2) 第１審で敗訴した原告が控訴した後、控訴を取り下げたときは、第１審判決も遡及して失効する。

(3) 職権探知主義が採用されている事件については、請求の放棄がされないのと同様に、訴えを取り下げることもできない。

(4) 本案の終局判決後に訴えを取り下げた場合には、当事者双方とも同一の訴訟物について訴えを提起することはできない。

(5) 訴えの取下げがあったときには、初めから訴訟係属がなかったものとみなされるので、証人尋問の結果も失効し、その調書を他の訴訟で書証として利用することはできない。

学習記録	／	／	／	／	／	／	／	／	／

重要度　A	知識型		正解　(1)

(1)　正　　訴えの取下げが、詐欺・脅迫等明らかに刑事上罰すべき他人の行為によって行われた場合は、再審事由として刑事上罰すべき他人の行為によって自白をするに至ったことを挙げる338条1項5号の法意に照らして、その取下げは無効である（最判昭46.6.25）。したがって、訴えの取下げが被告の脅迫によって行われたときは、原告は、その取下げの無効を主張して期日指定の申立て（93Ⅰ）をすることができる。

(2)　誤　　控訴の取下げとは、控訴人による原判決に対する不服申立て（控訴）を撤回する訴訟行為をいうので、控訴の取下げは、原判決に影響を与えない。控訴が取り下げられると、控訴はさかのぼって効力を失い、控訴審手続は終了する（292Ⅱ・262Ⅰ）。そして、控訴期間（285）の経過によって第一審判決が確定する。

(3)　誤　　民事訴訟法上、訴訟資料の収集・提出は、当事者の権能及び責任とするのが原則であるが（弁論主義）、人事訴訟などにおいては例外的に、訴訟資料の収集を裁判所の権能及び責任とする、職権探知主義が採用されている。職権探知主義は、①裁判所による真実発見の高度の必要性があること、②判決効が第三者にも及ぶ関係上、弁論主義によっては、訴訟に関与しない第三者の利益を害するおそれがある事件に採用される。そこで、確定判決と同一の効力を有する請求の放棄（266・267）は認められないが、訴えの取下げ（261）については、何ら紛争解決基準は定立されず（262Ⅰ）、第三者の利益を害するおそれはないので、職権探知主義が採用されている事件についても、訴えを取り下げることができる。

(4)　誤　　本案について終局判決があった後に訴えを取り下げた者は、同一の訴えを提起することができない（262Ⅱ）。しかし、その相手方が同一の訴訟物について訴えを提起することは禁止されない。なお、再訴を禁止される同一の訴えとは、当事者と訴訟物の同一のほか、原告としての再訴の提起を必要にさせた訴えの利益についての事情が同一であることをいい、訴えの取下げ後に再訴の必要性を生じれば、再訴は禁止されない（最判昭52.7.19）。

(5)　誤　　訴訟は、訴えの取下げがあった部分については、初めから係属していなかったものとみなされる（262Ⅰ）。したがって、訴えの取下げにより、その訴訟における証人尋問の効果は遡及的に消滅する。しかし、事実や事実の記載が消滅するわけではないため、その証人尋問の調書を他の訴訟で書証として利用することができる。

8a－4(14－1)　訴えの取下げ

次の(ア)から(オ)までの記述のうち、判例の趣旨に照らして［　　　］内に「訴えの取下げ」と「請求の放棄」のいずれもが入るものの組合せは、後記(1)から(5)までのうちどれか。

(ア)　原告は、離婚請求訴訟において［　　　］をすることができる。

(イ)　第一審の原告が控訴審において［　　　］をしたときは、第一審の判決は、その効力を失う。

(ウ)　原告は、本案の終局判決前に［　　　］をしたときは、同一の訴えを再度提起することができる。

(エ)　［　　　］は、書面でしなければ、その効力を生じない。

(オ)　被告が本案について準備書面を提出した後における原告による［　　　］は、被告の同意を得なければ、その効力を生じない。

(1)　(ア)(イ)　　(2)　(ア)(エ)　　(3)　(イ)(オ)　　(4)　(ウ)(エ)　　(5)　(ウ)(オ)

学習記録	／	／	／	／	／	／	／	／	／

重要度　A	知識型		正解　(1)

(ア)　**訴えの取下げと請求の放棄のいずれも入る**　原告は、離婚請求訴訟（民770、人訴２①）において訴えの取下げ（261）をすることができる（認知請求に関する大判昭14.5.20参照）。また、原告は、離婚請求訴訟において請求の放棄（266）をすることもできる（最判平6.2.10）。

(イ)　**訴えの取下げと請求の放棄のいずれも入る**　訴えの取下げは判決が確定するまですることができる（261Ⅰ）ため、第一審の原告は控訴審においても訴えの取下げをすることができる。そして、訴えの取下げにより、訴訟係属が遡及的に消滅する（262Ⅰ）。また、請求の放棄（266）も判決が確定するまですることができ、請求の放棄があったときは、請求棄却の確定判決と同一の効力が生ずる（267）。したがって、第一審の原告が控訴審において請求の放棄をしたときは、これによって訴訟が終了し、第一審の判決は、その効力を失うことになる（大判昭12.12.24、大判昭14.4.7）。

(ウ)　**訴えの取下げのみが入る**　原告は、本案について終局判決がされた後に訴えを取り下げたときは、同一の訴えを提起することができない（262Ⅱ）が、原告が本案の終局判決前に訴えを取り下げたときは、再訴禁止効は働かず、同一の訴えを再度提起することができる。一方、原告は、本案の終局判決前に請求の放棄（266）をしたときは、同一の訴えを再度提起することはできない（267・115Ⅰ①）。

(エ)　**訴えの取下げ、請求の放棄のいずれも入らない**　訴えの取下げ（261Ⅰ）は、訴訟係属中の裁判所に取下書を提出してするのが原則であるが、口頭弁論期日、弁論準備手続期日又は和解期日には、口頭ですることもできる（261Ⅲ）。また、請求の放棄（266）は、口頭弁論期日、弁論準備手続期日又は和解の期日（261Ⅲ）において口頭でするのが原則である（266Ⅰ）が、放棄の書面を提出した当事者が、口頭弁論等の期日に出頭しないときは、裁判所等は、その旨の陳述をしたものとみなすことができる（266Ⅱ）。

(オ)　**訴えの取下げのみが入る**　被告が本案について準備書面を提出した後における原告による訴えの取下げは、被告の同意を得なければ、その効力を生じない（261Ⅱ本文）。一方、請求の放棄（266）については、被告の同意は不要である。

以上から、「訴えの取下げ」と「請求の放棄」のいずれもが入るものは(ア)(イ)であり、正解は(1)となる。

8a－5(20－4)　訴えの取下げ

訴えの取下げに関する次の(ア)から(オ)までの記述のうち、誤っているものの組合せは、後記(1)から(5)までのうちどれか。

(ア)　訴えの取下げは、口頭弁論又は弁論準備手続の期日においても、書面でしなければ効力を生じない。

(イ)　当事者双方が口頭弁論又は弁論準備手続の期日に出頭しなかった場合、１か月以内に期日指定の申立てがされないときは、訴えの取下げがあったものとみなされる。

(ウ)　原告が訴えの取下げをしたのが第一審の終局判決を受ける前であれば、後に同一の訴えを提起することも許される。

(エ)　被告が第１回の口頭弁論の期日に出頭した場合には、答弁書その他の準備書面を提出せず、かつ、弁論もせずに退席したときであっても、原告は、訴えを取り下げるには、被告の同意を得なければならない。

(オ)　訴訟代理人が訴えの取下げをするには、特別の委任を受けなければならない。

(1)　(ア)(イ)　(2)　(ア)(エ)　(3)　(イ)(オ)　(4)　(ウ)(エ)　(5)　(ウ)(オ)

学習記録	／	／	／	／	／	／	／	／	／

重要度　A	知識型		正解　(2)

(ア)　誤　　訴えの取下げは、訴訟係属中の裁判所に取下書を提出してするのが原則であるが、口頭弁論、弁論準備手続又は和解の期日においては、口頭ですることもできる（261Ⅲ）。

(イ)　正　　当事者双方が、口頭弁論若しくは弁論準備手続の期日に出頭せず、又は弁論若しくは弁論準備手続における申述をしないで退廷若しくは退席をした場合において、１か月以内に期日指定の申立てをしないときは、訴えの取下げをしたものとみなされる（263前段）。なお、当事者双方が、連続して２回、口頭弁論若しくは弁論準備手続における申述をしないで退廷若しくは退席をしたときも、同様である（263後段）。

(ウ)　正　　原告は、本案について終局判決がされた後に訴えを取り下げたときは、同一の訴えを提起することができない（262Ⅱ）が、これは、本案判決を得るに至った原告に対する制裁の意味と、不利な判決を得た原告の訴え取下げの濫用防止のためであるから、原告が本案の終局判決前に訴えを取り下げたときは、再訴禁止効は働かず、同一の訴えを再度提起することができる。

(エ)　誤　　訴えの取下げは、相手方が本案について準備書面を提出し、弁論準備手続において申述をし、又は口頭弁論をした後にあっては、相手方の同意を得なければ、その効力を生じない（261Ⅱ）。したがって、被告が答弁書その他の準備書面を提出せず、かつ、弁論もせずに退席した場合、原告は、被告の同意を得ることなく訴えを取り下げることができる。

(オ)　正　　訴訟代理人は、終局判決によらないで訴訟を終了させる訴えの取下げ、和解等の行為をすることについては、特別の委任を受けなければならない（55Ⅱ②）。なぜなら、これらの行為は、終局判決に至らずに訴訟を終了させるものであり、勝訴判決を得ることを目的として訴訟委任をする本人の意思の中には当然には含まれていないと考えられるからである。

以上から、誤っているものは(ア)(エ)であり、正解は(2)となる。

8a−6(22−5)　訴えの取下げ

裁判によらない訴訟の完結に関する次の(ア)から(オ)までの記述のうち、正しいものの組合せは、後記(1)から(5)までのうちどれか。

(ア)　訴訟代理人は、請求の認諾をするには特別の委任を受けなければならないが、裁判上の和解をするには特別の委任を受ける必要はない。

(イ)　請求の放棄には、条件を付することはできないが、請求の認諾は、原告が一定の財産上の給付をすることを条件にすることができる。

(ウ)　請求の放棄及び請求の認諾は、いずれも弁論準備手続の期日において行うことができる。

(エ)　被告が本案について準備書面を提出した場合には、訴えの取下げも、請求の放棄も、被告の同意を得なければ、その効力を生じない。

(オ)　訴えの取下げがあると、訴訟係属は、遡及的に消滅するが、請求の放棄がされても、訴訟係属は、遡及的には消滅しない。

(1)　(ア)(ウ)　(2)　(ア)(エ)　(3)　(イ)(エ)　(4)　(イ)(オ)　(5)　(ウ)(オ)

学習記録	／	／	／	／	／	／	／	／	／

重要度　A	知識型		正解　(5)

(ア)　誤　　訴訟手続の円滑な進行を図る見地から、訴訟代理権の範囲については、個別的訴訟行為に限定されず、包括的に範囲が定められており、当事者の意思に基づく制限が禁じられている（55Ⅲ本文）。しかし、和解、請求の認諾は、当然には訴訟代理権の範囲に含まれず、訴訟代理人が特別の委任を受けなければすることができない（55Ⅱ②）。

(イ)　誤　　請求の放棄・認諾の意思内容は、訴訟物とされる請求の当否についての相手方の主張を無条件に認めるものでなければならない。したがって、請求の放棄・認諾のいずれについても、条件を付することはできない。例えば、相殺や同時履行の抗弁を留保して被告が原告の請求を認めても、請求の認諾とは扱われない。

(ウ)　正　　請求の放棄又は認諾は、口頭弁論等の期日においてする（266Ⅰ）。ここでいう口頭弁論等の期日とは、口頭弁論、弁論準備手続又は和解の期日をいう（261Ⅲ）。したがって、弁論準備手続の期日において、請求の放棄又は認諾をすることができる。

(エ)　誤　　訴えの取下げは、被告が本案について、準備書面を提出し、弁論準備手続で申述し、又は口頭弁論をした後は、被告の同意がなければ、その効力が生じない（261Ⅱ本文）。これは、被告側にも、訴訟追行をして請求棄却判決を得る利益が生ずるからである。これに対して、請求の放棄・認諾は、一方当事者のみの行為であり、相手方の行為を要せずに、判決によらず訴訟の対象とされた紛争を解決し訴訟を終結させるものである。したがって、被告が本案について、準備書面を提出し、弁論準備手続で申述し、又は口頭弁論をした後でも、請求の放棄・認諾には被告の同意は不要である。

(オ)　正　　訴えの取下げがあると、訴訟は、訴えの取下げがあった部分については、初めから係属していなかったものとみなされ、訴え提起に基づく法律関係や、当事者及び裁判所の訴訟行為の効果が遡及的に消滅する（262Ⅰ）。これに対して、請求の放棄・認諾は、それが調書に記載されることによって確定判決と同一の効力が生じ（267）、訴訟係属を遡及的に消滅させないことを前提としているといえる。

以上から、正しいものは(ウ)(オ)であり、正解は(5)となる。

8a−7(26−5)　訴えの取下げ

訴えの取下げに関する次の(ア)から(オ)までの記述のうち、判例の趣旨に照らし正しいものの組合せは、後記(1)から(5)までのうち、どれか。

(ア)　訴えは、控訴審においては、取り下げることができない。

(イ)　訴えの取下げは、詐欺脅迫等明らかに刑事上罰すべき他人の行為によりされたときであっても、その効力を生ずる。

(ウ)　被告が本案について口頭弁論をした後に原告が訴えを取り下げた場合において、被告が同意しない旨を明らかにしたときは、その後被告が改めて同意をしても、その訴えの取下げは効力を生じない。

(エ)　原告が反訴の本案について口頭弁論をした後に、本訴の取下げをした場合であっても、反訴の取下げは、原告の同意を得なければ、その効力を生じない。

(オ)　本案について第一審の終局判決があり、当該終局判決が控訴審で取り消されて差し戻された場合において、原告が差戻し後の第一審において終局判決があるまでに訴えを取り下げたときは、その原告は同一の訴えを提起することができる。

(1)　(ア)(イ)　　(2)　(ア)(オ)　　(3)　(イ)(エ)　　(4)　(ウ)(エ)　　(5)　(ウ)(オ)

学習記録	／	／	／	／	／	／	／	／	／

重要度　A	知識型		正解　(5)

(ア)　誤　　訴えは、判決が確定するまで、その全部又は一部を取り下げることができる（261Ⅰ）。したがって、控訴審又は上告審に至っても、訴えの取下げは可能である。

(イ)　誤　　訴えの取下げは訴訟行為であるから、一般に行為者の意思の瑕疵が直ちにその効力を左右するものではないが、詐欺脅迫等明らかに刑事上罰すべき他人の行為により訴えの取下げがなされるに至ったときは、338条１項５号の法意に照らし、訴えの取下げは無効である（最判昭46.6.25）。

(ウ)　正　　被告が本案について口頭弁論をした後、原告がした訴えの取下げに対し、被告がいったん確定的に同意を拒絶した場合は、訴えの取下げは無効と確定するので、その後に被告が不同意の意思表示を撤回して改めて同意をしても先の訴えの取下げの効力を生じさせることはできない（最判昭37.4.6）。

(エ)　誤　　反訴の取下げは、相手方が本案について準備書面を提出し、弁論準備手続において申述をし、又は口頭弁論をした後にあっては、相手方の同意を得なければ効力を生じない（146Ⅳ・261Ⅱ本文）。しかし、本訴の取下げがあった場合における反訴の取下げは、相手方の同意を要しない（261Ⅱ但書）。なぜなら、反訴は本訴の係属が契機となって提起されるものであるから、原告が本訴を取り下げておきながら反訴の維持を強要するのは公平に反するからである。

(オ)　正　　本案について終局判決があった後に訴えを取り下げた者は、同一の訴えを提起することができない（262Ⅱ）。この点、いったん言い渡された第一審の本案の終局判決が控訴審で取り消された後、差戻し後の第一審において改めて本案の終局判決がなされるまでは、訴えの取下げによって失効する本案の終局判決は存しないから、その間の訴えの取下げについては、再訴禁止の効果を生じず、原告は同一の訴えを提起することができる（最判昭38.10.1）。

以上から、正しいものは(ウ)(オ)であり、正解は(5)となる。

8b－1(58－7)　訴訟上の和解

訴訟上の和解に関する次の記述のうち、誤っているものはどれか。

(1) 仮処分申請事件において、本案について和解をすることもできる。

(2) 当事者の一方が相手方の本案についての請求を全面的に認め、訴訟費用の負担についてのみ、その双方が互いに譲歩する和解をすることはできない。

(3) 事件が最高裁判所に係属するときでも、訴訟上の和解をすることができる。

(4) たとえ、判決が言い渡された後であっても、その確定前であれば、訴訟上の和解をすることができる。

(5) 当事者以外の第三者を利害関係人として加えて、訴訟上の和解をすることができる。

学習記録	／	／	／	／	／	／	／	／	／

重要度　B	知識型		正解　(2)

(1) 正　　訴訟上の和解（267）とは、訴訟係属中に当事者双方が訴訟物である権利関係についての主張をお互いに譲歩することによって、訴訟を終了させる旨の期日における合意のことをいう。そして、その期日には、判決手続の係属する裁判所の口頭弁論期日のみならず、証拠保全手続や保全命令手続等の各審理期日も含まれる。したがって、当事者は、仮処分申請事件において、本案について和解をすることもできる。

(2) 誤　　本案の請求について一方が相手方の主張を全面的に認め、訴訟費用の負担についてのみ他方が譲歩する和解も有効である（大判昭8.2.13）。互譲の程度は問われない。

(3) 正　　訴訟上の和解（267）とは、訴訟係属中に当事者双方が訴訟物たる権利関係についての主張をお互いに譲歩することによって、訴訟を終了させる旨の期日における合意のことをいう。そして、事件が最高裁判所に係属するときでも、訴訟は係属しているため、当事者は訴訟上の和解をすることができる。

(4) 正　　訴訟上の和解（267）は、訴訟係属中であればすることができる。そして、判決が言い渡された後であっても、その確定前であれば訴訟は係属しているため、当事者は訴訟上の和解をすることができる。

(5) 正　　訴訟上の和解（267）は当事者間の合意であるが、第三者が和解に加入することもできる。例えば、第三者が債務の保証人として参加して和解することもできる（大判昭13.12.3）。この場合、この第三者との関係では起訴前の和解（275）があったものとされる。

〈和解の要件〉

訴訟係属	事実上訴訟が係属すること　（注１・２）
時　　期	訴え提起後終局判決の確定に至るまで　（注３）
互　　譲	当事者がその主張を互いに譲歩すること　（注４・５）
能　　力	訴訟能力が必要
対　　象	当事者が自由に処分できる性質の権利関係であること
和解内容の適法性	和解の内容をなす権利関係が公序良俗違反その他法律上許されないものに該当しないこと
方　　式	訴訟の期日において当事者双方が口頭で陳述してする　（注６）

（注１）　cf.　訴え提起前の和解（275）。
（注２）　保全（仮差押え・仮処分）手続において本案について和解することができる。
（注３）　裁判所は訴訟がいかなる程度にあるかを問わず和解勧告をすることができる（89Ⅰ）。
　　　→　①判決言渡し後確定前に和解をすることができる。
　　　　　②最高裁（上告審）において和解をすることができる。
（注４）　互譲の態様
　　訴訟物たる権利関係に関する争いについては一方の当事者が全面的に譲歩し、他方当事者が訴訟費用についてのみ譲歩することができる（大判昭8.2.13）。
（注５）　当事者以外の第三者を加えて和解することができる。
（注６）　口頭弁論期日以外でも和解をすることができる。
　　　→　ex.　弁論準備手続・和解期日

MEMO

8b−2(11−5)　訴訟上の和解

裁判上の和解に関する次の記述のうち、正しいものはどれか。

(1)　民事上の争いについては、当事者は、請求の趣旨及び原因並びに争いの実情を表示して、自己の普通裁判籍の所在地を管轄する簡易裁判所又は地方裁判所に和解の申立てをすることができる。

(2)　裁判所は、受命裁判官に和解を試みさせることはできない。

(3)　裁判所は、口頭弁論の終結後、判決の言渡しまでの間においても、和解を試みることができる。

(4)　裁判所は、当事者の一方の申立てがあるときは、事件の解決のために適当な和解条項を定めることができる。

(5)　当事者が裁判上の和解をした場合において、和解の費用について特別の定めをしなかったときは、裁判所は、申立てにより又は職権で、和解費用の負担の裁判をしなければならない。

学習記録	／	／	／	／	／	／	／	／	／

重要度　B	知識型		正解　(3)

(1) 誤　起訴前の和解の申立ては、紛争の解決を目的とするというよりも、むしろ公正証書の代用的利用方法という実質を有するため、その管轄裁判所は、訴額にかかわらず、相手方の普通裁判籍の所在地を管轄する簡易裁判所とされている（275Ⅰ）。また、訴訟上の和解（267）は、訴訟係属中に当事者双方が訴訟物である権利関係についての主張をお互いに譲歩することによって、訴訟を終了させる旨の期日における合意をいうから、当事者は、本案と無関係に、自己の普通裁判籍の所在地を管轄する簡易裁判所又は地方裁判所に和解の申立てをすることはできない。

(2) 誤　訴訟上の和解は、受訴裁判所が試みるのが通常であるが、合議体の場合は、構成員の一人を裁判長の指定により受命裁判官として和解を試みさせることもできる（89Ⅰ）。訴訟上の和解は、裁判所の関与はあるものの裁判ではないので、必ずしも合議体で行う必要はないからである。

(3) 正　裁判所は、訴訟係属中であれば、訴訟がいかなる程度にあるかを問わず、和解を試みることができる（89Ⅰ）。したがって、口頭弁論終結後、判決の言渡しまでの間においても、裁判所は、和解を試みることができる。

(4) 誤　裁判所等は、当事者の共同の申立てがあるときは、事件の解決のために適当な和解条項を定めることができる（265Ⅰ）。この仲裁的和解制度は、当事者間で和解の話合いがされ、そこで形成された信頼関係を基礎に、裁判所等が和解条項を裁定して紛争を解決しようとするものである。

(5) 誤　当事者が裁判上の和解（起訴前の和解及び訴訟上の和解）をした場合において、和解の費用又は訴訟費用の負担について特別の定めをしなかったときは、その費用は、各自が負担する（68）。これは、和解は、当事者が相互に主張を譲歩して争いを解決する合意であるから、それにまつわる費用についても、各自が負担するものとするのが、当事者の通常の意思だからである。

8b−3(18−4)　訴訟上の和解

次の会話は、訴訟上の和解の無効を主張する方法に関する教授と学生との会話である。次の(1)から(5)までの学生の発言のうち、「この方法」が教授の発言中の「和解が無効であることの確認を求める訴えを提起する方法」を指すものは、どれか。

教授：　訴訟上の和解の無効を主張する方法としては、和解が無効であることの確認を求める訴えを提起する方法や、新たな期日の指定を申し立てる方法などが考えられるね。これらの方法の根拠や、その方法によった場合の効果等について、論じてください。

学生：(1)　この方法によると、和解が控訴審裁判所で成立した場合、和解無効の審理につき三審級が保障されないことになります。

学生：(2)　この方法をとるべき理由の一つとしては、和解が無効か否かは、和解に関与した裁判官がよく判断することができるということが挙げられます。

学生：(3)　この方法では、和解が有効であると判断した裁判所は、原告の請求を棄却するとの判決をすることになります。

学生：(4)　この方法では、和解が無効であると判断した裁判所は、そのことを前提とした上で、従前の訴訟状態をそのまま利用して審理をすることができることになります。

学生：(5)　この方法では、和解に当事者以外の第三者が利害関係人として参加していた場合に、その者がその和解の無効を主張することができません。

学習記録	／	／	／	／	／	／	／	／	／

重要度　C	推論型	

正解　(3)

訴訟上の和解の無効を主張する方法について、次の見解がある。

a．別訴提起説

和解が無効であることの確認を求める訴えや請求異議訴訟などの別訴を提起すべきであるとする見解である。この見解は、①和解の有効・無効を和解が成立した裁判所で審理することになれば、上級審で和解により終了した場合には審級の利益を奪うおそれがあること、②和解成立後の不履行による解除や相殺によって権利変動が生じた場合には、別個の紛争と考えることが妥当であることを根拠とする。

b．期日指定申立説

和解をした裁判所に対し、和解の瑕疵を理由に新たな期日の指定を申し立てるべきであるとする見解である。裁判所は、前訴続行についての前提として和解の有効性について審査し、和解を有効とすれば訴訟終了宣言判決をし、和解を無効と判断するときは、前訴を続行すべきであるとする。この見解は、①和解が無効であるなら訴訟終了効は生じず、期日指定の申立てを認めて、再開された弁論期日で裁判所が和解の効力を判断すべきであること、②当該和解に関与した裁判所が審理する方が簡便であり、従前の訴訟状態･訴訟資料をそのまま利用して審理をすることができ、合理的であることを根拠とする。

(1)　指さない　　新たな期日の指定を申し立てる方法に関する記述である。和解が無効であることの確認を求める訴えを提起する方法を採った場合、その訴えは、別個の紛争に基づく新たな訴えであり、三審級の利益は保障される（a②参照)。和解が控訴審裁判所で成立した場合において、三審級が保障されないのは、新たな期日の指定を申し立てる方法を採った場合である。なぜなら、同一の審級の裁判所に申し立てることになるためである。

(2)　指さない　　新たな期日の指定を申し立てる方法に関する記述である。新たな期日の指定を申し立てる方法を採った場合、和解をした裁判所に対し当該申立てをすることになるため、当該和解に関与した裁判官が審理することになる（b②参照)。

(3)　指す　　和解無効確認の訴えを提起する方法に関する記述である。和解が無効であることの確認を求める訴えを提起する方法を採った場合、同訴訟は、当該和解の有効・無効の確認のみを目的とする訴訟である。したがって、和解が有効であると判断した裁判所は、原告の請求を棄却するとの判決をすることになる。一方、新たな期日の指定を申し立てる方法を採った場合、裁判所が和解を有効とすれば訴訟終了宣言判決をすることになる（b前段参照)。

⑷　指さない　　新たな期日の指定を申し立てる方法に関する記述である。新たな期日の指定を申し立てる方法を採った場合、和解をした裁判所に対し当該申立てをすることになるため、従前の訴訟状態・訴訟資料をそのまま利用して審理をすることができる（ｂ②参照）。

⑸　指さない　　新たな期日の指定を申し立てる方法に関する記述である。和解に当事者以外の第三者が利害関係人として参加していた場合であっても、当該第三者についてはもともと訴訟係属はないため、期日指定の申立てによって和解の無効を主張することはできない。したがって、和解に当事者以外の第三者が利害関係人として参加していた場合であっても、当該第三者に当該和解の無効の主張が認められないのは、新たな期日の指定を申し立てる方法を採った場合である。一方、和解が無効であることの確認を求める訴えを提起する方法を採った場合においては、和解に参加した当事者以外の第三者も訴えを提起することができる。

MEMO

8c－1(27－5)　その他

裁判によらない訴訟の完結に関する次の(ア)から(オ)までの記述のうち、正しいものの組合せは、後記(1)から(5)までのうち、どれか。

(ア)　当事者双方が、連続して２回、口頭弁論の期日に出頭せず、かつ、その後１月以内に期日指定の申立てがされなかった場合には、当該期間の経過時に訴えの取下げがあったものとみなされる。

(イ)　被告が本案について準備書面を提出し、弁論準備手続において申述をした場合、原告は、判決が言い渡された後でも当該判決が確定するまで、被告の同意を得た上で、訴えを取り下げることができる。

(ウ)　訴訟代理人は、特別の委任を受けることなく、裁判上の和解をすることができる。

(エ)　請求の放棄は、和解の期日においてもすることができる。

(オ)　原告が被告に対し、所有権に基づいて土地の引渡しを請求する訴えを提起した場合において、被告が口頭弁論の期日で「原告から100万円の支払を受けることを条件として、原告の請求を認める。」旨陳述したときは、請求の認諾がされたものとなる。

(1)　(ア)(ウ)　　(2)　(ア)(エ)　　(3)　(イ)(エ)　　(4)　(イ)(オ)　　(5)　(ウ)(オ)

学習記録	／	／	／	／	／	／	／	／	／

重要度　A	知識型		正解　(3)

(ア) 誤　当事者双方が、連続して２回、口頭弁論若しくは弁論準備手続の期日に出頭せず、又は弁論若しくは弁論準備手続における申述をしないで退廷若しくは退席をしたときは、訴えの取下げがあったものとみなす（263後段）。この点、当事者双方が連続して２回の期日を欠席したときは、それだけで訴えの取下げが擬制される。なお、当事者双方が、口頭弁論若しくは弁論準備手続の期日に出頭せず、又は弁論若しくは弁論準備手続における申述をしないで退廷若しくは退席をした場合において、１か月以内に期日指定の申立てをしないときも訴えの取下げがあったものとみなされる（263前段）。

(イ) 正　原告は判決が確定するまで、その訴えを取り下げることができる（261Ⅰ）。この点、被告が本案について、準備書面を提出し、弁論準備手続で申述をし、又は口頭弁論をした後にあっては、原告は取下げについて、被告の同意を得なければならない（261Ⅱ）。なぜなら、この場合、被告側に訴訟追行をして請求棄却判決を得る利益が生ずるからである。

(ウ) 誤　訴訟代理人は、裁判上の和解をするときは、これについての特別の委任を受けなければならない（55Ⅱ②）。なぜなら、裁判上の和解は、終局判決に至らずに訴訟を終了させるものであり、勝訴判決を得ることを目的として訴訟委任をする本人の意思の中には当然には含まれていないからである。

(エ) 正　請求の放棄又は認諾は、口頭弁論等の期日においてする（266Ⅰ）。この点、口頭弁論等の期日とは、口頭弁論期日、弁論準備手続期日及び和解の期日をいう（261Ⅲ）。したがって、請求の放棄は、和解の期日においてもすることができる。

(オ) 誤　請求の認諾に条件を付すことは許されず、相殺や同時履行の抗弁を留保して被告が原告の請求を認めても、認諾としては扱われない。これは、訴訟終了効などが不安定になることを防ぐ趣旨である。したがって、「原告から100万円の支払を受けることを条件として、原告の請求を認める。」旨の陳述は、条件を付していることから請求の認諾としては扱われない。

以上から、正しいものは(イ)(エ)であり、正解は(3)となる。

8c−2(31−5)　その他

裁判によらない訴訟の完結に関する次の(ア)から(オ)までの記述のうち、判例の趣旨に照らし正しいものの組合せは、後記(1)から(5)までのうち、どれか。(改)

(ア)　提起された訴えが訴えの利益を欠く場合には、訴訟上の和解をしたとしても、当該和解は、無効である。

(イ)　訴えの取下げは、和解の期日において口頭ですることができる。

(ウ)　当事者が期日外において裁判所に対し請求の放棄をする旨の書面を提出した場合であっても、その当事者が口頭弁論の期日に出頭してその旨の陳述をしない限り、請求の放棄の効力は生じない。

(エ)　口頭弁論の期日で訴訟上の和解が成立した場合において、錯誤による取消しを理由に当該和解の効力を争う当事者は、口頭弁論の期日の指定の申立てをすることができる。

(オ)　訴えの取下げは、相手方が訴えの却下を求める準備書面を提出した後にあっては、当該相手方の同意を得なければ、その効力を生じない。

(1)　(ア)(ウ)　(2)　(ア)(オ)　(3)　(イ)(ウ)　(4)　(イ)(エ)　(5)　(エ)(オ)

学習記録	／	／	／	／	／	／	／	／	／

重要度 A	知識型			正解 (4)

(ア) 誤　訴訟上の和解においては、訴訟要件一般の具備は必要とされないと解されている。なぜなら、訴訟要件は、一般に本案判決の要件であり、和解による解決の場合にはその前提を欠くからである。

(イ) 正　訴えの取下げは、原則として、書面でしなければならないが（261Ⅲ本文)、口頭弁論、弁論準備手続又は和解の期日（以下本問において「口頭弁論等の期日」という。）においては、口頭によりすることもできる（261Ⅲ但書)。

(ウ) 誤　請求の放棄又は認諾は、口頭弁論等の期日においてする（266Ⅰ)。この点、請求の放棄又は認諾をする旨の書面を提出した当事者が口頭弁論等の期日に出頭しないときは、裁判所又は受命裁判官若しくは受託裁判官は、その旨の陳述をしたものとみなすことができる（266Ⅱ)。

(エ) 正　訴訟上の和解が民法の規定によって取り消され又は無効となったときは、訴訟はその終了すべき原因を失い、その訴訟はなお存続する（大判大11.7.8)。そのため、訴訟上の和解の成立後、当事者が和解の成立過程における意思表示の瑕疵を理由に当該和解の効力を争う場合には、当該当事者は、口頭弁論の期日の指定の申立てをすることができる（大決昭6.4.22参照)。

(オ) 誤　訴えの取下げは、相手方が既に「本案」について準備書面を提出し、弁論準備手続において申述をし、又は口頭弁論をした後にあっては、相手方の同意を得なければ、その効力を生じない（261Ⅱ本文)。この点、本条の「本案」とは請求の当否に関する事項をいうため、被告が訴訟要件の不存在を理由に訴えの却下を求めている場合にはその同意を得ることを要しない。

以上から、正しいものは(イ)(エ)であり、正解は(4)となる。

8c－3(R6－4)　その他

裁判によらない訴訟の完結に関する次の(ア)から(オ)までの記述のうち、判例の趣旨に照らし正しいものの組合せは、後記(1)から(5)までのうち、どれか。

(ア)　請求の放棄は、書面でしなければならない。

(イ)　請求の認諾を調書に記載したときは、その記載は、確定判決と同一の効力を有する。

(ウ)　当事者間における訴えの取下げに関する裁判外の合意の成立が証拠上認められるときは、訴えの取下げがあったものとみなされる。

(エ)　裁判所は、口頭弁論を終結した後判決の言渡しまでの間に和解を試みるときは、口頭弁論を再開しなければならない。

(オ)　裁判所が当事者の共同の申立てにより事件の解決のために適当な和解条項を定めるときは、その和解条項の定めは、口頭弁論、弁論準備手続又は和解の期日における告知その他相当と認める方法による告知によってする。

(1)　(ア)(ウ)　(2)　(ア)(エ)　(3)　(イ)(ウ)　(4)　(イ)(オ)　(5)　(エ)(オ)

学習記録	／	／	／	／	／	／	／	／	／

重要度 A	知識型		正解 (4)

(ア) 誤　請求の放棄とは、原告の訴訟行為の一種であり、訴訟物たる権利関係の主張についてそれを維持する意思のないことを口頭弁論期日、弁論準備手続期日、又は和解の期日において裁判所に対して口頭で陳述する行為である。

(イ) 正　和解又は請求の放棄若しくは認諾を調書に記載したときは、その記載は、確定判決と同一の効力を有する（267）。

(ウ) 誤　訴えの取下げに関する合意が成立した場合には、原告が権利保護の利益を喪失したものとみることができるから、訴えを却下すべきである（最判昭44.10.17）。

(エ) 誤　訴訟上の和解は、口頭弁論の終結後、さらには判決の言渡し後でもその確定前であれば可能であり、口頭弁論の終結後に和解を試みるときであっても、口頭弁論を再開する必要はない。

(オ) 正　裁判所又は受命裁判官若しくは受託裁判官は、当事者の共同の申立てがあるときは、事件の解決のために適当な和解条項を定めることができる（265Ⅰ）。この点、当該和解条項の定めは、口頭弁論等の期日（口頭弁論、弁論準備手続又は和解の期日をいう。）における告知その他相当と認める方法による告知によってする（265Ⅲ）。

以上から、正しいものは(イ)(オ)であり、正解は(4)となる。

9a－1(63－1)　判決の種類

判決に関する次の記述のうち、正しいものはどれか。

(1)　判決は、口頭弁論を経て審理をしなければ、することができない。

(2)　判決は、判決書を作成した裁判官以外の裁判官が言い渡すことができる。

(3)　判決は、これを言い渡した後、当事者に送達した時に効力を生ずる。

(4)　判決は、申し立てられた事項全部につき同時にしなければならない。

(5)　判決は、当事者が在廷する口頭弁論期日において言い渡さなければならない。

学習記録	／	／	／	／	／	／	／	／	／

重要度 B	知識型		正解 (2)

(1) 誤　訴えについて判決をするには、原則として、口頭弁論を開くこととされている（87Ⅰ本文・必要的口頭弁論の原則）。しかし、訴訟経済の見地等から、例外的に口頭弁論を経ずに判決できる場合が個々に規定されている（87Ⅲ）。例えば、担保提供義務違反による訴え却下の判決（78）、欠缺補正不能の不適法な訴え却下の判決（140）などである。

(2) 正　判決をする裁判官は、その基礎となった口頭弁論に関与した者でなければならない（249Ⅰ・直接主義）。しかし、ここにいう判決とは、判決の内容を決定することをいい、判決の言渡しはこれには含まれない。したがって、判決書を作成した裁判官以外の裁判官が判決を言い渡すことも認められる（最判昭26.6.29）。

(3) 誤　判決は、言渡しによってその効力を生ずる（250）。言渡しの前は判決内容が決定され判決原本が作成されても、まだ裁判所内の問題であって、判決として訴訟上の価値をもたないからである。

(4) 誤　裁判所は、訴訟の一部が裁判をするのに熟したときは、その一部について終局判決をすることができる（243Ⅱ・一部判決）。これは、審理を整理するとともに、請求の一部についてでも可能な限りの迅速な紛争の解決を図ることを目的とする。

(5) 誤　判決の言渡しは、当事者が在廷しない場合においてもすることができる（251Ⅱ）。判決の言渡しには、当事者の新たな訴訟行為を必要とせず、また、その後判決書などが当事者に送達され（255）、当事者はその内容を知ることができるからである。

〈判決の成立〉

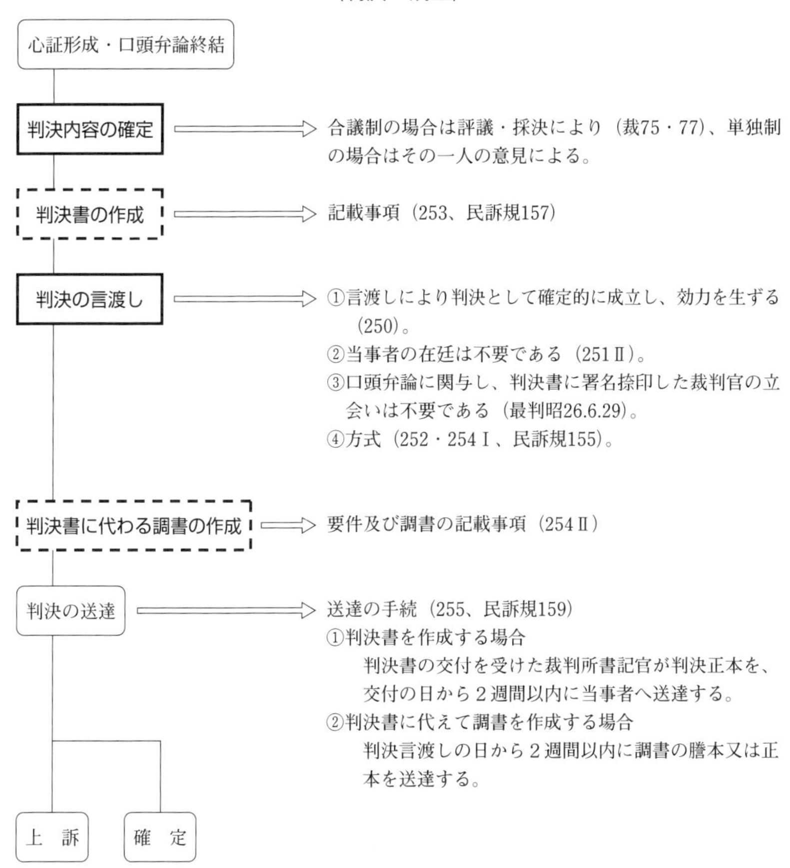
心証形成・口頭弁論終結
判決内容の確定
合議制の場合は評議・採決により（裁75・77)、単独制の場合はその一人の意見による。
判決書の作成
記載事項（253、民訴規157）
判決の言渡し
①言渡しにより判決として確定的に成立し、効力を生ずる（250）。
②当事者の在廷は不要である（251Ⅱ）。
③口頭弁論に関与し、判決書に署名捺印した裁判官の立会いは不要である（最判昭26.6.29）。
④方式（252・254Ⅰ、民訴規155）。
判決書に代わる調書の作成
要件及び調書の記載事項（254Ⅱ）
判決の送達
送達の手続（255、民訴規159）
①判決書を作成する場合
判決書の交付を受けた裁判所書記官が判決正本を、交付の日から２週間以内に当事者へ送達する。
②判決書に代えて調書を作成する場合
判決言渡しの日から２週間以内に調書の謄本又は正本を送達する。
上　訴
確　定

MEMO

9a−2(7−2)　判決の種類

判決に関する次の記述のうち、誤っているものはどれか。(改)

(1)　訴訟の一部が裁判をするのに熟するときは、裁判所は、その一部のみについて終局判決をすることができる。

(2)　判決は、言渡しによって効力を生ずる。

(3)　判決書の原本に基づき判決の言渡しがされたときは、判決の送達は、正本でする。

(4)　判決に計算違いのような明白な誤りがあるときは、裁判所は、いつでも更正決定をすることができる。

(5)　控訴は、判決の言渡しがあった日から２週間内にしなければならない。

学習記録	／	／	／	／	／	／	／	／	／

重要度　B	知識型		正解　(5)

(1) 正　裁判所は、訴訟の一部が裁判をするのに熟したときは、その一部について終局判決をすることができる（243Ⅱ・一部判決）。これは、審理を整理するとともに、訴訟の一部についてでも可能な限りの迅速な紛争の解決を図るためである。

(2) 正　判決は、言渡しによってその効力を生ずる（250）。言渡しの前は判決内容が決定され判決原本が作成されても、まだ裁判所内の問題であって、判決として訴訟上の価値をもたないからである。

(3) 正　判決の言渡しが判決書の原本に基づいてされた場合（252）には、判決の送達は、判決書の正本によってされる（255Ⅱ）。これにより、言渡期日に欠席（251Ⅱ）した当事者も、判決の内容を知ることができる。なお、判決の言渡しが判決書の原本に基づかないでされた場合（254・調書判決）には、その送達は、調書の謄本によってされることになる（255Ⅱ）。

(4) 正　判決に計算違い、誤記その他これらに類する明白な誤りがあるときは、裁判所は、申立てにより又は職権で、いつでも更正決定をすることができる（257Ⅰ）。いったん判決を言い渡しても、その実質を変えない限り、訂正補充してより完全なものにすることに何ら不都合はないし、また、上訴などによらず簡易にこれを認める方が便宜だからである。

(5) 誤　控訴は、判決書又は判決に代わる調書の送達を受けた日から２週間の不変期間内に提起しなければならない（285本文）。判決の言渡しは、当事者が在廷しない場合においてもすることができるから（251Ⅱ）、当事者がその内容を全く知ることもない間に控訴期間（285）が満了してしまうとの不都合を生ずるおそれがある。そこで、このような不都合を回避して当事者に判決内容を検討する時間を十分確保する趣旨から、控訴期間は送達を受けた日から２週間以内とされている。

9a－3(59－5)　判決の種類

引換給付判決に関する次の記述のうち、正しいものはどれか。

(1) 甲が乙に対し、乙からその所有の土地を買い受けたことを理由として、その土地について所有権移転の登記手続を求める訴えを提起した場合において、代金が未払であることが判明したときには、その代金の支払と引換えに所有権移転の登記手続を命ずる判決をしなければならない。

(2) 残代金50万円の支払と引換えに所有権移転の登記手続を命ずる判決が確定した場合には、原告である債権者は、その判決正本及びその代金50万円を被告である債務者に弁済し、又は提供したことの証明書を申請書に添付して、単独で登記の申請をすることができる。

(3) 残代金50万円の支払と引換えに所有権移転の登記手続を命ずる判決が確定した後、被告が残代金が実は100万円であったとして100万円の支払を求める訴えを提起することは、前訴の既判力に触れ、許されない。

(4) 原告が50万円の支払と引換えに所有権移転の登記手続をするよう請求した場合において、被告が残代金が100万円であると主張し、そのことの立証があったときでも、請求棄却の判決をすべきではない。

(5) 建物収去土地明渡請求訴訟において、被告が建物買取請求権を行使し、建物の買取代金額を主張立証したとしても、被告に対して、建物の代金の支払と引換えに建物の引渡しを命ずる判決がされることはない。

学習記録	／	／	／	／	／	／	／	／	／

重要度　B	知識型		正解　(4)

(1)　誤　　当事者の主張しない主要事実を基礎に判決を下すことができない（弁論主義の第１原則）ので、同時履行の抗弁権（民533）のような権利抗弁を判決の基礎にするには、①この権利の発生を基礎付ける事実（代金が未払であること）の主張のみならず、②訴訟上その権利行使を行う当事者の主張が要求される。したがって、①の事実が判明しても、当事者が②の事実を主張していなければ、裁判所は同時履行の抗弁権を判決の基礎とすることができず、代金の支払と引換えに所有権移転登記手続を命じる引換給付判決をすることができない。

(2)　誤　　残代金の支払と引換えに所有権移転登記手続を命ずる判決が確定した場合において、原告である債権者がこれにより単独申請（不登63Ⅰ）をするには、まず、反対給付又はその提供のあったことを証する文書を裁判所書記官に提出して執行文の付与を受けなければならない（民執177Ⅱ）。そして、執行文の付された判決正本を申請書に添付することで単独申請が可能になる。

(3)　誤　　既判力は、確定判決主文で判断されている訴訟物の存否についてのみ生ずるのが原則である（114Ⅰ）。本肢における「(原告から）残代金50万円の支払と引換えに」という部分は、判決主文に掲げられるが、これは強制執行開始の要件（民執31Ⅰ）として注意的に掲げられているにとどまり、訴訟物を構成するものではない。したがって、原告の反対債務の存否については既判力を生じないから、被告が100万円の支払を求める訴えを提起することは、許される。

(4)　正　　原告が引換給付額として主張した残代金額を、裁判所が不足と認定した場合でも、裁判所は、請求棄却判決をすべきではなく、その相当と認める残額を明示した一部認容判決（引換給付判決）をすべきである（最判昭46.11.25参照）。裁判所の認定した残代金が原告の主張する額を大幅に上回る場合でなければ、一部認容判決をすることで原告の通常の意思に沿いつつ、紛争の解決を図ることができるからである。

(5)　誤　　被告の建物買取請求権（借地借家13）の行使により、被告は建物の所有権を失い建物を収去することができなくなるので、申立事項と判決事項の一致を求める処分権主義から（246）、裁判所は、建物収去土地明渡請求を棄却すべきとも思われる。しかし、建物収去土地明渡請求を求める原告の合理的意思は、建物の収去を求めることができないときは、二次的に建物の引渡しを求めることにあると認められるから、裁判所は、被告に対して、建物の代金の支払と引換えに建物の引渡しを命じる判決を下さなければならない（最判昭33.6.6）。

9a−4(18−5)　判決の種類

判決に関する次の(1)から(5)までの記述のうち、判例の趣旨に照らし正しいものはどれか。

(1)　訴えが不適法でその不備を補正することができないときでも、裁判所が判決で訴えを却下するには、口頭弁論を経る必要がある。

(2)　中間判決は、当事者の申立てがなくても、することができる。

(3)　原告が、被告に対する貸金債務の残存元本は100万円を超えては存在しない旨の確認を求める訴えを提起した場合において、裁判所は、残存元本が100万円を超えて存在すると認定したときは、請求を棄却しなければならない。

(4)　簡易裁判所の訴訟手続においては、通常の手続であっても、判決書の原本に基づかないで、判決の言渡しをすることができる。

(5)　判決に明白な計算誤りがあるときは、裁判所は更正決定をすることができ、更正決定に対しては、不服を申し立てることはできない。

学習記録	／	／	／	／	／	／	／	／	／

重要度　B	知識型		正解　(2)

(1) 誤　判決は口頭弁論に基づいて行うのが原則である（87Ⅰ本文・必要的口頭弁論の原則）。しかし、訴えが不適法でその不備を補正することができないときは、裁判所は、口頭弁論を経ないで、判決で、訴えを却下することができる（140）。訴訟要件の欠缺を補正することができないときは、口頭弁論を開いても無意味だからである。

(2) 正　裁判所は、独立した攻撃又は防御の方法その他中間の争いについて、裁判をするのに熟したときは、中間判決をすることができる（245本文）。中間判決をするかどうかは、訴訟指揮の問題であり、裁判所の裁量により決せられ、当事者に申立権はない。

(3) 誤　原告が、被告に対する貸金債務の残存元本は100万円を超えては存在しない旨の確認を求める訴えを提起した場合において、裁判所は、残存元本が100万円を超えて存在すると認定したときであっても、請求を棄却するべきではなく、一部認容判決をすべきである（246、最判昭46.11.25参照）。裁判所が一部認容判決をすることにより、原告の通常の意思に沿いつつ、紛争の解決をすることができるからである。

(4) 誤　簡易裁判所において判決の言渡しを判決書の原本に基づかないですることができる旨の特別な規定は存在しないため、簡易裁判所における判決の言渡しであっても、地方裁判所以上の裁判所と同様に判決書の原本に基づいてする必要がある（252）。なお、例外として、地方裁判所、簡易裁判所を問わず、実質的に当事者間に争いのない事件について原告の請求を認容する場合（254Ⅰ）や、少額訴訟における口頭弁論終結後の判決の言渡し（374Ⅱ前段）等は、判決書の原本に基づかないですることができる。

(5) 誤　判決に計算違い、誤記その他これらに類する明白な誤りがあるときは、裁判所は、申立てにより又は職権で、いつでも更正決定をすることができる（257Ⅰ）。そして、更正決定に対しては、判決に対し、適法な控訴があったときを除き、即時抗告をすることができる（257Ⅱ）。

9a－5(24－5)　判決の種類

民事訴訟における判決に関する次の(ア)から(オ)までの記述のうち、正しいものは、幾つあるか。

(ア)　判決の言渡しは、訴訟手続の中断中にあっては、することができない。

(イ)　被告が口頭弁論において原告の主張した事実を争わず、その他何らの防御の方法をも提出しない場合において、原告の請求を認容するときは、判決の言渡しは、判決書の原本に基づかないですることができる。

(ウ)　少額訴訟における判決の言渡しを口頭弁論の終結後直ちに行う場合には、判決の言渡しは、判決書の原本に基づかないですることができる。

(エ)　裁判所は、判決に法令の違反があることを発見したときは、判決が確定した後であっても、変更の判決をすることができる。

(オ)　裁判所は、判決に計算違い、誤記その他これらに類する明白な誤りがあるときは、当事者による申立てがない場合であっても、更正決定をすることができる。

(1)　１個　　(2)　２個　　(3)　３個　　(4)　４個　　(5)　５個

学習記録	／	／	／	／	／	／	／	／	／

重要度　B	知識型		正解　(3)

(ア) 誤　　判決の言渡しは、訴訟手続の中断中であっても、することができる（132Ⅰ）。

(イ) 正　　被告が口頭弁論において原告の主張した事実を争わず、その他何らの防御の方法をも提出しない場合、原告の請求を認容するときは、判決の言渡しは、252条の規定にかかわらず、判決書の原本に基づかないですることができる（254Ⅰ①）。

(ウ) 正　　少額訴訟において、判決の言渡しは、相当でないと認める場合を除き、口頭弁論の終結後直ちに行い（374Ⅰ）、その場合には、判決の言渡しは、判決書の原本に基づかないですることができる（374Ⅱ）。

(エ) 誤　　裁判所は、判決に法令の違反があることを発見したときは、その言渡し後１週間以内に限り、変更の判決をすることができる（256Ⅰ本文）。ただし、判決が確定したとき、又は判決を変更するため事件につき更に弁論をする必要があるときは、この限りでない（256Ⅰ但書）。

(オ) 正　　判決に計算違い、誤記その他これらに類する明白な誤りがあるときは、裁判所は、申立てにより又は職権で、いつでも更正決定をすることができる（257Ⅰ）。

以上から、正しいものは(イ)(ウ)(オ)の３個であり、正解は(3)となる。

9c－1(62－4)　判決の効力

次に掲げる者のうち、確定判決の効力が及ばないものはどれか。

(1)　債務不存在確認訴訟の口頭弁論終結後に被告から訴訟の目的たる債権を譲り受けた者

(2)　別荘の明渡請求訴訟について、その別荘の管理人

(3)　建物収去土地明渡請求訴訟について、その建物の所有者からこれを賃借している者

(4)　訴訟から脱退した者

(5)　選定当事者を選定した者

学習記録	／	／	／	／	／	／	／	／	／

重要度　A	知識型	要 *Check!*

正解　(3)

民事訴訟は、当事者から提出された資料を基礎にして裁判所が審理し、それに基づいた判決で当事者間の紛争を解決するという構造をしているため、既判力は、対立当事者間に相対的に生ずるのが原則である（115Ⅰ①）。しかし、紛争解決の実効性の確保、法律関係の画一的処理の要請等の観点から、例外的に、既判力が当事者以外の第三者に対しても及ぶ場合がある（115Ⅰ②・③・④）。

(1)　及ぶ　　口頭弁論終結後の承継人（115Ⅰ③）とは、口頭弁論の終結後に、訴訟物である権利関係についての地位を当事者から承継した者をいい、口頭弁論終結後に被告から訴訟の目的である債権を譲り受けた者はこれに当たる。したがって、確定判決の効力は、被告から債権を譲り受けた者に及ぶ。

(2)　及ぶ　　判決の効力は、当事者のために請求の目的物を所持する者に及ぶ（115Ⅰ④）。請求の目的物の所持者は、専ら当事者のために目的物を所持し、その所持に関して固有の経済的利益を有しないから、その者に、独自の手続保障を与える必要がないからである。したがって、別荘の管理人は、専ら当事者のために請求の目的物を所持する者に当たり、確定判決の効力が及ぶ。

(3)　及ばない　　賃借人は、専ら自己のために占有しており、その占有につき固有の経済的利益を有する。したがって、賃借人は請求の目的物を所持する者（115Ⅰ④）には当たらず、確定判決の効力は及ばない（大決昭7.4.19）。

(4)　及ぶ　　自己の権利を主張する第三者が、その訴訟の当事者の双方又は一方を相手方として、当事者としてその訴訟に参加した場合（47Ⅰ）には、参加前の原告又は被告は、相手方の承諾を得て訴訟から脱退することができる（48前段）。この場合において、確定判決は、脱退した当事者に対してもその効力が及ぶ（48後段）。

(5)　及ぶ　　選定当事者（30）とは、共同の利益に基づいて多数の者がともに訴え又は訴えられるべき場合に、その中の一人又は数人を選んで、その者だけを表面に立てて当事者とし、他の者は訴訟に関与せず、これに自分の訴訟を任せてしまう制度である。これは、任意的訴訟担当の一場合であり、選定行為により、選定当事者に全員のための訴訟追行権が付与されるという効果が生ずる。そして、選定者の手続保障は選定当事者によって代替されているのだから、選定当事者に対して下された確定判決の効力は、選定者全員に及ぶ（115Ⅰ②）。

9c−2(8−2)　判決の効力

判決の効力に関する次の記述のうち、誤っているものはどれか。

(1) 確定した前訴において提出することができなかった主張であっても、その主張を提出しなかったことについて、その当事者に過失がない場合には、訴訟物を同一とする後訴において提出することができる。

(2) 売買代金請求訴訟において敗訴の判決が確定した被告はその契約につき詐欺による取消権を行使して売買の消滅を主張することができない。

(3) 判決理由中で、反対債権が存在しないとして相殺の抗弁を排斥した判決が確定した場合には、後にこの債権を行使することができない。

(4) 土地の所有者Ａが、その土地を不法占拠して建物を所有しているＢに対して建物収去土地明渡請求訴訟を提起し、その勝訴の判決が確定した場合において、その事実審の口頭弁論終結後にＢがＣに対して建物を譲渡したときは、この判決の効力はＣに対しても及ぶ。

(5) 土地の所有者Ａが土地の不法占拠者Ｂに対して、その明渡しを求める訴訟の係属中にＡがＣに土地の所有権を譲渡し、ＣがこのＣ訴訟に承継参加をした場合においてＡが脱退をしたときは、ＢとＣとの間の判決の効力はＡに対しても及ぶ。

学習記録	／	／	／	／	／	／	／	／	／

重要度 A	知識型	要 *Check!*	正解 (1)

(1) 誤　既判力（114Ⅰ）は、標準時（事実審の口頭弁論終結時）における権利関係を確定してしまうから、当事者は、以後標準時前の事由を主張して、確定された権利関係の存否を争うことができない（民執35Ⅱ参照・既判力の遮断効）。したがって、当事者は、確定した前訴において提出することができなかった主張については、たとえ提出しなかったことについて過失がなかったとしても、訴訟物を同一とする後訴において提出することはできない。

(2) 正　売買代金請求訴訟の前訴において、敗訴の判決が確定した被告は、後訴においてその契約につき詐欺による取消権を行使して売買の消滅を主張することができない（114Ⅰ、最判昭55.10.23）。取消権は、前訴訴訟物に内在する瑕疵に関する権利であるし、また、被告は前訴において取消権を行使できたのであるから、後訴で、これを行使して争うことができないとしても、その手続保障に欠けるところもないからである。

(3) 正　既判力は、確定判決主文で示された判断事項にのみ生ずるのを原則とする（114Ⅰ）。しかし、例外的に、相殺のために主張した請求の成立又は不成立の判断は、相殺をもって対抗した額について既判力を有する（114Ⅱ）。相殺は他の抗弁と異なり、請求とその発生原因において無関係な反対債権とを対当額で消滅させる効果を抗弁の内容とするため、その判断について既判力を認めないと、後日、請求についての紛争が反対債権の存否の紛争に移し替えられて蒸し返され、判決による解決が実効性を失うおそれがあるからである。したがって、判決理由中で反対債権が存在しないと判断された場合は、その不存在につき既判力が生じているから、前訴被告は、後にこの債権を行使することができない。

(4) 正　口頭弁論終結後の承継人（115Ⅰ③）とは、口頭弁論の終結後に、訴訟物である権利関係についての地位を当事者から承継した者をいい、口頭弁論終結後に被告Bから訴訟の目的である建物を譲り受けたCはこれに当たる。したがって、判決の効力は建物譲受人Cに対しても及ぶ。

(5) 正　原告Aから土地所有権を譲り受けたCは、訴訟の継続中その訴訟の目的である権利の全部を譲り受けた参加承継人に当たる（49Ⅰ）。参加承継がされた場合には、参加前の原告又は被告は、相手方の承諾を得て訴訟から脱退することができ、この場合において、判決の効力は、脱退した当事者に対しても及ぶ（49Ⅰ・47Ⅰ・48後段）。したがって、BとCとの間の判決の効力は脱退者Aに対しても及ぶ。

9c－3(59－1)　判決の効力

相殺の抗弁に関する次の記述のうち、正しいものはどれか。

(1)　100万円の請求に対して被告が100万円の反対債権をもって相殺をする旨の抗弁を主張したところ、裁判所がその反対債権は50万円のみ存在すると認定し、その限度でその抗弁を認めた場合には、反対債権については、50万円の限度でしか既判力が生じない。

(2)　相殺の抗弁が予備的に提出する旨を明示しないで主張されたとしても、その抗弁については、訴求債権の有無及び他の抗弁の成否について審理した後でなければ、審理することができない。

(3)　50万円の請求に対して被告が100万円の反対債権をもって相殺する旨の抗弁を主張する場合には、反訴で反対債権の残額50万円の請求をすることは許されない。

(4)　相殺の抗弁は、控訴審の口頭弁論の終結間際に提出された場合でも、裁判所がこれを時機に後れた攻撃防御方法として却下することはできない。

(5)　被告は、予備的に提出した相殺の抗弁が認められて勝訴した場合には、訴求債務の成立を争って控訴する利益を有しない。

学習記録	／	／	／	／	／	／	／	／	／

重要度 A	知識型	要 *Check!*		正解 (2)

相殺の抗弁の特殊性は、①判決理由中の判断事項でありながら既判力を生ずる(114Ⅱ)、②反対債権の喪失という被告の損失を伴う、③訴求債権と無関係な反対債権をもち出す点において反訴的性格を有することにある。

(1) 誤　相殺のために主張した請求の成立又は不成立の判断は、相殺をもって対抗した額について既判力を有する(114Ⅱ)。この判断は、判決理由中の判断であるが、もし、原則どおり既判力を生じない(114Ⅰ)とすると、訴求債権の存否についての争いが反対債権の存否の争いとして蒸し返されてしまうからである。したがって、反対債権については、裁判所がその存在を認定した反対債権50万円部分のみでなく、被告が主張した100万円について既判力が生ずる。

(2) 正　被告が複数の抗弁に順番を付けて審理を求めた場合、裁判所は、原則として、その順番に拘束されない。しかし、相殺の抗弁に理由があるか否かの判断は、相殺のために主張した請求の成立又は不成立の判断について既判力を生じ(114Ⅱ)、被告は、他の抗弁の場合とは異なり、相殺の抗弁から判断されないことについて利益を有する。そこで、相殺の抗弁は、他の防御方法全てについて理由がない場合に初めて審理されることになる。したがって、裁判所は、被告が相殺の抗弁を予備的に提出する旨を明示しないで主張したとしても、訴求債権の有無及び他の抗弁の成否について審理した後でなければ、審理することができない。

(3) 誤　被告が相殺をもって対抗した額50万円については、その成立又は不成立につき既判力が生ずるが、残額50万円については既判力は生じない(114Ⅱ)ため、反訴で反対債権の残額50万円の請求をすることは、重複起訴の禁止(142)の趣旨に抵触せず許される。

(4) 誤　裁判所は、当事者が故意又は重大な過失により時機に後れて提出した攻撃又は防御の方法について、これにより訴訟の完結を遅延させることになると認められるときは、適時提出主義(156)に対する制約として、申立てにより、又は職権で、却下の決定をすることができる(157Ⅰ)。相殺の抗弁は被告側の防御の方法の一種であるから、上記の要件を満たすと認めるときは、これを時機に後れた攻撃防御方法として却下することができる。

(5) 誤　上訴の利益は、当事者の申立てに対して下された判決が質的又は量的に及ばない場合に認められる(形式的不服説)。この基準によれば、第一審で抗弁が認容されて請求棄却判決を得た被告には控訴の利益がないのが原則である。しかし、相殺の抗弁が認められて勝訴した場合には、被告は相殺に供した反対債権を失い、そのことが既判力をもって確定する（114Ⅱ）。したがって、予備的相殺の抗弁が認められて勝訴した被告は、他の理由による請求棄却判決を得るために、控訴の利益が認められる。

〈相殺の抗弁の特殊性〉

<table>
<tr><th colspan="2"></th><th>通常の抗弁</th><th>相殺の抗弁</th></tr>
<tr><td rowspan="3">基本的特色</td><td>①既判力</td><td>生じない</td><td>生ずる</td></tr>
<tr><td>②被告の損失（実質的敗訴）</td><td>伴わない</td><td>伴う</td></tr>
<tr><td>③反訴的性格（訴訟物たる権利そのものに付着する瑕疵の主張ではなく全く別個の請求権の主張）</td><td>ない</td><td>ある</td></tr>
<tr><td rowspan="5">派生的特色</td><td>現に係属している訴訟の訴訟物たる債権を別訴で相殺の抗弁に供すること</td><td></td><td>できない
（最判平3.12.17）</td></tr>
<tr><td>他の抗弁よりも先に取り上げて判決すること</td><td>できる</td><td>できない</td></tr>
<tr><td>基準時前に提出できた抗弁に対する確定終局判決の遮断効</td><td>ある</td><td>ない（注）</td></tr>
<tr><td>訴求債権の存在を確認しない段階で抗弁を認容して請求を棄却すること</td><td>できる</td><td>できない</td></tr>
<tr><td>当該抗弁が認容されて請求棄却判決を得た被告が他の理由による勝訴判決を求めて上訴すること</td><td>できない</td><td>できる</td></tr>
</table>

（注）　確定判決の遮断効につき、最判昭40.4.2。

MEMO

9c−4(13−4)　判決の効力

Ａが、Ｂとの間の自動車の売買契約（以下「本件売買契約」という。）に基づき、Ｂに対し、代金300万円の支払を求める訴え（以下「前訴」という。）を提起したところ、Ａ勝訴の判決が確定したが、その後に、Ｂは、Ａに対し、300万円の代金債務の不存在確認を求める訴え（以下「後訴」という。）を提起した。

次の(ア)から(オ)までの記述は、いずれも後訴におけるＢの主張である。これらの主張のうち、判例の趣旨に照らして前訴の判決の既判力に抵触しないものの組合せは、後記(1)から(5)までのうちどれか。（改）

(ア)「本件売買契約に基づく300万円の代金債務は、前訴の口頭弁論の終結後に弁済した。」旨の主張

(イ)「本件売買契約は、その目的物である自動車が買い受けたいと思っていたものとは違っており、錯誤に基づき締結したものであるから、これを取り消す。」旨の主張

(ウ)「本件売買契約は、Ａの強迫に基づき締結したものであるから、これを取り消す。」旨の主張

(エ)「本件売買契約に基づく300万円の代金債務については、前訴の口頭弁論の終結前に消滅時効が完成していたから、この消滅時効を援用する。」旨の主張

(オ)「本件売買契約の締結前に発生したＢのＡに対する貸金債権300万円をもって、本件売買契約に基づく300万円の代金債務と相殺する。」旨の主張

(1)　(ア)(ウ)　　(2)　(ア)(オ)　　(3)　(イ)(エ)　　(4)　(イ)(オ)　　(5)　(ウ)(エ)

学習記録	／	／	／	／	／	／	／	／	／

重要度　A	知識型	要 *Check!*		正解　(2)

(ア)　抵触しない　　終局判決は事実審の口頭弁論終結時までに提出された訴訟資料に基づいてされるから、既判力は事実審の口頭弁論終結時を基準として生ずる（この時点を標準時又は基準時という。本問では便宜標準時とする。）。したがって、前訴の口頭弁論の終結後に弁済した旨の主張は、標準時後の事由であるから、既判力に抵触しない。

(イ)　抵触する　　前訴で主張しなかった形成権を口頭弁論終結後に行使して前訴で確定された権利関係の変更・消滅を主張することができるか否かについては、その形成権が前訴の訴訟物に内在・付着する瑕疵であるか否かによって区別される。そして、取消権は、前訴の訴訟物の権利発生の障害事実であって当該請求権自体に内在・付着する瑕疵である。したがって、売買代金の支払を命ずる判決が確定した後に、当該売買契約が錯誤（民95Ⅰ）に基づき締結されたものであることを理由に取り消す旨の主張は、既判力に抵触する。

(ウ)　抵触する　　取消権は、前訴の訴訟物の権利発生の障害事実であって当該請求権自体に内在・付着する瑕疵であるから、取消権行使の効果を主張することは既判力により遮断される（(イ)解説参照）。したがって、売買代金の支払を命じる判決が確定した後に、当該売買契約が強迫によってされたものであるから取り消す旨の主張は、既判力に抵触する（詐害取消しにつき、最判昭55.10.23）。

(エ)　抵触する　　既判力は標準時における法律関係を確定するから、当事者は、標準時までに発生した事由に基づく主張を遮断され、以後標準時前の事由を主張して確定された権利関係の存否を争うことはできない（民執35Ⅱ参照）。したがって、前訴の口頭弁論終結前に消滅時効が完成していたとして、消滅時効を援用する旨の主張は、標準時前の事由に基づく主張であるから、既判力に抵触する。

(オ)　抵触しない　　相殺権は形成権であるが、前訴の訴訟物である請求権とは別個の債権をもって対当額で消滅させるものであるから、前訴の訴訟物に内在・付着する瑕疵に係る権利とはいえない（(イ)解説参照）。したがって、売買代金の支払を命じる判決が確定した後に、当該売買契約の締結前に発生していた貸金債権をもって相殺する旨の主張は、既判力に抵触しない（最判昭40.4.2）。

以上から、前訴の判決の既判力に抵触しないものは(ア)(オ)であり、正解は(2)となる。

9c－5(16－4)　判決の効力

次の対話は、原告Ａと被告Ｂとの間の貸金返還請求訴訟（以下「本件訴訟」という。）の既判力に関する教授と学生との間の対話である。教授の質問に対する次の(ア)から(オ)までの学生の解答のうち、正しいものの組合せは、後記(1)から(5)までのうちどれか。

教授：　本件訴訟において、請求認容の判決が確定した場合において、ＡがＢに対し、再度同一内容の請求をしたときは、裁判所は、どのような判決をすべきでしょうか。

学生：(ア)　裁判所は、事実審の口頭弁論終結後の事由の有無を判断し、それがなければ、前訴判決の既判力により請求認容の判決をすべきです。

教授：　次に、本件訴訟において、請求認容の判決が確定した場合において、ＢがＡに対し、当該債務の不存在確認請求をしたときは、どうでしょうか。

学生：(イ)　前訴と訴訟物が異なるので、前訴判決の既判力により、後訴が排斥されることはありません。

教授：　それでは、本件訴訟において、請求認容の判決が確定した後に、Ｂが請求異議訴訟を提起して、当該債務について弁済したということを主張することができるでしょうか。

学生：(ウ)　事実審の口頭弁論終結前に弁済したことは、前訴判決の既判力により、主張することはできません。

教授：　本件訴訟において、Ｂの主張した弁済の抗弁が認められて請求棄却の判決が確定した場合において、Ｂが、後訴において、当該貸金債権は不成立であったので弁済した金員は不当利得になると主張して、不当利得返還請求をしたときは、どうでしょうか。

学生：(エ)　Ｂの不当利得返還請求は、前訴判決の既判力により、排斥されることはありません。

教授：　それでは、本件訴訟において、Ｂの主張した相殺の抗弁が反対債権（自働債権）の不存在を理由として排斥され、請求認容の判決が確定した場合において、Ｂが、後訴において、当該反対債権について請求をしたときは、どうでしょうか。

学生：(オ)　請求認容の判決の場合には、Ｂの主張した相殺についての判断には既判力は生じないので、裁判所は、後訴において、反対債権の存否について改めて判断することになります。

(1)　(ア)(ウ)　　(2)　(ア)(オ)　　(3)　(イ)(エ)　　(4)　(イ)(オ)　　(5)　(ウ)(エ)

学習記録	／	／	／	／	／	／	／	／	／

重要度 A | **知識型** | **要 *Check!*** | **正解 (5)**

(ア) 誤　貸金返還請求の認容判決が確定した場合において、勝訴した同一人が再度同一内容の請求をしたときは、既に同一内容の勝訴判決を得ているから、訴えの利益を欠くことになり、後訴の訴えは却下される。ただし、時効の更新のため他に方法がない場合（大判昭6.11.24）など訴えの利益が認められるときは、事実審の口頭弁論終結時（前訴基準時又は標準時という。）より後に生じた事由の有無を判断する。そして、既判力の及ばない主張がなければ既判力ある前訴判決内容を前提として請求認容判決をし、既判力の及ばない主張があるときは、審理結果と前訴判決内容を付き合わせて認容又は棄却の本案判決をする。

(イ) 誤　貸金返還請求の認容判決が確定した場合において、敗訴した被告が当該債務の不存在確認請求をしたときは、当事者の同一性及び訴訟物の内容である権利関係の同一性が認められ、同一の事件といえ既判力を生ずる。そのため、前訴基準時前の事由についての主張は排斥され、前訴基準時後の事由に基づく新主張がなければ既判力ある判断を前提に請求棄却判決をし（ただし、訴え却下判決をすべきとする見解もある。）、新主張があれば、その当否を審理して後訴請求について認容又は棄却の本案判決をする。

(ウ) 正　終局判決は事実審の口頭弁論終結時までに提出された訴訟資料に基づいてされるから、既判力は事実審の口頭弁論終結時（標準時又は基準時）を基準として生ずる。したがって、事実審の口頭弁論終結前に弁済したことは、前訴判決の既判力により、主張することはできない。

(エ) 正　既判力は「判決主文に包含する判断」に限り生じ（114 I）、判決理由中の判断については、原則として既判力は生じないため、主文判断の前提事項である事実認定が他の訴訟で争いになったとしても、それと異なる判断をすることは可能である。したがって、被告が、後訴において、当該貸金債権は不成立であるとして弁済金の不当利得返還請求をしたときでも、後訴は、前訴判決の既判力により、排斥されることはない。

(オ) 誤　既判力は、確定判決主文で示された判断事項にのみ生ずるのを原則とする（114 I）。しかし、例外的に、相殺のために主張した請求の成立又は不成立の判断は、相殺をもって対抗した額について既判力を有する（114 II）。したがって、判決理由中で反対債権が存在しないと判断された場合には、その不存在につき既判力が生じているから、前訴被告は、後に反対債権について裁判所に対して請求をすることはできない。

以上から、正しいものは(ウ)(エ)であり、正解は(5)となる。

9c−6(19−4)　判決の効力

次の対話は、ＸがＹに対して売買代金の支払を求める訴えを提起し、請求認容判決が確定したという事例に関する教授と学生との対話である。教授の質問に対する次の(ア)から(オ)までの学生の解答のうち、誤っているものの組合せは、後記(1)から(5)までのうちどれか。

教授：　Ｙは、判決確定後に、当該売買契約はＸの詐欺に基づくものであったとして、これを取り消すとの意思表示をしました。この場合、後の訴訟において、Ｙは、この取消しを理由として代金支払義務はないと主張することができますか。

学生：(ア)　判例によれば、そのような主張は、既判力に反するものではなく、許されます。

教授：　それでは、Ｙが、この訴訟における事実審の口頭弁論終結時の前に当該代金債権と相殺適状にあった貸金債権をもって相殺するとの意思表示を、判決確定後にしたとします。この場合、後の訴訟において、Ｙは、相殺を理由として代金支払義務はないと主張することはできますか。

学生：(イ)　判例によれば、そのような主張は、既判力に反するものではなく、許されます。

教授：　仮に、そのような主張が許されるという見解をとる場合、その根拠としては、どのようなことが考えられますか。

学生：(ウ)　例えば、Ｙがそもそも売買契約が無効だと主張しているような場合、Ｙに相殺の抗弁を提出することを強いるのは酷であるということが挙げられます。

学生：(エ)　相殺の場合は、売買代金債権に付着する瑕疵があったということはできないということが挙げられます。

学生：(オ)　勝訴判決によって得られた、強制執行をして現金を取得し得る地位を保護する必要があるということが挙げられます。

(1)　(ア)(イ)　　(2)　(ア)(オ)　　(3)　(イ)(ウ)　　(4)　(ウ)(エ)　　(5)　(エ)(オ)

学習記録	／	／	／	／	／	／	／	／	／

訴訟の終了

重要度 A | **知識型** | **要 *Check!*** | **正解 (2)**

(ア) 誤　前訴判決の標準時（事実審の口頭弁論終結の時点）前に、詐欺による取消権を行使することができたにもかかわらず、これを行使しないで判決が確定した場合、後の訴訟において、当該詐欺による取消しを主張して争うことはできない（最判昭55.10.23）。当該詐欺による取消しの主張は、既判力によって遮断されてしまうからである。

(イ) 正　標準時後の相殺の意思表示に基づく債務消滅の主張は、既判力によって遮断されず、標準時前に相殺適状にあったとしても、標準時後に相殺の意思表示をして、後の訴訟において、債務の消滅を主張することができる（最判昭40.4.2・遮断効否定説）。なぜなら、相殺は、弁済の一種であって自己の反対債権を犠牲に供するものであり、債権をいつ行使するかは債権者に委ねられてよいからである。

(ウ) 正　被告がそもそも売買契約が無効だと主張しているような場合、敗訴を前提とする相殺の抗弁を提出することを強いるのは酷であるため、標準時後に相殺の意思表示をして債務の消滅を主張することは許されると解すべきである。したがって、本肢は、相殺による債務消滅の主張は許されるとする見解（遮断効否定説）の根拠となる。

(エ) 正　相殺権は形成権であるが、前訴の訴訟物である売買代金債権とは別個の債権をもって対等額で消滅させるものであるから、前訴の訴訟物に内在・付着する瑕疵に係る権利とはいえず、標準時後に相殺の意思表示をして債務の消滅を主張することは許されると解すべきである。したがって、本肢は、相殺による債務消滅の主張は許されるとする見解（遮断効否定説）の根拠となる。

(オ) 誤　判例（最判昭40.4.2・遮断効否定説）の見解に対して、反対説は、原告は強制執行をすることができる地位を与えられ、現金獲得の地位が与えられたのであるから、これを保護する必要があり、標準時後に相殺の意思表示をして債務の消滅を主張することは許されないとする。したがって、本肢は、相殺による債務消滅の主張は許されないとする見解（遮断効肯定説）の根拠であり、相殺による債務消滅の主張は許されるとする見解（遮断効否定説）の根拠とならない。

以上から、誤っているものは(ア)(オ)であり、正解は(2)となる。

9c－7(21－4)　判決の効力

次の対話は、ＸがＹに対して甲土地の所有権の確認を求める訴えを提起し、その請求を認容する判決が確定した事例に関する教授と学生との対話である。教授の質問に対する次の(ア)から(オ)までの学生の解答のうち、正しいものの組合せは、後記(1)から(5)までのうちどれか。

教授：　Ｙが、Ｘに対し、甲土地の所有権の確認を求める訴えを新たに提起し、その訴訟において、Ｘから甲土地の贈与を受けたと主張しているとします。もし、後訴においてＹがこのような主張をすることを許すと、前訴の確定判決の既判力に反することになりませんか。

学生：(ア)　Ｙが主張する贈与の時期が、前訴の口頭弁論終結後である場合には、そのような主張を許しても既判力に反することにはなりません。

教授：　では、Ｙから甲土地を譲り受けたＡが、Ｘに対し、甲土地の所有権の確認を求める訴えを新たに提起したとします。Ａが主張するＹからＡへの甲土地の譲渡の時期がＸＹ間の前訴の口頭弁論終結後であり、Ａが前訴の判決の結果を争った場合、ＸＹ間の前訴の確定判決の効力は、Ａに及びますか。

学生：(イ)　その場合には、その確定判決の効力は、Ａに及びません。

教授：　ＸＹ間の前訴の確定判決の効力がＸＹ以外の者に及ぶかどうかが問題となる場合として、この場合のほかにどのような場合が考えられますか。

学生：(ウ)　Ｙが選定当事者として前訴を追行していた場合が問題となります。この場合には、Ｂがその選定者の一人であるときは、Ｂに対して前訴の確定判決の効力が及びます。

学生：(エ)　Ｙが、前訴の判決後、Ｃとの間において、甲土地についての賃貸借契約を締結し、これに基づいて甲土地をＣに引き渡した場合、Ｃに対して確定判決の効力が及びます。

教授：　訴訟の当事者が既判力を援用していない場合、裁判所が職権で既判力を考慮することは可能ですか。

学生：(オ)　当事者が援用していない既判力を職権で考慮することは、弁論主義に反して許されません。

(1)　(ア)(ウ)　　(2)　(ア)(オ)　　(3)　(イ)(ウ)　　(4)　(イ)(エ)　　(5)　(エ)(オ)

学習記録	／	／	／	／	／	／	／	／	／

重要度 A 知識型 **要 *Check!*** **正解 (1)**

(ア) 正　終局判決は、事実審の口頭弁論終結時までに提出された訴訟資料に基づいてされるから、既判力は事実審の口頭弁論終結時を基準として生ずる(この点を基準時という。)。したがって、前訴の口頭弁論の終結後に贈与した旨の主張は、基準時後の事由であるから既判力に反しない。

(イ) 誤　口頭弁論終結後の承継人に対しては、法的安定要求との関係で、前主の訴訟結果について、既判力の拡張が認められる（115 I ③)。YからAへの甲土地の譲渡時期は、XY間の前訴の口頭弁論終結後であるため、Aは口頭弁論終結後の承継人に当たる。したがって、AにXY間の前訴の確定判決の効力は及ぶ。

(ウ) 正　当事者が選定当事者を選定し、訴訟追行に参加しなかった場合であっても、選定者には当該訴訟の既判力が及ぶ（115 I ②)。

(エ) 誤　賃借人は所有者から独立した利益を有するので、115条1項4号の「判決効の及ぶ者のために請求の目的物を所持する者」には当たらない。したがって、賃借人であるCに対して確定判決の効力は及ばない。

(オ) 誤　既判力は、矛盾・抵触する判決がされるのを防ぐという目的の下に、後訴裁判所の判断への拘束力として高度の公益的な性格をもつため、当事者が既判力を援用しない場合であっても、裁判所は職権で、その存在を考慮することができる。なお、裁判所が誤って既判力に抵触する判断をした場合には、後訴判決は当然に無効ではないが、上訴及び再審によって取り消し得る（306・312 III・318 I・338 I ⑩)。

以上から、正しいものは(ア)(ウ)であり、正解は(1)となる。

9c－8(25－5)　判決の効力

確定判決に関する次の(ア)から(オ)までの記述のうち、判例の趣旨に照らし正しいものの組合せは、後記(1)から(5)までのうち、どれか。(改)

(ア)　金銭の支払請求を認容する判決が確定した場合でも、その金銭支払請求権について他に時効の更新の方法がないときは、再度、その金銭支払請求権の履行を求める訴えを提起することができる。

(イ)　口頭弁論終結前に生じた損害につき定期金による賠償を命ずる判決が確定した場合においては、口頭弁論終結後に損害額の算定の基礎となった事情に著しい変更が生じたときであっても、当該判決の変更を求める訴えを提起することができない。

(ウ)　所有権に基づく抹消登記手続請求を認容した確定判決は、その理由中で原告の所有権の存在を認定していても、所有権の存否について既判力を有しない。

(エ)　当事者が前訴の既判力を援用しなかった結果、後訴の裁判所が誤って既判力に抵触する判断をした場合には、当該判決は、無効となる。

(オ)　土地の所有権確認の訴えを提起して敗訴した者が、再度、同じ土地の所有権確認の訴えを提起した場合には、前訴の口頭弁論終結後の事情を主張しているときであっても、前訴判決の既判力により、後訴は不適法な訴えとして却下される。

(1)　(ア)(ウ)　　(2)　(ア)(エ)　　(3)　(イ)(オ)　　(4)　(イ)(ウ)　　(5)　(エ)(オ)

学習記録	／	／	／	／	／	／	／	／	／

重要度 A | **知識型** | **要 *Check!*** | **正解 (1)**

(ア) 正　前訴で勝訴判決を受けた者が同一請求を繰り返す場合、既に同一内容の勝訴判決を得ているから、訴えの利益を欠き、訴え却下となるのが原則である。しかし、時効の更新のために他に方法がない場合など、必要があるときは、例外的に訴えの利益が認められる（大判昭6.11.24）。したがって、金銭の支払請求を認容する判決が確定した場合でも、その支払請求権について他に時効の更新の方法がないときは、再度、その金銭支払請求権の履行を求める訴えを提起することができる。

(イ) 誤　口頭弁論終結前に生じた損害につき定期金による賠償を命じた確定判決について、口頭弁論終結後に、損害額の算定の基礎となった事情に著しい変更が生じた場合には、その判決の変更を求める訴えを提起することができる（117 I）。

(ウ) 正　確定判決は、主文に包含するものに限り、既判力を有する（114 I）。そのため、判決理由中の判断に関しては、既判力を有しない。したがって、理由中で原告の所有権の存在を認定していても、所有権の存否について既判力を有しない。

(エ) 誤　既判力と抵触する判決は当然に無効ではなく、判決が確定する前であれば当事者は上訴で争うことができる（306）。また、判決が確定した場合であっても再審の訴えで取消しを求めることができる（338 I ⑩・342Ⅲ）。

(オ) 誤　前訴で敗訴判決を受けた者が同一人物を被告として同一の訴訟物につき後訴を提起したときは、当該訴訟物の存否の判断に既判力が生ずるため、まず前訴口頭弁論終結前の事由についての主張を排斥し、次いで基準時後の事由に基づく新主張があるかどうかを調べ、これがなければそのまま既判力ある判断を前提に請求棄却の判決をする（ただし、訴え却下判決をすべきとする見解もある。）。また、新主張があれば、その当否を審理して認容判決又は棄却判決をする。

以上から、正しいものは(ア)(ウ)であり、正解は(1)となる。

9c－9(26－4)　判決の効力

確定判決の効力に関する次の(ア)から(オ)までの記述のうち、判例の趣旨に照らし誤っているものの組合せは後記(1)から(5)までのうち、どれか。

(ア)　裁判所がある訴訟要件を欠くことを理由に訴えを却下する判決を言い渡し、その判決が確定した場合には、その後当該訴訟要件が具備されたときであっても、同一の訴えを提起することはできない。

(イ)　当事者の一方が、相手方の権利を害する意図の下に、相手方が訴訟手続に関与することを妨げるなどの不正な行為を行い、その結果本来であればあり得べきではない内容の確定判決を取得して執行し、損害を与えた場合には、相手方は、再審の訴えを提起することができるときであっても、別訴で不法行為に基づき当該損害の賠償を請求することができる。

(ウ)　売買契約による所有権の移転を請求原因とする所有権確認訴訟において、売主である被告が詐欺による取消権を行使することができたのにこれを行使しないまま口頭弁論が終結し、請求認容の判決が確定した場合には、売主がその後の同一当事者間での訴訟において当該取消権を行使して所有権の存否を争うことは許されない。

(エ)　一個の債権の数量的な一部についてのみ判決を求める旨を明示して訴えが提起された場合には、当該一部の請求についての確定判決の既判力は、残部の請求にも及ぶ。

(オ)　口頭弁論終結後の承継人として確定判決の効力を受ける者は、再審の訴えの原告適格を有する。

(1)　(ア)(ウ)　　(2)　(ア)(エ)　　(3)　(イ)(エ)　　(4)　(イ)(オ)　　(5)　(ウ)(オ)

学習記録	／	／	／	／	／	／	／	／	／

重要度 A	知識型	要 *Check!*		正解 (2)

㋐ 誤　訴訟要件の存否をめぐる争いを封じる必要から、訴訟判決にも既判力が生ずると解されている。この点、この既判力によって確定されるのは、基準時における個々の訴訟要件の不存在であるから（最判平22.7.16参照）、基準時後に新たに発生した事実を主張することは、前訴判決の既判力に矛盾するものではなく、遮断されない。そのため、訴えを却下する判決が言い渡され、その判決が確定した場合であっても、基準時後に却下の理由となった訴訟要件が具備されたことを主張立証することにより、再度同一の訴えを提起することができる。

㋑ 正　判決の成立過程において、訴訟当事者が、相手方の権利を害する意図の下に、作為又は不作為によって相手方が訴訟手続に関与することを妨げ、あるいは虚偽の事実を主張して裁判所を欺罔する等の不正な行為を行い、その結果不当な内容の確定判決を取得し、かつ、これを執行した場合においては、その判決が確定したからといって、そのような当事者の不正が直ちに問責し得なくなるいわれはなく、これによって損害を被った相手方は、仮にそれが確定判決に対する再審事由を構成し、別に再審の訴えを提起し得る場合であっても、なお独立の訴えによって、不法行為による損害の賠償を請求することを妨げられないものと解すべきである（最判昭44.7.8）。

㋒ 正　売買契約による所有権の移転を請求原因とする所有権確認訴訟が係属した場合に、当事者が売買契約の詐欺による取消権を行使することができたのにこれを行使しないで事実審の口頭弁論が終結され、売買契約による所有権の移転を求める請求認容の判決があり同判決が確定したときは、もはやその後の訴訟において当該取消権を行使して売買契約により移転した所有権の存否を争うことは許されない（最判昭55.10.23）。

㋓ 誤　一個の債権の数量的な一部についてのみ判決を求める旨を明示して訴えが提起された場合には、訴訟物となるのはその債権の一部の存否のみであって、全部の存否ではないため、一部請求についての確定判決の既判力は残部の請求には及ばない（最判昭37.8.10）。

㋔ 正　再審の訴えは、判決が確定した後にその判決の効力を是認することができない欠缺がある場合に、具体的正義のため法的安定性を犠牲にしても、取消しを許容しようとする非常手段であり、判決の既判力を受ける者に対し、その不利益を免れさせるために訴えの提起を許すものであるから、115条１項３号に規定する承継人は一般承継人たると特定承継人たるとを問わず、再審の訴えの原告適格を有する（最判昭46.6.3）。

以上から、誤っているものは㋐㋓であり、正解は(2)となる。

9c－10(29－4)　判決の効力

確定判決の効力に関する次の(ア)から(オ)までの記述のうち、判例の趣旨に照らし正しいものの組合せは、後記(1)から(5)までのうち、どれか。

(ア)　ＡがＢに対して甲土地上の乙建物の所有権確認訴訟を提起し、Ａが勝訴してその判決が確定した後に、ＢがＡに対して甲土地の所有権に基づき、乙建物を収去して甲土地を明け渡すことを求める訴えを提起した。この場合において、Ａは、その建物収去土地明渡請求訴訟において、Ｂに対し、その建物所有権確認訴訟の事実審口頭弁論終結の時より前に乙建物を第三者に譲渡していた事実を主張して、自分が乙建物の所有者ではないと主張することは許される。

(イ)　ＡのＢに対する売買代金支払請求訴訟において、ＢがＡに対する貸金債権をもって相殺する旨の抗弁を主張したところ、自働債権である貸金債権が不存在であると判断して請求を認容する判決が確定した。その後、ＢがＡに対して同一の貸金債権について訴えを提起し、その存在を主張することは、その確定判決の既判力によって妨げられるものではない。

(ウ)　保証人Ａが債権者Ｂからの保証債務の履行請求訴訟においてＡ敗訴の判決を受け、その確定後に、Ｂからの主債務者Ｃに対する主債務の履行請求訴訟におけるＣ勝訴の判決が確定した。この場合において、そのＣ勝訴の確定判決がＡ敗訴の確定判決の基礎となった事実審口頭弁論終結の時までに生じた事実を理由としているものであっても、Ａは、そのＣ勝訴の確定判決があることをＡ敗訴の確定判決に対する請求異議の事由にすることができる。

(エ)　Ａは、Ｂに対し、一個の金銭債権の数量的な一部請求であることを明示して、その金銭の支払を求める訴えを提起したが、その請求を棄却する判決が確定した。この場合において、ＡがＢに対し、その訴えに係る金銭債権と同一の金銭債権に基づいて残部の金銭の支払を求める訴えを提起することは、特段の事情がない限り、信義則に反して許されない。

(オ)　ＡのＢに対する土地の賃料支払請求訴訟において、Ａの請求を棄却する判決が確定した。この場合において、その確定判決がその理由中でその土地の賃貸借契約の存否について判断していたとしても、その確定判決の既判力は、その賃貸借契約の存否の判断について生じない。

(1)　(ア)(ウ)　　(2)　(ア)(エ)　　(3)　(イ)(ウ)　　(4)　(イ)(オ)　　(5)　(エ)(オ)

学習記録	／	／	／	／	／	／	／	／	／

重要度 A | **知識型** | **要 *Check!*** | **正解 (5)**

(ア) 誤　　既判力（114Ⅰ）は、通常は前訴判決の勝訴当事者に有利に働くが、不利に働くこともある（既判力の双面性）。例えば、建物について前訴原告の所有権を確認する判決が確定した後に、今度は被告となった前訴原告は、前訴の口頭弁論終結時前の事由に基づいて、自己が建物所有者であることを否認することはできない。本肢は、前訴原告Aの所有権を確認する判決が確定した後に、後訴において、前訴の口頭弁論終結時前の事由に基づき、前訴原告が所有者であることを否認しているが、既判力の双面性が働くため、Aは、自己が乙建物の所有者であることを否認することはできない。

(イ) 誤　　確定判決は、主文に包含するものに限り、既判力を有し（114Ⅰ）、判決理由中の判断そのものには、原則として既判力が認められない。しかし、判決理由中の判断であっても、相殺のために主張した請求の成立又は不成立の判断には、相殺をもって対抗した額について既判力を生ずる（114Ⅱ）。したがって、本肢においては、Bが相殺のために主張した貸金債権の不存在について、既判力が生じているため、これと異なる主張は認められない。

(ウ) 誤　　既判力は、対立する当事者間にだけ作用するのが原則であり（115Ⅰ①）、当事者以外の者に既判力を及ぼす場合は限定されている（115Ⅰ②以下）。この点、判例は、保証人敗訴の判決確定後に、主債務者勝訴の判決が確定した場合、主債務者勝訴の判決が前訴判決の基準時までに生じた事由に基づきなされたときは、保証人は主債務者勝訴の判決を請求異議事由として争うことはできないとする（最判昭51.10.21）。

(エ) 正　　原告が、数量的に可分な債権の一部について判決を求める旨を明示している場合、訴訟物は明示された一部のみであり、当該確定判決の既判力は、残部には及ばない（最判昭37.8.10）。しかし、このような明示的一部請求であっても、前訴で請求の全部又は一部が棄却された原告が、残部請求の訴えを提起することは、特段の事情がない限り、信義則に反し許されない（最判平10.6.12）。

(オ) 正　　確定判決は、主文に包含するものに限り、既判力を有する（114Ⅰ）。そのため、判決理由中の判断そのものには、原則として既判力が認められない。したがって、既判力が生ずるのは、主文に包含されるAの賃料支払請求権についてであり、判決理由中の判断である賃貸借契約の存否については、既判力を生じない。

以上から、正しいものは(エ)(オ)であり、正解は(5)となる。

9c－11(R2－5)　判決の効力

既判力に関する次の(ア)から(オ)までの記述のうち、判例の趣旨に照らし正しいものの組合せは、後記(1)から(5)までのうち、どれか。

(ア)　ＡのＢに対する150万円の貸金返還請求訴訟において、ＢがＡに対する200万円の売買代金債権をもって相殺する旨の抗弁を主張したところ、当該売買代金債権の存在が認められず、Ａの請求を認容する判決が確定した場合には、当該確定判決は、当該200万円の売買代金債権の不存在について既判力を有する。

(イ)　所有権に基づく所有権移転登記抹消登記手続請求を認容した確定判決は、当該所有権の存在について既判力を有する。

(ウ)　ＡのＢに対する150万円の貸金債権の一部請求である旨が明示された100万円の貸金返還請求訴訟において、その請求を認容する判決が確定した場合には、当該確定判決は、当該100万円の貸金債権の存在についてのみ既判力を有する。

(エ)　訴えを却下した確定判決がその理由において訴えの利益を欠くものと判断している場合には、当該確定判決は、当該訴えに係るその他の訴訟要件の不存在についても既判力を有する。

(オ)　ＡのＢに対する150万円の貸金債務の不存在確認訴訟において、当該150万円の貸金債務のうち50万円を超える債務の不存在を確認し、その余の請求を棄却する判決が確定した場合には、当該確定判決は、当該150万円の貸金債務のうち50万円の債務の存在と100万円の債務の不存在について既判力を有する。

(1)　(ア)(ウ)　　(2)　(ア)(エ)　　(3)　(イ)(エ)　　(4)　(イ)(オ)　　(5)　(ウ)(オ)

学習記録	／	／	／	／	／	／	／	／	／

重要度　A　**知識型**　**要 *Check!***　　**正解　(5)**

(ア)　誤　　相殺の抗弁に対する判断につき生ずる既判力は、訴求債権と対当額の部分に限られる（114Ⅱ、大判昭10.8.24）。本肢のように、150万円の請求に対して200万円の債権による相殺の抗弁が提出され、債権不存在として相殺の抗弁が排斥された場合には、相殺によって対抗した150万円の限度で不存在の判断に既判力が生じ、50万円の部分には既判力が生じない。

(イ)　誤　　確定判決は、主文に包含するものに限り、既判力を有する（114Ⅰ）。そして、「主文に包含するもの」とは、訴訟物である権利関係についての判断である。この点、登記請求訴訟に関しても、登記請求権のみが訴訟物であり、その存否の判断のみが既判力を有するとの見解に立ち、所有権移転登記の抹消登記請求を認容する判決は、理由中で所有権の存在を認めていても、それについては既判力を有しない（最判昭30.12.1）。

(ウ)　正　　１個の債権の数量的な一部について判決を求める旨が明示された給付訴訟においては、既判力は明示された部分にのみ及び、残部には及ばない（最判昭37.8.10）。すなわち、１個の債権の数量的な一部について判決を求める旨が明示された給付訴訟においては、訴訟物となるのは当該債権の一部の存否のみであって、全部の存否ではないため、本肢においては、100万円の貸金債権の存在についてのみ既判力を有する。

(エ)　誤　　訴訟判決であっても、既判力を有する（最判平22.7.16）。ただし、訴訟判決の既判力は、訴え却下の事由ごと、すなわち個々の訴訟要件ごとに生じ、訴訟要件不存在一般に生ずるのではない。したがって、本肢の確定判決は、その訴えに係るその他の訴訟要件の不存在については既判力を有しない。

(オ)　正　　確定判決は、主文に包含するものに限り、既判力を有する（114Ⅰ）。そして、本肢における確定判決の判決主文には、150万円の貸金債務のうち50万円を超える債務の不存在を確認し、その余の請求を棄却する旨が示されることとなる。したがって、本肢における確定判決は、150万円の貸金債務のうち50万円の債務の存在と100万円の債務の不存在について既判力を有する。

以上から、正しいものは(ウ)(オ)であり、正解は(5)となる。

9e－1(14－4)　決定・命令

次の(ア)から(オ)までの記述のうち、判決と決定のいずれにも該当するものは幾つあるか。

(ア)　仮執行の宣言を付することができない。

(イ)　言渡しによらなければ、効力を生じない。

(ウ)　計算違い、誤記その他これらに類する明白な誤りがあるときは、自らした裁判を更正することができる。

(エ)　上訴に理由があると認めるときは、自らした原裁判を更正しなければならない。

(オ)　最高裁判所に上訴をすることができる場合がある。

(1)　１個　　(2)　２個　　(3)　３個　　(4)　４個　　(5)　５個

学習記録	／	／	／	／	／	／	／	／	／

重要度 C	知識型		正解 (2)

(ア) 決定にのみ該当する　仮執行宣言とは、確定前の終局判決に対し、確定判決と同一内容の執行力を付与する形成的裁判をいう。財産権上の請求に関する判決について、必要があると認めるときは、裁判所は、申立てにより又は職権で、仮執行の宣言をすることができ（259Ⅰ）、また、手形・小切手判決、少額訴訟の認容判決では、職権で必ず仮執行の宣言をしなければならない（259Ⅱ・376）ことから、判決に対しては、仮執行の宣言を付することができる場合がある。一方、決定は訴訟指揮上の措置や付随的事項を簡易迅速に解決するために用いられる裁判所の裁判であるため、その性質上、決定には、仮執行の宣言を付することはできない。

(イ) 判決にのみ該当する　判決は、言渡しによらなければ、効力を生じない（250）。一方、決定は、相当と認める方法で告知することによって、その効力を生ずる（119）。

(ウ) 判決と決定のいずれにも該当する　判決に計算違い、誤記その他これらに類する明白な誤りがあるときは、裁判所は、自らした裁判を更正することができる（257Ⅰ）。また、決定についても更正することができる（122・257Ⅰ）。

(エ) 決定にのみ該当する　判決についての上訴である控訴又は上告がされた場合、原裁判所は、控訴状又は上告状を調査し、上訴の形式的事項の適否を判断（287Ⅰ・313・288・314Ⅱ・289Ⅱ・316Ⅰ・318Ⅴ）するのみであり、上訴に理由があると認めるときでも、自らした原裁判を更正することはできない。一方、決定についての上訴である抗告がされた場合、原裁判所は、抗告に理由があると認めるときは、自らした原裁判を更正しなければならない（333・再度の考案）。

(オ) 判決と決定のいずれにも該当する　判決については、高等裁判所が第二審又は第一審としてした終局判決に対しては、最高裁判所に上告することができる（311Ⅰ）ほか、地方裁判所が第一審としてした終局判決に対しても、最高裁判所に飛躍上告をすることができる（311Ⅱ）。また、決定についても、地方裁判所及び簡易裁判所の決定で不服を申し立てることができないもの並びに高等裁判所の決定に対しては、その裁判に憲法の解釈の誤りがあることその他憲法の違反があることを理由として、最高裁判所に特別抗告をすることができる（336Ⅰ）ほか、高等裁判所の決定に対しては、その高等裁判所が許可をしたときは、許可抗告をすることができる（337Ⅰ）。

以上から、いずれにも該当するものは(ウ)(オ)の２個であり、正解は(2)となる。

9f−1(19−1)　その他

訴えの却下に関する次の(ア)から(オ)までの記述のうち、判例の趣旨に照らし正しいものの組合せは、後記(1)から(5)までのうちどれか。

(ア)　X及びYは、通謀してX所有の不動産につき仮装の売買契約を締結し、XからYへの所有権の移転の登記をした。その後、Yは、善意のZに当該不動産を売却し、YからZへの所有権の移転の登記をした。この場合、XがYに対して提起した所有権の移転の登記の抹消手続を求める訴えは、却下される。

(イ)　Xは、Yとの間で、Yに対して有する特定の貸金債権について訴えを提起しない旨の合意をした。この場合、XがYに対して当該貸金債権に係る貸金の返還を求める訴えを提起しても、Yが当該合意の存在を主張したときは、Xの訴えは、却下される。

(ウ)　Xは、Yに対して有する貸金債権について執行証書を有している。この場合、XがYに対して提起した当該貸金債権に係る貸金の返還を求める訴えは、却下される。

(エ)　亡Aの相続人は、X及びYのみである。この場合、XがYに対して提起した、特定の財産が亡Aの遺産であることの確認を求める訴えは、却下される。

(オ)　亡Aの相続人は、X及びYのみである。この場合、XがYに対して提起した、亡Aの相続に関し特定の財産がYの特別受益財産であることの確認を求める訴えは、却下される。

(1)　(ア)(ウ)　(2)　(ア)(オ)　(3)　(イ)(エ)　(4)　(イ)(オ)　(5)　(ウ)(エ)

学習記録	／	／	／	／	／	／	／	／	／

重要度　C	知識型		正解　(4)

(ア) 誤　　民法94条２項により第三者が保護され、最終登記名義人に敗訴するような場合であっても、通謀虚偽表示の当事者であるYに対する抹消登記請求は、訴えの利益を欠くものではなく、認容される（最判昭41.3.18参照）。登記の抹消登記手続を求める訴えは、抹消登記請求権が存在する以上、その強制的実行が不可能又は著しく困難であっても、それによって訴えの利益の有無が左右されるものではないからである。

(イ) 正　　当事者間で、特定の権利関係について不起訴の合意をすることも処分権主義（246）の下で認められるものと解され、合意に反して提起された場合には、被告がその合意の存在を主張・立証すれば、訴えの利益を欠くものとして、原告の訴えは却下される。

(ウ) 誤　　既に執行証書（民執22⑤）を有していても、執行証書には給付請求権の存在につき既判力がないため、別訴で争われる可能性がある以上、給付の訴えの利益が認められる（大判昭18.7.6）。したがって、執行証書を有しているときでも、訴えの利益が認められる場合は却下されない。なお、給付の訴えは、請求の既判力確定及び強制執行を正当化する債務名義を取得することを主な目的とするものであるが、債務名義がある場合であっても、判決原本の滅失や訴訟物である権利の消滅時効の更新のため他に方法がないとき（大判昭6.11.24）には、例外的に訴えを提起する利益が認められる。

(エ) 誤　　ある財産が被相続人の遺産に属するかにつき争いがあり、遺産分割手続が進展しないような場合において、特定の財産が遺産に含まれることの確認を求める訴えにつき、判例は訴えの利益を認めている（最判昭61.3.13）。単なる事実又は過去の法律関係や法律行為の確認を求める訴えは、原則として認められないが、過去の法律関係の確認であっても、問題となっている権利関係の基礎にある過去の基本的な法律関係を確定することが、現存する紛争の直接かつ抜本的な解決のために最も適切かつ必要と認められるときは確認の利益が認められるからである。

(オ) 正　　特定の財産につき特別受益財産であることを確認する訴えは、それに該当するからといって、相続分又は遺留分をめぐる紛争を直接かつ抜本的に解決することになるものではなく、また、特別受益財産に当たるか否かについてのみ、遺産分割審判事件や遺留分侵害額請求訴訟等の事件を離れて別個独立に判決をもって確認する必要もないため、当該確認の訴えは、訴えの利益を欠くものとして却下される（最判平7.3.7）。なお、この場合は、特定財産につき、所有権確認訴訟を提起するべきである。

以上から、正しいものは(イ)(オ)であり、正解は(4)となる。

9f−2(23−3)　その他

確認の訴えに関する次の(ア)から(オ)までの記述のうち、判例の趣旨に照らし誤っているものの組合せは、後記(1)から(5)までのうちどれか。(改)

(ア)　共同相続人間において定額郵便貯金債権が現に被相続人の遺産に属することの確認を求める訴えは、その遺産に属することに争いがある限り、確認の利益がある。

(イ)　戸籍上離縁の記載がある養子縁組の当事者の一方が提起した離縁無効確認の訴えは、被告において当該離縁が無効であることを争っていないときであっても、確認の利益がある。

(ウ)　賃貸借契約継続中に賃借人が賃貸人に対して敷金返還請求権が存在することの確認を求める訴えは、賃貸人が敷金交付の事実を争っているときであっても、条件付請求権の確認を求めるものであるから、確認の利益がない。

(エ)　特定の財産が民法第903条第１項のいわゆる特別受益財産に当たることの確認を求める訴えは、特別受益財産に当たるかどうかについて当事者間に争いがある限り、確認の利益がある。

(オ)　債務者が債権者に対して提起した債務不存在確認訴訟の係属中に、債権者からその債務の履行を求める反訴が提起されたときは、本訴である債務不存在確認の訴えは、確認の利益を欠くことになる。

(参考)
民法
(特別受益者の相続分)
第903条　共同相続人中に、被相続人から、遺贈を受け、又は婚姻若しくは養子縁組のため若しくは生計の資本として贈与を受けた者があるときは、被相続人が相続開始の時において有した財産の価額にその贈与の価額を加えたものを相続財産とみなし、第900条から第902条までの規定により算定した相続分の中からその遺贈又は贈与の価額を控除した残額をもってその者の相続分とする。
２、３、４　(略)

(1)　(ア)(イ)　(2)　(ア)(オ)　(3)　(イ)(エ)　(4)　(ウ)(エ)　(5)　(ウ)(オ)

学習記録	／	／	／	／	／	／	／	／	／

重要度　C	知識型	

正解　(4)

(ア) 正　確認の利益は、原告の権利又は法律的地位に不安が現存し、かつ、その不安を除去する方法として、当事者間でその訴訟物である権利関係の存否の確認判決をすることが必要かつ適切な場合に認められる。そして、定額郵便貯金債権が遺産に属することの確認を求める訴えについては、その帰属に争いがある限り、確認の利益があるとされる（最判平22.10.8）。なぜなら、当該定額郵便貯金債権の最終的な帰属は遺産分割の手続において決せられるべきこととなるが、遺産分割の前提問題として、同債権が遺産に属するか否かを民事訴訟の手続によって決する必要性も認められるからである。

(イ) 正　通常の確認訴訟は、被告が原告の法的地位を否定したり、これと抵触する法的地位を主張したりする場合などに認められる。しかし、戸籍上離縁の記載がある養子縁組の当事者の一方が提起した離縁無効確認の訴えにおいては、被告が当該離縁の無効を争っていない場合であっても確認の利益が認められる。なぜなら、原告には離縁無効を確認する確定判決を得て、戸籍の記載を訂正する利益があるからである（最判昭62.7.17）。

(ウ) 誤　敷金返還請求権は、条件付ではあっても現在の権利又は法律関係ということができ、確認対象としての適格が認められる。また、賃貸人が賃借人の敷金交付の事実を争って敷金返還義務を負わないと主張している場合、その存否を確認することで、賃借人の法律上の地位に現に生じている不安ないし危険は除去されるため、即時確定の利益も肯定され、確認の利益があるといえる（最判平11.1.21）。

(エ) 誤　特定の財産が特別受益財産に該当することの確認を求める訴えは、確認の利益を欠くものとして不適法とされる（最判平7.3.7）。なぜなら、ある財産が特別受益財産に当たるかどうかは、具体的な相続分又は遺留分を算定する過程において必要とされる事項にすぎず、それだけが確定しても、当該財産の価額や被相続人が相続開始時に有する財産の全範囲及び価額等が定まらなければ、具体的な相続分又は遺留分が定まることはなく、相続分又は遺留分をめぐる紛争を直接かつ根本的に解決することにはならないからである。また、ある財産が特別受益財産に当たるかどうかは、遺産分割審判事件や遺留分侵害額請求訴訟の前提問題として審理判断されるものであり、それらの事件を離れて別個独立に判決によって確認する必要もないからである。

(オ) 正　債務者が債権者に対して提起した債務不存在確認請求訴訟の継続中に、債権者がその債務の履行を求める反訴を提起したときは、本訴である債務不存在確認訴訟は確認の利益を失い却下される（最判平16.3.25）。なぜなら、債務者の債務不存在確認の訴えに対して、債権者が給付請求の反訴を提起したことにより、債務者の本訴の目的は反訴請求の棄却判決を得ることによって達成できることになり、本訴は確認の利益が失われるからである。

以上から、誤っているものは(ウ)(エ)であり、正解は(4)となる。

9f－3(30－2)　その他

確認の訴えに関する次の(ア)から(オ)までの記述のうち、判例の趣旨に照らし誤っているものの組合せは、後記(1)から(5)までのうち、どれか。

(ア)　ある財産が遺産に属することの確認を求める訴えは、確認の利益を欠く。

(イ)　共同相続人間において具体的相続分についてその価額又は割合の確認を求める訴えは、確認の利益を欠く。

(ウ)　金銭消費貸借契約の債務者が、債権者に対し、その債務を弁済した事実自体の確認を求める訴えは、確認の利益を欠く。

(エ)　債務の不存在の確認を求める本訴に対して当該債務の履行を求める反訴が提起された場合には、当該債務の不存在の確認を求める訴えは、確認の利益を欠く。

(オ)　建物賃貸借契約継続中に賃借人が賃貸人に対し敷金返還請求権の存在の確認を求める訴えは、賃貸人が賃借人の敷金交付の事実を争って敷金返還義務を負わないと主張している場合であっても、確認の利益を欠く。

(1)　(ア)(ウ)　(2)　(ア)(オ)　(3)　(イ)(エ)　(4)　(イ)(オ)　(5)　(ウ)(エ)

学習記録	／	／	／	／	／	／	／	／	／

重要度　C	知識型		正解　(2)

(ア)　誤　　判例は、ある財産が遺産に属することの確認の訴えは、当該財産が現に共同相続人による遺産分割前の共有関係にあることの確認を求める訴えであって、原告勝訴の確定判決により、当該財産が遺産分割の対象であることを既判力をもって確定し、審判の手続及び審判確定後に当該財産の遺産帰属性を争わせないとするものであって、この点に関する争いに決着をつけようとする原告の意思によりかなった紛争の解決を図ることができるところであるから、訴えは適法であるとして、確認の利益を認めている（最判昭61.3.13）。

(イ)　正　　判例は、具体的相続分は、それ自体を実体法上の権利関係であるということはできず、また、具体的相続分のみを別個独立に判決によって確認することが紛争の直接かつ抜本的解決のため適切かつ必要であるということはできないとして、確認の利益を否定している（最判平12.2.24）。

(ウ)　正　　民事訴訟は、裁判所が司法権を行使して、私人の権利を保護することを目的とするから、請求が、法規の適用によって当否の判断ができる具体的権利関係の存否の主張でなければ、本案判決を求めるだけの必要がなく、訴えの利益を欠くこととなる。そして、判例は、債務の弁済の事実自体の確認のように、単なる事実の存否をめぐる争いについては、確認の利益を欠き不適法であるとする（最判昭39.3.24）。

(エ)　正　　判例は、債務不存在確認を求める本訴の係属中に、被告が当該債務の履行を求める反訴を提起した場合には、本訴は確認の利益を欠き不適法として却下を免れないとする（最判平16.3.25）。

(オ)　誤　　判例は、賃借人の敷金返還請求権は、賃貸借契約終了前においても条件付きの権利として存在しており、現在の権利又は法律関係であるということができるため、確認の対象としての適格に欠けるところはないとする（最判平11.1.21）。

以上から、誤っているものは(ア)(オ)であり、正解は(2)となる。

9f－4(R3－5)　その他

第一審の民事訴訟手続における判決又は決定に関する次の(ア)から(オ)までの記述のうち、判例の趣旨に照らし正しいものの組合せは、後記(1)から(5)までのうち、どれか。

(ア)　裁判所は、当事者が審理の続行を求めたとしても、訴訟が裁判をするのに熟したと判断したときには、口頭弁論を終結し、終局判決をすることができる。

(イ)　裁判所は、決定をする場合には、あらかじめ、決定を告知する日を定めなければならない。

(ウ)　口頭弁論を終結した後に裁判官の交代があった場合には、判決は、口頭弁論において当事者が従前の口頭弁論の結果を陳述した後でなければ、言い渡すことができない。

(エ)　判決は、少なくとも一方の当事者が在廷する口頭弁論期日において言い渡さなければならない。

(オ)　決定に計算違い、誤記その他これらに類する明白な誤りがあるときは、裁判所は、申立てにより又は職権で、いつでも更正決定をすることができる。

(1)　(ア)(エ)　　(2)　(ア)(オ)　　(3)　(イ)(ウ)　　(4)　(イ)(オ)　　(5)　(ウ)(エ)

学習記録	／	／	／	／	／	／	／	／	／

重要度　C	知識型			正解　(2)

(ア)　正　　裁判所は、訴訟が裁判をするのに熟したときは、終局判決をする（243Ⅰ）。ここでいう、「訴訟が裁判をするのに熟したとき」とは、審理の結果、訴えが不適法であるかどうか、訴えが適法であるときは請求に理由があるかどうかについて、終局的な判断ができる状態に達したことをいい、このような状態に達したかどうかは、当事者に主張・立証の機会が十分に保障された結果、これ以上審理を続けても結論が覆る蓋然性が低いと認められるに至ったかどうかによって、判断される。

(イ)　誤　　決定及び命令は、相当と認める方法で告知することによって、その効力を生ずる（119）。これは、決定及び命令の方法につき、判決のように言渡しの手続に限定（250・252）せず、裁判所又は裁判官が相当と認める方法ですればよいものとし、その効力も、確定を待たず、告知することにより直ちに生ずるものと規定している。したがって、あらかじめ、決定を告知する日を定めなければならないとする点で、本肢は誤っている。

(ウ)　誤　　直接主義の下では、判決をする裁判官は判決の基本となる口頭弁論に関与した裁判官でなければならない（249Ⅰ）。そのため、弁論の終結後、判決内容が確定するまでの間に裁判官が代わった場合には、弁論を再開して、従前の口頭弁論の結果を陳述させる手続（249Ⅱ・弁論の更新）をとる必要がある。一方、判決内容が確定した後に裁判官が代わった場合には、弁論の更新をする必要はなく、他の裁判官が判決を言い渡すことができる（大判昭8.2.3）。したがって、本肢においては、裁判官の交代が、判決内容確定後であった場合には、当事者が従前の口頭弁論の結果を陳述することなく判決を言い渡すことができる。

(エ)　誤　　判決の言渡しは、当事者が在廷しない場合においても、することができる（251Ⅱ）。これは、判決の言渡しに当事者の訴訟行為は必要ないから、当事者が在廷しない場合であっても判決の言渡しをすることができることと定めたものである。

(オ)　正　　判決に計算違い、誤記その他これらに類する明白な誤りがあるときは、裁判所は、申立てにより又は職権で、いつでも更正決定をすることができる（257Ⅰ）。この点、決定及び命令には、その性質に反しない限り、判決に関する規定を準用する（122）。

以上から、正しいものは(ア)(オ)であり、正解は(2)となる。

10a－1(60－3)　訴えの変更

訴えの変更に関する次の記述のうち、正しいものはどれか。(改)

(1) 原告はいかなる訴訟においても、訴えを変更するか別訴を提起するかの自由を有する。

(2) 売買契約の無効を主張して提起した所有権移転登記の抹消を求める訴訟において、その主張を詐欺による取消しに変更することは、訴えの変更とはならない。

(3) 訴えの変更が著しく訴訟手続を遅滞させる場合であっても、相手方が同意し、又は異議を述べなければ、訴えの変更は許される。

(4) 控訴審における訴えの変更は、相手方の同意がない限り許されない。

(5) 訴えの変更があった場合、変更された訴えについての、時効の完成猶予の効力は、最初に訴えを提起した時に生ずる。

学習記録	／	／	／	／	／	／	／	／	／

重要度　B	知識型	要 *Check!*

正解　(2)

(1) 誤　　訴えの変更（143）とは、訴訟係属後に、原告が当初からの手続を維持しつつ、当初の審判対象を変更することをいい、その要件は、①請求の基礎に変更がないこと（143Ⅰ本文）、②著しく訴訟手続を遅滞させないこと（143Ⅰ但書）、③事実審の口頭弁論終結前であること（143Ⅰ本文）、④訴えの併合の一般的要件を具備していること（136参照）であり、①から④の要件を充足しなければ、訴えの変更をすることはできない。また、別訴の提起が二重起訴の禁止（142）や法律上の禁止（人訴25）を理由にできないこともある。

(2) 正　　訴えの変更（143）とは、訴訟の係属後に、原告が当初からの手続を維持しつつ、当初の審判対象を変更することをいい、これには、請求を理由付ける攻撃防御方法の変更は含まれない。したがって、抹消登記請求を理由付ける攻撃防御方法である売買契約の無効を詐欺による取消しに変更することは、訴えの変更には当たらない。

(3) 誤　　著しく訴訟手続を遅滞させないこと（143Ⅰ但書）という要件は、公益的理由に基づいて設けられたものであるから、被告の同意をもってこの要件に反することはできない（最判昭42.10.12）。訴えの変更をすることで、かえって訴訟手続が著しく遅滞するような場合であれば、新請求はむしろ別訴により解決を図る方が適当だからである。

(4) 誤　　控訴審においても、相手方の同意がなくても訴えの変更をすることができる（297・143）。控訴審における訴えの変更であっても、請求の基礎の同一性（143Ⅰ本文）の要件を満たす限り、変更後の新請求についても実質的には第一審で審理を受けていたと考えられ、相手方の同意がなくても、相手方の審級の利益を害することにはならないからである（最判昭29.2.26）。

(5) 誤　　時効の完成猶予は、訴えを提起した時にその効力を生ずる（147）。これは、個々の場合の訴訟進行の遅速によって時効の完成にばらつきが出ることを防ぐためである。そして、変更された訴えについての時効の完成猶予の効力は、訴えの変更の書面（143Ⅱ参照）を裁判所に提出した時に生ずる。訴えの変更は、新たな請求をもち出す点で、訴えの提起（134Ⅰ）の側面を有するからである。

10a−2(14−2)　訴えの変更

訴えの変更に関する次の(ア)から(オ)までの記述のうち、判例の趣旨に照らして正しいものの組合せは、後記(1)から(5)までのうちどれか。

(ア)　旧請求と新請求との間に請求の基礎の同一性がない場合には、被告が同意したときであっても、請求又は請求の原因の変更をすることはできない。

(イ)　請求又は請求の原因の変更は、著しく訴訟手続を遅滞させることとなるときは、することができない。

(ウ)　控訴審において請求又は請求の原因を変更するためには、第一審の被告の同意を得なければならない。

(エ)　請求又は請求の原因の変更は、書面でしなければならない。

(オ)　裁判所は、請求又は請求の原因の変更を不当であると認めるときは、申立てにより又は職権で、その変更を許さない旨の決定をしなければならない。

(1)　(ア)(ウ)　　(2)　(ア)(エ)　　(3)　(イ)(ウ)　　(4)　(イ)(オ)　　(5)　(エ)(オ)

学習記録	／	／	／	／	／	／	／	／	／

重要度　B	知識型	要 *Check!*

正解　(4)

訴えの変更（143）とは、訴訟係属後に、原告が当初からの手続を維持しつつ、当初の審判対象を変更し、新たに審判対象（訴訟上の請求）を提示することである。訴えの変更は、請求又は請求の原因の一方又は双方を変更することにより行われる（143Ⅰ）。また、従来の旧請求に新請求を追加する追加的変更と、旧請求に代えて新請求を提示する交換的変更がある。

(ア)　誤　　訴えの変更の要件としての請求の基礎の変更がないこと（143Ⅰ本文）とは、従前の裁判資料を新請求の裁判に利用するに当たり、被告の防御の困難が生じないようにする趣旨であるから、請求の基礎に変更があったとしても、被告が同意すれば訴えの変更は許される（大判昭11.3.13、黙示の同意につき最判昭29.6.8）。

(イ)　正　　請求又は請求の原因の変更は、著しく訴訟手続を遅滞させることとなるときは、することができない（143Ⅰ但書）。訴訟手続の長期化による審理の非効率化を防止するという公益上の理由によるものである。

(ウ)　誤　　控訴審において請求又は請求の原因を変更する場合でも、第一審における被告の同意を得ることを要しない。これは、控訴審での訴えの変更は新請求について第一審が抜けることになるが、請求の基礎の同一性（143Ⅰ本文）の要件を満たす限り、新請求についても実質的には第一審で審理を受けていたものと同一視されるため、相手方の同意がなくても、相手方の審級の利益を害することにはならないからである（最判昭29.2.26）。

(エ)　誤　　請求の変更は、書面でしなければならない（143Ⅱ）。訴えの変更による新請求の提示は、新訴の提起としての実質を有するからである。一方、請求の原因の変更は、書面ですることを要しない（大判昭18.3.19、最判昭35.5.24）。143条1項においては、「請求」と「請求の原因」とを分けて規定しているにもかかわらず、同条2項は「請求の変更」とし、「請求の原因の変更」については規定していないからである。ただし、通説は、請求原因も訴状の記載事項である（134Ⅱ、民訴規53Ⅰ）から、請求原因の変更も書面によらなければならないと解している。なお、簡易裁判所においては、口頭で訴えの提起をすることができる（271）ので、請求の変更も口頭ですることができる。

(オ)　正　　裁判所は、請求又は請求の原因の変更を不当であると認めるときは、申立てにより又は職権で、その変更を許さない旨の決定をしなければならない（143Ⅳ）。この決定は、訴えの変更が新請求の定立となるため、審理の範囲を従来の旧請求のみとする旨の一種の訴訟指揮上の中間的裁判である。

以上から、正しいものは(イ)(オ)であり、正解は(4)となる。

10b−1(57−4)　反　訴

反訴に関する次の(ア)から(オ)までの記述のうち、誤っているものは幾つあるか。(改)

(ア)　反訴は、原告の請求が認容されることを条件として予備的に提起することができる。

(イ)　被告から反訴が提起されたときには、原告の訴訟代理人は、特別の委任がなくても、これに応訴することができる。

(ウ)　本訴の審理の終結間際に反訴が提起されたときでも、裁判所は、訴訟を遅延させることを理由にして、それを却下することはできない。

(エ)　簡易裁判所に事件が係属している場合において、被告が反訴をもって地方裁判所の管轄に属する訴えを提起したときは、裁判所は、職権で本訴及び反訴をともに管轄地方裁判所に移送しなければならない。

(オ)　控訴審においては、反訴は、相手方の同意がなければ、提起することはできない。

(1)　１個　　(2)　２個　　(3)　３個　　(4)　４個　　(5)　５個

学習記録	／	／	／	／	／	／	／	／	／

重要度 A	知識型		正解 (2)

(ア) 正　被告が、本訴の却下又は棄却の申立てが認容されないことに備えて反訴（146）を提起することも認められる（予備的反訴）。手続の安定・明確性の見地から、訴訟行為には条件を付すことはできないのが原則であるが、予備的反訴を認めても、手続の安定は害されず、かえって訴訟経済に資することにもなるからである。

(イ) 正　訴訟代理人は、相手方から提起された反訴については、特別の授権がなくともこれに応訴することができる（55Ⅰ）。訴訟代理人による応訴を認めることが、通常の原告の意思に合致し、また訴訟手続の円滑な進行にも資するからである。なお、訴訟代理人が新たに反訴を提起するには、特別の授権が必要である（55Ⅱ①）。

(ウ) 誤　反訴の提起により、著しく訴訟手続を遅滞させるときは、反訴を提起することは許されない（146Ⅰ②）。したがって、本訴の審理の終結間際に反訴が提起された場合、裁判所は、それにより訴訟手続が著しく遅滞させられることを理由にして、反訴を却下することができる。

(エ) 誤　被告が反訴で地方裁判所の管轄に属する請求をした場合において、相手方の申立てがあるときは、簡易裁判所は、決定で、本訴及び反訴を地方裁判所に移送しなければならない（274Ⅰ前段）。職権で移送するわけではない。

(オ) 正　控訴審での反訴提起については、原告（反訴被告）の審級の利益を考慮して、相手方の同意が要件とされている（300Ⅰ）。なお、反訴を提起するに際して相手方の同意がなくとも、相手方が異議を述べないで反訴の本案について弁論をしたときは、反訴の提起に同意したものとみなされる（300Ⅱ）。また、反訴請求について第一審で実質上審理されている場合、相手方の審級の利益は害されないので、反訴提起に相手方の同意は要しない（最判昭38.2.21）。

以上から、誤っているものは(ウ)(エ)の２個であり、正解は(2)となる。

10b−2(61−4)　反　訴

反訴に関する次の記述のうち、誤っているものはどれか。(改)

(1)　反訴の目的たる請求は、本訴の目的たる請求又はこれに対する被告の防御方法と関連するものでなければならない。

(2)　反訴が提起された後に、原告が本訴を取り下げると、反訴の訴訟係属も消滅する。

(3)　控訴審で反訴を提起するには、相手方の同意が必要である。

(4)　反訴に対し、更に反訴を提起することもできる。

(5)　本訴請求と反訴請求とは同一の訴訟手続で審理されるが、裁判所は、口頭弁論の分離や一部判決をすることもできる。

学習記録	／	／	／	／	／	／	／	／	／

重要度 A	知識型			正解 (2)

(1) 正　反訴の要件は、①本訴の目的である請求又は防御の方法と関連する請求を目的とすること（146Ⅰ本文）、②口頭弁論の終結に至るまでであること（146Ⅰ本文）、③反訴の目的である請求が他の裁判所の専属管轄（当事者が11条の規定により合意で定めたものを除く。）に属しないこと（146Ⅰ①）、④反訴の提起により著しく訴訟手続を遅滞させることがないこと（146Ⅰ②）である。本肢は①の要件に該当する。

(2) 誤　本訴が係属中であることは、反訴提起の要件（146Ⅰ本文）であって、存続のための要件ではない。しかも、本訴請求と反訴請求とは訴訟法上は別々の請求である（146Ⅳ参照）。したがって、反訴の提起後に本訴の取下げがあったときでも、反訴の訴訟係属は消滅しない。

(3) 正　控訴審での反訴提起については、原告（反訴被告）の審級の利益を考慮して、相手方の同意が要件とされている（300Ⅰ）。なお、反訴を提起するに際して相手方の同意がなくとも、相手方が異議を述べないで反訴の本案について弁論をしたときは、反訴の提起に同意したものとみなされる（300Ⅱ）。また、反訴請求について第一審で実質上審理されている場合、相手方の審級の利益は害されないので、反訴提起に相手方の同意は要しない（最判昭38.2.21）。

(4) 正　反訴は、本訴被告から本訴原告に対して提起される訴えであり、終局判決（243）を求める訴えである点において、その実質が本訴と異ならない（146Ⅳ参照）。したがって、反訴に対して更に反訴を提起することも認められる。

(5) 正　反訴（146）が適法に提起されると、本訴と反訴の併合審理がされるが、裁判所は、本訴と反訴の間に特別な関係が認められる場合（例えば、必要的共同訴訟等）を除き、口頭弁論の分離（152Ⅰ）や一部判決（243Ⅲ）をすることも可能である。

10b−3(5−1)　反　訴

反訴に関する次の記述のうち、誤っているものはどれか。(改)

⑴　補助参加人は、反訴を提起することができない。

⑵　地方裁判所の訴訟手続においては、口頭で反訴を提起することはできない。

⑶　控訴審においても、相手方の同意があるときは、反訴を提起することができる。

⑷　反訴は、その目的である請求が本訴の目的である請求又はこれに対する防御の方法と関連する場合に限り、提起することができる。

⑸　反訴の提起後に本訴が却下された場合には、反訴は係属しなかったものとみなされる。

学習記録	／	／	／	／	／	／	／	／	／

重要度　A	知識型		正解　(5)

(1) 正　補助参加人は、既存の訴訟を前提とし、その当事者の一方（被参加人）を勝訴させるために訴訟に参加する者であるから、訴訟を処分・変更する行為、すなわち訴えの取下げ、訴えの変更、反訴の提起等をすることはできない。

(2) 正　反訴は、本訴の係属が契機となって提出された反撃としての実質をもつが、本訴請求と反訴請求とは訴訟法上は別々の請求であるから、反訴提起の方式については、訴えに関する規定による（146Ⅳ）。したがって、地方裁判所の訴訟手続においては、反訴の提起は、訴状を裁判所に提出してしなければならない（146Ⅳ・134Ⅰ）。

(3) 正　控訴審での反訴提起については、原告（反訴被告）の審級の利益を考慮して、相手方の同意が要件とされている（300Ⅰ）。なお、反訴を提起するに際して相手方の同意がなくとも、相手方が異議を述べないで反訴の本案について弁論をしたときは、反訴の提起に同意したものとみなされる（300Ⅱ）。また、反訴請求と関連する本訴請求や本訴請求に対する防御方法につき第一審裁判所で審判がされた場合には、審級の利益は害されないので、反訴提起に相手方の同意は要しない（最判昭38.2.21）。

(4) 正　被告は、反訴の目的である請求が本訴の目的である請求又はこれに対する防御方法と関連する場合に限り、反訴を提起することができる（146Ⅰ柱書本文）。これは、本訴被告が原告に対して、その訴えに関連した請求をする場合には、同じ訴訟手続で処理した方が訴訟経済及び裁判の矛盾回避に資するからである。

(5) 誤　本訴が係属中であることは、反訴提起の要件（146Ⅰ柱書本文）であって、存続のための要件ではない。しかも、本訴請求と反訴請求とは訴訟法上は別々の請求である（146Ⅳ参照）。したがって、反訴の提起後に本訴が却下された場合でも、反訴の訴訟係属は、消滅しない。

10b−4(9−1)　反　訴

反訴に関する次の記述のうち、正しいものはどれか。(改)

(1) 反訴は、その請求が本訴の係属する裁判所の管轄に属さない場合であっても、請求と本訴が関連し、かつ、他の裁判所の専属管轄に属さないものであるときは、提起することができる。

(2) 訴訟代理人が反訴を提起するには、本人からの特別の委任を受けることを要しない。

(3) 反訴は、弁論準備手続中は、提起することができない。

(4) 反訴は、相手方当事者の同意がある場合に限り、提起することができる。

(5) 反訴の提起後に本訴の取下げがあったときは、反訴は、初めから係属しなかったものとみなされる。

学習記録	／	／	／	／	／	／	／	／	／

重要度　A	知識型		正解　(1)

(1)　正　　反訴（146）は、その請求が本訴の係属する裁判所の管轄に属さない場合であっても、請求と本訴が関連し、かつ、他の裁判所の専属管轄に属さないものであるときは、提起することができる。反訴は本訴と併合して審理されるので、各請求について受訴裁判所に管轄権があることという要件を満たす必要があるが、他の裁判所の専属管轄に属さなければ、反訴請求が本訴請求に併合されることによって本訴の係属する裁判所の管轄に属することとなるので（7・13）、各請求について受訴裁判所に管轄権があることという要件を満たすのである。

(2)　誤　　訴訟代理人が反訴の提起をするには、特別の委任を要する（55Ⅱ①）。反訴の提起は、新たに独立の訴えを提起するものであるから、改めて本人の意思を確認することが相当とされていることによる。なお、訴訟代理人が、相手方から提起された反訴について応訴することは、本人の意思に合致すると考えられるので、特別の委任がなくても認められる（55Ⅰ）。

(3)　誤　　反訴は、訴訟係属中に被告がその訴訟手続を利用して原告に対して提起する訴えであり、訴訟係属後、事実審の口頭弁論の終結に至るまで、提起することができる（146Ⅰ柱書本文）。そして、弁論準備手続（168以下）は口頭弁論に先立って行われるので、反訴は、弁論準備手続中も、提起することができる。

(4)　誤　　反訴の提起には、相手方当事者の同意は原則として不要である（146Ⅰ参照）。これは、反訴の請求は本訴の請求と関連しており、しかも同じ訴訟手続で処理されることから、被告にとっても、別訴に応じるよりも反訴に応じる方が、負担が軽くなり好都合であることによる。なお、控訴審での反訴提起については、原告（反訴被告）の審級の利益を考慮して、相手方の同意が必要とされている（300Ⅰ）。

(5)　誤　　本訴が係属中であることは、反訴提起の要件（146Ⅰ柱書本文）であって、存続のための要件ではない。しかも、本訴請求と反訴請求とは訴訟法上は別々の請求である（146Ⅳ参照）。したがって、反訴の提起後に本訴の取下げがあったときでも、反訴の訴訟係属は消滅しない。

10c−1(17−2)　その他

次の(ア)から(オ)までの記述のうち、訴えの変更又は反訴の提起のいずれか一方にのみ該当するものの組合せは、後記(1)から(5)までのうちどれか。

(ア)　少額訴訟においても、することができる。

(イ)　簡易裁判所においてする場合を除き、書面でしなければならず、その書面を相手方に送達しなければならない。

(ウ)　事実審の口頭弁論の終結に至るまで、することができる。

(エ)　訴訟手続を著しく遅滞させることとなるときは、することができない。

(オ)　控訴審においては、相手方の同意がある場合に限り、することができる。

(1)　(ア)(イ)　　(2)　(ア)(オ)　　(3)　(イ)(エ)　　(4)　(ウ)(エ)　　(5)　(ウ)(オ)

学習記録	／	／	／	／	／	／	／	／	／

重要度　C	知識型	

正解　(2)

(ア)　訴えの変更にのみ該当する　　少額訴訟において、反訴の提起をすることはできない（369）。反訴が提起されると、事件が複雑化し、１回の口頭弁論期日で審理を完了する要請（370Ⅰ）に応えられなくなるおそれがあるからである。一方、少額訴訟において、訴えの変更をすることは禁止されておらず、訴えの変更をすることはできる。

(イ)　両方に該当する　　訴えの変更をするときは、簡易裁判所においてする場合を除き、書面でしなければならず、その書面を相手方に送達しなければならない（143Ⅱ・Ⅲ）。また、反訴の提起は、訴えに関する規定が適用されており（146Ⅳ）、簡易裁判所においてする場合を除き、書面でしなければならず（134Ⅰ・271）、その書面を相手方に送達しなければならない（138Ⅰ）。

(ウ)　両方に該当する　　訴えの変更は、新訴の提起としての実質をもつものであることから、事実審の口頭弁論終結に至るまで、することができる（143Ⅰ、最判平14.6.11）。同様に、反訴の提起も、事実審の口頭弁論終結に至るまで、することができる（146Ⅰ、最判昭43.11.1）。

(エ)　両方に該当する　　訴えの変更は、これにより訴訟手続を著しく遅滞させることとなる場合は、することができない（143Ⅰ但書）。迅速な裁判を実現させるという公益を実現するためである。同様の趣旨から、反訴の提起においても、これにより訴訟手続を著しく遅滞させることとなるときは、することができない（146Ⅰ②）。

(オ)　反訴の提起にのみ該当する　　控訴審における訴えの変更は、相手方の同意がなくても、することができる。控訴審における訴えの変更をするには、請求の基礎の同一性が必要とされていることから、相手方の同意がなくても、相手方の審級の利益を害することにはならないからである（最判昭29.2.26）。一方で、控訴審における反訴の提起は、相手方の同意がある場合に限り、することができる（300Ⅰ）。反訴は、請求又は防御の方法と関連していればよいことから、事実審理の範囲が必ずしも同一でなく、控訴審で無条件に認めれば、反訴被告の審級の利益を害するおそれがあるからである。

以上から、訴えの変更又は反訴の提起のいずれか一方にのみ該当するものの組合せは(ア)(オ)であり、正解は(2)である。

10c－2(R6－2)　その他

複雑訴訟形態に関する次の(ア)から(オ)までの記述のうち、正しいものの組合せは、後記(1)から(5)までのうち、どれか。

(ア)　一の訴えで一人に対して数個の請求をする場合において、その訴えで主張する利益が各請求について共通であるときは、各請求の価額を合算せずに、訴訟の目的の価額を算定する。

(イ)　数人に対する一の訴えについては、訴訟の目的である権利又は義務が同種であって事実上及び法律上同種の原因に基づくときは、一の請求について管轄権を有する裁判所にその訴えを提起することができる。

(ウ)　一の訴えで一人に対して数個の請求がされた場合において、原告の申出があったときは、弁論及び裁判は、分離しないでしなければならない。

(エ)　相手方が本案について口頭弁論をした後は、相手方の同意を得なければ、訴えの追加的変更をすることができない。

(オ)　裁判所は、当事者を異にする事件について口頭弁論の併合を命じた場合において、その前に尋問をした証人について、尋問の機会がなかった当事者が尋問の申出をしたときは、その尋問をしなければならない。

(1)　(ア)(ウ)　　(2)　(ア)(オ)　　(3)　(イ)(ウ)　　(4)　(イ)(エ)　　(5)　(エ)(オ)

学習記録	／	／	／	／	／	／	／	／	／

重要度　C	知識型		正解　(2)

(ア)　正　　一の訴えで数個の請求をする場合には、その価額を合算したものを訴訟の目的の価額とするが、この場合において、その訴えで主張する利益が各請求について共通であるときは、各請求の価額を合算せずに、訴訟の目的の価額を算定する（９Ⅰ）。

(イ)　誤　　訴訟の目的である権利又は義務が数人について共通であるとき、又は同一の事実上及び法律上の原因に基づくときは、その数人の被告のうちの一人に対する請求について管轄権を有する裁判所が、他の被告に対する請求についても管轄権を有する（７・38前段）。しかし、訴訟の目的である権利又は義務が同種であって事実上及び法律上同種の原因に基づくときは、一の請求について管轄権を有する裁判所にその訴えを提起することができる対象ではない（７・38後段参照）。

(ウ)　誤　　裁判所は、口頭弁論の制限、分離若しくは併合を命ずることができる（152Ⅰ）。すなわち、口頭弁論の併合の決定は、裁判所の裁量により職権で行われる。

(エ)　誤　　訴えの変更には、訴えの追加的変更と訴えの交換的変更とがある。このうち、相手方の同意（261Ⅱ）が必要とされるのは、訴えの交換的変更であり（最判昭32.2.28)、訴えの追加的変更ではない。

(オ)　正　　裁判所は、当事者を異にする事件について口頭弁論の併合を命じた場合において、その前に尋問をした証人について、尋問の機会がなかった当事者が尋問の申出をしたときは、その尋問をしなければならない（152Ⅱ）。

以上から、正しいものは(ア)(オ)であり、正解は(2)となる。

11a−1(8−3)　共同訴訟

共同訴訟に関する次の記述のうち、正しいものはどれか。(改)

(1)　通常共同訴訟と必要的共同訴訟のいずれにおいても弁論を分離できない。

(2)　固有必要的共同訴訟と類似必要的共同訴訟のいずれにおいても共同して訴え、又は訴えられなければならない。

(3)　訴えの取下げは、固有必要的共同訴訟においては、全員共同してしなければならないが、類似必要的共同訴訟においては単独でもすることができる。

(4)　共同訴訟人の当事者の一人が提出した証拠は、通常共同訴訟の場合は他の当事者のために資料とすることができるが、必要的共同訴訟の場合には他の当事者に不利益なものは資料とすることはできない。

(5)　必要的共同訴訟の当事者の一人に被保佐人がいる場合において、他の当事者が上訴したときであっても、被保佐人は保佐人の同意を得なければ訴訟行為をすることができない。

学習記録	／	／	／	／	／	／	／	／	／

重要度　B	知識型	要 *Check!*		正解　(3)

⑴　誤　　弁論の分離（152）とは、訴訟の一部を以後別個の訴訟手続で審判する処置をいう。通常共同訴訟においては、合一確定の要請が働かないため、弁論の分離が認められる。これに対して、必要的共同訴訟（40）においては判決の合一確定が要求されているため、訴訟進行を一律にしなければならず、弁論の分離も認められない。

⑵　誤　　固有必要的共同訴訟とは、共同訴訟とすることが法律上強制され、かつ、合一確定の必要のある訴訟であり、全員が共同して訴え、又は訴えられなければならない（40）。これに対して、類似必要的共同訴訟とは、共同訴訟とされた以上は合一確定の必要があるが、共同訴訟とすることが法律上強制されるわけではなく、その請求につき各自が当事者適格を有し個別的に訴え又は訴えられることができる訴訟である。したがって、類似必要的共同訴訟においては、単独で、訴え又は訴えられることができる。

⑶　正　　合一確定の要請が働く必要的共同訴訟においては、訴訟進行を一律にする必要があるので、共同訴訟人の一人がした他の共同訴訟人に有利な行為は全員のために効力を生ずるが、不利な行為は全員が一致してしない限り効力を生じない（40Ⅰ）。訴えの取下げ（261以下）は、訴訟を終了させる行為であり共同訴訟人にとって不利な行為であるから、固有必要的共同訴訟の場合には全員共同してしなければならない。これに対して、類似必要的共同訴訟は、元来個別的に訴訟のできる場合であるから、各共同訴訟人は、単独で訴えを取り下げることができる。

⑷　誤　　通常共同訴訟と必要的共同訴訟のいずれにおいても、共同訴訟人の当事者の一人が提出した証拠は、他の共同訴訟人の事実認定の資料とすることができる（最判昭45.1.23・共同訴訟人間の証拠共通の原則）。したがって、共同訴訟人の当事者の一人が提出した証拠は、他の当事者に有利・不利のいずれになろうとも、通常共同訴訟・必要的共同訴訟のいずれにおいても、他の当事者のために資料とすることができる。

⑸　誤　　必要的共同訴訟の当事者の一人に被保佐人がいる場合、他の当事者が上訴したときには、被保佐人は保佐人の同意を得ずに訴訟行為をすることができる（40Ⅳ・32Ⅰ）。被保佐人は、自ら訴訟行為をするには保佐人の同意を要するのが原則であるが（28、民13Ⅰ④）、他の当事者が上訴したときにまでこの原則を貫くと、保佐人の同意が得られなければ訴訟進行の統一が図れないという不都合が生ずるため、被保佐人単独で訴訟行為をすることができるとされたものである。

11a−2(14−3)　共同訴訟

Ａが、被告Ｂに対しては貸金の返還を、被告Ｃに対しては保証債務の履行を、それぞれ求めている共同訴訟に関する次の(ア)から(オ)までの記述のうち、判例の趣旨に照らして誤っているものの組合せは、後記(1)から(5)までのうちどれか。

(ア)　Ｂに中断事由が生じたときは、ＡＢ間の訴訟手続は中断するが、ＡＣ間の訴訟手続は中断しない。

(イ)　ＡのＢに対する請求をＢが認諾しても、Ｃが共に認諾しない限り、Ｂの認諾の効力は生じない。

(ウ)　ＢがＡに対する弁済を主張したときは、Ｃがその弁済の主張をしなくても、裁判所は、ＡのＣに対する請求において、その弁済の事実を認定することができる。

(エ)　裁判所は、Ｃの申出により採用して取り調べた証人の証言を、Ｂが援用しなくても、ＡのＢに対する請求において事実認定の資料とすることができる。

(オ)　ＡのＢ及びＣに対する請求をいずれも棄却する旨の判決に対し、ＡがＢについては控訴したが、Ｃについては控訴せずに控訴期間が経過したときは、ＡのＢに対する請求についての判決は確定しないが、ＡのＣに対する請求についての判決は確定する。

(1)　(ア)(ウ)　　(2)　(ア)(エ)　　(3)　(イ)(ウ)　　(4)　(イ)(オ)　　(5)　(エ)(オ)

学習記録	／	／	／	／	／	／	／	／	／

重要度 B	知識型	要 *Check!*		正解 (3)

(ア) 正　通常共同訴訟においては、共同訴訟人独立の原則が働き、共同訴訟人の一人について生じた事項は他の共同訴訟人に影響を及ぼさない（39）。したがって、主債務者Ｂに中断事由が生じたときでも、債権者Ａ・主債務者Ｂ間の訴訟手続は中断するが、債権者Ａ・保証人Ｃ間の訴訟手続は中断しない（最判昭34.3.26）。

(イ) 誤　通常共同訴訟においては、一人の共同訴訟人は他の共同訴訟人に制約されることなく各自独立して訴訟を追行する権能を有するので、請求の認諾も各自単独ですることができ、その効力は他の共同訴訟人に影響を及ぼさない（39）。したがって、債権者Ａの主債務者Ｂに対する請求をＢが認諾した場合、保証人Ｃが認諾しなくとも、Ｂの認諾の効力は生ずる。

(ウ) 誤　通常共同訴訟においては、共同訴訟人の一人の訴訟行為は、他の共同訴訟人に影響を及ぼさないので、債務者が弁済の事実を主張したが、保証人がそれを主張していない場合は、その事実は債務者についてのみ訴訟資料となり、裁判所が保証人について主債務の弁済事実を認定することは、弁論主義に反し許されない。したがって、主債務者Ｂが債権者Ａに対する弁済の事実を主張した場合において、保証人Ｃがその弁済の主張をしていないときには、裁判所は、ＡのＣに対する請求において、その弁済の事実を認定することはできない。

(エ) 正　共同訴訟人の一人が提出した証拠は、他の共同訴訟人についても、援用の有無にかかわらず証拠として事実認定の資料とすることができる（大判大10.9.28、最判昭45.1.23・証拠共通の原則）。したがって、裁判所は、保証人Ｃの申出により採用して取り調べた証人の証言を、主債務者Ｂが援用しなくても、債権者ＡのＢに対する請求において事実認定の資料とすることができる。

(オ) 正　通常共同訴訟においては、各共同訴訟人は他の共同訴訟人に制約されることなく、それぞれ独立に相手方に対する訴訟を追行するため、各自独立して上訴ができ（39）、その結果、判決も共同訴訟人ごとに確定する。したがって、債権者Ａの主債務者Ｂ及び保証人Ｃに対する請求をいずれも棄却する旨の判決に対し、ＡがＢについては控訴したが、Ｃについては控訴せずに控訴期間が経過したときは、ＡのＢに対する請求についての判決は確定しないが、ＡのＣに対する請求についての判決は確定する。

以上から、誤っているものは(イ)(ウ)であり、正解は(3)となる。

11a－3(22－2)　共同訴訟

共同訴訟に関する次の(ア)から(オ)までの記述のうち、誤っているものの組合せは、後記(1)から(5)までのうちどれか。

(ア)　通常共同訴訟においては、共同訴訟人の一人が提出した証拠は、それが他の共同訴訟人に不利なものである場合には、当該共同訴訟人に異議がないときに限り、当該共同訴訟人との関係でも証拠となる。

(イ)　被告が二人である通常共同訴訟において、各被告に対する各請求のうち、一方が認容され、他方が棄却された場合において、敗訴した被告のみが控訴したときは、勝訴した被告は、控訴人にも被控訴人にもならない。

(ウ)　必要的共同訴訟において、共同訴訟人の一人に対する相手方の訴訟行為は、他の共同訴訟人に対しても効力を生ずる。

(エ)　必要的共同訴訟において、共同訴訟人の一人について訴訟手続の中断原因があるときは、その中断は、他の共同訴訟人についても効力を生ずる。

(オ)　共同被告の一方に対する訴訟の目的である権利と共同被告の他方に対する訴訟の目的である権利とが法律上併存し得ない関係にある場合には、裁判所は、矛盾抵触する判断を避けるため、弁論及び裁判を分離することができない。

(1)　(ア)(イ)　(2)　(ア)(オ)　(3)　(イ)(ウ)　(4)　(ウ)(エ)　(5)　(エ)(オ)

学習記録	／	／	／	／	／	／	／	／	／

重要度 B	知識型	要 *Check!*

正解 (2)

(ア) 誤　通常共同訴訟と必要的共同訴訟のいずれにおいても、共同訴訟人の一人が提出した証拠は、援用の有無にかかわらず、他の共同訴訟人についても、証拠として裁判所の事実認定の資料とすることができる（最判昭45.1.23・共同訴訟人間の証拠共通の原則）。したがって、共同訴訟人の当事者の一人が提出した証拠は、他の当事者に有利・不利のいずれになろうとも、他の当事者のために資料とすることができるので、他の当事者に不利なものである場合には、当該共同訴訟人に異議のないときに限り、当該共同訴訟人との関係でも証拠となるとする点で、本肢は誤っている。

(イ) 正　通常共同訴訟においては、いわゆる共同訴訟人独立の原則により、共同訴訟人の一人の訴訟行為、共同訴訟人の一人に対する相手方の訴訟行為、共同訴訟人の一人について生じた事項は、他の共同訴訟人に影響を及ぼさないのが原則である（39）。そのため、請求の放棄・認諾、和解、訴えの取下げ、上訴、上訴の取下げについては、その効力は当該行為の主体である共同訴訟人においてのみ生じ、他の共同訴訟人には影響を及ぼさない。したがって、通常共同訴訟の一人は、独立して上訴を行うことができ（最判昭34.7.3）、敗訴した被告のみが控訴したときは、その効果は勝訴した被告には及ばず、勝訴した被告は、控訴人にも被控訴人にもならない。

(ウ) 正　必要的共同訴訟においては、共同訴訟人について判決の合一確定のため、共同訴訟人の一人に対する相手方の訴訟行為は、その有利・不利にかかわりなく、全員に対して効力を生ずる（40Ⅱ）。

(エ) 正　必要的共同訴訟においては、共同訴訟人の一人について中断又は中止の原因が生じたときは、全員に対する関係で中断または中止の効力が生ずる（40Ⅲ、最判昭34.3.26）。

(オ) 誤　本人に対する契約上の請求と無権代理人の責任を追及する請求（民117Ⅰ）のように、共同被告の一方に対する訴訟の目的である権利と、共同被告の他方に対する訴訟の目的である権利が法律上併存し得ない関係にある場合でも、それにより直ちに裁判所による弁論及び裁判の分離が禁止されるわけではない。訴訟の目的である各権利が上記の関係にある場合、原告が同時審判の申出をすることにより、初めて裁判所による弁論及び裁判の分離が禁止されるのである（41Ⅰ）。

以上から、誤っているものは(ア)(オ)であり、正解は(2)となる。

11a−4(R5−2)　共同訴訟

共同訴訟に関する次の(ア)から(オ)までの記述のうち、判例の趣旨に照らし誤っているものの組合せは、後記(1)から(5)までのうち、どれか。

(ア)　通常共同訴訟において、共同被告の一人が原告の主張する請求原因事実を認める旨の陳述をしたとしても、他の共同被告に対する請求との関係では、当該事実につき自白の効果は生じない。

(イ)　通常共同訴訟においては、共同被告の一人が提出した証拠につき、他の共同被告がこれを援用しない限り、その者に対する請求との関係では、事実認定の資料とすることはできない。

(ウ)　類似必要的共同訴訟においては、共同訴訟人の一人が控訴すれば、それによって原判決の確定が妨げられ、当該訴訟は全体として控訴審に移審し、控訴審の判決の効力は控訴をしなかった共同訴訟人にも及ぶ。

(エ)　共同被告の一方に対する訴訟の目的である権利と共同被告の他方に対する訴訟の目的である権利とが法律上併存し得ない関係にある場合において、原告から同時審判の申出があったときは、裁判所は、弁論及び裁判を分離することができない。

(オ)　必要的共同訴訟に係る事件が適法に係属し、共同被告の一人がその本案について準備書面を提出した場合において、その共同被告の一人が訴えの取下げに同意をしたときは、共同被告の全員が同意をしなくても、同意をした者に対する関係で訴えの取下げの効力が生ずる。

(1)　(ア)(ウ)　(2)　(ア)(エ)　(3)　(イ)(ウ)　(4)　(イ)(オ)　(5)　(エ)(オ)

学習記録	／	／	／	／	／	／	／	／	／

重要度　B	知識型	要 *Check!*

正解　(4)

(ア)　正　　通常共同訴訟においては、各共同訴訟人は他の共同訴訟人によって制約されることなく、各自独立に訴訟を追行することができる（39・共同訴訟人独立の原則）。そのため、通常共同訴訟においては、共同訴訟人の一人がする主張は、他の共同訴訟人の訴訟に効力を及ぼさない（最判昭43.9.12）。

(イ)　誤　　通常共同訴訟においては、共同訴訟人の一人が提出した証拠は、他の共同訴訟人の援用の有無にかかわらず、他の共同訴訟人についても証拠として裁判所の事実認定の資料とすることができる（最判昭45.1.23・証拠共通の原則）。

(ウ)　正　　必要的共同訴訟では、共同訴訟人の一人がした訴訟行為は、他の共同訴訟人にとって有利な行為については全員に効力を生ずる（40Ⅰ）。そのため、類似必要的共同訴訟においては、終局判決に対し共同訴訟人の一人が上訴すれば、全員のために確定遮断効及び移審の効力を生ずる（最判昭58.4.1）。

(エ)　正　　共同被告に対する原告の各請求が法律上併存し得ない関係にある場合において、原告の申出があったときは、裁判所は、弁論及び裁判を分離しないでしなければならない（41Ⅰ・同時審判申出共同訴訟）。裁判所による弁論の分離・一部判決を禁止し、共同訴訟としての併合審判を維持することによって、原告に統一的な弁論と裁判を確保するためである。

(オ)　誤　　固有必要的共同訴訟における共同被告の一部に対する訴えの取下げは無効である（最判平6.1.25）。なお、訴えの取下げは、固有必要的共同訴訟の場合には、共同訴訟人の一人がしても、効力を生じない（最判昭46.10.7）。

以上から、誤っているものは(イ)(オ)であり、正解は(4)となる。

11c−1(5−4)　訴訟参加

補助参加に関する次の記述のうち、誤っているものはどれか。

(1) 補助参加の申出は、口頭でもすることができる。

(2) 補助参加の申出人は、当事者が参加につき異議を述べない場合には、参加の理由を疎明することを要しない。

(3) 参加の申出は、参加人としてすることができる訴訟行為とともにすることができる。

(4) 補助参加人は、参加について当事者が異議を述べた場合には、参加を許す裁判が確定するまでの間は、訴訟行為をすることができない。

(5) 当事者は、参加について異議を述べないで弁論をしたときは、異議を述べる権利を失う。

学習記録	／	／	／	／	／	／	／	／	／

重要度　C	知識型	

正解　(4)

⑴　正　　申立てその他の申述は、特別の定めがある場合を除き、書面又は口頭ですることができる（民訴規１Ⅰ）。この点、補助参加の申出の方式に関する特別の定めは存在しない。

⑵　正　　当事者が補助参加について異議を述べたときは、裁判所は、補助参加の許否について、決定で、裁判をする（44Ⅰ前段）。この場合においては、補助参加人は、参加の理由を疎明しなければならない（44Ⅰ後段）。しかし、当事者が異議を述べないで弁論をし、又は弁論準備手続において申述をした後は、異議権を失う（44Ⅱ）。したがって、補助参加人は、当事者が参加につき異議を述べない場合には、参加の理由を疎明することを要しない。

⑶　正　　補助参加の申出は、補助参加人としてすることができる訴訟行為とともにすることができる（43Ⅱ）。補助参加の目的は、被参加人を勝訴させることで、被参加人と相手方との訴訟の判決が、将来補助参加人に不利に働くことを防止することにあるから、補助参加が認められるか否か不明のうちは一切訴訟行為をすることができないとすると、時機を失してこのような目的を達することができないおそれがあるからである。

⑷　誤　　補助参加人は、補助参加について異議があった場合においても、補助参加を許さない裁判が確定するまでの間は、訴訟行為をすることができる（45Ⅲ）。補助参加申出人は、参加却下の決定が確定するまでの間は、手続に関与し訴訟行為をする権利を有するからである。

⑸　正　　補助参加についての異議は、当事者がこれを述べないで弁論をし、又は弁論準備手続において申述をした後は、述べることができない（44Ⅱ）。補助参加の許否のような派生的問題のために本訴訟の審理が長く煩わされないようにする趣旨である。

11c−2(21−3)　訴訟参加

補助参加に関する次の(ア)から(オ)までの記述のうち、誤っているものの組合せは、後記(1)から(5)までのうちどれか。

(ア)　補助参加は、参加する他人間の訴訟が控訴審に係属中であってもすることができるが、上告審においてはすることができない。

(イ)　補助参加の申出は、参加の趣旨及び理由を明らかにして、補助参加により訴訟行為をすべき裁判所にしなければならない。

(ウ)　当事者は、補助参加について異議を述べないで弁論をし、又は弁論準備手続において申述をした後には、裁判所に対し、補助参加について異議を述べることはできない。

(エ)　補助参加人は、上訴の提起をすることはできるが、訴えの変更や反訴の提起をすることはできない。

(オ)　訴訟告知を受けた者が告知を受けた訴訟に補助参加しなかった場合には、当該訴訟の裁判の効力は、その者には及ばない。

(1)　(ア)(イ)　　(2)　(ア)(オ)　　(3)　(イ)(ウ)　　(4)　(ウ)(エ)　　(5)　(エ)(オ)

学習記録	／	／	／	／	／	／	／	／	／

重要度 C	知識型		正解 (2)

㈠ 誤　補助参加ができる時期については制限がなく（42参照）、上告審でも可能である。また確定判決後に参加申立てとともに再審の訴えを提起することもできる。

㈡ 正　補助参加の申出は、参加の趣旨及び理由を明らかにして、補助参加により訴訟行為をすべき裁判所にしなければならない（43Ⅰ）。

㈢ 正　当事者は、補助参加について異議を述べないで弁論をし、又は弁論準備手続において申述をした後には、裁判所に対し、補助参加について異議を述べることはできない（44Ⅱ）。

㈣ 正　補助参加人は、訴訟について、攻撃又は防御の方法の提出、異議の申立て、上訴の提起、再審の訴えの提起その他一切の訴訟行為をすることができるが（45Ⅰ本文）、訴えの当事者ではないから、訴えの変更や反訴の提起をすることまでは認められない。

㈤ 誤　補助参加に係る訴訟の裁判は、原則として補助参加人に対してもその効力を有し（46）、訴訟告知を受けた者が訴訟に参加しなかった場合においても、この規定の適用については、参加することができた時に参加したものとみなす（53Ⅳ）。したがって、訴訟告知を受けて補助参加しなかった者に対しても裁判の効力が及ぶ。

以上から、誤っているものは㈠㈤であり、正解は(2)となる。

11c−3(23−2)　訴訟参加

次の対話は、補助参加に関する教授と学生との対話である。教授の質問に対する次の(ア)から(オ)までの学生の解答のうち、判例の趣旨に照らし下線部分は正しいがその余の部分は誤っているものの組合せは、後記(1)から(5)までのうちどれか。

教授：　今日は、補助参加について検討します。訴訟の結果について利害関係を有する第三者は、当事者の一方を補助するため、その訴訟に参加することができるとされていますね。ここにいう利害関係とは、どのようなものを指しますか。

学生：(ア)　補助参加の要件としての利害関係は、補助参加人が訴訟の結論に法律上又は事実上の利害関係を有する場合とされています。必ずしも補助参加人に既判力などの判決効が拡張される場合に限られません。

教授：　第三者が訴訟に補助参加するに当たって、どのような手続を経る必要がありますか。

学生：(イ)　補助参加しようとする第三者は、参加の趣旨及び理由を明らかにして、裁判所に補助参加の申出をしなければなりません。裁判所が、決定で補助参加の利益があると判断すれば、第三者は補助参加することができます。

教授：　では、補助参加人は、どのような訴訟行為をすることができますか。

学生：(ウ)　補助参加人は、攻撃防御方法の提出や異議の申立てなどの訴訟行為をすることができます。しかし、補助参加人は、当事者ではありませんから、上訴の提起をすることはできません。

教授：　原告が、被告に対し、保証債務の履行を求めて訴えを提起したところ、主債務者が、被告に補助参加したという事例を考えてみましょう。被告が主債務の発生原因事実を自白しているとき、補助参加人がこれを否認することはできますか。

学生：(エ)　補助参加人の訴訟行為は、被参加人の訴訟行為と抵触するときは、効力を生じません。この事例では、被参加人が主債務の発生原因事実を自白しているのですから、補助参加人がこれを否認することは、被参加人の行為と抵触することになり、効力を生じません。

教授：　被参加人が提出すれば、時機に後れたものとして却下されることになる攻撃防御方法を、補助参加人が提出することはできますか。

学生：(オ)　補助参加人による攻撃防御方法の提出が時機に後れたものであるかどうかは、被参加人とは別個に判断されますから、補助参加人が参加後遅滞なく提出すれば、時機に後れたことにはなりません。なお、弁論準備手続終結後に攻撃防御方法を提出する場合には、相手方の求めがあるときは、その終結前に提出することができなかった理由を説明しなければなりません。

(1)　(ア)(ウ)　　(2)　(ア)(オ)　　(3)　(イ)(ウ)　　(4)　(イ)(エ)　　(5)　(エ)(オ)

学習記録	／	／	／	／	／	／	／	／	／

複雑訴訟形態

重要度　C	知識型		正解　(3)

(ア)　下線部分は誤っており、その余の部分は正しい　　補助参加の要件とされる、訴訟の結果につき利害関係を有することとは、法律上の利害関係を有することをいい、単に事実上の利害関係を有するにとどまる場合は補助参加は許されない（最判昭39.1.23）。したがって、下線部分は誤っている。しかし、法律上の利害関係があれば、必ずしも判決が直接に補助参加人の権利義務に影響を及ぼすべき場合や判決効が補助参加人に及ぶ場合に限られない。したがって、その余の部分は正しい。

(イ)　下線部分は正しく、その余の部分は誤っている　　補助参加の申出は、参加の趣旨及び理由を明らかにして、補助参加により訴訟行為をすべき裁判所にしなければならない（43Ⅰ）。したがって、下線部分は正しい。そして、参加の理由を具備するか否かの調査は、当事者が異議を述べた場合に限り行われ、当事者が異議を述べずに弁論をし、又は弁論準備手続において申述をした後は、その異議権を失う（44Ⅱ）。したがって、その余の部分は誤っている。

(ウ)　下線部分は正しく、その余の部分は誤っている　　補助参加人は、訴訟について、攻撃又は防御の方法の提出、異議の申立て、上訴の提起、再審の訴えの提起その他一切の訴訟行為をすることができる（45Ⅰ本文）。したがって、下線部分は正しく、その余の部分は誤っている。

(エ)　下線部分は正しく、その余の部分も正しい　　補助参加人の訴訟行為は、被参加人の訴訟行為と抵触するときは、その効力を有しない（45Ⅱ）。したがって、下線部分は正しい。そして、被参加人が自白をした後は、参加人がその事実を否認しても効力は生じない。したがって、その余の部分も正しい。

(オ)　下線部分は誤っており、その余の部分は正しい　　補助参加人は、訴訟について、補助参加の時における訴訟の程度に従いすることができないものは、することができない（45Ⅰ但書）。この点、攻撃防御方法が時機に遅れたかどうかは、被参加人を基準として判断すべきであるから、被参加人が提出の時期を失した後に参加した場合は、補助参加人は攻撃防御方法を提出できない。したがって、下線部分は誤っている。また、この場合の攻撃防御方法の提出については、167条や174条の制約を受けることになるため、弁論準備手続の終了後に攻撃又は防御の方法を提出した補助参加人は、相手方の求めがあるときは、相手方に対し、弁論準備手続の終了前にこれを提出することができなかった理由を説明しなければならない（174・167）。したがって、その余の部分は正しい。

以上から、下線部分は正しいがその余の部分は誤っているものは(イ)(ウ)であり、正解は(3)となる。

11c−4(25−1)　訴訟参加

独立当事者参加に関する次の(ア)から(オ)までの記述のうち、正しいものの組合せは、後記(1)から(5)までのうち、どれか。

(ア)　訴訟の当事者の一方を相手方とする独立当事者参加の申出があったときは、参加の申出の書面は、当該当事者の一方に送達すれば足りる。

(イ)　独立当事者参加の申出においては、参加の趣旨だけでなく、その理由も、明らかにしなければならない。

(ウ)　独立当事者参加の申出は、第一審の口頭弁論終結の時までにしなければならない。

(エ)　独立当事者参加をした者がある場合において、当事者の一人について訴訟手続の中断の原因があるときは、その中断は、全員についてその効力を生ずる。

(オ)　独立当事者参加をした者がある場合において、参加前の原告又は被告が口頭弁論をしたときは、その原告又は被告は、当該訴訟から脱退することができない。

(1)　(ア)(ウ)　(2)　(ア)(エ)　(3)　(イ)(エ)　(4)　(イ)(オ)　(5)　(ウ)(オ)

学習記録	／	／	／	／	／	／	／	／	／

重要度　C	知識型		正解　(3)

(ア)　誤　　独立当事者参加における参加の申出の書面は、当事者双方に送達しなければならない（47Ⅲ）。このことは訴訟の当事者の一方を相手方とする場合であっても異ならない。

(イ)　正　　独立当事者参加の申出の方式は、補助参加の申出に準じて行われるので、独立当事者参加の申出は、参加の趣旨及び理由を明らかにしてしなければならない（47Ⅳ・43Ⅰ）。

(ウ)　誤　　独立当事者参加は訴訟係属を前提とするので、訴訟が第一審又は控訴審に係属中であれば、参加が許される。

(エ)　正　　独立当事者参加した者がある場合において、訴訟の当事者の一人について訴訟手続の中断又は中止の原因があるときは、その中断又は中止は、全員についてその効力を生ずる（47Ⅳ・40Ⅲ）。

(オ)　誤　　独立当事者参加をした者がある場合には、参加前の原告又は被告は、相手方の承諾を得て訴訟から脱退することができる（48）。この点、参加前の原告又は被告が口頭弁論をしたかどうかは、訴訟脱退の可否に影響しない。

以上から、正しいものは(イ)(エ)であり、正解は(3)となる。

11c−5(27−2)　訴訟参加

補助参加に関する次の(ア)から(オ)までの記述のうち、正しいものの組合せは、後記(1)から(5)までのうち、どれか。

(ア) 補助参加の申出は、参加の趣旨及び理由を明らかにして、補助参加により訴訟行為をすべき裁判所にしなければならない。

(イ) 当事者が補助参加について異議を述べたときは、補助参加人は、参加の理由を証明しなければならない。

(ウ) 補助参加の許否についての裁判に対しては、即時抗告をすることができない。

(エ) 補助参加人は、補助参加について異議があった場合においても、補助参加を許さない裁判が確定するまでの間は、訴訟行為をすることができる。

(オ) 補助参加に係る訴訟の裁判は、被参加人が補助参加人の訴訟行為を妨げた場合においても、補助参加人に対してその効力を有する。

(1)　(ア)(ウ)　　(2)　(ア)(エ)　　(3)　(イ)(ウ)　　(4)　(イ)(オ)　　(5)　(エ)(オ)

学習記録	／	／	／	／	／	／	／	／	／

重要度　C	知識型		正解　(2)

(ア)　正　　補助参加の申出は、参加の趣旨及び理由を明らかにして、補助参加により訴訟行為をすべき裁判所にしなければならない（43Ⅰ）。なお、補助参加の申出は、参加の趣旨として、参加すべき訴訟及びいずれの当事者の側に参加するかを、参加の理由として、利害関係を認めるに足りるだけの事実関係と具体的な根拠を明らかにしてする。

(イ)　誤　　当事者が補助参加について異議を述べたときは、補助参加人は、参加の理由を疎明しなければならない（44Ⅰ後段）。すなわち、参加の理由である事実については、参加申出人は疎明すれば足り、証明までは要求されない。

(ウ)　誤　　補助参加の申出があった場合、当事者が参加について異議を述べたときには、補助参加の許否について決定で裁判が行われ（44Ⅰ前段）、その決定に対しては、即時抗告をすることができる（44Ⅲ）。

(エ)　正　　補助参加人は、補助参加について異議があった場合においても、補助参加を許さない裁判が確定するまでの間は、訴訟行為をすることができる（45Ⅲ）。なお、補助参加人の訴訟行為は、補助参加を許さない裁判が確定した場合においても、当事者が援用したときは、その効力を有する（45Ⅳ）。

(オ)　誤　　補助参加に係る訴訟の裁判は、一定の場合を除き、補助参加人に対してもその効力を有する（46）。これは、補助参加人といえども、補助参加訴訟で十分に主張・立証を尽くす機会が与えられた以上は、判決の効力を受け、別訴で補助参加訴訟で確定された事柄と矛盾する主張をすることができないという趣旨である。しかし、被参加人が補助参加人の訴訟行為を妨げた場合は、補助参加人に対して効力を有しない（46③）。なぜなら、この場合、補助参加人が十分に主張・立証を尽くす機会が与えられたとはいえないからである。

以上から、正しいものは(ア)(エ)であり、正解は(2)となる。

11c－6(R4－1)　訴訟参加

訴訟告知に関する次の(ア)から(オ)までの記述のうち、正しいものの組合せは、後記(1)から(5)までのうち、どれか。

(ア)　当事者は、控訴審においては、訴訟告知をすることができない。

(イ)　当事者は、訴訟告知をするに際し、訴訟告知の理由及び訴訟の程度を記載した書面を、訴訟告知を受ける者に直接送付しなければならない。

(ウ)　訴訟告知を受けた者は、訴訟告知をした当事者に対し、訴訟告知の書面を受領したときから相当の期間内に訴訟に参加するか否かを回答する義務を負わない。

(エ)　訴訟告知を受けた者は、その訴訟に補助参加の申出をしなくても、更に訴訟告知をすることができる。

(オ)　一方の当事者から訴訟告知を受けた者がその訴訟に補助参加の申出をした場合には、他方の当事者もその補助参加について異議を述べることができない。

(1)　(ア)(イ)　　(2)　(ア)(ウ)　　(3)　(イ)(オ)　　(4)　(ウ)(エ)　　(5)　(エ)(オ)

学習記録	／	／	／	／	／	／	／	／	／

重要度　C	知識型		正解　(4)

(ア) 誤　当事者は、訴訟の係属中、参加することができる第三者にその訴訟の告知をすることができる（53Ⅰ）。この点、訴訟の係属中とは、訴えの提起から判決確定その他の事由による訴訟手続の終了までをいい、訴訟が係属する以上、第一審に係属するか、上訴裁判所に係属するかを問わない。したがって、控訴審においても、訴訟告知をすることはできる。

(イ) 誤　訴訟告知は、その理由及び訴訟の程度を記載した書面を裁判所に提出してしなければならない（53Ⅲ）。そして、裁判所は、訴訟告知の書面を訴訟告知を受けるべき者に送達しなければならず（民訴規22Ⅰ）、訴訟告知は、告知者が第三者に対し、裁判所を通じてなすべきものとされている。

(ウ) 正　訴訟告知を受けた者は、告知によって当然に補助参加人などの地位を取得するものではない（53Ⅳ参照）。この点、補助参加をするか否かは、訴訟告知を受けた者の自由であり、訴訟告知を受けた者は、訴訟告知に対して、全く応答しなくても差し支えない。したがって、訴訟告知を受けた者は、訴訟告知をした当事者に対し、訴訟告知の書面を受領したときから相当の期間内に訴訟に参加するか否かを回答する義務を負わない。

(エ) 正　訴訟告知を受けた者は、更に訴訟告知をすることができる（53Ⅱ）。そのため、訴訟告知を受けた第三者は、たとえその訴訟に補助参加の申出をしなくても、その訴訟に参加することのできる第三者に、更に訴訟告知をすることができる。

(オ) 誤　当事者が補助参加について異議を述べたときは、裁判所は、補助参加の許否について、決定で、裁判をする（44Ⅰ前段）。この点、被参加人及び相手方は、いずれも異議権を有する。そして、一方の当事者が訴訟告知をしたとき（53Ⅰ）は、あらかじめ異議権を放棄したものと解すべきであるから、当該訴訟告知を受けた者の参加の申出に対して異議を述べることはできないが、他方の当事者は異議を述べることができる。

以上から、正しいものは(ウ)(エ)であり、正解は(4)となる。

11d−1(15−4)　その他

訴訟の承継に関する次の(ア)から(オ)までの記述のうち、判例の趣旨に照らし誤っているものの組合せは、後記(1)から(5)までのうちどれか。

(ア)　原告の一身専属的な権利を訴訟物としていた場合において、原告が死亡したときは、当該訴訟は終了し、訴訟の承継は生じない。

(イ)　訴訟の係属中、第三者がその訴訟の目的である義務の全部又は一部を承継したときは、裁判所は、当事者の申立てにより、決定で、その第三者に訴訟を引き受けさせることができる。

(ウ)　参加承継は、権利主張参加の方法によるので、従前の訴訟の当事者双方を相手方として訴訟に参加する申出をしなければならない。

(エ)　原告が死亡した場合でも、当該原告が訴訟代理人を選任していれば、訴訟手続は中断しない。

(オ)　参加承継によって新たに原告となった者は、従前の原告で訴訟から脱退した者が自白した事実に反する主張をすることができる。

(1)　(ア)(イ)　(2)　(ア)(エ)　(3)　(イ)(ウ)　(4)　(ウ)(オ)　(5)　(エ)(オ)

学習記録	／	／	／	／	／	／	／	／	／

重要度 C	知識型		正解 (4)

(ア) 正　一身専属的な権利を訴訟物としていた場合には、当事者の死亡によって承継されず（124 I ①参照)、訴訟は終了し、訴訟の承継は生じない。例えば、夫婦の一方が他方を相手方とした婚姻無効確認請求訴訟は原告の死亡により終了し（最判平1.10.13)、また、養親の養子に対する年長養子縁組取消訴訟は養親の死亡により終了する（最判昭51.7.27）という判例がある。

(イ) 正　訴訟の係属中、第三者がその訴訟の目的である義務の全部又は一部を承継したときは、裁判所は、当事者の申立てにより、決定で、その第三者に訴訟を引き受けさせることができる（50 I）。口頭弁論終結前の承継人に対しては判決の効力が及ばないから、相手方としてはその承継人を当事者として訴訟に引き入れて、これに対する判決を求める必要があるからである。

(ウ) 誤　参加承継とは、訴訟係属中に当然承継の原因以外の原因によって当事者適格の変動が生じた場合に、承継人自らが当事者の地位取得を申し立てる場合をいう。参加承継の申出は、権利主張参加の方式といわれる47条1項の独立当事者参加の規定によってされ（49・51前段)、その訴訟の当事者の双方又は一方を相手方としてすることができる。一方の当事者とは争いがない場合もあり得るため、必ずしも従前の訴訟当事者双方を相手方とする必要はない。

(エ) 正　訴訟当事者が死亡した場合、訴訟手続は中断する（124 I ①)。しかし、その当事者が訴訟代理人を選任している場合には、当事者が死亡しても、訴訟代理人の代理権は消滅せず（58 I ①)、訴訟追行に支障がないから、訴訟手続は中断しない（124 II）。

(オ) 誤　承継人は、前主の訴訟追行に基づいて形成された訴訟状態を全面的に引き継ぎ、弁論及び証拠調べの結果を含めて、前主の自白に反する主張、時機に後れた攻撃防御方法の提出など、前主が既にできなくなった行為をすることはできない。これを認めると、相手方に著しい不利益を与えるばかりでなく、いたずらに訴訟が長引き、訴訟経済上も妥当ではないからである。なお、従来の訴訟追行がなれ合い的であったときなど信義則違反が認められる場合や、承継人が固有の抗弁権を有する場合には、例外が認められる。

以上から、誤っているものは(ウ)(オ)であり、正解は(4)となる。

11d−2(20−2)　その他

複雑訴訟形態に関する次の(ア)から(オ)までの記述のうち、正しいものの組合せは、後記(1)から(5)までのうちどれか。

(ア)　同時審判の申出のある共同訴訟において、被告の一方が期日に欠席し、擬制自白が成立する場合、裁判所は弁論を分離してその被告についてのみ原告勝訴の判決をすることができる。

(イ)　請求の客観的併合の場合、併合請求についての証拠は共通である。

(ウ)　固有必要的共同訴訟において、共同訴訟人となるべき者の全員が共同して訴えを提起しなかった場合、共同訴訟人となるべきその余の者は共同訴訟参加をして原告となることはできない。

(エ)　請求の選択的併合の場合、裁判所は弁論を分離することができない。

(オ)　反訴の提起後に本訴が取り下げられた場合、反訴も取り下げられたものとみなされる。

(1)　(ア)(イ)　(2)　(ア)(ウ)　(3)　(イ)(エ)　(4)　(ウ)(オ)　(5)　(エ)(オ)

学習記録	／	／	／	／	／	／	／	／	／

重要度　C	知識型	

正解　(3)

(ア) 誤　　本来、合一確定の必要がある必要的共同訴訟では、弁論の分離や一部判決は許されないのに対し、共同訴訟人独立の原則が適用される通常共同訴訟においては、弁論の分離や一部判決は何ら妨げられるものではない。しかし、共同被告の一方に対する訴訟の目的である権利と共同被告の他方に対する訴訟の目的である権利とが法律上並存し得ない関係にある場合（例えば本人に対する請求と無権代理人に対する責任追及）において、原告の申出があったときは、弁論及び裁判は、分離しないでしなければならない（41Ⅰ・同時審判の申出）。

(イ) 正　　原告が、一つの訴えによって被告に対する複数の請求について審判を求める行為を、訴えの客観的併合という（136参照）。この場合、一つの訴訟手続において審理がされる結果、期日は全ての請求のために開かれ、主張や証拠調べも各請求に共通のものとして実施される（最判昭43.11.19）。したがって、併合請求についての証拠は共通である。

(ウ) 誤　　訴訟の目的が当事者の一方及び第三者について合一にのみ確定すべき場合には、その第三者は、共同訴訟人としてその訴訟に参加することができる（52Ⅰ・共同訴訟参加）。そして、当該共同訴訟参加が認められるのは、原則として類似必要的共同訴訟（例えば、ある株主が提起した株主総会決議取消訴訟に他の株主が参加する場合）の場合である。しかし、固有必要的共同訴訟においても、例外的ではあるが、共同訴訟人となるべき者が脱落していた場合に、当該脱落者が本条の参加をすることによってその瑕疵の治癒を認めることができる（大判昭9.7.31）。

(エ) 正　　選択的併合とは、原告が数個の請求につき、いずれか一つの請求が認容されることを解除条件として審判を求める併合形態をいう。そして、選択的併合では、その性質上数個の請求について統一的審理がされることを予定しており、また、解除条件の成就の有無を手続内で確認することができなくなるので、弁論の分離は不可能である。

(オ) 誤　　反訴の提起後に本訴が取り下げられた場合、反訴の取下げについては相手方の同意を必要としない旨の規定はあるが（261Ⅱ但書）、本訴の取下げによって反訴の取下げが擬制される旨の規定はない。なお、附帯控訴については、控訴の取下げがあったときはその効力を失う（293Ⅱ本文）。

以上から、正しいものは(イ)(エ)であり、正解は(3)となる。

11d−3(30−1)　その他

訴訟の承継に関する次の(ア)から(オ)までの記述のうち、判例の趣旨に照らし正しいものの組合せは、後記(1)から(5)までのうち、どれか。(改)

(ア)　貸金返還請求訴訟の係属中に原告の死亡によって訴訟手続が中断した場合においても、その相続人は、相続の放棄をすることができる間は、当該訴訟手続を受け継ぐことができない。

(イ)　訴訟引受けの申立ては、上告審においてもすることができる。

(ウ)　所有権に基づく動産引渡請求訴訟の係属中に被告である占有者が当該動産を第三者に売却し引き渡した場合において、裁判所が当該第三者に当該訴訟を引き受けさせる決定をしたときは、当該第三者は、当該決定に対し、抗告をすることができる。

(エ)　貸金返還請求訴訟の係属中に訴訟物とされている貸金債権が譲渡された場合において、当該貸金債権の譲受人が参加承継をしたときは、その参加は、その申出をした時に時効の完成猶予の効力を生ずる。

(オ)　貸金返還請求訴訟の係属中に訴訟物とされている貸金債権が譲渡された場合において、当該貸金債権の譲受人が参加承継をしたときは、参加前の原告は、相手方の承諾を得て当該訴訟から脱退することができる。

(1)　(ア)(ウ)　(2)　(ア)(オ)　(3)　(イ)(ウ)　(4)　(イ)(エ)　(5)　(エ)(オ)

学習記録	／	／	／	／	／	／	／	／	／

重要度　C	知識型	

正解　(2)

(ア) 正　　訴訟の当事者である原告が死亡することによって訴訟手続は中断し、相続人、相続財産の管理人、相続財産の清算人その他法令により訴訟を続行すべき者は訴訟手続を受け継がなければならない（124Ⅰ①)。もっとも、当事者が死亡した場合であっても、相続人は、相続の放棄をすることができる間は、訴訟手続を受け継ぐことができない（124Ⅲ)。

(イ) 誤　　訴訟引受けの申立て（50）は、事実審の口頭弁論終結前に限られ、上告審においては許されない（最決昭37.10.12)。なぜなら、訴訟引受けの申立ては、差戻し後の事実審で申し立てれば足りるからである。

(ウ) 誤　　訴訟引受けの申立てがあったときは、裁判所は当事者及び承継人を審尋した後、決定でその許否を決める（50Ⅰ・Ⅱ)。そして、裁判所が引受けを命ずる決定をしたときは、これに対して独立に抗告することはできない（大決昭16.4.15)。なぜなら、当該決定は一応承継人の適格を認め、これを当事者として取り扱う中間的裁判にすぎないからである。なお、引受けの申立てを却下する決定に対しては、申立人は抗告をすることができる（328Ⅰ)。

(エ) 誤　　訴訟の係属中その訴訟の目的である権利の全部又は一部を譲り受けたことを主張する者が47条１項の規定により訴訟参加をしたときは、時効の完成猶予に関しては、当該訴訟の係属の初めに、裁判上の請求があったものとみなす（49Ⅰ)。これは、訴訟継続中の訴訟物の譲渡について、従来の当事者間に展開された訴訟状態を承継させないと、当事者間において不公平が生じ、訴訟経済上も従来の訴訟追行の結果を無視することとなってしまうからである。

(オ) 正　　訴訟の係属中に訴訟の目的である権利の全部又は一部を譲り受けたことを主張する者は、47条１項の規定により訴訟参加ができる（49·51)。そして、参加前の原告又は被告は、相手方の承諾を得て訴訟から脱退することができる(48)。

以上から、正しいものは(ア)(オ)であり、正解は(2)となる。

12a－1(58－4)　上　訴

控訴の提起に関する次の記述のうち、正しいものはどれか。

(1) 被告は、訴えを却下した判決に対しては、請求棄却の申立てをしている場合でも、控訴を提起することはできない。

(2) 請求棄却の判決を得た被告は、その理由が予備的相殺の抗弁を認めたことによる場合でも、控訴を提起することはできない。

(3) 補助参加人は、判決に不服があっても、被参加人が控訴を提起しない場合に自ら控訴を提起することはできない。

(4) 訴訟費用の裁判に対しては、独立して控訴を提起することはできない。

(5) 離婚訴訟の棄却判決を得た被告は、離婚請求の反訴を提起するためであっても、控訴を提起することはできない。

学習記録	／	／	／	／	／	／	／	／	／

重要度 A	知識型		正解 (4)

(1) 誤　控訴の利益は、控訴人の第一審における本案の申立ての全部又は一部が排斥された場合に認められる。被告にとっては、却下判決よりも、敗訴原告の請求の不存在について既判力の生ずる請求棄却判決の方が有利といえるため、請求棄却の申立てに対して訴え却下判決を得た被告には、控訴の利益が認められ（最判昭40.3.19）、控訴を提起することができる。

(2) 誤　予備的相殺の抗弁で請求棄却判決を得た被告は、形式的にみれば、請求棄却判決を求めて、請求棄却判決を得たのであるから、控訴の利益はないとも思われるが、他の理由で請求棄却判決を得たのと異なり、相殺に供した債権が消滅するという損失を被っており、実質的には敗訴したのと異ならない（114Ⅱ）。したがって、控訴の利益を認めることができ、控訴を提起することができる。

(3) 誤　補助参加が参加人の利益を確保するための制度であることから、補助参加人は、独自の判断で、訴訟について、攻撃又は防御の方法の提出、異議の申立て、上訴の提起、再審の訴えの提起その他一切の訴訟行為をすることができる（45Ⅰ本文）。したがって、補助参加人は、被参加人が控訴を提起しない場合には、自ら控訴を提起することができる。

(4) 正　訴訟費用の裁判に対しては、独立して控訴を提起することはできない（282）。訴訟費用の裁判だけを本案から分離して控訴することを認めると、その訴訟費用の裁判の当否を争うために本案判決の当否まで判断しなければならなくなり、裁判所の負担をいたずらに増加させるからである。

(5) 誤　被告は、棄却判決を求めて、棄却判決を得ているため、控訴の利益は認められないのが原則である。しかし、離婚訴訟の場合には、形式的には被告に有利なはずの棄却判決であっても、それが確定すると、被告からも離婚請求ができなくなることから（人訴25参照）、判決後、離婚請求したい場合など、例外的に控訴の利益が認められる。したがって、離婚訴訟の棄却判決を得た被告は、離婚請求の反訴を提起するために、控訴を提起することができる。

12a−2(4−6)　上　訴

控訴に関する次の(ア)から(オ)までの記述のうち、正しいものの組合せは、後記(1)から(5)までのうちどれか。(改)

(ア)　控訴人は、控訴の理由を控訴状に記載しなかったときは、控訴提起後一定期間内に、控訴理由書を裁判所に提出しなければならない。

(イ)　第１審判決送達前にした控訴は無効である。

(ウ)　控訴審においては、弁論準備手続をすることができない。

(エ)　控訴の提起は、控訴状を第１審裁判所に提出しなければならない。

(オ)　被控訴人は、控訴期間が経過した後でも、口頭弁論の終結に至るまで、附帯控訴することができる。

(1)　(ア)(イ)(ウ)　　(2)　(ア)(イ)(オ)　　(3)　(ア)(エ)(オ)　　(4)　(イ)(ウ)(エ)　　(5)　(ウ)(エ)(オ)

学習記録	／	／	／	／	／	／	／	／	／

重要度　A	知識型		正解　(3)

(ア) 正　　控訴状に第一審判決の取消し又は変更を求める事由の具体的な記載がないときは、控訴人は、控訴の提起後50日以内に、これらを記載した書面を控訴裁判所に提出しなければならない（民訴規182）。控訴の理由は、控訴状の必要的記載事項ではないが（286Ⅱ）、控訴の理由が控訴状に記載されていない場合は、控訴審における争点が早期に明らかにならず、充実した審理が実現できないからである。

(イ) 誤　　控訴期間は、控訴人に対して判決書又はこれに代わる調書が送達された時から進行する（285本文）。しかし、控訴の提起は、判決言渡しの後であれば、その送達前であったとしても可能である（285但書）。仮執行宣言付判決に基づく強制執行の開始を事前に防止する（403Ⅰ③参照）など、判決言渡しの後直ちに控訴を提起する意義が存するからである。

(ウ) 誤　　弁論準備手続は、争点及び証拠の整理を目的とする制度である。したがって、第一審と同様に事実認定と法的判断とを行う控訴審においても、裁判所は、争点及び証拠の整理を行うため必要があると認めるときは、当事者の意見を聴いて、事件を弁論準備手続に付することができる（297・168）。

(エ) 正　　控訴の提起は、控訴状を第一審裁判所に提出してしなければならない（286Ⅰ）。これは、原裁判所である第一審裁判所に、控訴に補正不能な不適法がある場合の原審却下（287）をする機会を与え、同時に、控訴の有無を第一審裁判所の裁判所書記官が知り得ることとし、迅速に判決の確定証明を発することができるように考慮したものである。

(オ) 正　　被控訴人は、控訴期間が経過して、控訴権が消滅した後であっても、口頭弁論の終結に至るまで、附帯控訴をすることができる（293Ⅰ）。控訴人が控訴審の口頭弁論終結時までの請求の拡張を行うことが許されていることとの均衡から（297本文・143）、独立の控訴権を失った被控訴人にも不服申立ての手段を与えたものである。

以上から、正しいものは(ア)(エ)(オ)であり、正解は(3)となる。

12a−3(6−4)　上　訴

上訴に関する次の記述のうち、正しいものはどれか。

(1) 第１審の終局判決中の訴訟費用の裁判に対しては、独立して控訴することができる。

(2) 第１審原告は、自ら控訴した後に、訴えを取り下げることはできない。

(3) 附帯控訴は、被控訴人の控訴権が消滅した後は、することができない。

(4) 控訴権は、放棄することができない。

(5) 上告の提起は、上告状を原裁判所に提出しなければならない。

学習記録	／	／	／	／	／	／	／	／	／

重要度　A	知識型	

正解　(5)

(1) 誤　　訴訟費用の裁判に対しては、独立して控訴を提起することはできない（282）。訴訟費用の裁判だけを本案から分離して控訴することを認めると、その訴訟費用の裁判の当否を争うために本案判決の当否まで判断しなければならなくなり、裁判所の負担をいたずらに増加させるからである。

(2) 誤　　訴えは、判決が確定するまで、その全部又は一部を取り下げることができるから（297本文・261Ⅰ）、第一審原告は、自ら控訴した後に、訴えを取り下げることができる。ただし、訴えの取下げにより、その範囲で訴訟係属が遡及的に消滅する（262Ⅰ）結果、被告がそれまでの訴訟行為によって得た利益（第一審判決）も遡及的に消滅することになるので、相手方の同意を要する（261Ⅱ本文）。

(3) 誤　　被控訴人は、控訴権が消滅した後であっても、口頭弁論の終結に至るまで、附帯控訴をすることができる（293Ⅰ）。控訴人は控訴審の口頭弁論終結時まで請求の拡張を行うことが許されていることとの均衡から（297本文・143）、独立の控訴権を失った被控訴人に不服申立ての手段を与えたものである。

(4) 誤　　控訴権は、放棄することができる（284）。控訴権の放棄とは、控訴権を有する当事者が、自らこれを行使しない旨の意思を表示する訴訟行為をいう。民事訴訟においては、当事者が訴訟の解決について支配権を有するので（処分権主義）、控訴権を放棄することも認められる。

(5) 正　　上告の提起は、上告状を原裁判所に提出してしなければならない（314Ⅰ）。上告審は最終審として膨大な事件数を処理しなければならないため、上告の形式的適法要件を原裁判所に審査させることで上告裁判所の負担を軽減しようとする趣旨である。

12a−4(10−3)　上　訴

控訴に関する次の記述のうち、誤っているものはどれか。

(1)　控訴の提起は、控訴状を控訴裁判所に提出してしなければならない。

(2)　控訴が不適法でその不備を補正することができないときは、控訴裁判所は、口頭弁論を経ることなく、判決で控訴を却下することができる。

(3)　控訴審における口頭弁論は、当事者が第１審判決の変更を求める限度においてのみ行われる。

(4)　控訴の取下げをするには、相手方の同意を得ることを要しない。

(5)　被控訴人は、控訴権を放棄・喪失した後であっても、控訴審の口頭弁論の終結に至るまで、附帯控訴をすることができる。

学習記録	／	／	／	／	／	／	／	／	／

重要度　A	知識型		正解　(1)

(1)　誤　　控訴の提起は、控訴状を第一審裁判所に提出してしなければならない（286Ⅰ）。これは、控訴が不適法でその不備を補正することができないことが明らかである場合に、第一審裁判所で控訴を却下することを可能にし（287Ⅰ）、また、控訴の有無を知った第一審裁判所の裁判所書記官が、判決の確定証明を迅速に発することを可能にし、適正な民事訴訟運営ができるようにしたものである。

(2)　正　　判決は口頭弁論に基づいて行うのが原則である（87Ⅰ本文・必要的口頭弁論の原則）。しかし、控訴が不適法でその不備を補正することができないときは、控訴裁判所は、口頭弁論を経ないで、判決で、控訴を却下することができる（290）。控訴の不備を補正できない以上、不適法却下されることが明らかであり（140参照）、口頭弁論を開く意味がないからである。

(3)　正　　控訴が提起されると、第一審の終局判決の確定が遮断され（116Ⅱ）、事件全体が控訴審に移審する（控訴不可分の原則）。しかし、控訴審における口頭弁論は、当事者が第一審判決の変更を求める限度においてのみ行われる（296Ⅰ）。私的自治の訴訟法的反映から、原判決の取消し及び変更は、不服申立ての限度においてのみ許されるから（304・不利益変更禁止の原則）、口頭弁論も、その範囲で行われる。

(4)　正　　控訴の取下げとは、控訴人による原判決に対する不服申立て（控訴）を撤回する訴訟行為をいう（292Ⅰ）。控訴の取下げには、訴えの取下げとは異なり、相手方の同意を要しない（292Ⅱによる261Ⅱの不準用、最判昭34.9.17）。控訴が取り下げられると、控訴期間（285本文）の経過によって第一審判決が確定するため、控訴被告にとってはむしろ好都合だからである。

(5)　正　　被控訴人は、控訴権を放棄・喪失した後であっても、控訴審の口頭弁論の終結に至るまで、附帯控訴をすることができる（293Ⅰ）。これは、控訴権を失い自己に有利な原判決変更の可能性のないまま応訴を余儀なくされる被控訴人に、不服申立ての手段を与えたものである。

12a－5(28－5)　上　訴

控訴に関する次の(ア)から(オ)までの記述のうち、判例の趣旨に照らし正しいものの組合せは、後記(1)から(5)までのうち、どれか。

(ア)　控訴が不適法でその不備を補正することができないときは、控訴裁判所は、口頭弁論を経ないで、決定で、控訴を棄却することができる。

(イ)　控訴審においては、反訴の提起は、相手方の同意がある場合に限り、することができる。

(ウ)　控訴は、被控訴人から附帯控訴が提起された場合には、当該被控訴人の同意がなければ、取り下げることができない。

(エ)　簡易裁判所の終局判決に対する控訴の提起は、控訴状を地方裁判所に提出してしなければならない。

(オ)　原告の主位的請求を棄却し、予備的請求を認容した判決に対しては、原告も被告も控訴をすることができる。

(1)　(ア)(ウ)　(2)　(ア)(エ)　(3)　(イ)(ウ)　(4)　(イ)(オ)　(5)　(エ)(オ)

学習記録	／	／	／	／	／	／	／	／	／

重要度　A	知識型		正解　(4)

(ア)　誤　　控訴が不適法でその不備を補正することができないときは、控訴裁判所は、口頭弁論を経ないで、判決で、控訴を却下することができる（290）。なぜなら、口頭弁論を開いても、結局は不適法であり、却下されることが明らかであるからである。したがって、口頭弁論を経ないでとする点においては正しいが、決定で、控訴を棄却することができるとする点で、本肢は誤っている。

(イ)　正　　控訴審においては、反訴の提起は、相手方の同意がある場合に限り、することができる（300Ⅰ）。なお、既に第一審における抗弁などの形で、反訴請求について実質的審理が行われている場合のように、相手方の審級の利益を失わせるおそれがないときには、相手方の同意は要しない（最判昭38.2.21）。

(ウ)　誤　　控訴の取下げについては、被控訴人の同意を要しない（292Ⅱにおける261Ⅱの不準用）。なぜなら、控訴の取下げの効果が控訴審手続の終了であり、被控訴人に不利益を及ぼす可能性がないからである。そして、被控訴人が附帯控訴をしているときでも、その同意を得る必要はない。

(エ)　誤　　控訴の提起は、控訴状を第一審裁判所に提出してしなければならない（286Ⅰ）。なぜなら、控訴状の提出先を第一審裁判所に限定することにより、控訴の有無を第一審裁判所の裁判所書記官が知ることができるので、迅速に判決の確定証明書を交付することが可能となり、また、控訴が不適法でその不備の補正が明らかに不可能である場合には、第一審裁判所が決定で控訴を却下すること（287Ⅰ）ができ、迅速に紛争を解決することができるからである。したがって、簡易裁判所の終局判決に対する控訴の提起は、控訴状を第一審裁判所である簡易裁判所に提出してしなければならない。

(オ)　正　　控訴を提起する権利は、第一審判決に対して不服を申し立てる利益（控訴の利益）を有する当事者のみに認められる。この点、主位的請求を棄却し、予備的請求を認容する判決に対しては、原告と被告の双方に控訴の利益が認められる。なぜなら、原告は主位的請求が棄却されたことによって、被告は予備的請求が認容されたことによって、不利益を受けるからである。

以上から、正しいものは(イ)(オ)であり、正解は(4)となる。

12a－6(R4－5)　上　訴

控訴に関する次の(ア)から(オ)までの記述のうち、判例の趣旨に照らし正しいものの組合せは、後記(1)から(5)までのうち、どれか。

(ア) 控訴をする権利は、第一審裁判所が判決を言い渡す前にあらかじめ放棄することができる。

(イ) 第一審判決が判決書の原本に基づいて言い渡されたときは、控訴の提起は、判決書の送達を受けた日から2週間の不変期間内に、控訴状を第一審裁判所に提出してしなければならない。

(ウ) 主位的請求を棄却し予備的請求を認容した第一審判決に対し、被告のみが控訴し、原告が控訴も附帯控訴もしないときは、予備的請求に対する第一審判決の当否のみが控訴審の審判の対象となる。

(エ) 被控訴人は、既に自らの控訴期間が経過しているとき又は既に控訴をする権利を放棄しているときは、控訴審の口頭弁論の終結前であっても、附帯控訴をすることができない。

(オ) 第一審裁判所が、100万円の貸金返還請求について、60万円の限度で一部認容する判決をした場合には、原告が請求棄却部分のうち20万円の部分についてのみ控訴したときであっても、控訴審裁判所は、原判決を取り消して100万円全額について請求を認容することができる。

(1) (ア)(エ)　(2) (ア)(オ)　(3) (イ)(ウ)　(4) (イ)(エ)　(5) (ウ)(オ)

学習記録	／	／	／	／	／	／	／	／	／

重要度 A	知識型		正解 (3)

(ア) 誤　控訴権の放棄は単独行為であり、各当事者は、相手方の同意を得ることなく控訴権を放棄することができる（284）。ただし、判決の内容が不分明の段階で一方当事者のみの控訴権を放棄させるのは不公平であるため、終局判決言渡し前における控訴権の放棄は無効である。なお、第一審判決を言渡し時に確定させたいのであれば、当事者双方が控訴しない旨を合意する不控訴の合意（281但書）によるべきである。

(イ) 正　控訴の提起は、判決書又は調書判決における調書の送達を受けた日から２週間の不変期間内に（285本文）、控訴状を第一審裁判所に提出することによって行う（286Ⅰ）。

(ウ) 正　主位的請求を棄却し、予備的請求を認容した判決に対して、被告のみが上訴したときは、主位的請求も控訴審に移審するが、原告がその棄却判決に対して不服を申し立てていない以上、上訴審の審判の対象とならない（最判昭58.3.22）。なぜなら、主位的請求棄却・予備的請求認容判決に対して上訴の利益をもつ原告が上訴を行わなかったときには、もはや主位的請求についての審判要求を維持する意思を失っているとみなされるからである。したがって、主位的請求を棄却し、予備的請求を認容した判決に対し、被告のみが控訴し、原告が控訴も附帯控訴もしないときは、予備的請求に対する第一審判決の当否のみが控訴審の審判の対象となる。

(エ) 誤　附帯控訴とは、被控訴人によって控訴審手続においてなされる申立てであって、請求についての原判決を自己の有利に変更することを求めるものである。この点、被控訴人は、控訴権が消滅した後であっても、口頭弁論の終結に至るまで、附帯控訴をすることができる（293Ⅰ）。なぜなら、控訴人は控訴審の口頭弁論終結時まで請求の拡張を行うことが許されている以上（297本文・143）、独立の控訴権を失った被控訴人にも控訴審で自己に有利な原判決変更の可能性を与え、当事者間の公平を図る必要があるからである。したがって、被控訴人は既に自らの控訴期間が経過しているとき又は既に控訴をする権利を放棄しているときであっても、附帯控訴をすることができる。

(オ) 誤　控訴審の審判は、移審した請求のうち不服申立ての対象となっているものに限定され（296Ⅰ）、さらに、取消し及び変更は、不服申立ての限度においてのみ許される（304）。したがって、100万円の貸金返還請求のうち、60万円について請求認容、残額40万円について請求棄却の一部認容判決を受けた原告が、請求棄却部分のうち20万円について控訴したときには、控訴審の取消し及び変更の範囲は、その20万円の部分に限られる。

以上から、正しいものは(イ)(ウ)であり、正解は(3)となる。

12b－1(30－5)　再　審

再審に関する次の(ア)から(オ)までの記述のうち、正しいものの組合せは、後記(1)から(5)までのうち、どれか。

(ア)　不服の申立てに係る判決が前に確定した判決と抵触することを再審事由とする場合には、再審期間の制限がある。

(イ)　再審の訴えを提起した当事者は、不服の理由を変更することができる。

(ウ)　裁判所は、決定で再審の請求を棄却する場合には、相手方を審尋しなければならない。

(エ)　確定した訴状却下命令に対しては、再審の申立てをすることができる。

(オ)　裁判所は、再審開始の決定が確定した場合において、判決を正当とするときは、再審の請求を却下しなければならない。

(1)　(ア)(ウ)　　(2)　(ア)(オ)　　(3)　(イ)(ウ)　　(4)　(イ)(エ)　　(5)　(エ)(オ)

学習記録	／	／	／	／	／	／	／	／	／

重要度 C	知識型		正解 (4)

(ア) 誤　再審の訴えは、当事者が判決の確定した後再審の事由を知った日から30日の不変期間内に提起しなければならず、判決が確定した日から５年を経過したときは、再審の訴えを提起することができない（342Ⅰ・Ⅱ）。もっとも、これらの規定は、不服の申立てに係る判決が前に確定した判決と抵触することを再審事由とする場合には、適用されない（342Ⅲ・338Ⅰ⑩）。なぜなら、確定判決の存在はいつでも正しくする必要があるためである。

(イ) 正　再審の訴えを提起した当事者は、不服の理由を変更することができる(344)。これは、再審が確定判決の変更をすべき最後の手段となることから、特に定められた規定である。

(ウ) 誤　裁判所は、再審開始の決定をする場合には、相手方を審尋しなければならない（346Ⅱ）。これに対し、再審の請求を棄却する決定をする場合は、相手方には不利益が生じないことから、審尋の必要はない（345Ⅱ参照）。

(エ) 正　訴状却下命令に対しては、原告は１週間以内に即時抗告をすることができる（137Ⅲ・332）。そして、即時抗告をもって不服を申し立てることができる決定又は命令で確定したものに対しては、再審の申立てをすることができる（349）。

(オ) 誤　裁判所は、再審開始の決定が確定した場合において、判決を正当とするときは、再審の請求を棄却しなければならない（348Ⅰ・Ⅱ）。

以上から、正しいものは(イ)(エ)であり、正解は(4)となる。

12c－1(2－3)　その他

次の裁判のうち、独立して不服を申し立てることができるものはどれか。

(1) 中間判決

(2) 仮執行宣言

(3) 債務の承継による訴訟を引き受けさせる旨の決定

(4) 一部判決

(5) 訴訟費用の裁判

学習記録	／	／	／	／	／	／	／	／	／

重要度　C	知識型			正解　(4)

(1) できない　中間判決（245）に対して、独立して不服を申し立てることはできない。中間判決は、審理を整理し終局判決を準備する目的で下される判決であるから、これに独立して不服申立てをすることを認めると、かえって混乱が生じ、その目的が果たせなくなるからである。

(2) できない　仮執行の宣言（259Ⅰ）は、終局判決の確定前にその内容を実現できる効力を付与する形式的裁判であり、終局判決に付随する裁判である。したがって、その性質上、これに対する独立した不服申立ては認められない（260Ⅰ）。

(3) できない　債務の承継による訴訟を引き受けさせる旨の決定（引受決定）は中間的裁判であるから、これに対して独立の不服申立てはできない（大判昭16.4.15）。なお、承継人は、後日終局判決に対する上訴の機会に訴訟引受決定の当否について争うことができる（283本文）。

(4) できる　一部判決（243Ⅱ）とは、訴訟の一部が裁判をするのに機が熟している場合に、裁判所がその一部についてする終局判決をいう。したがって、一部判決に対しては、終局判決に対する独立の不服申立方法である控訴（281本文）が可能である。

(5) できない　訴訟費用の裁判に対しては、独立して控訴の提起をすることはできない（282）。訴訟費用の裁判だけを本案から分離して控訴することを認めると、その訴訟費用の裁判の当否を争うために本案判決の当否まで判断しなければならなくなり、裁判所の負担をいたずらに増加させるからである。

13a－1(61－3)　簡易裁判所の訴訟手続に関する特則

簡易裁判所における訴訟手続等に関する次の記述のうち、誤っているものはどれか。(改)

(1)　裁判所は、証人尋問をするにつき、証言に代えて証言内容を記載した書面を提出させたときは、その書面を書証として取り調べなければならない。

(2)　口頭弁論の続行の期日の呼出しだけでなく、最初の口頭弁論期日の呼出しも、裁判所が相当と認める方法によってすることができる。

(3)　当事者双方は、いつでも任意に裁判所に出頭し、直ちに口頭で訴えを提起し、口頭弁論をすることができる。

(4)　仮執行宣言を付した支払督促の送達が公示送達によらなければならない場合でも、裁判所書記官は、仮執行の宣言をすることができる。

(5)　支払督促に対する督促異議の申立てには、理由を付すことを要しない。

学習記録	／	／	／	／	／	／	／	／	／

重要度　A	知識型	

正解　(1)

⑴ 誤　裁判所は、相当と認めるときは、証人若しくは当事者本人の尋問又は鑑定人の意見の陳述に代え、書面の提出をさせることができる（278）。提出された証拠の評価は裁判官の自由な心証（247）に委ねられているので、尋問事項等の内容からみて尋問に代わる書面の提出によって信用するに足りる正確な陳述を得られると判断できるのであれば、少額軽微な事件の審理のために時間も費用もかかる直接尋問に拘泥する必要はないからである。したがって、この書面の提出は、証人、当事者に対する尋問又は鑑定人に対する意見陳述方法の一種であってその方法が通常と異なるにすぎず、提出された書面が書証となるのではない。

⑵ 正　期日の呼出しは、簡易裁判所以外の裁判所の最初の期日についても、呼出状の送達、当該事件について出頭した者に対する期日の告知その他相当と認める方法によってする（94Ⅰ）。期日の呼出しの目的は、訴訟関係者の出席を確保することにあるから、確実に目的が達せられる見込みがあるときにまで、送達というコストのかかる方法による必要はないからである。

⑶ 正　訴えの提起は、訴状を裁判所に提出してするのが原則であるが（134Ⅰ）、簡易裁判所においては手続が簡略化されており、口頭による起訴が認められている（271）。そして、当事者双方は、任意に裁判所に出頭し、訴訟について口頭弁論をすることができ（273前段）、この場合においては、訴えの提起は、口頭の陳述によってする（273後段）。

⑷ 正　仮執行宣言付支払督促（391Ⅱ本文）の送達は、支払督促の場合（382但書）と異なり公示送達によることもできる。これは、支払督促が適法に送達された場合には、債務者は、督促異議の申立て（386Ⅱ）をする機会が与えられており、既に債務者の保護に欠けるところがないからである。

⑸ 正　督促異議（386Ⅱ）は、上訴の場合の不服申立てと異なり、債権者の一方的申立てに基づいて発せられた支払督促に対して債務者の手続保障を確保するために、通常手続による慎重な審理を求めることにその目的がある（395前段）。したがって、督促異議の申立てには理由を付すことを要しない。

13a−2(3−2)　簡易裁判所の訴訟手続に関する特則

簡易裁判所の民事訴訟の手続に関する次の記述のうち、誤っているものはどれか。

(1) 裁判所の許可を得れば、弁護士以外の者も訴訟代理人となることができる。

(2) 相手方が準備しなければ、陳述できない事項については、準備書面の提出に代えて、口頭弁論期日前に直接相手方にこれを通知することができる。

(3) 当事者の双方が口頭弁論期日に出頭しないときは、当事者の提出した訴状、答弁書その他の準備書面に記載した事項を陳述したものとみなすことができる。

(4) 裁判所は相当と認めるときは、証人尋問に代えて証人に尋問事項に関する陳述を記載した書面を提出させることができる。

(5) 裁判所は必要があると認めるとき、和解を試みるについて司法委員に補助させることができる。

学習記録	／	／	／	／	／	／	／	／	／

重要度　A	知識型		正解　(3)

⑴　正　　法令により裁判上の行為をすることができる代理人のほか、弁護士でなければ訴訟代理人となることができないのが原則である（54 I 本文）。しかし、簡易裁判所においては、その許可を得て、弁護士でない者を訴訟代理人とすることができる（54 I 但書）。簡易裁判所が扱う事件は比較的少額軽微であるし、また、裁判所は与えた許可をいつでも取り消すことができるので（54 II）、不都合はないと考えられるからである。

⑵　正　　簡易裁判所においては、軽微な事件を簡易迅速に処理するため、口頭弁論は、書面で準備することを要しないのが原則である（276 I）。しかし、相手方が準備をしなければ陳述をすることができないと認めるべき事項については、不意打ち防止の趣旨から、書面で準備し、又は口頭弁論前直接に相手方に通知しなければならない（276 II）。

⑶　誤　　当事者の一方が口頭弁論の期日に出頭せず、又は出頭したが本案の弁論をしない場合に、裁判所が、その者の提出した訴状、答弁書その他の準備書面に記載した事項を陳述したものとみなす陳述擬制の規定（158）は、簡易裁判所における口頭弁論の続行期日にも準用されている（277）。しかし、当事者双方が欠席した場合（263）にまで陳述擬制を認める旨の特則は、存在しない。簡易裁判所が軽微な事件を扱うため、その手続を簡易化できるとしても、当事者双方が口頭弁論に欠席している場合にまで陳述擬制を認めては、口頭主義が全く骨抜きになってしまうからである。

⑷　正　　裁判所は、相当と認めるときは、証人若しくは当事者本人の尋問又は鑑定人の意見陳述に代え、書面の提出をさせることができる（278）。尋問事項等の内容からみて尋問又は意見陳述に代わる書面の提出によって信用するに足りる正確な陳述を得られると判断できるのであれば、少額軽微な事件の審理のために時間も費用もかかる直接尋問（意見陳述）に拘泥する必要はないからである。

⑸　正　　裁判所は、必要があると認めるときは、和解を試みるについて司法委員に補助をさせることができる（279 I）。簡易裁判所に係属する事件は国民の生活に密着した比較的軽微で簡単なものが多いことから、民間人から選出された司法委員をその審理又は和解に関与させることにより、事件の解決に健全な民間人の良識を反映させようとする趣旨である。

13a−3(6−3)　簡易裁判所の訴訟手続に関する特則

簡易裁判所の民事訴訟の手続に関する次の記述のうち、誤っているものはどれか。

(1)　調書は、当事者に異議がある場合を除き、裁判官の許可があるときは、証人の陳述の記載を省略して記載することができる。

(2)　簡易裁判所は、訴訟がその管轄に属する場合においても、相当と認めるときは、その専属管轄に属するものを除き、申立てにより又は職権で訴訟の全部又は一部をその所在地を管轄する地方裁判所に移送することができる。

(3)　最初の期日の呼出しであっても、呼出状を送達する方法以外の相当と認められる方法によってすることができる。

(4)　被告が、反訴で地方裁判所の管轄に属する請求をした場合において、相手方の申立てがあるときは、簡易裁判所は、決定で本訴及び反訴を地方裁判所に移送しなければならない。

(5)　裁判所は、相当と認めるときは、当事者尋問に代えて、当事者に書面を提出させることができる。

学習記録	／	／	／	／	／	／	／	／	／

重要度　A	知識型		正解　(1)

(1)　誤　　簡易裁判所における口頭弁論の調書については、裁判官の許可を得て、証人等の陳述又は検証の結果の記載を省略することができる（民訴規170 I 前段）。これは、軽微な事件を簡易迅速に処理する簡易裁判所においては、証人尋問等の内容を具体的に記録する必要性の乏しい事件も多いことから、認められたものである。この際、当事者は、意見を述べることができる（民訴規170 I 後段）が、異議を述べることはできない。

(2)　正　　簡易裁判所は、訴訟がその管轄に属する場合においても、相当と認めるときは、申立てにより、又は職権で、訴訟の全部又は一部をその所在地を管轄する地方裁判所に移送することができる（18）。これは、簡易裁判所の手に余るような訴訟については、より充実した審理の可能な地方裁判所においてされることが相当であり、かえって訴訟経済にも資するからである。

(3)　正　　期日の呼出しは、簡易裁判所以外の裁判所の最初の期日についても、呼出状の送達、当該事件について出頭した者に対する期日の告知その他相当と認める方法によってする（94 I）。期日の呼出しの目的は、訴訟関係者の出席を確保することにあるから、確実に目的が達せられる見込みがあるときにまで、送達というコストのかかる方法による必要はないからである。

(4)　正　　被告が反訴で地方裁判所の管轄に属する請求をした場合において、相手方の申立てがあるときは、簡易裁判所は、決定で、本訴及び反訴を地方裁判所に移送しなければならない（274 I 前段）。反訴被告としては反訴事件について地方裁判所で充実した審理を受ける権利を有するから、反訴被告のこのような権利を尊重するとともに、訴訟経済上本訴と反訴を同一の訴訟手続内で審理すべき要請をも満たそうとする趣旨である。

(5)　正　　裁判所は、相当と認めるときは、証人若しくは当事者本人の尋問又は鑑定人の意見の陳述に代え、書面の提出をさせることができる（278）。尋問事項等の内容からみて尋問又は意見陳述に代わる書面の提出によって信用するに足りる正確な陳述を得られると判断できるのであれば、少額軽微な事件の審理のために時間も費用もかかる直接尋問（意見陳述）に拘泥する必要はないからである。

13a－4(8－5)　簡易裁判所の訴訟手続に関する特則

簡易裁判所における民事訴訟の手続きに関する次の記述のうち、正しいものはどれか。(改)

(1)　訴え提起前の和解の申立ては、140万円を超える金銭の支払を内容とするものであっても、簡易裁判所に対してすることができる。

(2)　簡易裁判所における訴訟においては、反訴を提起することができない。

(3)　簡易裁判所における判決の言渡しは判決書の原本に基づかなくてもすることができる。

(4)　簡易裁判所が財産権上の請求を認容する判決をするときは、請求の性質上仮執行ができない場合を除き、職権で仮執行の宣言をしなければならない。

(5)　簡易裁判所がした判決に対する控訴は、高等裁判所に対してしなければならない。

学習記録	／	／	／	／	／	／	／	／	／

重要度　A	知識型		正解　(1)

(1) 正　　訴え提起前の和解の申立ての管轄裁判所は、訴額にかかわらず、相手方の普通裁判籍の所在地を管轄する簡易裁判所とされている（275Ⅰ）。これは、訴え提起前の和解の申立ては、紛争の解決を目的とするというよりも、むしろ、公正証書の代用的利用方法という実質を有するからである。したがって、訴え提起前の和解の申立ては、140万円を超える金銭の支払を内容とするものであっても、簡易裁判所に対してすることができる（裁33Ⅰ①参照)。

(2) 誤　　簡易裁判所における訴訟においても、反訴を提起することができる(274参照)。反訴の趣旨は、原告に訴えの併合・変更が認められているのに対応して、公平の見地から、被告にも同一訴訟手続の利用を認めることにあり、この趣旨は、簡易裁判所においても当てはまるからである。

(3) 誤　　簡易裁判所において判決の言渡しを判決書の原本に基づかないですることができる旨の特別な規定は存在しないため、簡易裁判所における判決の言渡しであっても、地方裁判所以上の裁判所と同様に判決書の原本に基づいてする必要がある（252)。なお、例外として、地方裁判所・簡易裁判所を問わず、実質的に当事者間に争いのない事件について原告の請求を認容する場合（254Ⅰ）や、少額訴訟における口頭弁論終結後の判決の言渡し（374Ⅱ前段）等は、判決書の原本に基づかないですることができる。

(4) 誤　　財産権上の請求に関する判決については、申立てにより又は職権で仮執行宣言がされ、仮執行の必要性の判断は裁判所の裁量に任されている(259Ⅰ)。なお、少額訴訟における請求認容判決については、裁判所は職権で仮執行宣言をしなければならない（376Ⅰ）。

(5) 誤　　第一審が簡易裁判所の判決についての控訴は、地方裁判所が裁判権を有する（裁24③)。なお、控訴状は第一審である簡易裁判所に提出する（286Ⅰ)。したがって、いずれにせよ、高等裁判所に対して控訴することとはならない。

13a−5(17−5)　簡易裁判所の訴訟手続に関する特則

訴え提起前の和解に関する次の(ア)から(オ)までの記述のうち、誤っているものの組合せは、後記(1)から(5)までのうちどれか。

(ア)　訴え提起前の和解は、簡易裁判所に対する当事者双方の共同の申立てにより事件が係属する。

(イ)　訴え提起前の和解の申立てに当たっては、請求の趣旨及び原因を表示するだけでなく、当事者間の争いの実情も表示する必要がある。

(ウ)　訴え提起前の和解の期日に当事者双方が出頭しなかったときは、期日が続行されることはなく、和解が調わないものとみなされて事件が終了する。

(エ)　訴え提起前の和解が調わない場合において、和解の期日に出頭した当事者双方の申立てがあるときは、通常の訴訟手続に移行する。

(オ)　訴え提起前の和解が調い、これが調書に記載されたときは、この調書の記載は、確定判決と同一の効力を有する。

(1)　(ア)(ウ)　　(2)　(ア)(エ)　　(3)　(イ)(ウ)　　(4)　(イ)(オ)　　(5)　(エ)(オ)

学習記録	／	／	／	／	／	／	／	／	／

重要度　A	知識型		正解　(1)

(ア) 誤　　訴え提起前の和解は、当事者が、請求の趣旨及び原因並びに争いの実情を表示して、相手方の普通裁判籍の所在地を管轄する簡易裁判所に申し立てることができる（275Ⅰ）。当事者双方は、任意に出頭して期日の開始を求めることができるが、必ずしも当事者双方の共同の申立てにより事件が簡易裁判所に係属するのではない。なお、上述の和解が調わない場合において、和解の期日に出頭した当事者双方の申立てがあるときは、裁判所は、直ちに訴訟の弁論を命ずる（275Ⅱ）。

(イ) 正　　訴え提起前の和解は、当事者が、請求の趣旨及び原因並びに争いの実情を表示して、相手方の普通裁判籍の所在地を管轄する簡易裁判所に申し立てることができる（275Ⅰ）。なお、争いの実情とは、紛争の契機となった事実や相手方の主張を指す。

(ウ) 誤　　訴え提起前の和解において申立人又は相手方が和解の期日に出頭しないときは、裁判所は、和解が調わないものとみなすことができる（275Ⅲ）のであって、和解が調わないものとみなされるのではない。なお、当事者の一方が和解の期日に出頭しない場合であっても、和解成立の見込みがあると判断される事案については、期日を続行することも可能であると解される。

(エ) 正　　訴え提起前の和解が調わない場合において、和解の期日に出頭した当事者双方の申立てがあるときは、裁判所は、直ちに訴訟の弁論を命ずる（275Ⅱ）。この場合、申立人は和解申立ての時に訴えを提起したものとみなされ、通常の訴訟手続に移行することになる。

(オ) 正　　訴え提起前の和解が調ったときは、裁判所書記官は、和解内容を調書に記載しなければならず（民訴規169）、この調書の記載は、確定判決と同一の効力を有する（267）。

以上から、誤っているものは(ア)(ウ)であり、正解は(1)となる。

13a−6(30−4)　簡易裁判所の訴訟手続に関する特則

簡易裁判所の訴訟手続に関する次の(ア)から(オ)までの記述のうち、正しいものの組合せは、後記(1)から(5)までのうち、どれか。

なお、少額訴訟に関する特則については、考慮しないものとする。

(ア)　簡易裁判所は、訴訟がその管轄に属する場合においても、相当と認めるときは、申立てにより又は職権で、訴訟の全部又は一部をその所在地を管轄する地方裁判所に移送することができる。

(イ)　反訴の提起は、口頭ですることができない。

(ウ)　証拠調べは、即時に取り調べることができる証拠に限りすることができる。

(エ)　判決書に事実及び理由を記載するには、請求の趣旨及び原因の要旨、その原因の有無並びに請求を排斥する理由である抗弁の要旨を表示すれば足りる。

(オ)　裁判所は、当事者の共同の申立てがあるときは、司法委員を審理に立ち会わせて事件についてその意見を聴かなければならない。

(1)　(ア)(ウ)　　(2)　(ア)(エ)　　(3)　(イ)(ウ)　　(4)　(イ)(オ)　　(5)　(エ)(オ)

学習記録	／	／	／	／	／	／	／	／	／

重要度　A	知識型	

正解　(2)

(ア)　正　　簡易裁判所は、訴訟がその管轄に属する場合においても、相当と認めるときは、その専属管轄（当事者が管轄の合意の規定により合意で定めたものを除く。）に属するものを除き、申立てにより又は職権で、訴訟の全部又は一部をその所在地を管轄する地方裁判所に移送することができる（18・20Ⅰ）。これは、訴訟関係者の出頭の便宜、審理の都合などから、地方裁判所で審理する方が当事者にとって利益となる場合があるからである。

(イ)　誤　　簡易裁判所における訴えは、口頭で提起することができる（271）。そして、反訴については、訴えに関する規定が適用されるため（民訴規59）、反訴についても口頭による提起が可能である。

(ウ)　誤　　少額訴訟における証拠調べは、即時に取り調べることができる証拠に限りすることができるが（371）、少額訴訟以外の簡易裁判所の訴訟手続規定には、そのような規定はない。

(エ)　正　　簡易裁判所において、判決書に事実及び理由を記載するには、請求の趣旨及び原因の要旨、その原因の有無並びに請求を排斥する理由である抗弁の要旨を表示すれば足りる（280）。これは、簡易、迅速な紛争解決を目指す簡易裁判所においては、判決書作成に費やす労力と時間を軽減し、これによって生じた余力を審理の充実等に向けて負担の適切な配分を図り、その特色を十分に発揮させるべきであるとの観点から、判決書の簡略化を認めたものである。

(オ)　誤　　裁判所は、必要があると認めるときは、和解を試みるについて司法委員に補助をさせ、又は司法委員を審理に立ち会わせて事件につきその意見を聴くことができる（279Ⅰ）。そして、これらは、裁判所が裁量的判断により必要と認めたときに限られる。

以上から、正しいものは(ア)(エ)であり、正解は(2)となる。

13b－1(13－5)　少額訴訟に関する特則

少額訴訟に関する次の(ア)から(オ)までの記述のうち、誤っているものの組合せは、後記(1)から(5)までのうちどれか。(改)

(ア)　訴訟の目的の価額が60万円以下の金銭の支払の請求を目的とする訴えについては、少額訴訟による審理及び裁判を求めることができる。

(イ)　少額訴訟による審理及び裁判を求める旨の申述は、最初にすべき口頭弁論の期日までにしなければならない。

(ウ)　少額訴訟においては、即時に取り調べることができる証拠に限り、証拠調べをすることができる。

(エ)　少額訴訟においては、判決書の原本に基づかないで判決の言渡しをすることができる。

(オ)　少額訴訟の終局判決に対しても、控訴をすることができる。

(1)　(ア)(ウ)　　(2)　(ア)(オ)　　(3)　(イ)(エ)　　(4)　(イ)(オ)　　(5)　(ウ)(エ)

学習記録	／	／	／	／	／	／	／	／	／

重要度　C	知識型	要 *Check!*

正解　(4)

(ア)　正　　簡易裁判所においては、訴訟の目的の価額が60万円以下の金銭の支払の請求を目的とする訴えについて、少額訴訟による審理及び裁判を求めることができる（368Ⅰ本文）。訴訟の目的の価額が低額な場合には、手続を緩和して簡易迅速な審理及び裁判を認める必要があり、また、金銭の支払の請求を目的とする訴えである限り、簡易な手続で処理することが困難な事件は少ないと考えられるからである。

(イ)　誤　　少額訴訟による審理及び裁判を求める旨の申述は、訴えの提起の際にしなければならず（368Ⅱ）、その後は、最初にすべき口頭弁論の期日までの間であっても、その旨の申述をすることはできない。通常訴訟手続と少額訴訟手続との異同は、被告の応訴準備や裁判所が審理計画を立てる関係で、重大な差異をもたらすからである。

(ウ)　正　　少額訴訟における証拠調べは、即時に取り調べることができる証拠に限りすることができる（371）。審理の迅速化を確保して１回の期日で審理を終えるという少額訴訟における一期日審理の原則（370Ⅰ）を支える趣旨である。

(エ)　正　　少額訴訟において口頭弁論の終結後直ちに判決を言い渡す場合（374Ⅰ）には、判決の言渡しは、判決書の原本に基づかないですることができる（374Ⅱ）。争いのある事件についての判決は、別途判決言渡期日を指定して、判決書の原本を作成し、これに基づいて言渡しをしなければならないが（252）、この原則を少額訴訟の判決にも維持すると、一期日審理の原則（370Ⅰ）により審理を遂げても、結果的に簡易迅速な審理及び裁判を目的とする少額訴訟の制度趣旨に適合しないことになる。そこで、調書判決の要件（254Ⅰ）を満たさない場合も調書判決を認めたものである。

(オ)　誤　　少額訴訟の終局判決に対しては、控訴をすることができない（377）。控訴を認めると紛争の終局的解決までに相当の時間と費用がかかり、少額訴訟の制度趣旨に適合しないからである。なお、少額訴訟に対する不服の申立てとしては、その判決をした簡易裁判所に対して異議の申立てをすることが認められている（378Ⅰ）。

以上から、誤っているものは(イ)(オ)であり、正解は(4)となる。

13b－2(21－5)　少額訴訟に関する特則

少額訴訟に関する次の(ア)から(オ)までの記述のうち、誤っているものの組合せは、後記(1)から(5)までのうちどれか。

(ア)　原告が訴え提起の際に少額訴訟による審理及び裁判を求める旨の申述をした場合において、被告の住所等の送達をすべき場所が知れないため、公示送達によらなければ被告に対する最初にすべき口頭弁論の期日の呼出をすることができないときは、裁判所は、訴訟を通常の手続により審理及び裁判をする旨の決定をしなければならない。

(イ)　少額訴訟の終局判決に対して適法な異議の申立てがされた後の審理において証人尋問を行うときには、裁判官が相当と認める順序で証人の尋問をすることができる。

(ウ)　原告が同一の簡易裁判所において同一の年に少額訴訟による審理及び判決を求めることができる回数の制限を超えてこれを求めた場合には、裁判所は、職権で、訴訟を通常の手続により審理及び裁判する旨の決定をする。

(エ)　原告は主債務者及び保証人を共同被告として少額訴訟を提起することができ、各被告は、この訴訟において、原告に対し、反訴を提起することができる。

(オ)　裁判所が、期日を続行して少額訴訟による審理及び裁判を行うためには、当事者の同意を得ることが必要である。

(1)　(ア)(イ)　　(2)　(ア)(ウ)　　(3)　(イ)(オ)　　(4)　(ウ)(エ)　　(5)　(エ)(オ)

学習記録	／	／	／	／	／	／	／	／	／

重要度　C	知識型	要 *Check!*

正解　(5)

(ア)　正　　少額訴訟において、公示送達によらなければ、被告に対する最初にすべき口頭弁論の期日の呼出しをすることができないときは、裁判所は、訴訟を通常の手続により審理及び裁判をする旨の決定をしなければならない(373Ⅲ③)。

(イ)　正　　少額訴訟においては、証人又は当事者本人の尋問は、裁判官が相当と認める順序でする（372Ⅱ）。これは、通常の手続による審理に移行した場合の証人尋問手続に準用される（379Ⅱ）。

(ウ)　正　　少額訴訟は、同一の簡易裁判所において同一の年に最高裁判所規則で定める回数（10回、民訴規223）を超えてこれを求めることができない（368Ⅰ但書)。そして、368条1項の規定に違反して少額訴訟による審理及び裁判を求めたときには、裁判所は、訴訟を通常の手続により審理及び裁判をする旨の決定をしなければならない（373Ⅲ①)。

(エ)　誤　　少額訴訟においては、反訴を提起することができない（369)。

(オ)　誤　　少額訴訟においては、原則として、最初にすべき口頭弁論の期日において、審理を完了しなければならない。もっとも、「特別の事情がある場合」には、期日続行も認められる（370Ⅰ)。この際、審理及び裁判を行うために、当事者の同意を要する旨の規定はない。

以上から、誤っているものは(エ)(オ)であり、正解は(5)となる。

13b－3(R6－5)　少額訴訟に関する特則

少額訴訟に関する次の(ア)から(オ)までの記述のうち、誤っているものの組合せは、後記(1)から(5)までのうち、どれか。

(ア)　公示送達によらなければ被告に対する最初にすべき口頭弁論の期日の呼出しをすることができないときは、裁判所は、訴訟を通常の手続により審理及び裁判をする旨の決定をしなければならない。

(イ)　被告は、最初にすべき口頭弁論の期日において弁論をした後であっても、口頭弁論の終結に至るまで、訴訟を通常の手続に移行させる旨の申述をすることができる。

(ウ)　証人の尋問は、宣誓をさせないですることができる。

(エ)　裁判所は、相当と認めるときは、裁判所及び当事者双方と証人とが音声の送受信により同時に通話をすることができる方法によって、証人を尋問することができる。

(オ)　少額訴訟の終局判決に対しては、控訴をすることができる。

(1)　(ア)(ウ)　　(2)　(ア)(エ)　　(3)　(イ)(エ)　　(4)　(イ)(オ)　　(5)　(ウ)(オ)

学習記録	／	／	／	／	／	／	／	／	／

重要度　C	知識型	要 *Check!*		正解　(4)

(ア)　正　　公示送達によらなければ被告に対する最初にすべき口頭弁論の期日の呼出しをすることができないときは、少額訴訟手続による審理及び裁判をすることはできず、裁判所は、職権で、訴訟を通常の手続により審理及び裁判をする旨の決定をしなければならない（373Ⅲ③）。

(イ)　誤　　少額訴訟において、被告は、訴訟を通常の手続に移行させる旨の申述をすることができる（373Ⅰ本文）。しかし、被告が最初にすべき口頭弁論の期日において弁論をし、又はその期日が終了した後は、訴訟を通常の手続に移行させる旨の申述をすることができない（373Ⅰ但書）。

(ウ)　正　　少額訴訟における証人の尋問は、宣誓をさせないですることができる（372Ⅰ）。

(エ)　正　　少額訴訟において、裁判所は、相当と認めるときは、最高裁判所規則で定めるところにより、裁判所及び当事者双方と証人とが音声の送受信により同時に通話をすることができる方法によって、証人を尋問することができる（372Ⅲ）。

(オ)　誤　　少額訴訟の終局判決に対しては、控訴をすることができない（377）。

以上から、誤っているものは(イ)(オ)であり、正解は(4)となる。

13c－1(63－2)　手形訴訟及び小切手訴訟に関する特則

手形訴訟に関する次の記述のうち、誤っているものはどれか。

(1) 手形訴訟による審理及び裁判を求める旨の申述は、訴状に記載していなければならない。

(2) 手形訴訟の原告は、口頭弁論の終結に至るまでの間、いつでも、被告の承諾を得ないで、訴訟を通常の手続に移行させる旨の申述をすることができる。

(3) 手形訴訟における証拠調べは、原則として書証に限るが、手形の振出の原因関係については、当事者本人を尋問することができる。

(4) 手形訴訟においては、反訴を提起することができない。

(5) 手形訴訟の被告は、請求を認容する判決に対し、その判決をした裁判所に異議を申し立てることができる。

学習記録	／	／	／	／	／	／	／	／	／

重要度　A	知識型		正解　(3)

手形・小切手訴訟手続は、手形・小切手制度が高度の流通性と簡易迅速な決済を予定する法技術であることから、手続的にもその趣旨を貫徹するため、証拠を書証に限定して手続を簡略化するなどし、迅速に債権者に債務名義を取得させることを目的とした判決手続である（350以下）。

(1)　正　　手形訴訟による訴えを提起するには、訴状に手形訴訟による審理及び裁判を求める旨の申述が記載されなければならない（350Ⅱ）。手形訴訟は、通常訴訟とは異なる種々の制約を有する略式訴訟であるから、原告の手続選択の意思が明確であることを要する。

(2)　正　　手形訴訟の原告は、口頭弁論の終結に至るまで、被告の承諾を得ないで、訴訟を通常の手続に移行させる旨の申述をすることができる（353Ⅰ）。簡易迅速な解決を望んで手形訴訟を提起した原告が、証拠の制限による立証の困難を感じた場合に、いったん手形訴訟を取り下げた後に通常訴訟を提起するといった煩雑さを回避することができるし、また、通常訴訟への移行によって手形訴訟としての制約がなくなるため、防御方法に関する制限が取り払われる点では被告にとっても有利になるからである。被告に対する保護（通常手続の保障）としては、手形本案判決に対する異議申立権が認められている（357・361）。

(3)　誤　　簡易迅速を旨とする手形訴訟においては、証拠調べは、それにかなう書証に限られるのが原則である（352Ⅰ）。ただし、文書の真否や手形の提示の有無が争われた場合に、それらの有無を書証のみで立証することはしばしば困難であり、当事者尋問は通常即時に取り調べ得る証拠方法であることから、文書の成立の真否又は手形の提示に関する事実については、申立てにより、当事者本人を尋問することができる（352Ⅲ）。したがって、手形の振出の原因関係については、当事者本人を尋問することはできない。

(4)　正　　手形訴訟においては、反訴を提起することができない（351）。反訴（146）は、審理を複雑にして訴訟遅延を招くおそれがあるため、手形訴訟においてこれを認めることは簡易迅速を旨とする手形訴訟の趣旨にそぐわないからである。

(5)　正　　手形訴訟の被告は、請求を認容する判決に対し、その判決をした裁判所に異議を申し立てることができる（357）。手形本案判決に対しては控訴は許されず（356）、不服申立方法は、同一審級で通常訴訟による審判のやり直しを求める異議に限られるからである。

13c－2(元－6)　手形訴訟及び小切手訴訟に関する特則

手形訴訟に関する次の記述のうち、正しいものはどれか。

(1) 手形訴訟は、手形の支払地の地方裁判所又は簡易裁判所に提起しなければならない。

(2) 手形訴訟の被告は、原告の承諾を得ないで通常訴訟への移行を申し立てることができる。

(3) 請求が手形訴訟による審理及び裁判をすることができないものであることを理由として訴えを却下する判決に対しては、控訴をすることができない。

(4) 手形訴訟の判決に対する異議の申立ては、相手方の同意を得ないで取り下げることができる。

(5) 手形訴訟の判決を認可する判決に対しては、控訴をすることができない。

学習記録	／	／	／	／	／	／	／	／	／

重要度 A | 知識型 | 正解 (3)

(1) 誤　手形訴訟は、手形の支払地の地方裁判所又は簡易裁判所のほか（5②、特別裁判籍)、被告の住所地を管轄する地方裁判所又は簡易裁判所に提起することができる（4Ⅰ・普通裁判籍)。普通裁判籍と競合して認められる特別裁判籍が存在する場合、訴訟を提起しようとする者は、競合する裁判籍のうち、いずれかを選択すれば足りる。

(2) 誤　手形訴訟の原告は、口頭弁論の終結に至るまで、被告の承諾を得ないで、通常訴訟への移行を申し立てることができる（353Ⅰ）が、被告は、通常訴訟への移行を申し立てることはできない。これは、被告の通常手続によって裁判を受ける権利の保障としては、手形本案判決に対する異議申立権が認められているからである（357本文・361)。

(3) 正　請求が手形訴訟による審理及び裁判をすることができないものであることを理由として訴えを却下する判決（355Ⅰ）に対しては、控訴をすることができない（356但書・357)。これは、却下されても通常訴訟により争うことができるからである（355Ⅱ)。

(4) 誤　異議の取下げは、相手方の同意を得なければ、その効力を生じない（360Ⅱ)。異議申立ての効果として、相手方も通常訴訟による審判を受ける利益が生ずるので（361)、これを一方的な意思によって奪うことは相当ではないからである。

(5) 誤　手形訴訟の判決を認可する判決（362Ⅰ本文）とは、手形訴訟の終局判決に対する異議の申立て（357本文）により、訴訟が通常の手続に移行し（361)、審理の結果手形訴訟の判決と符合すると判断された場合に下される判決のことをいう。したがって、通常訴訟への移行によって手形訴訟としての制約がなくなるため、当該判決に対しては、控訴をすることができる。

13c−3(4−5)　手形訴訟及び小切手訴訟に関する特則

手形訴訟に関する次の記述のうち、正しいものはどれか。

(1) 手形訴訟においても、反訴を提起することができる。

(2) 手形訴訟においても、手形債権の存在を立証するために文書提出命令の申立てをすることができる。

(3) 手形債権の不存在確認を請求の趣旨として、手形訴訟を提起することができる。

(4) 手形による金銭の支払請求を認容する手形判決については、職権で仮執行宣言を付さなければならない。

(5) 原告の請求を棄却した手形訴訟の終局判決に対しては、控訴をすることができる。

学習記録	／	／	／	／	／	／	／	／	／

重要度 A	知識型		正解 (4)

(1) 誤　手形訴訟においては、反訴を提起することができない（351）。反訴（146）は、審理を複雑にして訴訟遅延を招くおそれがあるため、簡易迅速を旨とする手形訴訟の趣旨にそぐわないからである。

(2) 誤　簡易迅速を旨とする手形訴訟においては、証拠調べは、それにかなう書証に限られるのが原則である（352Ⅰ）。そして、文書の提出の命令又は送付の嘱託（352Ⅱ前段）や対照の用に供すべき筆跡又は印影を備える物件の提出の命令又は送付の嘱託（352Ⅱ後段）は、手続の簡易迅速な処理が不可能になるので、することができない。

(3) 誤　手形訴訟は手形債権の簡易迅速な回収の実現を目的とすることから、手形訴訟の対象を、手形による金銭の支払の請求及びこれに附帯する法定利率による損害賠償の請求に限っている（350Ⅰ）。したがって、手形債権の不存在確認を請求の趣旨として、手形訴訟を提起することはできない。

(4) 正　手形又は小切手による金銭の支払の請求及びこれに附帯する法定利率による損害賠償の請求に関する判決については、裁判所は、職権で、仮執行をすることができることを宣言しなければならない（259Ⅱ）。手形訴訟は、手形債権の迅速な回収の実現を図ろうとする制度だからである。

(5) 誤　原告の請求を棄却した手形訴訟の終局判決に対しては、控訴をすることができず（356本文）、異議の申立てのみが認められる（357本文）。これは、手形訴訟が第一審手続の特則として略式化されていることから、異議によって通常手続による第一審の再審理を保障する趣旨である。

13c−4(6−5)　手形訴訟及び小切手訴訟に関する特則

手形訴訟に関する次の記述のうち、正しいものはどれか。

(1)　原告が訴訟を通常の手続に移行させる申述をするには、被告の承諾を得なければならない。

(2)　手形訴訟の終局判決に対する異議の申立ては、口頭でもすることができる。

(3)　文書の真否又は手形の呈示に関する事実については、申立てにより、証人を尋問することができる。

(4)　手形訴訟の終局判決に対する異議は、通常の手続による第１審の終局判決があるまでは取り下げることができる。

(5)　請求が手形訴訟による審理及び裁判をすることができないものであることを理由として、訴えを却下した判決に対しては、控訴することができる。

学習記録	／	／	／	／	／	／	／	／	／

重要度　A	知識型		正解　(4)

(1)　誤　　手形訴訟の原告が、訴訟を通常の手続に移行させる旨の申述をするには、被告の承諾を要しない(353Ⅰ)。被告としては、通常訴訟への移行によって手形訴訟としての制約がなくなり、防御方法に関する制限が取り払われる点でかえって有利になるからである。

(2)　誤　　手形訴訟の終局判決に対する異議の申立ては、訴訟関係の明確性を期するため、書面（異議申立書）でしなければならない（民訴規217Ⅰ）。

(3)　誤　　簡易迅速を旨とする手形訴訟においては、証拠調べは、それにかなう書証に限られるのが原則である（352Ⅰ）。ただし、文書の成立の真否や手形の提示の有無が争われた場合に、それらの有無を書証のみで立証することはしばしば困難であって、当事者尋問は通常即時に取り調べ得る証拠方法であることから、文書の成立の真否又は手形の提示に関する事実については、申立てにより、当事者本人を尋問することができる（352Ⅲ）。

(4)　正　　異議の取下げとは、異議申立権の撤回であり、通常の手続による第一審の終局判決があるまでは、その行使が認められている（360Ⅰ）。有効な異議の取下げがされると、異議により開始された第一審の通常手続（異議訴訟）は遡及的に消滅し、手形判決がそのまま確定することになる（360Ⅲ・262Ⅰ）。

(5)　誤　　請求が手形訴訟による審理及び裁判をすることができないものであることを理由として、訴えを却下した判決（355Ⅰ）に対しては、控訴をすることができない（356但書）。却下されても、通常訴訟で争う道が残されているからである。

13c−5(10−5)　手形訴訟及び小切手訴訟に関する特則

手形訴訟において、当事者が次に掲げる証拠調べの申立てをした場合、証拠調べを行うことができるものはどれか。

(1)　手形振出しの原因関係に関する事実についての証人尋問

(2)　手形振出しの原因関係に関する文書についての文書提出命令

(3)　手形振出人の署名が偽造であるか否かについての鑑定

(4)　手形の提示に関する事実についての当事者本人尋問

(5)　手形の提示に関する事実についての手形交換所に対する調査嘱託

学習記録	／	／	／	／	／	／	／	／	／

重要度 A	知識型		正解 (4)

(1) できない　簡易迅速を旨とする手形訴訟においては、証拠調べは、それにかなう書証に限られるのが原則であり（352Ⅰ）、例外として、文書の成立の真否又は手形の提示に関する事実につき、申立てにより、当事者本人の尋問が認められているにすぎない（352Ⅲ）。したがって、当事者から証人尋問の申立てがあっても、裁判所はこの証拠調べを行うことができない。

(2) できない　手形訴訟においては、書証の申立ては、挙証者自らが所持する文書を提出してする場合に限り認められる。すなわち、文書の提出の命令又は送付の嘱託（352Ⅱ前段）や対照の用に供すべき筆跡又は印影を備える物件の提出の命令又は送付の嘱託（352Ⅱ後段）については、することができない。したがって、当事者から文書提出命令の申立てがあっても、裁判所はこの証拠調べを行うことができない。

(3) できない　手形訴訟における証拠調べは、簡易迅速を旨としているので、書証（挙証者自らが所持する文書を提出してする場合）と、申立てによる当事者尋問（文書の成立の真否又は手形の提示に関する事実について）が認められているにすぎない（352）。したがって、当事者から鑑定の申立てがあっても、裁判所はこの証拠調べを行うことができない。

(4) できる　手形訴訟においても、文書の成立の真否又は手形の提示に関する事実については、申立てにより、当事者本人を尋問することができる（352Ⅲ）。これらの事実は文書のみで立証することが困難な場合があるし、当事者本人を尋問することは、簡易迅速を旨とする手形訴訟の趣旨に反しないからである。したがって、当事者から手形の提示に関する事実についての当事者本人の尋問の申立てがあった場合には、裁判所はこの証拠調べを行うことができる。

(5) できない　手形訴訟においては、調査の嘱託（186）をすることができない（352Ⅳ後段）。調査の嘱託を認めることは簡易迅速を旨とする手形訴訟の趣旨に反することになるし、また、それに名を借りて証人尋問や鑑定の禁止（352Ⅰ）を潜脱するおそれがあるからである。したがって、当事者から手形交換所に対する調査嘱託の申立てがあっても、裁判所はこの証拠調べを行うことができない。

13c−6(19−5)　手形訴訟及び小切手訴訟に関する特則

次の(ア)から(オ)までの記述のうち、少額訴訟には当てはまるが、手形訴訟には当てはまらないものの組合せは、後記(1)から(5)までのうちどれか。

(ア)　この訴訟において、被告は、反訴を提起することができる。

(イ)　この訴訟においては、在廷している証人の尋問を行うことができる。

(ウ)　この訴訟において、請求を認容するときは、仮執行をすることができることを宣言しなければならない。

(エ)　この訴訟における請求を認容する判決をする場合において、裁判所は、被告の資力その他の事情を考慮して特に必要があると認めるときは、分割払の定めをすることができる。

(オ)　この訴訟において、原告は、口頭弁論の終結に至るまで、被告の承諾を得ないで、通常の手続に移行させる旨の申述をすることができる。

(1)　(ア)(イ)　　(2)　(ア)(ウ)　　(3)　(イ)(エ)　　(4)　(ウ)(オ)　　(5)　(エ)(オ)

学習記録	／	／	／	／	／	／	／	／	／

重要度 A	知識型		正解 (3)

(ア) いずれにも当てはまらない　少額訴訟においては、反訴を提起することができない（369）。一期日審理の原則（370Ⅰ）に反するおそれがあるためである。また、手形訴訟においても、反訴を提起することができない（351）。事件の複雑化を招くおそれがあり、簡易迅速な事件処理という手形訴訟の趣旨にそぐわないからである。

(イ) 少額訴訟には当てはまるが、手形訴訟には当てはまらない　少額訴訟における証拠調べは、即時に取り調べることができる証拠に限りすることができる（371）ため、証人が在廷しているのであれば、証人の尋問を行うことができる（372）。これに対して、手形訴訟における証拠調べは、書証に限りすることができ（352Ⅰ）、例外的に、文書の成立の真否又は手形の提示に関する事実については、申立てにより、当事者本人の尋問が認められているにすぎない（352Ⅲ）ため、証人の尋問を行うことはできない。

(ウ) いずれにも当てはまる　少額訴訟において、請求を認容する判決については、裁判所は、職権で、担保を立てて、又は立てないで仮執行をすることができることを宣言しなければならない（376）。また、手形又は小切手による金銭の支払の請求及びこれに附帯する法定利率による損害賠償の請求に関する判決については、裁判所は、職権で、仮執行をすることができることを宣言しなければならない（259Ⅱ）。いずれの制度も、債権の迅速な回収の実現を図ることを趣旨とするものだからである。

(エ) 少額訴訟には当てはまるが、手形訴訟には当てはまらない　少額訴訟において、裁判所は、請求を認容する判決については、被告の資力その他の事情を考慮して特に必要があると認めるときは、判決の言渡しの日から３年を超えない範囲内において、認容する請求に係る金銭の支払について、分割払の定めをすることができる（375Ⅰ）。これに対して、手形訴訟において、このような支払の猶予に関する特則は設けられていないため、分割払いの定めをすることはできない。

(オ) 少額訴訟には当てはまらないが、手形訴訟に当てはまる　少額訴訟においては、当事者間の公平を図り、被告の利益を保護するという観点から、被告は、訴訟を通常の手続に移行させる旨の申述をすることができる（373Ⅰ）が、原告が申し立てることはできない。これに対して、手形訴訟においては、原告は、口頭弁論の終結に至るまで、被告の承諾を要しないで、訴訟を通常の手続に移行させる旨の申述をすることができる（353Ⅰ）。簡易迅速な解決を望んで手形訴訟を提起した原告が、翻意して通常手続によって裁判を受ける道を認めたものである。

以上から、少額訴訟には当てはまるが、手形訴訟には当てはまらないものは(イ)(エ)であり、正解は(3)となる。

13d−1(57−8)　督促手続

支払督促に関する次の記述のうち、正しいものはどれか。(改)

(1) 1,000万円の貸金返還請求について支払督促の申立てをするためには、債務者の住所地の地方裁判所の裁判所書記官にその申立てをしなければならない。

(2) 交通事故による損害賠償請求については、事故地の簡易裁判所の裁判所書記官に支払督促の申立てをすることができる。

(3) 手形による金銭の支払の請求についての支払督促に対し適法な督促異議の申立てがあったときは、管轄裁判所に対して訴えの提起があり、かつ、手形訴訟による審理及び裁判を求める旨の申述があったものとみなされる。

(4) 債権者は、支払督促が発せられるまでは、請求の基礎に変更がない限り、支払督促の趣旨及び原因を変更することができる。

(5) 支払督促に仮執行の宣言が付された後に、支払督促に対し適法な督促異議の申立てがあったときには、支払督促はその督促異議の範囲内において効力を失う。

学習記録	／	／	／	／	／	／	／	／	／

重要度 A	知識型		正解 (4)

(1) 誤　支払督促の申立ては、請求の額にかかわらず、債務者の普通裁判籍の所在地（更に、事務所又は営業所を有する者に対する請求でその事務所又は営業所における業務に関するものについては当該事務所又は営業所の所在地、手形又は小切手による金銭の支払の請求及びこれに附帯する請求については手形又は小切手の支払地）を管轄する簡易裁判所の裁判所書記官に対してする（383Ⅰ）。

(2) 誤　交通事故による損害賠償請求についての支払督促の申立ては、債務者の普通裁判籍の所在地を管轄する簡易裁判所の裁判所書記官に対してしなければならない（383Ⅰ）。支払督促は債務者を審尋しないで（386Ⅰ）簡易迅速に発せられるので、証拠の収集や証拠調べなどに便宜であることから認められる不法行為に関する特別裁判籍の規定（5⑨）は適用されない。

(3) 誤　仮執行宣言前の支払督促に対して適法な督促異議の申立てがされると、支払督促はその督促異議の範囲内で失効し（390）、督促異議に係る請求については、支払督促の申立ての時に訴えの提起があったものとみなされる（395）。もっとも、手形による金銭の支払の請求についての支払督促に対して適法な督促異議がされた場合に、手形訴訟による審理及び裁判を求めるためには、その旨を支払督促の申立ての際にしておかなければならない（366Ⅰ）。

(4) 正　支払督促の申立てには、その性質に反しない限り、訴えに関する規定が準用される（384）。したがって、債権者は、請求の基礎に変更のない限り、支払督促の趣旨及び原因を変更することができる（384・143Ⅰ本文）。

(5) 誤　仮執行宣言前に適法な督促異議の申立てがあったときは、支払督促は、その督促異議の限度で効力を失う（390）。しかし、仮執行宣言後の督促異議（393）は、支払督促の確定を阻止するのみで、その支払督促の効力を失わせない。

13d－2(元－5)　督促手続

督促手続に関する次の記述のうち、正しいものはどれか。(改)

(1) 支払督促を発することができるのは、一定額の金銭の給付を目的とする請求に限られる。

(2) 反対給付と引換えに給付を求める請求については、支払督促を発することができない。

(3) 支払督促の申立てを却下する処分に対しては、即時抗告をすることができる。

(4) 督促手続においても、裁判所書記官が特に必要と認めるときは、債務者を審尋することができる。

(5) 支払督促に仮執行宣言が付される前に債務者が督促異議を申し立てたときは、支払督促は、その督促異議の範囲内において効力を失う。

学習記録	／	／	／	／	／	／	／	／	／

重要度 A	知識型		正解 (5)

(1) 誤　支払督促を発することは、金銭その他の代替物又は有価証券の一定の数量の給付を目的とする請求権について認められ（382）、一定額の金銭の給付を目的とする請求に限られない。

(2) 誤　督促手続は、債権者に簡易迅速に債務名義を得させることを目的とするから、期限付請求や条件付請求については、支払督促を発することができない。しかし、反対給付と引換えに給付を求める請求については、債権者が執行機関に対し反対給付履行済の事実を証明することで、直ちに執行することができ、督促手続の迅速性に反しないと考えられるので、これにつき支払督促を発することができる。

(3) 誤　支払督促の申立ての却下処分に対しては、その裁判所書記官の所属する裁判所に異議を申し立てることができる（121・385Ⅲ）。しかし、支払督促の申立ての却下処分に対して即時抗告をすることはできない。

(4) 誤　支払督促は、債務者を審尋しないで発する（386Ⅰ）。申立ての審理に当たって口頭弁論を開いたり債務者を審理することは簡易迅速を旨とする督促手続の趣旨にそぐわないし、また、債務者の手続保障は督促異議の申立て（386Ⅱ）で担保されており、不測の損害を被ることはないからである。

(5) 正　督促異議（386Ⅱ）は、督促手続の排除と通常訴訟による審判とを求める旨の債務者の対抗手段であるから、支払督促に仮執行宣言が付される前に債務者が督促異議を申し立てたときは、支払督促は、その督促異議の範囲内において効力を失う（390）。

13d－3(3－4)　督促手続

督促手続に関する以下の(ア)から(オ)までの記述のうち、誤っているものは幾つあるか。(改)

(ア)　支払督促の申立ては、口頭でもすることができる。

(イ)　支払督促の申立てが、管轄を有しない裁判所の裁判所書記官になされた場合には、裁判所書記官は、その申立てを却下しなければならない。

(ウ)　支払督促は、わが国において公示送達によらずに債務者に対する支払督促の送達をすることができる場合でなければ、発することができない。

(エ)　支払督促は、債権者にも送達しなければならない。

(オ)　支払督促に対して、適法な督促異議の申立てがなされた場合、支払督促を発した簡易裁判所に訴えの提起があったものとみなされる。

(1)　１個　　(2)　２個　　(3)　３個　　(4)　４個　　(5)　５個

学習記録	／	／	／	／	／	／	／	／	／

重要度 A	知識型		正解 (2)

(ア) 正　支払督促の申立ては、口頭でもすることができる（384・271)。支払督促の申立ては、簡易裁判所の裁判所書記官に対して行われ（383)、これには、簡易な手続という性質に反しない限り、訴えに関する規定が準用されるからである。

(イ) 正　支払督促の申立てが管轄違いの裁判所の裁判所書記官に対してされたときは、その申立ては却下される（385Ⅰ前段)。これは、支払督促の申立先は専属的なものであり、他の申立先は認められないからである（383Ⅰ)。

(ウ) 正　支払督促は、わが国において公示送達によらずに債務者に対する支払督促の送達をすることができる場合でなければ、発することができない（382但書)。支払督促は、債務者を審尋しないで発せられるため（386Ⅰ)、公示送達によらずに債務者に送達できる場合でなければ、債務者の督促異議の申立て（386Ⅱ）を行使する機会を奪うことになり、債務者の手続保障が図れないからである。

(エ) 誤　支払督促の送達は債務者にのみ行い（388Ⅰ)、債権者に対しては、支払督促が発付された旨の通知をすれば足りる（民訴規234Ⅱ)。

(オ) 誤　適法な督促異議の申立てがあったときは、督促異議に係る請求について訴えの提起があったものとみなされる（395前段)。そして、その場合の事物管轄は、督促異議の対象となった請求の価額によって、支払督促を発した裁判所書記官の所属する簡易裁判所又はその所在地を管轄する地方裁判所のいずれかに決定される（395前段、裁33Ⅰ①・24①)。

以上から、誤っているものは(エ)(オ)の２個であり、正解は(2)となる。

13d－4(5－6)

督促手続

督促手続に関する次の(ア)から(オ)までの記述のうち、正しいものの組合せは、後記(1)から(5)までのうちどれか。(改)

(ア)　支払督促の申立ては、債権者の住所地を管轄する簡易裁判所の裁判所書記官に対してすることができる。

(イ)　建物の明渡しを目的とする請求についても、支払督促を発することができる。

(ウ)　債権者が仮執行の宣言の申立てをすることができる時から30日以内に仮執行の宣言の申立てをしなかったときは、支払督促は、効力を失う。

(エ)　支払督促は、債権者に送達することを要しない。

(オ)　支払督促に対し適法な督促異議の申立てがあったときは、これを発した簡易裁判所に訴えの提起があったものとみなされる。

(1)　(ア)(イ)　(2)　(ア)(オ)　(3)　(イ)(ウ)　(4)　(ウ)(エ)　(5)　(エ)(オ)

学習記録	／	／	／	／	／	／	／	／	／

重要度 A	知識型		正解 (4)

(ア) 誤　支払督促の申立ては、債務者の普通裁判籍の所在地を管轄する簡易裁判所の裁判所書記官に対してするほか（383Ⅰ）、事務所又は営業所を有する者に対する請求でその事務所又は営業所における業務に関するものについては当該事務所又は営業所の所在地を管轄する簡易裁判所の裁判所書記官（383Ⅱ①）、手形又は小切手による金銭の支払の請求及びこれに附帯する請求については手形又は小切手の支払地を管轄する簡易裁判所の裁判所書記官に対して（383Ⅱ②）もすることができる。したがって、支払督促の申立ては、債権者の住所地を管轄する簡易裁判所の裁判所書記官に対してすることはできない。

(イ) 誤　支払督促は、金銭その他の代替物又は有価証券の一定の数量の給付を目的とする請求権について認められる（382本文）。この種の請求は迅速な執行が可能であり、また、誤って執行がされた場合でも、債務者に回復のできない損害を与えるおそれが少ないからである。したがって、建物の明渡しを目的とする請求については、支払督促を発することはできない。

(ウ) 正　債権者が仮執行の宣言の申立てをすることができる時から30日以内に仮執行の宣言の申立てをしなかったときは、支払督促は効力を失う（392）。督促手続は、債権者に簡易迅速に債務名義を取得させることを目的とするものであり、30日以内に仮執行の宣言の申立てをしない債権者には、債務名義の取得という便宜を与える必要がないからである。

(エ) 正　支払督促の送達は債務者にのみ行い（388Ⅰ）、債権者に対しては、支払督促が発付された旨の通知をすれば足りる（民訴規234Ⅱ）。

(オ) 誤　適法な督促異議の申立てがあったときは、督促異議に係る請求について訴えの提起があったものとみなされる（395前段）。そして、その場合の事物管轄は、督促異議の対象となった請求の価額によって、支払督促を発した裁判所書記官の所属する簡易裁判所又はその所在地を管轄する地方裁判所のいずれかに決定される（395前段、裁33Ⅰ①・24①）。

以上から、正しいものは(ウ)(エ)であり、正解は(4)となる。

13d−5(7−5)　督促手続

督促手続に関する次の記述のうち、正しいものはどれか。(改)

(1) 有価証券の一定の数量の給付を目的とする請求については、支払督促を発することができない。

(2) 支払督促の申立てが管轄を有しない裁判所の裁判所書記官にされたときは、裁判所書記官は、事件を管轄裁判所に移送しなければならない。

(3) 支払督促の申立ての審理において必要があると認めるときは、債務者を審尋することができる。

(4) 簡易裁判所は、支払督促に対する督促異議が不適法であると認めるときは、請求が地方裁判所の管轄に属する場合においても、その督促異議を却下しなければならない。

(5) 仮執行宣言を付した支払督促に対して適法な督促異議があったときは、その支払督促に基づいて強制執行をすることができない。

学習記録	／	／	／	／	／	／	／	／	／

重要度　A	知識型		正解　(4)

(1)　誤　　支払督促は、金銭その他の代替物又は有価証券の一定の数量の給付を目的とする請求権について認められる（382本文）。したがって、有価証券の一定の数量の給付を目的とする請求についても、支払督促を発することができる。

(2)　誤　　支払督促の申立てが管轄違いの裁判所の裁判所書記官に対してされたときは、その申立ては却下される（385Ⅰ前段・383Ⅰ）。これは、支払督促の申立てについては、移送が認められていないからである。

(3)　誤　　支払督促は、債務者を審尋しないで発する（386Ⅰ）。申立ての審理に当たって口頭弁論を開いたり債務者を審尋することは簡易迅速を旨とする督促手続の趣旨にそぐわないし、また、債務者の手続保障は督促異議の申立て（386Ⅱ）で担保されており、不測の損害を被ることはないからである。

(4)　正　　簡易裁判所は、支払督促に対する督促異議が不適法であると認めるときは、請求が地方裁判所の管轄に属する場合においても、その督促異議を却下しなければならない（394Ⅰ）。督促異議の申立ての適否については、督促異議に係る請求が地方裁判所の管轄に属する場合でも、支払督促を発した裁判所書記官の所属する簡易裁判所（386Ⅱ）で調査することが最も効率的だからである。

(5)　誤　　仮執行の宣言前に適法な督促異議の申立てがあったときは、支払督促は、その督促異議の限度で効力を失うので（390）、その支払督促に基づいて強制執行をすることはできない。しかし、仮執行宣言後の督促異議によっては、支払督促の確定が阻止されるにとどまり、執行力は当然には停止せず、執行を停止させるには、別途、執行停止の裁判（403Ⅰ③・④）を求める必要がある。

13d−6(12−5)　督促手続

支払督促に関する次の(ア)から(オ)までの記述のうち、正しいものの組合せは、後記(1)から(5)までのうちどれか。(改)

(ア)　支払督促の申立ては、請求の目的の価額が140万円を超えるときは、することはできない。

(イ)　支払督促の申立ては、債務者の普通裁判籍の所在地を管轄する簡易裁判所に対してする。

(ウ)　支払督促は、債務者を審尋しないで発せられる。

(エ)　債務者が支払督促の送達を受けた日から２週間以内に督促異議の申立てをせず、仮執行の宣言がされた後であっても、債務者は、仮執行の宣言を付した支払督促の送達を受けた日から２週間の不変期間内であれば、督促異議の申立てをすることができる。

(オ)　適法な督促異議の申立てがあった場合において、債権者がその旨の通知を受けた日から２週間以内に訴えの提起をしないときは、支払督促の申立てを取り下げたものとみなされる。

(1)　(ア)(イ)　　(2)　(ア)(ウ)　　(3)　(イ)(オ)　　(4)　(ウ)(エ)　　(5)　(エ)(オ)

学習記録	／	／	／	／	／	／	／	／	／

重要度　A	知識型		正解　(4)

(ア) 誤　　支払督促は、金銭その他の代替物又は有価証券の一定の数量の給付を目的とする請求について認められる（382）。しかし、請求の目的の価額に制限はなく、140万円を超える場合であっても、その申立てをすることができる（裁33Ⅰ①参照）。

(イ) 誤　　支払督促の申立ては、債務者の普通裁判籍の所在地を管轄する簡易裁判所の裁判所書記官に対してする（383Ⅰ）。督促手続においては、債権者の主張の真否について実体的な判断は行われず、また債務者の督促異議の申立てがあったときは訴訟手続に移行し（395前段）、裁判官の判断を得ることができることから、支払督促と仮執行宣言の発付権限（383Ⅰ・391Ⅰ）を裁判所書記官に付与し、迅速な手続の進行を期することにしたものである。

(ウ) 正　　支払督促は、債務者を審尋しないで発する（386Ⅰ）。その方が、簡易迅速を旨とする督促手続の趣旨にかない、また、債務者の利益は専ら支払督促に対する督促異議の申立て（386Ⅱ・393）の機会が実質的に保障されていること（382但書参照）で担保されているからである。

(エ) 正　　債務者が支払督促の送達を受けた日から２週間以内に督促異議の申立て（386Ⅱ）をしないときは、裁判所書記官は、債権者の申立てにより、支払督促に手続の費用額を付記して仮執行の宣言をしなければならない（391Ⅰ）。しかし、この仮執行宣言がされた後であっても、債務者は、その仮執行宣言を付した支払督促の送達を受けた日から２週間の不変期間内であれば、督促異議の申立てをすることができる（393・仮執行宣言後の督促異議）。

(オ) 誤　　適法な督促異議（386Ⅱ・393）の申立てがあった場合、督促異議に係る請求については目的の価額に従い、支払督促の申立ての時に、支払督促を発した裁判所書記官の所属する簡易裁判所又はその所在地を管轄する地方裁判所に訴えの提起があったものとみなされる（395前段）。この点、債権者が一定の期間内に訴えを提起しなくても、督促手続は当然に通常の訴訟に移行する。

以上から、正しいものは(ウ)(エ)であり、正解は(4)となる。

13d−7(16−5)　督促手続

督促手続に関する次の(ア)から(オ)までの記述のうち、正しいものの組合せは、後記(1)から(5)までのうちのどれか。

(ア)　支払督促の申立てを却下した処分に対する異議申立てを却下した裁判に対しては、即時抗告をすることができる。

(イ)　債権者が仮執行の宣言の申立てをすることができる時から30日以内にその申立てをしないときは、支払督促は、その効力を失う。

(ウ)　裁判所書記官は、必要があると認めるときは、支払督促を発するに当たり、債務者の審尋をすることができる。

(エ)　仮執行の宣言を付した支払督促に対し督促異議の申立てがされないときは、支払督促は、既判力を有する。

(オ)　支払督促は、日本において公示送達によらないで送達することができる場合に限り、発することができる。

(1)　(ア)(ウ)　　(2)　(ア)(エ)　　(3)　(イ)(ウ)　　(4)　(イ)(オ)　　(5)　(エ)(オ)

学習記録	／	／	／	／	／	／	／	／	／

重要度　A	知識型		正解　(4)

(ア)　誤　　支払督促の申立てを却下した処分に対する異議申立てを却下した裁判に対しては、不服申立てができない（385Ⅳ）ため、即時抗告をすることはできない。

(イ)　正　　債権者が仮執行の宣言の申立てをすることができる時から30日以内にその申立てをしないときは、支払督促は、その効力を失う（392）。支払督促は、債権者に簡易迅速に債務名義を取得させることを目的とするものであり、30日以内に仮執行の宣言の申立てをしない債権者には、債務名義の取得という便宜を与える必要がないからである。

(ウ)　誤　　支払督促は、債務者を審尋しないで発する（386Ⅰ）。申立ての審理に当たって口頭弁論を開いたり債務者を審尋することは、簡易迅速を旨とする督促手続の趣旨にそぐわないし、債務者の利益は専ら支払督促に対する督促異議の申立て（386Ⅱ・393）の機会が実質的に保障されていること（382但書参照）で担保されているからである。

(エ)　誤　　仮執行の宣言を付した支払督促に対し督促異議の申立てがされないときは、支払督促は、確定判決と同一の効力を有する（396）。この点、確定判決と同一の効力とは、執行力を指し、既判力は含まれない。支払督促は裁判所書記官が作成するものであり、そこでは債権者の主張について全く実体的な判断をしていないからである。

(オ)　正　　支払督促は、日本において公示送達によらないでこれを送達することができる場合に限り、発することができる（382但書）。支払督促は、債務者を審尋しないで発せられる（386Ⅰ）ため、公示送達によらずに債務者に送達できる場合でなければ、債務者の督促異議の申立て（386Ⅱ）を行使する機会を奪うことになり、債務者の手続保障が図れなくなるからである。

以上から、正しいものは(イ)(オ)であり、正解は(4)である。

13d−8(20−5)　督促手続

支払督促に関する次の(ア)から(オ)までの記述のうち、正しいものの組合せは、後記(1)から(5)までのうちどれか。

(ア)　支払督促の申立書には、請求の趣旨及び原因を記載しなければならず、請求の原因に代えて紛争の要点を明らかにすることで足りるものではない。

(イ)　支払督促の申立ての趣旨から請求に理由がないことが明らかな場合には、裁判所書記官は、債権者を審尋した上で、その申立てを却下しなければならない。

(ウ)　債権者が申し出た場所に債務者の住所、居所、営業所若しくは事務所又は就業場所がないため、支払督促を送達することができないときは、裁判所書記官は、債権者に対しその旨を通知しなければならず、債権者が新たな送達先の申出をしないときは、支払督促の申立てを却下しなければならない。

(エ)　仮執行の宣言を付した支払督促に表示された当事者に対しては、執行文の付与を受けることなく強制執行を実施することができる。

(オ)　適法な督促異議の申立てがあったときは、督促異議に係る請求については、督促異議の申立ての時に、訴えの提起があったものとみなされる。

(1)　(ア)(エ)　　(2)　(ア)(オ)　　(3)　(イ)(ウ)　　(4)　(イ)(エ)　　(5)　(ウ)(オ)

学習記録	／	／	／	／	／	／	／	／	／

重要度 A	知識型		正解 (1)

(ア) 正　支払督促には、請求の趣旨及び原因を記載しなければならず(387②)、請求の原因に代えて紛争の要点を明らかにすることで足りるものではない。なお、支払督促の申立てには、その性質に反しない限り、訴えに関する規定が準用され（384)、簡易裁判所の手続における訴えの提起においては、請求の原因に代えて紛争の要点を明らかにすれば足りるとされる（272)。しかし、簡易迅速に債務名義を付与するという支払督促の性質に照らし、同条の規定は支払督促の申立てには準用されないと解される。

(イ) 誤　支払督促の申立てが、その一般的要件に違反するとき、又は請求に理由がないことが明らかなときは、申立てを却下しなければならない（385Ⅰ）が、その際、債権者を審尋する必要はない。なぜなら、債権者は処分に不服があれば、発令した裁判所書記官の所属する裁判所へ異議を申し立てることができるからである（385Ⅲ)。

(ウ) 誤　債権者が申し出た場所に債務者の住所、居所、営業所若しくは事務所又は就業場所がないため、支払督促を送達することができないときは、裁判所書記官は、その旨を債権者に通知しなければならず、債権者が通知を受けた日から２か月の不変期間内にその申出に係る場所以外の送達をすべき場所の申出をしないときは、支払督促の申立てを取り下げたものとみなす（388Ⅲ)。なお、申出のあった新たな送達場所についても送達不能の場合には、再度送達不能の通知をしなければならない。この場合、２か月の不変期間もその時から新たに進行することになる。

(エ) 正　仮執行宣言を付した支払督促に表示された当事者に対しては、執行文の付与を受けることなく強制執行を実施することができる（民執25但書)。これは、支払督促が、そもそも債権者の迅速な執行を容易にするために認められた制度であるから、執行文の付与に要する時間を省略する趣旨である。

(オ) 誤　適法な督促異議の申立てがあったときは、督促異議に係る請求については、その目的の価額に従い、支払督促の申立ての時に、支払督促を発した裁判所書記官の所属する簡易裁判所又はその所在地を管轄する地方裁判所に訴えの提起があったものとみなされる（395前段)。督促異議は、債務者が本来の通常訴訟の開始を求めるものだからである。

以上から、正しいものは(ア)(エ)であり、正解は(1)となる。

13d－9(29－5)　督促手続

支払督促に関する次の(ア)から(オ)までの記述のうち、正しいものの組合せは、後記(1)から(5)までのうち、どれか。

(ア)　支払督促の申立ては、債務者の普通裁判籍の所在地を管轄する地方裁判所の裁判所書記官に対してする。

(イ)　支払督促の申立てにおいては、当事者、法定代理人並びに請求の趣旨及び原因を明らかにしなければならない。

(ウ)　支払督促の申立てを却下する処分は、相当と認める方法で告知することによって、その効力を生ずる。

(エ)　債務者が支払督促の送達を受けた日から２週間以内に督促異議の申立てをしない場合には、裁判所書記官は、債権者の申立てがないときであっても、仮執行の宣言をしなければならない。

(オ)　支払督促に対して適法な督促異議の申立てがあったときは、督促異議に係る請求については、その督促異議の申立ての時に、訴えの提起があったものとみなされる。

(1)　(ア)(イ)　　(2)　(ア)(オ)　　(3)　(イ)(ウ)　　(4)　(ウ)(エ)　　(5)　(エ)(オ)

学習記録	／	／	／	／	／	／	／	／	／

重要度　A	知識型		正解　(3)

(ア)　誤　　支払督促の申立ては、債務者の普通裁判籍の所在地を管轄する簡易裁判所の裁判所書記官に対してする（383Ⅰ）。なお、例外として、①事務所又は営業所を有する者に対する請求でその事務所又は営業所における業務に関するものについては当該事務所又は営業所の所在地、②手形又は小切手による金銭の支払の請求及びこれに附帯する請求については手形又は小切手の支払地を、それぞれ管轄する簡易裁判所の裁判所書記官に対してもすることが認められている（383Ⅱ①・②）。

(イ)　正　　支払督促の申立てにおいては、請求を特定するために、請求の趣旨及び原因、当事者及び法定代理人を記載して明らかにしなければならない（384・134Ⅱ）。なお、裁判所は、住所等の全部又は一部を秘匿する旨の決定により、住所又は氏名に代わる事項を定めることができる（133Ⅰ）。この場合において、その事項を支払督促に関する手続において記載したときは、当該秘匿対象者の住所又は氏名を記載し、又は記録したものとみなされる（133Ⅴ）。

(ウ)　正　　支払督促の申立てが、申立ての趣旨から請求に理由がないことが明らかな場合等に該当するときは、その支払督促の申立てを却下しなければならない（385Ⅰ）。そして、当該却下処分は、相当と認める方法で告知することによって、その効力を生ずる（385Ⅱ）。

(エ)　誤　　債務者が支払督促の送達を受けた日から２週間以内に督促異議の申立てをしないときは、裁判所書記官は、債権者の申立てにより、支払督促に手続の費用額を付記して仮執行の宣言をしなければならない（391Ⅰ）。

(オ)　誤　　支払督促に対して適法な督促異議の申立てがあったときは、督促異議に係る請求については、支払督促の申立ての時に、訴えの提起があったものとみなされる（395）。

以上から、正しいものは(イ)(ウ)であり、正解は(3)となる。

13d－10(R5－5)　督促手続

督促手続に関する次の(ア)から(オ)までの記述のうち、誤っているものの組合せは、後記(1)から(5)までのうち、どれか。

(ア)　支払督促の申立ては、請求の目的の価額が140万円を超えるときであっても、簡易裁判所の裁判所書記官に対してすることができる。

(イ)　支払督促は、日本において公示送達によらないで債務者に送達することができる場合でなければ、発することはできない。

(ウ)　支払督促の申立てが管轄権を有しない簡易裁判所の裁判所書記官に対してされた場合には、その裁判所書記官は、管轄違いを理由に移送することができる。

(エ)　支払督促は、債権者が仮執行の宣言の申立てをすることができる時から30日以内にその申立てをしないときは、その効力を失う。

(オ)　適法な督促異議の申立てがあったときは、督促異議に係る請求については、その目的の価額にかかわらず、支払督促を発した裁判所書記官の所属する簡易裁判所に訴えの提起があったものとみなされる。

(1)　(ア)(イ)　　(2)　(ア)(エ)　　(3)　(イ)(オ)　　(4)　(ウ)(エ)　　(5)　(ウ)(オ)

学習記録	／	／	／	／	／	／	／	／	／

重要度　A	知識型		正解　(5)

(ア)　正　　支払督促の申立ては、債務者の普通裁判籍の所在地を管轄する簡易裁判所の裁判所書記官に対してする（383Ⅰ）。この点、支払督促は、請求の訴額にかかわらず、債務者の普通裁判籍の所在地を管轄する簡易裁判所の裁判所書記官に対してする。これは、督促手続においては、債権者の主張の真否について実体的な判断は行わず、また債務者の督促異議の申立てがあったときは、訴訟手続に移行すること等に照らして、支払督促及び仮執行宣言について簡易裁判所の裁判所書記官が発付することとしたものである。

(イ)　正　　支払督促は、日本において公示送達によらないでこれを送達することができる場合でなければ、発することができない（382但書）。支払督促は、債務者を審尋しないで発せられるため（386Ⅰ）、公示送達によらずに債務者に送達できる場合でなければ、債務者の督促異議の申立て（386Ⅱ）を行使する機会を奪うことになり、債務者の手続保障が図れないからである。

(ウ)　誤　　支払督促の申立ては、債務者の普通裁判籍の所在地を管轄する簡易裁判所の裁判所書記官に対してする（383Ⅰ）。この点、支払督促の申立てが管轄違いの裁判所の裁判所書記官に対してされたときは、その申立ては却下される（385Ⅰ前段・383Ⅰ参照）。

(エ)　正　　債権者が仮執行の宣言の申立てをすることができる時から30日以内にその申立てをしないときは、支払督促は、その効力を失う（392）。これは、督促手続は、簡易・迅速に債務名義を取得させることを目的とするものであるから、手続遂行に不熱心な債権者には、その利用を認める必要はないとしたものである。

(オ)　誤　　適法な督促異議の申立てがあったときは、督促異議に係る請求については、その目的の価額に従い、支払督促の申立ての時に、支払督促を発した裁判所書記官の所属する簡易裁判所又はその所在地を管轄する地方裁判所に訴えの提起があったものとみなす（395前段）。

以上から、誤っているものは(ウ)(オ)であり、正解は(5)となる。

15−1(57−2)　総合問題

次に掲げる(ア)から(オ)の訴訟行為のうち、必ず書面でしなければならないものは幾つあるか。(改)

(ア)　証拠の申出

(イ)　訴えの取下げ

(ウ)　管轄の合意

(エ)　支払督促の申立て

(オ)　仮差押命令の申立て

(1)　１個　　(2)　２個　　(3)　３個　　(4)　４個　　(5)　５個

学習記録	／	／	／	／	／	／	／	／	／

重要度 A	知識型		正解 (2)

申立てその他の申述は、書面でも口頭でもできるのが原則である（民訴規１Ⅰ)。しかし、聴取時の脱落や理解の簡易性等の口頭の申立て・申述の欠陥を補うために、法は特別の定めを置いて書面の作成を要求している場合がある。

(ア) 書面不要　申立てその他の申述は、特別の定めがある場合を除き、書面又は口頭ですることができる（民訴規１Ⅰ)。証拠の申出とは、裁判所に対して特定の証拠方法の取調べを要求する申立てであり、申出には、証明すべき事実及びこれと証拠との関係を具体的に表示することが要求されているが（180Ⅰ、民訴規99Ⅰ)、申出の方式に関する特別の定めは存在しない。

(イ) 書面不要　画一的な処理による手続の正確性・安定性を図る趣旨から、訴えの取下げは、書面でしなければならないのが原則である（261Ⅲ本文)。しかし、口頭弁論、弁論準備手続又は和解の期日においては、口頭ですることができる（261Ⅲ但書)。弁論の要領が調書に記載され（民訴規67Ⅰ)、申述の明確性は十分担保することができるからである。

(ウ) 書面必要　管轄の合意は、書面でしなければ、その効力を生じない（11Ⅱ)。当事者の意思を明確にすることで、管轄に関する将来の紛争の発生を防止する趣旨である。

(エ) 書面不要　支払督促の申立てには、その性質に反しない限り、訴えに関する規定が準用されるから、口頭ですることもできる（384・271)。

(オ) 書面必要　仮差押命令の申立ては、書面でしなければならない（民保規１①)。裁判所としては、申立内容を迅速かつ正確に把握する必要があるからである。

以上から、書面でしなければならないものは(ウ)(オ)の２個であり、正解は(2)となる。

15−2(61−5)　総合問題

次の訴訟行為のうち、必ず書面によらなくてはならないものは幾つあるか。(改)

(ア)　訴えの取下げ

(イ)　訴えの提起

(ウ)　補助参加の申出

(エ)　訴訟救助の申立て

(オ)　訴訟告知

(1)　１個　　(2)　２個　　(3)　３個　　(4)　４個　　(5)　５個

学習記録	／	／	／	／	／	／	／	／	／

重要度 A	知識型		正解 (2)

(ア) 書面不要　画一的な処理による手続の正確性・安定性を図る趣旨から、訴えの取下げは、書面でするのが原則である（261Ⅲ本文）。しかし、口頭弁論、弁論準備手続又は和解の期日においては、口頭ですることができる（261Ⅲ但書）。弁論の要領が調書に記載される（民訴規67Ⅰ①）ことから、申述の明確性は十分担保され得るからである。

(イ) 簡裁においては書面不要　訴えの提起は、訴状を裁判所に提出してするのが原則である（134Ⅰ）。しかし、簡易裁判所においては手続が簡略化されており、口頭による訴えの提起が認められている（271）。また、当事者双方は、任意に裁判所に出頭し、訴訟について口頭弁論をすることができ（273前段）、この場合においては、訴えの提起は、口頭の陳述によってする（273後段）。

(ウ) 書面不要　申立てその他の申述は、特別の定めがある場合を除き、書面又は口頭ですることができるから（民訴規１Ⅰ）、補助参加の申出は、口頭でもすることができる。

(エ) 書面必要　訴訟救助の申立てとは、訴訟の準備及び追行に必要な費用を支払う資力がない者又はその支払により生活に著しい支障を生ずる者が、これらの費用の支払の猶予等を求めてする、裁判所への申立てである（82Ⅰ）。そして、訴訟上の救助の申立ては、書面でしなければならない（民訴規30）。

(オ) 書面必要　訴訟告知とは、訴訟係属中、当事者からその訴訟に参加できる第三者（42）に対して訴訟の係属している旨を法定の方式によって通知することをいう（53Ⅰ）。そして、この訴訟告知は、告知者から提出された訴訟告知書の副本を告知を受けるべき者に送達して行われるものであるから（民訴規22）、訴訟告知者は、その理由及び訴訟の程度を記載した書面を裁判所に提出しなければならない（53Ⅲ）。

以上から、書面でしなければならないものは(エ)(オ)の２個であり、正解は(2)となる。

15－3(7－3)　総合問題

次の(ア)から(オ)の行為のうち、書面でしなければならないものの組合せは、後記(1)から(5)までのうちどれか。（改）

(ア)　訴訟告知

(イ)　移送の申立て

(ウ)　証人尋問の申出

(エ)　訴訟手続の受継の申立て

(オ)　口頭弁論期日の指定の申立て

(1)　(ア)(イ)　　(2)　(ア)(エ)　　(3)　(イ)(ウ)　　(4)　(イ)(オ)　　(5)　(エ)(オ)

学習記録	／	／	／	／	／	／	／	／	／

重要度　A	知識型		正解　(2)

(ア)　書面必要　　訴訟告知とは、訴訟係属中、当事者からその訴訟に参加できる第三者（42）に対して訴訟の係属している旨を法定の方式によって通知することをいう（53Ⅰ）。そして、この訴訟告知は、告知者から提出された訴訟告知書の副本を告知を受けるべき者に送達して行われるものであるから（民訴規22）、訴訟告知者は、その理由及び訴訟の程度を記載した書面を裁判所に提出しなければならない（53Ⅲ）。

(イ)　書面不要　　移送の申立ては、原則として書面でしなければならない（民訴規７Ⅰ）。裁判所の管轄は、当事者の利益に重大な影響を及ぼすことから、後日、移送についての紛争が生ずることを防止するためである。ただし、期日においてする場合には、申立ての事実を当事者が明確に認識できるので、書面ですることを要しない（民訴規７Ⅰ）。

(ウ)　書面不要　　申立てその他の申述は、特別の定めがある場合を除き、書面又は口頭ですることができる（民訴規１Ⅰ）。したがって、証人尋問の申出は、口頭でもすることができる。

(エ)　書面必要　　訴訟手続の受継の申立ては、書面でしなければならない（民訴規51Ⅰ）。訴訟手続の受継は、訴訟主体の変更を伴うことから、その申立てを書面でさせることによって、後日、訴訟手続の受継についての紛争が生ずることを防止するためである。

(オ)　書面不要　　申立てその他の申述は、特別の定めがある場合を除き、書面又は口頭ですることができる（民訴規１Ⅰ）。したがって、口頭弁論期日の指定の申立ては、口頭でもすることができる。

以上から、書面でしなければならないものは(ア)(エ)であり、正解は(2)となる。

15−4(58−1)　総合問題

訴訟行為の取下げ又は撤回に関する次の記述のうち、正しいものはどれか。(改)

⑴　被控訴人が附帯控訴をしているときには、その同意を得なければ、控訴を取り下げることができない。

⑵　反訴を取り下げるには、相手方の同意を得ることを要しない。

⑶　証拠の申出は、証拠調べが開始された後でもその終了前であれば、相手方の同意を得ることなく、撤回することができる。

⑷　主要事実について自白をした後は、相手方の同意を得なければ、これを撤回することができない。

⑸　仮処分命令の申立ては、口頭弁論が開かれたときでも、債務者の同意を得ることなく、取り下げることができる。

学習記録	／	／	／	／	／	／	／	／	／

重要度　A	知識型			正解　(5)

(1) 誤　　控訴の取下げには、相手方の同意を要しない（292Ⅱによる261Ⅱの不準用）。これは、控訴が取り下げられると、控訴期間（285）の経過によって第一審判決が確定するため、被控訴人にとってはむしろ好都合だからである。しかも、附帯控訴は、控訴が取り下げられても、控訴の要件を備えるものは独立した控訴とみなされて存続する（293Ⅱ但書）ので、被控訴人が附帯控訴をしているときでも、その同意を得ずに控訴を取り下げることができる。

(2) 誤　　反訴の取下げの要件については、訴えに関する規定によるから、反訴を取り下げるには、本訴の取下げがあった場合を除き、相手方が本案について準備書面を提出し、弁論準備手続において申述をし、又は口頭弁論をした後にあっては、相手方の同意を得なければならない（146Ⅳ・261Ⅱ本文）。

(3) 誤　　当事者の一方が提出した証拠は、その者に有利な事実の認定に用い得るほか、当然に相手方にとって有利な事実の認定に用いることができる（247、最判昭28.5.14・証拠共通の原則）。したがって、証拠調べの開始後は、相手方に有利な証拠資料が現れる可能性が生ずるから、相手方の同意がなければ証拠の申出を撤回することはできない。

(4) 誤　　裁判上の自白の当事者に対する拘束力は、相手方の信頼・利益を保護するために認められた効果であるから、①相手方の同意がある場合（最判昭34.9.17）だけでなく、②自白が真実に反し、かつ錯誤によるものであることを証明した場合（大判大11.2.20）や③相手方又は第三者の詐欺・脅迫等の刑事上罰すべき行為に基づく場合にも、その撤回は認められる。したがって、本肢は自白撤回の可能性を①に限定している点で誤っている。なお、判例（最判昭25.7.11）は、②につき、錯誤の証明の困難さを考慮して、反真実の証明をもって自白を錯誤によるものと認めてよいとした。

(5) 正　　仮処分命令の申立てを取り下げるには、債務者の同意を得ることを要しない（民保18）。これは、仮処分命令は本案訴訟が確定するまでの暫定的な処分にすぎず、取下げにより債務者が不利益を被るおそれはないからである。そして、口頭弁論を開くか否かは、複数ある審理方式の選択の問題にすぎないから、口頭弁論が開かれたときでも、債務者の同意を得ることなく、取り下げることができる。

15−5(59−4)　総合問題

訴訟上の合意に関する次の記述のうち、正しいものはどれか。

(1)　執行機関は、強制執行の申立てを取り下げる旨の合意を記載した文書の提出があったときには、強制執行を停止しなければならない。

(2)　管轄についての専属的な合意がある場合には、応訴管轄が生ずる余地はない。

(3)　配当に関する合意は、すべての債権者及び債務者の間でしなければ効力を有しない。

(4)　被告に過失があったことを争わないこととする合意も、過失の有無の判断を第三者にゆだねるための合意も、有効である。

(5)　不執行の合意に反して強制執行がされた場合には、債務者は、執行異議の方法によらなければ、その強制執行の取消しを求めることはできない。

学習記録	／	／	／	／	／	／	／	／	／

重要度　A	知識型		正解　(4)

(1) 誤　執行機関は、強制執行の申立てを取り下げる旨の合意を記載した文書の提出があったときでも、強制執行を停止する必要はない。強制執行の停止について規定する民事執行法39条1項は、提出によって強制執行を停止すべき文書の種類を限定列挙している。強制執行の申立てを取り下げる旨の合意を記載した文書としては、その旨を記載した裁判上の和解若しくは調停の調書の正本又は労働審判法21条4項の規定により裁判上の和解と同一の効力を有する労働審判書若しくは同法20条7項の調書の正本であることを要求している（民執39Ⅰ④）からである。

(2) 誤　管轄について専属的合意がされても、法定の専属管轄（13）とは異なり公共目的の実現とは関係がないところから、原告がそれ以外の裁判所に訴えた場合に、被告が応訴するとその裁判所に応訴管轄が生ずる（12）。

(3) 誤　配当の順位及び額は、配当期日において全ての債権者間に合意が成立した場合にはその合意により、その他の場合には民法、商法その他の法律の定めるところにより、配当表に記載しなければならない（民執85Ⅴ）。したがって、配当に関する合意は、全ての債権者の間でしなければ効力を有しないが、債務者の合意がなくてもその効力に影響はない。

(4) 正　弁論主義の妥当する訴訟においては、訴訟資料の収集及び提出は当事者の責任とされているから、当事者間で事実の確定方法に関する合意（証拠契約）をすることも許される。したがって、被告に過失があったことを争わないこととする合意（自白契約）も、過失の有無の判断を第三者に委ねるための合意（仲裁鑑定契約）も、有効である。

(5) 誤　強制執行をしない旨又はその申立てを取り下げる旨を記載した裁判上の和解若しくは調停の調書の正本又は労働審判法21条4項の規定により裁判上の和解と同一の効力を有する労働審判書若しくは同法20条7項の調書の正本（民執39Ⅰ④）が提出されたときは、執行裁判所又は執行官は、既にした執行処分をも取り消さなければならない（民執40Ⅰ）。したがって、不執行の合意に反して強制執行がされた場合には、債務者は、以上のような文書を提出して、強制執行の取消しを求めることができる。

15－6(60－7)　総合問題

次の裁判所の訴訟行為のうち、職権ですることができないものはどれか。

(1)　弁論の分離・併合

(2)　仮執行の宣言

(3)　文書送付嘱託

(4)　官公署への調査嘱託

(5)　当事者本人尋問

学習記録	／	／	／	／	／	／	／	／	／

重要度　A	知識型		正解　(3)

(1)　できる　　裁判所は、職権で口頭弁論の分離・併合を命じ、又はその命令を取り消すことができる（152Ⅰ）。なお、裁判長には、訴訟手続を円滑に進め、かつ充実した審理を実現するために訴訟指揮権が与えられている（148Ⅰ）。

(2)　できる　　財産権上の請求に関する判決については、裁判所は、必要があると認めるときは、申立てにより又は職権で、仮執行をすることができることを宣言することができる（259Ⅰ）。また、手形又は小切手による金銭の支払の請求及びこれに附帯する法定利率による損害賠償の請求に関する判決については、裁判所は、職権で、仮執行をすることができることを宣言しなければならない（259Ⅱ本文）。

(3)　できない　　文書送付の嘱託は、当事者が文書の所持者にその文書の送付を嘱託することを申し立ててすることができる（226本文）。文書送付嘱託の制度は証拠方法の収集のために用いられ、証拠方法の収集・提出については、これを当事者の権能かつ責任とする弁論主義が妥当するので、職権によることはできない。

(4)　できる　　裁判所は、必要な調査を官庁若しくは公署、外国の官庁若しくは公署又は学校、商工会議所、取引所その他の団体に嘱託することができる(186)。十分な資料と設備をもつ官公署等は比較的容易に正確で十分な調査が可能であり、争いのある事実の真否の判断のためには必要かつ有効な場合も少なくないこと、また、調査嘱託による回答書が提出された時点で、裁判所は口頭弁論を開いて当事者に意見を述べる機会を与えなければならず（最判昭45.3.26)、当事者への不意打ちも生じないことから、職権による官公署等への調査嘱託が認められている。

(5)　できる　　裁判所は、申立てにより又は職権で、当事者本人を尋問することができる（207Ⅰ前段)。直接の利害関係人である当事者に客観的な陳述を期待し難い点は否定できないが、事件の事実関係については当事者が最も熟知している点も無視し得ず、事実認定に極めて重要な役割を演ずることも少なくないことから、当事者の申立てによるばかりでなく、職権によることも認められている。

15−7(3−3)　総合問題

次の訴訟行為のうち、相手方の同意を要するものはどれか。

(1) 控訴の取下げ

(2) 請求の放棄

(3) 控訴審における反訴の提起

(4) 訴えの変更

(5) 本訴が取り下げられた場合における反訴の取下げ

学習記録	／	／	／	／	／	／	／	／	／

重要度　A	知識型		正解　(3)

(1) 要しない　　控訴の取下げには、相手方の同意を要しない（292Ⅱによる261Ⅱの不準用）。控訴が取り下げられると、控訴期間（285）の経過によって第一審判決が確定するため、控訴被告にとってはむしろ好都合だからである。

(2) 要しない　　請求の放棄（266）とは、原告が自ら請求に理由のないことを認める旨の、期日における裁判所に対する一方的意思表示である。請求の放棄がされると、訴訟は、その範囲で当然に被告勝訴として終了する。これは、被告に有利であるから、請求の放棄に被告の同意は不要である。

(3) 要する　　控訴審での反訴提起については、原告（反訴被告）の審級の利益を考慮して、相手方の同意が要件とされている（300Ⅰ）。なお、反訴請求と関連する本訴請求や本訴請求に対する防御方法につき第一審裁判所で審判がされた場合には、相手方の審級の利益は害されないので、反訴提起に相手方の同意を要しない（最判昭38.2.21）。

(4) 要しない　　訴えの変更（143）とは、訴訟の係属後に、原告が当初からの手続を維持しつつ、当初の審判対象を変更することをいう。この訴えの変更をするに当たっては、被告が旧請求についての訴訟資料や証拠資料を新請求の審理に利用できるように、請求の基礎に変更がないことが要件とされる（143Ⅰ本文）。そのため、この要件を満たす限り、相手方の同意は不要である。相手方としては、特別不利益を被ることにはならないからである。

(5) 要しない　　本訴の取下げがあった後は、反訴原告は、反訴被告の同意を得ることなく、反訴の取下げをすることができる（261Ⅱ但書）。原告が本訴を取り下げておきながら、被告には反訴の維持を強要するのは妥当でないからである。

15−8(57−1)　総合問題

被告の訴訟行為に関する次の記述のうち、正しいものはどれか。

(1) 被告は本来管轄権のない裁判所に提起された訴えについて管轄違いの抗弁を提出することなく本案につき弁論した後は、その裁判所に対し、損害又は遅滞を避けるための移送の申立てをすることはできない。

(2) 建物収去土地明渡しを求める訴えの被告は、収去を求められている建物の所有権をその訴訟の係属中に被告から譲り受けた第三者が訴訟に参加したときは、原告の承諾を得ることなく、その訴訟から脱退することができる。

(3) 貸金返還請求訴訟において原告が最初になすべき口頭弁論期日に出頭しないときは、被告は、既に提出した答弁書その他の準備書面にその貸金を弁済した旨の主張を記載していない場合であっても、その口頭弁論期日においてその旨の主張をすることができる。

(4) 第１審の被告が控訴審で反訴を提起した場合において、その後本訴の取下げがあったときは、第１審の被告は第１審の原告の同意を得ることなく反訴の取下げをすることができる。

(5) 被告が請求棄却の判決を求めたにもかかわらず、訴えの利益がないとして訴え却下の判決を言い渡されたときは、被告は、その判決を不服として控訴を提起することはできない。

学習記録	／	／	／	／	／	／	／	／	／

総合問題

重要度 A	知識型		正解 (4)

(1) 誤　被告は、本来管轄権のない裁判所に提起された訴えについて管轄違いの抗弁を提出することなく本案につき弁論した後であっても、その裁判所に対し、損害又は遅滞を避けるための移送の申立てをすることができる（17）。被告が本案につき弁論したことによって応訴管轄（12）が生じているが、応訴管轄裁判所がその事件の裁判に適しているとは限らず、その裁判所で審判することが、当事者間の公平に反し、あるいは、著しく訴訟経済に反する場合も考えられるからである。

(2) 誤　第三者が訴訟に参加した場合に、被告がその訴訟から脱退するためには、原告の承諾を得なければならない（51・48前段）。

(3) 誤　貸金返還請求訴訟において原告が最初に行うべき口頭弁論期日に出頭しない場合、被告は、既に提出した答弁書その他の準備書面にその貸金を弁済した旨の記載をしていないときは、その口頭弁論期日において、その旨の主張をすることはできない（161Ⅲ）。相手方が在廷していない場合において、準備書面に記載されていない事実を主張することを認めると、相手方が知らない事項について擬制自白が成立することになり（159Ⅲ）、不意打ちとなるからである。

(4) 正　本訴の取下げがあった後は、反訴原告は、反訴被告の同意を得ることなく、反訴の取下げをすることができる（261Ⅱ但書）。反訴は本訴の係属が契機となって提出された防御方法としての性質を有するので、原告が本訴を取り下げておきながら、被告には反訴の維持を強要するのは妥当でないからである。

(5) 誤　被告が請求棄却の判決を求めたにもかかわらず、訴えの利益がないとして訴え却下の判決を言い渡されたときであっても、被告は、その判決を不服として控訴を提起することができる（最判昭40.3.19）。このような場合、被告には、原告の請求に理由がないことを既判力をもって確定してもらう利益があるからである。

15−9(59−3)　総合問題

訴えの提起又は通常訴訟への移行に関する次の記述のうち、正しいものはどれか。(改)

⑴　仮執行の宣言を付した支払督促に対して督促異議の申立てがあったときは、その請求につき訴えの提起があったものとみなされるが、仮執行宣言前の督促異議の申立てがあったときには、支払督促は失効し、債権者は、改めて訴えの提起をすることを要する。

⑵　手形訴訟は、被告の異議の申立てによらなければ、通常訴訟に移行しない。

⑶　仮処分命令に対して債務者から起訴命令の申立てがあったときには、裁判所がその命令において定める期間が経過する時に、仮処分の被保全権利を目的とする訴えの提起があったものとみなされる。

⑷　いわゆる起訴前の和解において和解が調わなかったときには、和解の申立てをした者がその申立てをした時に訴えを提起したものとみなされる。

⑸　民事調停が不成立に終わった場合において、申立人がその旨の通知を受けた日から２週間以内に調停の目的となった請求について訴えを提起したときには、調停の申立ての時に、その訴えの提起があったものとみなされる。

学習記録	／	／	／	／	／	／	／	／	／

重要度　A	知識型		正解　(5)

(1)　誤　　支払督促に対して適法な督促異議の申立てがあったときは、仮執行宣言の前後に関係なく、督促異議に係る請求について、その目的の価額に従い、支払督促申立ての時に支払督促を発した裁判所書記官の所属する簡易裁判所又はその所在地を管轄する地方裁判所に訴えの提起があったものとみなされ（395前段）、債権者は、改めて訴えの提起をする必要はない。なお、仮執行宣言の前後で異なるのは、支払督促の効力が失われるか否かである。すなわち、仮執行宣言の前に督促異議の申立てがあった場合は、支払督促はその督促異議の限度で効力を失う（390）のに対して、仮執行宣言の後に督促異議の申立てがあった場合には、支払督促の確定は阻止されるが、その効力が失われるものではない（403 I ③参照）。

(2)　誤　　手形訴訟は、被告の異議の申立てによらなくても、原告の訴訟を通常の手続に移行させる旨の申述によって、通常訴訟に移行することができる（353 I・II）。簡易迅速な解決を望んで手形訴訟を提起した原告に通常手続によって裁判を受ける道を認めたものである。

(3)　誤　　仮処分命令に対して債務者から起訴命令の申立てがあった場合に、裁判所がその命令において定める期間が経過しても、仮処分の被保全権利を目的とする訴えの提起があったとみなされることはなく、債務者の申立てにより仮処分命令が取り消され得るにとどまる（民保37 I・III）。

(4)　誤　　起訴前の和解（275 I）においては、当事者双方が出頭して和解のための陳述をし、それが不調に終われば、手続は終了するのであり、当事者双方の申立てのない限りは訴訟に移行しない（275 II）。

(5)　正　　調停の不成立（民調14）により事件が終了した場合において、申立人がその旨の通知を受けた日から２週間以内に調停の目的となった請求について訴えを提起したときには、調停の申立ての時に、その訴えの提起があったものとみなされる（民調19）。

15−10(5−5)　総合問題

次の裁判のうち、当事者に申立権がないものはどれか。

(1)　文書提出命令

(2)　仮執行の宣言

(3)　時機に後れた攻撃防御方法の却下の決定

(4)　訴えの変更を許さない旨の決定

(5)　弁論の併合の決定

学習記録	／	／	／	／	／	／	／	／	／

重要度　A	知識型		正解　(5)

(1)　ある　　文書提出命令は、当事者による申立てがなければすることができない（221Ⅰ）。裁判の基礎となる訴訟資料の収集・提出を当事者の権能かつ責任とする弁論主義からの要請である。

(2)　ある　　財産権上の請求に関する判決については、裁判所は、必要があると認めるときは、申立てにより又は職権で、仮執行をすることができることを宣言することができる（259Ⅰ）。

(3)　ある　　裁判所は、適時提出主義（156）に対する制約として、当事者が故意又は重大な過失により時機に後れて提出した攻撃又は防御の方法については、これにより訴訟の完結を遅延させることとなると認めたときは、申立てにより又は職権で、却下の決定をすることができる（157Ⅰ）。

(4)　ある　　裁判所は、請求又は請求の原因の変更を不当であると認めるときは、申立てにより又は職権で、その変更を許さない旨の決定をしなければならない（143Ⅳ）。したがって、当事者には申立権が認められている。

(5)　ない　　裁判所には訴訟手続を円滑に進め、かつ充実した審理を実現するために、口頭弁論の制限、分離若しくは併合を命ずることができる権限がある（152Ⅰ）。しかし、当事者に申立権は認められない。当事者が弁論の併合を申し立てても、それは職権の発動を促すだけのものにすぎない。

15−11（15−5）　総合問題

民事訴訟における基本原則（Ａ）とその現れとされる制度（Ｂ）の組合せに関する次の(ア)から(オ)までの記述のうち、正しいものの組合せは、後記(1)から(5)までのうちどれか。

	（Ａ）	（Ｂ）
(ア)	処分権主義	職権証拠調べの禁止
(イ)	弁論主義	不利益変更の禁止
(ウ)	直接主義	弁論の更新
(エ)	口頭主義	責問権の喪失
(オ)	自由心証主義	弁論の全趣旨のしん酌

(1)　(ア)(ウ)　　(2)　(ア)(エ)　　(3)　(イ)(エ)　　(4)　(イ)(オ)　　(5)　(ウ)(オ)

学習記録	／	／	／	／	／	／	／	／	／

総合問題

重要度　A	知識型		正解　(5)

(ア)　誤　　処分権主義とは、訴訟の開始、審判対象の特定やその範囲の決定、更に判決によらずに訴訟を終了させることを当事者の意思に任せることをいう。職権証拠調べの禁止とは、判決の基礎となる事実や証拠の提出を当事者に委ねるという弁論主義から導かれるものである。したがって、処分権主義から職権証拠調べの禁止が導かれるとはいえない。

(イ)　誤　　弁論主義とは、判決の基礎となる事実や証拠の収集を当事者の権能と責任に委ねるという原則である。また、不利益変更の禁止とは、控訴審において、控訴人は、附帯控訴がない限り、不服申立ての限度を超えて、自己に不利益な判決を下されることはないという原則であり、審判対象の特定を当事者の権能とする処分権主義の発現である。したがって、弁論主義から不利益変更の禁止が導かれるとはいえない。

(ウ)　正　　直接主義とは、判決をする裁判官が自ら当事者の弁論を聴取し、証拠調べをするという原則をいう。直接主義の現れとして、こうした口頭弁論に関与した裁判官だけが判決をすることができることになる（249Ⅰ）。しかし、この直接主義を徹底するならば、裁判官が交代した場合、弁論及び証拠調べをやり直さなければならないことになるが、そうなると訴訟経済に反するので、直接主義を満たすために行われるのが弁論の更新（249Ⅱ）である。すなわち、裁判官が代わった場合には、当事者は、従前の口頭弁論の結果を陳述しなければならない。したがって、弁論の更新は直接主義の原則の現れとされる制度である。

(エ)　誤　　口頭主義とは、弁論及び証拠調べが口頭で行われなければならず、口頭で陳述されたものだけが判決の基礎となるという原則である。責問権とは、裁判所又は相手方の訴訟行為が訴訟法規に違反する場合、これに対して異議を述べてその訴訟行為の無効を主張する権能を当事者に与えたものである。責問権の喪失は、口頭弁論などで積極的に陳述する場合に限られない。この点は、責問権の放棄と異なる。したがって、口頭主義から責問権の喪失が導かれるとはいえない。

(オ)　正　　自由心証主義とは、裁判官が裁判における事実認定を、審理に現れた全ての資料・状況に基づいて、自由な判断によって形成する心証に委ねる建前をいう。裁判官は弁論の全趣旨を自由にしん酌し、事実認定をすることができる（247）。したがって、弁論の全趣旨のしん酌は自由心証主義の現れとされる制度である。

以上から、正しいものは(ウ)(オ)であり、正解は(5)となる。

15−12(16−1)　総合問題

次の(ア)から(オ)までの訴訟行為のうち、相手方の同意を要するものは幾つあるか。

(ア)　弁論準備手続の終結後における攻撃又は防御の方法の提出

(イ)　訴えの変更

(ウ)　控訴審における反訴の提起

(エ)　少額訴訟の終局判決に対する異議の取下げ

(オ)　少額訴訟を通常の手続に移行させる旨の申述

(1)　１個　　(2)　２個　　(3)　３個　　(4)　４個　　(5)　５個

学習記録	／	／	／	／	／	／	／	／	／

重要度 A	知識型		正解 (2)

(ア) 要しない　　弁論準備手続の終結後に攻撃又は防御の方法を提出した当事者は、相手方の求めがあるときは、相手方に対し、弁論準備手続の終結前にこれを提出することができなかった理由を説明しなければならない（174・167）。したがって、弁論準備手続の終結後における攻撃又は防御の方法の提出自体は、相手方の同意を要するものではないが、当事者に説明義務を課し、的確な説明がされない場合は、その攻撃防御方法が却下される（170Ⅴ・157Ⅰ）危険を負わせることにより、争点整理の実効性を確保するものである。

(イ) 要しない　　訴えの変更は、被告が旧請求についての訴訟資料や証拠資料を新請求の審理に利用できるように、請求の基礎に変更がないことが要件とされている（143Ⅰ本文）。したがって、被告の防御方法が予想外に変更される不利益が生じないため、相手方の同意は要しない。

(ウ) 要する　　控訴審における反訴の提起は、相手方の同意がある場合に限り、することができる（300Ⅰ）。これは、反訴の要件として本訴請求又はこれに対する防御の方法と関連していれば提起することができる（146Ⅰ柱書本文）ため、事実審理の範囲が同一でない場合もあり、相手方が第一審の審級の利益を失うおそれがあるからである。

(エ) 要する　　少額訴訟の終局判決に対する異議の取下げにおいては、相手方の同意を要する（378Ⅱ・360Ⅱ）。少額訴訟の終局判決に対して、適法な異議があったときは、訴訟は口頭弁論の終結前の程度に復し、原則として通常訴訟手続に移行する（379Ⅰ）から、異議申立人の相手方にとっても通常訴訟手続を利用できる期待可能性があり、取下げによりそれを奪うことになるため、相手方の同意を要するものとしたものである。

(オ) 要しない　　少額訴訟においては、被告は、訴訟を通常の手続に移行させる旨の申述をすることができ（373Ⅰ本文）、本条において、相手方の同意を要する旨の規定はない。これは、原告に通常訴訟又は少額訴訟という選択権を認めた以上、被告にも通常訴訟への移行という選択権を認めることで、当事者間の公平を図り、また、簡易迅速な審理実現のため、通常訴訟に比して様々な制約を課される少額訴訟においては、被告の意思を尊重すべきだからである。

以上から、相手方の同意を要するものは(ウ)(エ)の２個であり、正解は(2)となる。

15−13(16−2)　総合問題

裁判によらない訴訟の完結に関する次の(ア)から(オ)までの記述のうち、正しいものは幾つあるか。

(ア)　訴えの取下げは、口頭弁論期日においては口頭ですることができるが、弁論準備手続期日においては書面でしなければならない。

(イ)　口頭弁論が終結した後に訴訟上の和解を試みるには、弁論を再開する必要がある。

(ウ)　請求の放棄又は認諾をする旨の書面を提出した当事者が口頭弁論期日に出頭しないときは、裁判所は、その旨の陳述をしたものとみなすことができる。

(エ)　訴えを却下した判決の後に当該訴えを取り下げた場合には、原告は、同一の訴えを提起することができない。

(オ)　請求の放棄は、株主総会決議取消訴訟においてもすることができる。

(1)　１個　　(2)　２個　　(3)　３個　　(4)　４個　　(5)　５個

学習記録	／	／	／	／	／	／	／	／	／

重要度　A	知識型			正解　(2)

(ア) 誤　　訴えの取下げは、原則として、書面でしなければならない（261Ⅲ本文）が、口頭弁論期日又は弁論準備手続期日においては、口頭ですることができる（261Ⅲ但書）。これらの場合には、弁論の要領が調書に記載される（民訴規67Ⅰ①・88Ⅳ）ため、書面によらなくても申述の明確性は十分に担保されるからである。

(イ) 誤　　裁判所は、訴訟がいかなる程度にあるかを問わず、和解を試みることができる（89Ⅰ）ため、口頭弁論が終結した後にも訴訟上の和解をすることができるが、弁論を再開する必要はない。訴訟上の和解は、通常は口頭弁論期日や弁論準備手続、和解期日において行われ、口頭弁論が終結した後には、弁論を再開せず和解期日において行えばよいからである。

(ウ) 正　　請求の放棄又は認諾をする旨の書面を提出した当事者が口頭弁論期日に出頭しないときは、裁判所は、その旨の陳述をしたものとみなすことができる（266Ⅱ）。請求の放棄又は認諾をするためだけに出頭する手間を緩和したものである。

(エ) 誤　　訴えを却下した判決の後に当該訴えを取り下げた場合でも、原告は、同一の訴えを提起することができる。原告が同一の訴えを提起することができないのは、本案について終局判決があった後に訴えを取り下げた場合であり（262Ⅱ）、訴えを却下した判決はそれに含まれないからである。

(オ) 正　　請求の放棄（266）は、株主総会決議取消訴訟（会社831Ⅰ）においてもすることができる。会社関係訴訟においては、請求認容判決について対世効を有するが（会社838）、請求の放棄を認めても第三者に影響を及ぼさないので、棄却判決に対応する請求の放棄をすることができる。

以上から、正しいものは(ウ)(オ)の２個であり、正解は(2)となる。

15−14(17−4)　総合問題

訴え提起後の訴訟関係の変動に関する次の(ア)から(オ)までの記述のうち、正しいものの組合せは、後記(1)から(5)までのうちどれか。

(ア)　被告の住所地を管轄する裁判所に訴えが提起された後、被告に対する訴状の送達前に、被告が住所地を当該裁判所の管轄区域外に移した場合であっても、当該裁判所は、被告の新しい住所地を管轄する裁判所に当該訴訟を移送する必要はない。

(イ)　原告は、訴えを提起した後に請求額を拡張したときであっても、手数料を追加して納める必要はない。

(ウ)　簡易裁判所の訴訟において原告が死亡した場合には、司法書士がその訴訟代理人になっていたときであっても、弁護士がその訴訟代理人になっていない限り、訴訟手続が中断する。

(エ)　当事者は、証人尋問の申出をした後、その証人尋問を行う前に、この申出を撤回したときは、同一の審級において、改めて同一の証人の尋問の申出をすることができない。

(オ)　訴訟上の救助の決定を受けた者が訴訟上の救助の決定の要件を欠くに至ったときは、訴訟記録の存する裁判所は、いつでも訴訟上の救助の決定を取り消し、猶予した費用の支払を命ずることができる。

(1)　(ア)(エ)　　(2)　(ア)(オ)　　(3)　(イ)(ウ)　　(4)　(イ)(オ)　　(5)　(ウ)(エ)

学習記録	／	／	／	／	／	／	／	／	／

総合問題

重要度　A	知識型	

正解　(2)

(ア)　正　　訴えは、被告の普通裁判籍の所在地を管轄する裁判所の管轄に属する（4）。管轄についての審理は、訴訟要件にかかわるものであるため、裁判所は本案判決の前提要件として、管轄権の存在を確認する必要がある。そして、管轄決定の時期に関しては、訴え提起の時を標準として定めるとしている（15）ため、訴え提起後の被告の住所移転は管轄に影響を及ぼさない。また、当事者の住所移転により、訴訟の著しい遅滞、当事者間の衡平を失する事態が生じたときは、裁判所は申立て又は職権で訴訟の全部又は一部を他の裁判所に移送することができるが、この規定は裁判所に義務を課したものではない（17参照）。したがって、被告の住所が変更した場合であっても、新住所地を管轄する裁判所に当該訴訟を移送する必要はない。

(イ)　誤　　請求額の拡張のような請求の変更があった場合、変更後の請求につき訴訟の目的の価格に応じて算出して得た額から変更前の請求に係る手数料の額を控除した額の手数料を納めなければならない（民訴費３Ⅰ・別表第１の５）。

(ウ)　誤　　訴訟の当事者が死亡した場合、原則として訴訟手続は中断する（124Ⅰ①）。しかし、訴訟代理人がある場合は、中断しない（124Ⅱ）。この取扱いは簡易裁判所における訴訟手続でも同様であり、訴訟代理人の資格によって取扱いが異なるものではない。

(エ)　誤　　当事者は、証人尋問の申出をした後、その証人尋問を行う前に、この申出を撤回した場合であっても、同一の審級において、改めて同一の証人について尋問の申出をすることができる。証人尋問は証拠の申出により行われるが、その証拠調べが行われる前であれば、申し出た当事者は自由にその申出を撤回することができる。そして、撤回がされた場合であっても同一人について再度証人尋問としての申出を禁止する規定はない。

(オ)　正　　訴訟の準備及び追行に必要な費用を支払う資力がない者又はその支払により生活に著しい支障を生ずる者に対して、裁判所は、その者が勝訴の見込みがないとはいえないときは、申立てにより訴訟上の救助の決定をすることができる（82Ⅰ）。そして、訴訟の準備及び追行に必要な費用を支払う資力がない又はその支払により生活に著しい支障を生ずるという要件を欠いたときは、訴訟記録の存する裁判所は、利害関係人の申立てにより又は職権で、決定によりいつでもこの訴訟上の救助の決定を取り消し、猶予した費用の支払を命ずることができる（84）。

以上から、正しいものは(ア)(オ)であり、正解は(2)となる。

15－15(24－2)　総合問題

Ａは、Ｂに対して有する1,000万円の貸金債権のうちの一部の請求であることを明示して、Ｂに対し、200万円の支払を求める訴えを提起した。この事例に関する次の(ア)から(オ)までの記述のうち、判例の趣旨に照らし誤っているものの組合せは、後記(1)から(5)までのうちどれか。(改)

(ア)　判決の確定による時効更新の効力は、200万円の範囲についてのみ生ずる。

(イ)　裁判所は、審理の結果、ＡのＢに対する貸金債権が400万円の限度で残存していると認めた場合であっても、200万円の支払を命ずる判決をしなければならない。

(ウ)　Ａの請求を全部棄却するとの判決が確定した後、Ａが貸金債権の残部である800万円の支払を求めて訴えを提起することは、特段の事情がない限り、信義則に反して許されない。

(エ)　ＢがＡに対して有する120万円の売買代金債権を自働債権として相殺の抗弁を主張した場合において、裁判所が、審理の結果、ＡのＢに対する貸金債権は400万円の限度で残存しており、かつ、Ｂの相殺の抗弁に理由があると認めたときは、裁判所は、Ａの請求につき、80万円を超える額の支払を命ずる判決をしてはならない。

(オ)　ＡのＢに対する訴訟の係属中にＢがＡに対して請負代金2,000万円の支払を求める別訴を提起した場合には、当該別訴において、Ａは、貸金債権の残部である800万円を自働債権として相殺の抗弁を主張することができない。

(1)　(ア)(ウ)　　(2)　(ア)(オ)　　(3)　(イ)(ウ)　　(4)　(イ)(エ)　　(5)　(エ)(オ)

学習記録	／	／	／	／	／	／	／	／	／

総合問題

重要度 A	知識型		正解 (5)

(ア) 正　一個の債権の数量的な一部について判決を求める旨明示された給付訴訟において、訴訟物は当該一部である（最判昭37.8.10）。そのため、当該訴訟の判決の確定による時効の更新の効力も当該一部についてのみ生ずる（最判昭34.2.20）。なお、明示的一部請求の訴えが提起された場合、債権者が将来にわたって残部をおおよそ請求しない旨の意思を明らかにしているなど、残部につき権利行使の意思が継続的に表示されているとはいえない特段の事情のない限り、当該訴えの提起により、残部について、判決後6か月を経過するまでの間、時効の完成が猶予される（最判平25.6.6参照、民147Ⅰ柱書括弧書）。

(イ) 正　明示的一部請求において、訴訟物は当該一部となる（最判昭34.2.20）。そして、裁判所は、当事者の申し立てた事項（訴訟物）についてのみ判決をすることが許される（246・処分権主義）。したがって、たとえ裁判所が400万円の訴求債権の存在を認めても、当該裁判所は原告の主張に拘束される結果、200万円の支払を命ずる判決をしなければならない。

(ウ) 正　一個の金銭債権の明示的数量的な一部請求を全部又は一部棄却する判決は、債権全部にわたる審理の結果、当該債権が全く存在せず又は請求額に満たない額しか現存しないから、後に残部として請求し得る部分はないとの判断を示すものであり、当該判決確定後の残部請求は、実質的には前訴の蒸し返しであり、当該債権の全部につき紛争が解決されたとの被告の合理的期待を裏切るものとして、特段の事情のない限り、信義則に反し許されない（最判平10.6.12）。

(エ) 誤　一部請求において、被告の相殺の抗弁に理由がある場合には、相殺の時点における裁判所が認定した請求債権の総額を基準にし、その額から自働債権の額を控除して残存額を算定した上で、原告の一部請求額が残存額の範囲内であるときはそのまま認容し、残存額を超えるときはその残存額の限度でこれを認容すべきである（最判平6.11.22・外側説）。本肢において、裁判所が認定した請求債権の総額である400万円から自働債権の額120万円を控除すると残存額は280万円となり、原告の一部請求額200万円は残存額280万円の範囲内である。したがって、裁判所は、原告の一部請求額200万円の認容判決を下すことになる。

(オ) 誤　訴求債権に対し、係属中の別訴で請求中の債権をもって相殺する旨の抗弁を提出することは重複起訴の禁止に触れる（最判平3.12.17）。しかし、別訴が反対債権の明示的一部請求であるときは、その訴訟物は当該一部に限られ、既判力も残額には及ばないから、残額債権をもってする相殺の抗弁の提出は許される（最判平10.6.30）。

以上から、誤っているものは(エ)(オ)であり、正解は(5)となる。

15−16(25−2)　総合問題

民事訴訟における当事者の死亡に関する次の(ア)から(オ)までの記述のうち、判例の趣旨に照らし正しいものは、幾つあるか。

(ア)　当事者が死亡した場合において、その相続人は、相続の放棄をすることができる間であっても、訴訟手続を受け継ぐことができる。

(イ)　労働契約上の地位を有することの確認を求める訴えを提起していた原告がその訴訟の係属中に死亡したときは、当該訴訟は、当然に終了する。

(ウ)　当事者が死亡した場合において、その相続人が訴訟手続を受け継いだときは、既にされていた訴訟行為は、その相続人の利益となる限度においてのみその効力を生ずる。

(エ)　当事者が死亡した場合において、訴訟代理人がある間は、訴訟手続は、中断しない。

(オ)　判決書の正本の送達後に当事者が死亡したことによりその進行を停止した控訴期間については、訴訟手続の受継の通知又はその続行の時から、新たに全期間の進行を始める。

(1)　１個　　(2)　２個　　(3)　３個　　(4)　４個　　(5)　５個

学習記録	／	／	／	／	／	／	／	／	／

重要度　A	知識型		正解　(3)

(ア)　誤　　当事者が死亡した場合、訴訟手続は中断する（124Ⅰ①）。この場合、相続人、相続財産の管理人、相続財産の清算人その他法令により訴訟を続行すべき者は、訴訟手続を受け継がなければならない（124Ⅰ①）。もっとも、相続人は、相続の放棄をすることができる間は、訴訟手続を受け継ぐことができない（124Ⅲ）。

(イ)　正　　当事者が死亡した場合、訴訟手続は中断し、相続人等は訴訟手続を受け継がなければならないのが原則である（124Ⅰ①）。もっとも、当事者が死亡しても訴訟物である権利関係の性質上、他にこれを承継する者が存在しない場合は、訴訟は当然に終了し中断を生ずる余地もない。この点、労働契約上の地位は一身専属的なものであり、労働者死亡による相続の対象とはならない。したがって、労働契約上の地位を有することの確認を求める訴えの原告が死亡したときは、当該訴訟は当然に終了する。

(ウ)　誤　　訴訟承継においては、新当事者が旧当事者の形成した訴訟状態を引き継ぐ。ここにいう「訴訟状態」の中には、既に形成された裁判資料だけではなく、裁判資料提出の機会などの手続上の地位も含まれる。したがって、自白の拘束力や時機に遅れた攻撃防御方法の提出など新当事者にとって不利となり得るものも引継ぎの対象となる。

(エ)　正　　当事者の死亡は訴訟手続の中断事由とされているが（124Ⅰ①）、訴訟代理人がある間は、当事者が死亡しても訴訟手続は中断しない（124Ⅱ）。

(オ)　正　　訴訟手続の中断又は中止があったときは、期間は進行を停止する（132Ⅱ前段）。この場合においては、訴訟手続の受継の通知又はその続行の時から、新たに全期間の進行を始める（同後段）。したがって、判決書の正本の送達後、控訴期間満了前に当事者の死亡によって訴訟手続が中断した場合、控訴期間は進行を停止し、訴訟手続の受継の通知又はその続行の時から、新たに全期間の進行を始める。

以上から、正しいものは(イ)(エ)(オ)の３個であり、正解は(3)となる。

15－17(29－2)　総合問題

訴訟費用に関する次の(ア)から(オ)までの記述のうち、正しいものの組合せは、後記(1)から(5)までのうち、どれか。

(ア)　原告が訴えの提起の手数料を納付しない場合には、裁判長は、相当の期間を定め、原告にその不備を補正すべきことを命じなければならず、原告がその不備を補正しないときは、命令で訴状を却下しなければならない。

(イ)　勝訴の当事者がその責めに帰すべき事由により訴訟を遅滞させた場合には、裁判所は、その勝訴の当事者に遅滞によって生じた訴訟費用の全部又は一部を負担させることができる。

(ウ)　当事者が裁判所において和解をした場合において、和解の費用又は訴訟費用の負担について特別の定めをしなかったときは、裁判所は、職権で、その負担の裁判をしなければならない。

(エ)　当事者が訴訟の準備及び追行に必要な費用を支払う資力を有していない場合には、裁判所は、申立てにより、訴訟上の救助として、裁判費用の支払を猶予し、又は免除することができる。

(オ)　裁判所は、事件を完結する裁判において、職権で、その審級における訴訟費用の全部についてその負担の裁判をするとともに、その額を定めなければならない。

(1)　(ア)(イ)　　(2)　(ア)(ウ)　　(3)　(イ)(エ)　　(4)　(ウ)(オ)　　(5)　(エ)(オ)

学習記録	／	／	／	／	／	／	／	／	／

重要度　A	知識型		正解　(1)

(ア)　正　　原告が、訴え提起の手数料を納付しない場合、裁判長は、相当の期間を定め、その期間内に不備を補正すべきことを命じなければならない（137Ⅰ）。そして、原告が不備を補正しないときは、裁判長は、命令で、訴状を却下しなければならない（137Ⅱ）。

(イ)　正　　当事者の責めに帰すべき事由により訴訟を遅滞させたときは、裁判所は、その当事者に、その勝訴の場合においても、遅滞によって生じた訴訟費用の全部又は一部を負担させることができる（63）。

(ウ)　誤　　当事者が裁判所において和解をした場合において、和解の費用又は訴訟費用の負担について特別の定めをしなかったときは、その費用は、各自が負担する（68）。

(エ)　誤　　訴訟の準備及び追行に必要な費用を支払う資力がない者に対しては、裁判所は、申立てにより、訴訟上の救助の決定をすることができる（82Ⅰ）。この点、具体的な訴訟上の救助については、裁判費用の支払の猶予や、訴訟費用の担保の免除については認められているが、裁判費用の「支払の免除」については認められていない（83Ⅰ参照）。

(オ)　誤　　裁判所は、事件を完結する裁判において、職権で、その審級における訴訟費用の全部について、その負担の裁判をしなければならない（67Ⅰ本文）。しかし、裁判所は、当該訴訟費用の額を定めることを要しない。この点、具体的な訴訟費用額を確定し、その償還請求権の額を決定することについては、費用額確定の処分（71）に委ねられている。

以上から、正しいものは(ア)(イ)であり、正解は(1)となる。

15－18(29－3)　総合問題

民事訴訟における当事者の出頭に関する次の(ア)から(オ)までの記述のうち、正しいものの組合せは、後記(1)から(5)までのうち、どれか。

(ア)　訴えの取下げを口頭弁論の期日において口頭でする場合には、相手方がその期日に出頭していることを要する。

(イ)　裁判所は、当事者の共同の申立てがあるときは、事件の解決のために適当な和解条項を定めることができるが、その和解条項の定めは、口頭弁論、弁論準備手続又は和解の期日に出頭した当事者双方に対する告知によってしなければならない。

(ウ)　請求の放棄又は認諾は、当事者の一方が弁論準備手続の期日に出頭し、他の一方がその期日に出頭しないで裁判所及び当事者双方が音声の送受信により同時に通話をすることができる方法によって手続に関与する場合においても、その期日においてすることができる。

(エ)　訴え提起前の和解の期日に申立人又は相手方が出頭しないときは、裁判所は、和解が調わないものとみなすことができる。

(オ)　和解に代わる決定は、口頭弁論の期日に出頭した当事者双方に対する告知によってしなければならない。

(1)　(ア)(イ)　　(2)　(ア)(オ)　　(3)　(イ)(エ)　　(4)　(ウ)(エ)　　(5)　(ウ)(オ)

学習記録	／	／	／	／	／	／	／	／	／

重要度　A	知識型		正解　(4)

(ア) 誤　相手方欠席の期日において口頭で訴えを取り下げる場合には、期日の調書の謄本を相手方に送達しなければならない（261Ⅳ）。これは、口頭弁論期日において相手方が欠席していても、訴えの取下げができることを前提としている。

(イ) 誤　裁判所又は受命裁判官若しくは受託裁判官は、当事者の共同の申立てがあるときは、事件の解決のために適当な和解条項を定めることができる（265Ⅰ）。そして、和解条項の定めは、口頭弁論等の期日における告知その他相当と認める方法による告知によってする（265Ⅲ）。例えば、和解条項を記載した書面を当事者に送達又は送付する方法によることもできる。

(ウ) 正　裁判所は、相当と認めるときは、当事者の意見を聴いて、最高裁判所規則で定めるところにより、裁判所及び当事者双方が音声の送受信により同時に通話をすることができる方法（いわゆる電話会議システム）によって、弁論準備手続の期日における手続を行うことができる（170Ⅲ）。そして、請求の放棄又は認諾は、口頭弁論、弁論準備手続又は和解の期日においてすることができる（266Ⅰ）。したがって、請求の放棄又は認諾は、いわゆる電話会議システムを用いた弁論準備手続の期日においてもすることができる。

(エ) 正　民事上の争いについては、当事者は、請求の趣旨及び原因並びに争いの実情を表示して、相手方の普通裁判籍の所在地を管轄する簡易裁判所に和解の申立てをすることができる（275Ⅰ）。そして、申立人又は相手方が和解の期日に出頭しないときは、裁判所は、和解が調わないものとみなすことができる（275Ⅲ）。

(オ) 誤　和解に代わる決定は、告知によってなされる（275の2・119）。そして、口頭弁論中にされる決定は、その期日で言い渡せば、期日の呼出しを受けて出頭しない者に対して一律に告知されることとなる（251Ⅱ・122）。したがって、必ずしも口頭弁論期日に出頭した当事者双方に対する告知による必要はない。

以上から、正しいものは(ウ)(エ)であり、正解は(4)となる。

15－19(R3－2)　総合問題

期日又は期間に関する次の(ア)から(オ)までの記述のうち、正しいものの組合せは、後記(1)から(5)までのうち、どれか。

(ア)　期日は、申立てにより又は職権で、裁判長が指定する。

(イ)　口頭弁論期日に出頭した当事者に対して裁判長が口頭で次回期日を告知しただけでは、その次回期日について適法な呼出しがあったとは認められない。

(ウ)　弁論準備手続を経た口頭弁論期日の変更は、やむを得ない事由がある場合でなければ、許すことができない。

(エ)　裁判所は、担保を立てるべき期間を定めたときは、その期間を伸長することができない。

(オ)　当事者がその責めに帰することができない事由により即時抗告の期間を遵守することができなかった場合には、当該期間が満了した時から1週間以内に限り、即時抗告の追完をすることができる。

(1)　(ア)(ウ)　(2)　(ア)(オ)　(3)　(イ)(エ)　(4)　(イ)(オ)　(5)　(ウ)(エ)

学習記録	／	／	／	／	／	／	／	／	／

重要度　A	知識型		正解　(1)

(ア)　正　　期日は、申立てにより又は職権で、裁判長が指定する（93Ⅰ）。

(イ)　誤　　期日の呼出しは、呼出状の送達、当該事件について出頭した者に対する期日の告知その他相当と認める方法によってする（94Ⅰ）。

(ウ)　正　　弁論準備手続を経た口頭弁論の期日の変更は、やむを得ない事由がある場合でなければ、許すことができない（93Ⅳ）。これは、口頭弁論期日前に弁論準備手続を実施した場合には、争点及び証拠の整理が済み、当事者双方の都合を確認して口頭弁論期日が指定されているから、期日の変更はやむを得ない事由がある場合に限られるとしたものである。

(エ)　誤　　裁判所は、担保提供を命ずる決定において、担保の額及び担保を立てるべき期間を定めなければならない（75Ⅴ・Ⅰ）。そして、当該期間は、裁判等によって長さが定められる裁定期間の一種で、裁判所はその伸長又は短縮をすることができる（96Ⅰ本文）。

(オ)　誤　　即時抗告は、裁判の告知を受けた日から１週間の不変期間内にしなければならない（332）。そして、当事者がその責めに帰することができない事由により不変期間を遵守することができなかった場合には、その事由が消滅した後１週間（外国に在る当事者については、２か月）以内に限り、不変期間内にすべき訴訟行為の追完をすることができる（97Ⅰ）。

以上から、正しいものは(ア)(ウ)であり、正解は(1)となる。

15－20(R3－3)　総合問題

民事訴訟における訴訟行為の方式に関する次の(ア)から(オ)までの記述のうち、誤っているものの組合せは、後記(1)から(5)までのうち、どれか。

(ア)　簡易裁判所における請求の変更は、口頭ですることができる。

(イ)　口頭弁論期日における移送の申立ては、口頭ですることができる。

(ウ)　訴訟記録の閲覧の請求は、口頭ですることができる。

(エ)　弁論準備手続期日における証人尋問の申出は、書面でしなければならない。

(オ)　簡易裁判所の終局判決に対する控訴の提起は、控訴状を提出してしなければならない。

(1)　(ア)(イ)　　(2)　(ア)(エ)　　(3)　(イ)(オ)　　(4)　(ウ)(エ)　　(5)　(ウ)(オ)

学習記録	／	／	／	／	／	／	／	／	／

重要度　A	知識型		正解　(4)

(ア)　正　　請求の変更は、書面でしなければならない（143Ⅱ）。しかし、簡易裁判所の手続においては、最初の訴え提起だけでなく、請求の変更も口頭ですることができる（271参照）。

(イ)　正　　移送の申立ては、期日においてする場合を除き、書面でしなければならない（民訴規7Ⅰ）。この規定の趣旨は、移送申立ての有無及び内容を手続上明確にしておくことにある。そのため、口頭弁論期日において申立てをするときは、期日調書に記載することにより申立ての有無及び内容が明確になるので、例外的に口頭ですることができる。

(ウ)　誤　　何人も、裁判所書記官に対し、訴訟記録の閲覧を請求することができる（91Ⅰ）。そして、訴訟記録の閲覧若しくは謄写、その正本、謄本若しくは抄本の交付、その複製又は訴訟に関する事項の証明書の交付の請求は、書面でしなければならない（民訴規33の２Ⅰ）。

(エ)　誤　　裁判所は、弁論準備手続の期日において、証拠の申出に関する裁判その他の口頭弁論の期日外においてすることができる裁判及び文書（文書に準ずる物件を含む。）の証拠調べをすることができる（170Ⅱ・231）。この点、証拠の申出に関する裁判には、証人尋問の採用決定が含まれる。そして、当該証拠の申出は、書面又は口頭ですることができる（民訴規１Ⅰ）。

(オ)　正　　簡易裁判所における訴訟手続では、口頭による訴えの提起が認められているが（271）、簡易裁判所が第一審としてなした判決に対して控訴をする場合には、口頭による控訴を認める特別規定がない以上、口頭による控訴は許されず、控訴状の提出によらなければならない（286Ⅰ）。

以上から、誤っているものは(ウ)(エ)であり、正解は(4)となる。

15－21(R4－2)　総合問題

　訴訟記録の閲覧等に関する次の(ア)から(オ)までの記述のうち、正しいものの組合せは、後記(1)から(5)までのうち、どれか。

(ア)　和解調書については、当事者及び利害関係を疎明した第三者でなければ、裁判所書記官に対し、その閲覧を請求することができない。

(イ)　公開を禁止した口頭弁論に係る訴訟記録については、当事者及び利害関係を疎明した第三者でなければ、裁判所書記官に対し、その閲覧を請求することができない。

(ウ)　利害関係のない第三者は、裁判所書記官に対し、訴訟記録の謄写を請求することができない。

(エ)　訴訟記録の閲覧の請求を拒絶した裁判所書記官の処分に対しては、即時抗告をすることができる。

(オ)　判決書については、当事者の私生活についての重大な秘密が記載されており、かつ、第三者が当該秘密が記載された部分の閲覧等を行うことにより、その当事者が社会生活を営むのに著しい支障を生ずるおそれがある場合であっても、当該秘密が記載された部分の閲覧の請求をすることができる者を当事者に限ることはできない。

(1)　(ア)(ウ)　　(2)　(ア)(オ)　　(3)　(イ)(ウ)　　(4)　(イ)(エ)　　(5)　(エ)(オ)

学習記録	／	／	／	／	／	／	／	／	／

重要度　A	知識型		正解　(3)

(ア) 誤　何人も、裁判所書記官に対し、訴訟記録の閲覧を請求することができる（91Ⅰ）。この点、訴訟記録とは、訴訟事件について裁判所、当事者その他の関係人が作成・提出した書類（訴状、答弁書、準備書面、口頭弁論調書、判決原本など）で裁判所が保存しておくべきものを綴じ込んだ帳簿である。そして、訴訟上の和解が口頭弁論期日でされた場合には、口頭弁論調書にその旨が記載される（民訴規67）ことから、和解調書も訴訟記録となる。

(イ) 正　口頭弁論及び判決の言渡しを公開で行うことは、憲法上の要請である（憲82Ⅰ）。ただし、裁判官が全員一致で、公の秩序又は善良の風俗を害するおそれがあると判断した場合には、例外的に、口頭弁論を非公開で行うことができる（憲82Ⅱ本文）。この点、公開を禁止した口頭弁論に係る訴訟記録については、当事者及び利害関係を疎明した第三者に限り、裁判所書記官に対する訴訟記録の閲覧の請求をすることができる（91Ⅱ）。なお、非公開で審理を行うことのできる場合とその手続を具体化した規定としては、人事訴訟法22条、特許法105条の７、不正競争防止法13条がある。

(ウ) 正　当事者及び利害関係を疎明した第三者は、裁判所書記官に対し、訴訟記録の謄写、その正本、謄本若しくは抄本の交付又は訴訟に関する事項の証明書の交付を請求することができる（91Ⅲ）。したがって、利害関係のない第三者は、裁判所書記官に対し、訴訟記録の謄写を請求することができない。

(エ) 誤　即時抗告は、民事訴訟法に規定がある場合に限って認められるところ、訴訟記録の閲覧の請求を拒絶した裁判所書記官の処分に対して即時抗告をすることができる旨の規定は存しない（121参照）。なお、訴訟記録の閲覧の請求を拒絶した裁判所書記官の処分に対しては、その裁判所書記官の属する裁判所に異議の申立て（121）をすることができ、その異議を理由なしと認めた決定に対しては更に抗告をすることができる（328Ⅰ）。

(オ) 誤　訴訟記録中に当事者の私生活についての重大な秘密が記載され、又は記録されており、かつ、第三者が秘密記載部分の閲覧等を行うことにより、その当事者が社会生活を営むのに著しい支障を生ずるおそれがあることにつき疎明があった場合には、裁判所は、当該当事者の申立てにより、決定で、当該訴訟記録中当該秘密が記載され、又は記録された部分の閲覧若しくは謄写、その正本、謄本若しくは抄本の交付又はその複製の請求をすることができる者を当事者に限ることができる（92Ⅰ①）。

以上から、正しいものは(イ)(ウ)であり、正解は(3)となる。

15−22(R4−4)　総合問題

当事者の出頭に関する次の(ア)から(オ)までの記述のうち、正しいものの組合せは、後記(1)から(5)までのうち、どれか。

(ア)　裁判所は、当事者双方が期日に出頭しない場合においても、当事者双方の同意があるときは、音声の送受信により同時に通話をすることができる方法によって、口頭弁論の期日における手続を行うことができる。

(イ)　証拠調べは、当事者双方が期日に出頭しない場合においても、することができる。

(ウ)　裁判所は、当事者本人を尋問する場合において、その当事者が正当な理由なく出頭しないときは、その当事者の勾引を命ずることができる。

(エ)　当事者双方が、連続して二回、口頭弁論又は弁論準備手続の期日に出頭しなかった場合には、訴えの取下げがあったものとみなされる。

(オ)　判決の言渡しは、当事者の一方又は双方が在廷しない場合には、することができない。

(1)　(ア)(ウ)　　(2)　(ア)(オ)　　(3)　(イ)(ウ)　　(4)　(イ)(エ)　　(5)　(エ)(オ)

学習記録	／	／	／	／	／	／	／	／	／

重要度 A	知識型		正解 (4)

(ア) 誤　裁判所は、相当と認めるときは、当事者の意見を聴いて、最高裁判所規則で定めるところにより、裁判所及び当事者双方が映像と音声の送受信により相手の状態を相互に認識しながら通話をすることができる方法によって、口頭弁論の期日における手続を行うことができる（87の２Ⅰ）。

(イ) 正　証拠調べは、当事者が期日に出頭しない場合においても、することができる（183）。これは、当事者の欠席により何回も呼び出される証人等の不利益を回避し、また、当事者の欠席により訴訟が遅延することを防止する趣旨である。

(ウ) 誤　裁判所は、正当な理由なく出頭しない証人の勾引を命ずることができる（194Ⅰ）。しかし、194条１項の規定は、当事者尋問においては準用されていない（210参照）。

(エ) 正　当事者双方が、連続して２回、口頭弁論若しくは弁論準備手続の期日に出頭せず、又は弁論若しくは弁論準備手続における申述をしないで退廷若しくは退席をしたときは、訴えの取下げがあったものとみなす（263後段）。これは、当事者双方が口頭弁論を懈怠すれば、いかなる段階でも弁論の開始進行ができないし、また、裁判に熟さない以上弁論を終結するわけにもいかないため、その期日は終了しなければならないことから、一定の要件の下で、訴えを取り下げたものと擬制し、訴訟手続を終了させることとする趣旨である。なお、当事者双方が、口頭弁論若しくは弁論準備手続の期日に出頭せず、又は弁論若しくは弁論準備手続における申述をしないで退廷若しくは退席をした場合において、１か月以内に期日指定の申立てをしないときも同様である（263前段）。

(オ) 誤　判決の言渡しは、当事者が在廷しない場合においても、することができる（251Ⅱ）。なぜなら、判決の言渡しは、当事者の新たな訴訟行為を必要とせず、また、その後判決書は当事者に送達されることから（255）、当事者はその内容を知ることができるため、判決言渡しの時に当事者が在廷しなくても不都合はないからである。

以上から、正しいものは(イ)(エ)であり、正解は(4)となる。

15−23(R5−3)　総合問題

次の対話は、訴訟費用に関する教授と学生の対話である。教授の質問に対する次の(ア)から(オ)までの学生の解答のうち、正しいものの組合せは、後記(1)から(5)までのうち、どれか。

教授：　裁判所は、当事者の申立てがない場合であっても、事件を完結する裁判において、訴訟費用の負担の裁判をしなければなりませんか。

学生：(ア)　裁判所は、当事者の申立てがない場合には、訴訟費用の負担の裁判をする必要はありません。

教授：　民事訴訟法上、訴訟費用の負担の原則については、どのように定められていますか。

学生：(イ)　訴訟費用は敗訴の当事者の負担とすると定められています。

教授：　それでは、原告の請求のうち一部は認容されたが、一部は棄却された場合に、訴訟費用の全部を被告に負担させることはできますか。

学生：(ウ)　その訴訟における具体的な事情にかかわらず、一部しか敗訴していない被告に、訴訟費用の全部を負担させることはできません。

教授：　次に、当事者が裁判所において和解をした場合において、訴訟費用の負担について特別の定めをしなかったときは、訴訟費用の負担はどうなりますか。

学生：(エ)　この場合の訴訟費用は、当事者の各自が負担することになります。

教授：　最後に、当事者は、裁判所がした訴訟費用の負担の裁判に対して、独立して不服を申し立てることはできますか。

学生：(オ)　訴訟費用の負担の裁判に不服がある者は、その裁判について即時抗告をすることができます。

(1)　(ア)(ウ)　(2)　(ア)(オ)　(3)　(イ)(ウ)　(4)　(イ)(エ)　(5)　(エ)(オ)

学習記録	／	／	／	／	／	／	／	／	／

重要度 A　知識型　　**正解 (4)**

(ア) 誤　裁判所は、事件を完結する裁判において、職権で、その審級における訴訟費用の全部について、その負担の裁判をしなければならない（67Ⅰ本文）。なぜなら、訴訟費用は、国家の裁判制度を利用する対価であり、当事者のいずれか一方に必ず負担させなければならず、公益的な要請上、当事者の申立てをまつまでもなく、職権で費用の裁判をしなければならないからである。

(イ) 正　訴訟費用は、敗訴の当事者の負担とする（61）。これは、訴訟上正当な権利を主張する者が要した費用は、それを必要とさせた相手方が負担するのが公平であるという観念に基づいている。

(ウ) 誤　請求の一部について敗訴した場合、訴訟費用は敗訴当事者が負担する（61）という原則によれば、その当事者は敗訴部分についての訴訟費用を負担することになる。しかし、敗訴部分と勝訴部分の訴訟費用を明確に区別できない場合も多く、一部敗訴には種々の態様があり、一律に適用できる負担基準を立てることが困難な場合もある。そこで、一部敗訴の場合における各当事者の訴訟費用の負担は、裁判所が、その裁量で定めるが、事情により、当事者の一方に訴訟費用の全部を負担させることができる（64）。

(エ) 正　当事者が裁判所において和解をした場合において、和解の費用又は訴訟費用の負担について特別の定めをしなかったときは、その費用は各自が負担する（68）。なお、「裁判上において和解をする場合」には、訴訟上の和解（89）と起訴前の和解（275）が含まれる。

(オ) 誤　訴訟費用の負担の裁判に対しては、独立して上訴することが認められない（282・313）。なぜなら、訴訟費用の負担は、本案の判断と密接不可分であり、これについて独立に原判決の当否を判断できないからである。

以上から、正しいものは(イ)(エ)であり、正解は(4)となる。

民事執行法

16a－1(2－1)　執行機関

　次の目的物に対する強制執行中、債務者の普通裁判籍の住所地を管轄する地方裁判所が執行裁判所となり得るのはどれか。

(1)　不動産

(2)　船舶

(3)　動産

(4)　債権

(5)　自動車

学習記録	／	／	／	／	／	／	／	／	／

重要度　C	知識型			正解　(4)

⑴　なり得ない　　不動産は、一般に動産に比べ高価であり、権利関係も複雑であることが多く、その執行については複雑な手続が予定される。そこで、法は、不動産執行については、その所在地（43条２項により不動産とみなされるものにあっては、その登記をすべき地）を管轄する地方裁判所が、執行裁判所として管轄するとしている（44Ⅰ）。

⑵　なり得ない　　船舶執行の執行機関は執行裁判所であり、土地管轄については停泊中の場所を基準として定める。すなわち、強制競売の開始決定の時の船舶の所在地を管轄する地方裁判所が、執行裁判所として管轄する（113）。

⑶　なり得ない　　動産執行における執行機関は、執行官である（122Ⅰ）。そして、その執行官は、動産の所在地を管轄する地方裁判所に所属する（執行官４）。

⑷　なり得る　　債権に対する強制執行では、第１次的には、債務者の普通裁判籍の所在地を管轄する地方裁判所が執行裁判所となる（144Ⅰ前段）。債務者に防御の機会を与える便宜と、利害関係人が債務者の普通裁判籍所在地の近くに多いことによる。

⑸　なり得ない　　登録のされた自動車は民法上は動産であるが、民事執行法上は自動車執行（民執規86以下）の対象となるため、その自動車の自動車登録ファイルに登録された使用の本拠の位置を管轄する地方裁判所が執行裁判所となる（民執規87Ⅰ）。これに対して、未登録の自動車に対する強制執行方法は、一般の動産執行の方法により行うこととなるから、その執行機関は自動車の所在地を管轄する地方裁判所に所属する執行官である（122Ⅰ）。したがって、いずれにしても、債務者の普通裁判籍の住所地を管轄する地方裁判所は執行裁判所になり得ない。

16b－1(63－8)　執行抗告・執行異議

次に掲げる不動産の強制執行に関する裁判のうち、これに対する執行抗告が許されないものはどれか。

(1)　売却許可決定

(2)　目的物の滅失による強制競売手続の取消決定

(3)　強制競売の開始決定

(4)　引渡命令

(5)　強制管理の開始決定

学習記録	／	／	／	／	／	／	／	／	／

重要度　B	知識型	要 *Check!*

正解　(3)

民事執行の手続上の違法に対する是正手段としての執行抗告（10）は、民事執行の手続に関する執行裁判所の裁判につき、執行抗告ができる旨の特別の定めがある場合にしか許されない。

(1) 許される　売却の許可又は不許可の決定に対しては、その決定により自己の権利が害されることを主張するときに限り、執行抗告をすることができる（74Ⅰ）。

(2) 許される　目的物の滅失が明らかになったときは、執行裁判所は、強制競売手続の取消決定をしなければならない（53）。そして、この取消決定に対しては、執行抗告をすることができる（12Ⅰ前段）。民事執行手続の取消決定が確定すると執行手続は目的不達成のまま終了してしまい、執行債権者に及ぼす影響が重大であることから、執行裁判所の判断を受ける機会を与えたものである。

(3) 許されない　強制競売の申立てを却下する裁判に対しては、執行抗告が認められている（45Ⅲ）。しかし、強制競売の開始決定に対する不服申立てについては明文規定がなく、執行異議（11）が認められるにすぎない。債務者には、後に売却許可決定に対する執行抗告（74）による救済の余地が残されているからである。

(4) 許される　執行裁判所は、代金を納付した買受人の申立てにより、債務者又は不動産の占有者に対し、不動産を買受人に引き渡すべき旨を命ずることができる（83Ⅰ・不動産引渡命令）。この不動産引渡命令の申立てについての裁判は、実体的権利関係の判断にかかわるものであるから、これに対しては、執行抗告をすることができる（83Ⅳ）。

(5) 許される　強制管理の開始決定に対しては、執行抗告をすることができる（93Ⅴ）。強制管理の開始決定により、管理人が債務者の占有を解いて自ら直接占有することになるため（96Ⅰ）、この段階で救済を認めなければその後の段階では不服申立ての余地がないからである。

16b−2(2−8)　執行抗告・執行異議

抗告に関する次の記述のうち、執行抗告と即時抗告に（民事保全法は除く。）共通して当てはまるものは幾つあるか。（改）

(ア) 抗告は、法令に特別の定めがある場合に限り、することができる。

(イ) 抗告の提訴期間は、原裁判の告知を受けた日から１週間である。

(ウ) 抗告状は、原裁判所又は抗告裁判所のいずれに提出してもよい。

(エ) 抗告は、原裁判の執行を停止する効力を有する。

(オ) 原裁判所は、抗告に理由があると認めるときは、原裁判を更正しなければならない。

(1)　１個　　(2)　２個　　(3)　３個　　(4)　４個　　(5)　５個

学習記録	／	／	／	／	／	／	／	／	／

重要度　B	知識型	要 *Check!*	正解　(3)

(ア)　共通して当てはまる　　執行抗告は、法令に特別の定めがある場合に限り、することができる（10Ⅰ）。濫提起による執行手続の遅滞を回避する趣旨である。また、即時抗告も、明文はないが法令に特別の定めがある場合に限り、することができる。

(イ)　共通して当てはまる　　執行抗告については10条２項により、即時抗告については民事訴訟法332条により、それぞれ裁判の告知を受けた日から１週間以内に提起しなければならない。不服申立ての期間を短く制限することで、手続の進行に及ぼす影響を少なくして、手続の迅速化の徹底を図る趣旨である。

(ウ)　いずれにも当てはまらない　　執行抗告も、即時抗告も、原裁判所に抗告状を提出しなければならない（10Ⅱ、民訴331本文・286Ⅰ）。抗告の適法性につき、まず原裁判所の審査を経由することで、濫用的な不服申立てを防止して、手続の迅速化を図る趣旨である。

(エ)　執行抗告には当てはまらない　　即時抗告が執行停止の効力を有する（民訴334Ⅰ）のに対して、執行抗告が提起されても当然には執行停止の効力は生ぜず、抗告裁判所又は原裁判所の執行停止命令がされて初めて停止する（10Ⅵ）。執行処分に対する不服申立てによって当然に執行が停止するのでは、理由のない不服申立てによって執行が遅延するおそれがあるからである。

(オ)　共通して当てはまる　　原裁判所は、即時抗告に理由があると認めるときは、原裁判を更正しなければならない（民訴333・再度の考案）。そして、特別の定めがある場合を除き、民事執行の手続に関しては、民事訴訟法の規定が準用されており（20）、この規定は執行抗告にも準用されるため、原裁判所は、執行抗告に理由があると認めるときは、原裁判を更正しなければならない。

以上から、執行抗告と即時抗告に共通して当てはまるのは、(ア)(イ)(オ)の３個であり、正解は(3)となる。

16b－3(22－7)　執行抗告・執行異議

執行抗告及び執行異議に関する次の(ア)から(オ)までの記述のうち、誤っているものの組合せは、後記(1)から(5)までのうちどれか。

(ア)　執行抗告又は執行異議の申立てにおいては、原裁判又は執行処分の手続的な瑕疵のみを理由とすることができ、実体的な権利の不存在又は消滅を理由とすることはできない。

(イ)　執行抗告及び執行異議は、執行処分を受けた日から１週間の不変期間内にしなければならない。

(ウ)　違法な執行処分によって損害を受けた者は、執行抗告又は執行異議による救済を求めると同時に、国家賠償を求めることもできる。

(エ)　執行抗告及び執行異議の裁判は、口頭弁論を経ないですることができる。

(オ)　執行抗告又は執行異議の審理においては、当事者又は当事者の申し出た参考人を審尋することができる。

(1)　(ア)(イ)　　(2)　(ア)(オ)　　(3)　(イ)(エ)　　(4)　(ウ)(エ)　　(5)　(ウ)(オ)

学習記録	／	／	／	／	／	／	／	／	／

重要度 B	知識型	要 *Check!*	正解 (1)

(ア) 誤　執行抗告及び執行異議は、民事執行における執行機関の執行行為が手続法規に違背している違法執行に対する不服申立て手段であるが、担保権の実行手続においては、手続が債務名義を開始要件としないため、執行機関が担保権の存在についても判断することとなっている。したがって、担保不動産競売においては開始決定に対する執行異議の理由として、また、担保不動産収益執行においては、開始決定に対する執行抗告の理由として、担保権の不存在又は消滅を主張することができる(182)。

(イ) 誤　執行抗告は、裁判の告知を受けた日から１週間の不変期間内に、抗告状を原裁判所に提出してしなければならない(10Ⅱ)。これに対して、執行異議の申立てについては、特に期間の制限はない(11参照)。

(ウ) 正　執行機関の違法な処分により損害を被った者は、民事執行手続上の救済として執行抗告又は執行異議を申し立てた場合は、国に対して国家賠償を請求することができる。この点につき、執行抗告・執行異議を先に申し立てたかどうかは、国家賠償を請求することができるかどうかの要件ではないものと解されているので、違法な執行処分によって損害を受けた者は、執行抗告又は執行異議による救済を求めると同時に、国家賠償を求めることもできる。

(エ) 正　執行抗告については、特別の規定がなく、かつ執行抗告の性質に反しない限り、民事訴訟法の抗告に関する規定が準用される(20)。したがって、抗告裁判所は抗告につき口頭弁論によらないで審理することができる。また、執行異議の申立てに対しては、執行裁判所は口頭弁論を経ないで、決定で裁判することができる(11Ⅱ)。

(オ) 正　執行抗告又は執行異議の審理において、執行裁判所は口頭弁論を経ないですることができるが、口頭弁論をしない場合には、当事者又は当事者の申し出た参考人を審尋することができる(20、民訴335・87Ⅱ・187)。

以上から、誤っているものは(ア)(イ)であり、正解は(1)となる。

16c－1(4－7)　その他

民事執行に関する次の記述のうち、正しいものはどれか。

(1)　何人でも執行裁判所の行う民事執行の事件の記録の閲覧を、裁判所書記官に請求することができる。

(2)　執行裁判所のする裁判は、口頭弁論を経ないでしなければならない。

(3)　執行抗告は、裁判の告知を受けた日から１週間の不変期間内に、抗告状を抗告裁判所に提出してしなければならない。

(4)　執行裁判所の執行処分で、執行抗告することができないものに対しては、執行裁判所に執行異議を申し立てることができる。

(5)　民事執行の手続を取り消す決定に対しては、執行抗告をすることができない。

学習記録	／	／	／	／	／	／	／	／	／

重要度　C	知識型		正解　(4)

⑴　誤　　執行裁判所の行う民事執行について、利害関係を有する者に限り、裁判所書記官に対し、事件の記録の閲覧若しくは謄写、その正本、謄本若しくは抄本の交付又は事件に関する事項の証明書の交付を請求することができる（17）。執行手続は既に確定した権利を具体的に実現させることを目的とする手続であるから、公開の原則（憲82）が支配せず（民訴91Ⅰ参照）、執行事件の記録の閲覧を、利害関係を有しない第三者に保障する必要はないからである。

⑵　誤　　執行裁判所がする裁判には、迅速性と柔軟性が特に要求されることから、執行裁判所のする裁判は、口頭弁論を経ないですることができる（4）。しかし、口頭弁論を経ることを妨げるものではない。

⑶　誤　　執行抗告は、裁判の告知を受けた日から１週間の不変期間内に、抗告状を原裁判所に提出してしなければならない（10Ⅱ）。抗告状の提出先を抗告裁判所でなく原裁判所としているのは、抗告の適法性につき、まず原裁判所の審査を経由することで濫用的な不服申立てを防止して、執行手続の迅速化を図る趣旨である。

⑷　正　　民事執行の手続に関する裁判に対しては、特別の定めがある場合に限り、執行抗告をすることができ（10Ⅰ）、執行裁判所の執行処分で執行抗告をすることができないものについては執行裁判所に執行異議を申し立てることができる（11Ⅰ前段）。

⑸　誤　　民事執行の手続に関する裁判に対しては、特別の定めがある場合に限り、執行抗告をすることができ（10Ⅰ）、民事執行の手続を取り消す旨の決定については、特別の定めがあるので、執行抗告をすることができる（12Ⅰ前段）。

17a－1(62－7)

債務名義

債務名義とならないものは、次のうちどれか。(改)

(1)　仮執行の宣言を付した支払督促

(2)　和解調書

(3)　確定した不動産引渡命令

(4)　特定不動産の給付を目的とする請求についての公正証書で、債務者が直ちに強制執行に服する旨の陳述が記載されているもの

(5)　確定した執行判決のある外国裁判所の判決

学習記録	／	／	／	／	／	／	／	／	／

重要度　C	知識型	

正解　(4)

債務名義とは、①一定の私法上の請求権の存在及び範囲を表示した、②公の証書で、③法律によって執行力を認められたものをいう。

強制執行は国家機関が関与して私法上の請求権の実現を強制的に図る制度である。そのため、私法上の請求権の存在が公証されていない段階で執行手続を認めることは許されない。また、執行手続は簡明・迅速に手続を進行することが望ましいことから、法は私法上の請求権の存在を公証するもの（債務名義）がない限り、強制執行を認めないという建前をとっている（22）。

債務名義の提出がある以上、執行機関は、その私法上の請求権の存否、消滅の有無につき調査判断することなく手続を進行させなければならないことから、債務名義となるものはこのような執行手続をするのに十分、かつ、必要な程度に私法上の請求権の存在を公証するものでなければならない。

(1)　**債務名義となる**　　支払督促の申立てが認められると、支払督促は債務者に送達され（民訴388Ⅰ）、債務者が支払督促の送達を受けた日から２週間以内に督促異議の申立てをしないときは、裁判所書記官は、債権者の申立てにより、支払督促に手続の費用額を付記して仮執行の宣言をしなければならない（民訴391Ⅰ本文）。これにより支払督促は債務名義となる（22④）。

(2)　**債務名義となる**　　和解調書は、民事訴訟法267条により確定判決と同一の効力を有するものと定められており、22条７号にいう「確定判決と同一の効力を有するもの」として債務名義となる。

(3)　**債務名義となる**　　不動産引渡命令（83Ⅰ）は、抗告によらなければ不服を申し立てることができない裁判（22③）として買受人の引渡請求権を表示する債務名義となり得る。ただし、これは確定しなければ効力を生じないから（83Ⅴ）、確定することが債務名義となるための条件となる（22③括弧書）。

(4)　**債務名義とならない**　　特定不動産の給付を目的とする請求についての公正証書は、たとえ債務者の執行受諾文が託されていても、債務名義となり得ない。公正証書が債務名義である執行証書（22⑤）となる要件の一つとして、不当執行の場合における損害回復の容易性への配慮から、金銭の一定の額の支払又はその他の代替物若しくは有価証券の一定の数量の給付であることが要求されている。

(5)　**債務名義となる**　　確定した執行判決のある外国裁判所の判決は、債務名義となる（22⑥）。外国裁判所の確定判決は、法定の要件の下に、わが国においてもその効力が認められるが（民訴118）、その法定の要件を具備するか否かを審査し、強制執行を許す旨を宣言したものが執行判決である（24）。

17a－2(27－7)　債務名義

次の(1)から(5)までの記述のうち、債務名義とならないものは、どれか。

(1)　訴訟費用の負担の額を定める裁判所書記官の処分

(2)　仮執行の宣言を付した支払督促

(3)　確定した執行判決のある外国裁判所の判決

(4)　特定の動産の引渡しを目的とする請求について公証人が作成した公正証書で、債務者が直ちに強制執行に服する旨の陳述が記載されているもの

(5)　民事調停事件において当事者間に成立した合意に係る調書の記載

学習記録	／	／	／	／	／	／	／	／	／

重要度　C	知識型			正解　(4)

　債務名義とは、強制執行によって実現されるべき給付請求権の存在と内容を明らかにし、それを基本として強制執行をすることを法律が認めた一定の格式を有する文書をいう。債務名義が強制執行の基本とされるのは、原則として、債務名義なしには強制執行はなく、強制執行は、債務名義の記載を基準として実施されるからである。

(1) **債務名義となる**　訴訟費用の負担の額は、その負担の裁判が執行力を生じた後に、申立てにより、第一審裁判所の裁判所書記官が定める（民訴71Ⅰ）。そして、この訴訟費用の負担額を定める裁判所書記官の処分は債務名義となる（22④の2）。

(2) **債務名義となる**　仮執行の宣言を付した支払督促は、強制執行における債務名義となる（22④）。

(3) **債務名義となる**　確定した執行判決のある外国裁判所の判決は、債務名義となる（22⑥）。なお、外国裁判所の確定判決は、一定の要件を具備すれば債務名義となり強制執行が可能となるが、外国裁判所の確定判決が当該要件を具備していると判断した裁判所の判決を執行判決という（24参照）。

(4) **債務名義とならない**　公証人の作成した公正証書のうち、一定の要件を備えるものを執行証書といい、債務名義となる。この点、執行証書の要件は、証書に表示された請求権が、金銭の一定の額の支払又はその他の代替物若しくは有価証券の一定の数量の給付を目的とするものでなくてはならない（22⑤）。これは、不当執行の可能性を考慮し、それによって生ずる損害を金銭賠償で回復できるような場合に限定して執行証書としての効力を認めるものである。したがって、特定の動産の引渡しを目的とする請求について公証人が作成した公正証書で、債務者が直ちに強制執行に服する旨の陳述が記載されているものであっても、債務名義とはならない。

(5) **債務名義となる**　確定判決と同一の効力を有するものは、強制執行における債務名義となる（22⑦）。この点、民事調停事件において当事者間に合意が成立し、これを調書に記載したときは、調停が成立したものとし、その記載は裁判上の和解と同一の効力を有する（民調16）。したがって、裁判上の和解調書は確定判決と同一の効力を有するから（民訴267）、民事調停事件において当事者間に成立した合意に係る調書の記載は、強制執行における債務名義となる。

17b−1(57−7)　執行文

執行文に関する次の記述のうち、正しいものはどれか。（改）

(1) 執行証書により強制執行を行う場合には、執行証書に表示された当事者に承継があるときに限り、その正本に執行文の付与を受けることを必要とする。

(2) 仮執行の宣言を付した支払督促により、これに表示された当事者に対して強制執行を行う場合には、その正本に執行文の付与を受けることを必要としない。

(3) 仮差押命令により仮差押えの執行を行う場合には、仮差押命令に表示された当事者に承継があるときでも、その正本に執行文の付与を受けることを必要としない。

(4) 代金の支払を受けるのと引換えに土地を引き渡すべきことを命ずる判決により強制執行を行う場合には、その正本に執行文の付与を受けることを必要としない。

(5) 金銭の支払を受けるのと引換えに所有権の移転登記手続をする旨を記載した調停調書により登記を申請する場合には、その正本に執行文の付与を受けることを必要としない。

学習記録	／	／	／	／	／	／	／	／	／

重要度 A　知識型　　**正解 (2)**

執行文とは、債務名義の執行力の存在及びその範囲を公証する文言又はこれを記載した文書であって、債務名義の正本の末尾に付記されるものである（26Ⅱ）。執行文の付された債務名義の正本を執行力のある債務名義の正本又は執行正本といい、強制執行はこの執行正本により行われる。

(1) 誤　強制執行は、少額訴訟における確定判決又は仮執行の宣言を付した少額訴訟の判決若しくは支払督促により、これに表示された当事者に対し、又はその者のためにする場合を除き、執行文の付された債務名義の正本に基づいて実施する（25）。したがって、執行証書により強制執行を行う場合には、執行証書に表示された当事者に承継がないときでも、その正本に執行文の付与を受けることを必要とする。

(2) 正　少額訴訟における確定判決又は仮執行の宣言を付した少額訴訟の判決若しくは支払督促により、これに表示された当事者に対し、又はその者のためにする強制執行は、その正本に基づいて実施するから（25但書）、その正本に執行文の付与を受けることを必要としない。

(3) 誤　民事保全の暫定性及び手続の迅速性の要請から、保全執行は、保全命令の正本に基づいて実施するのが原則である（民保43Ⅰ本文）。しかし、保全命令に表示された当事者以外の者に対し、又はその者のためにする保全執行については、手続の適正を確保する趣旨から、執行文の付された保全命令の正本に基づいて実施される（民保43Ⅰ但書）。

(4) 誤　強制執行は、少額訴訟における確定判決又は仮執行の宣言を付した少額訴訟の判決若しくは支払督促により、これに表示された当事者に対し、又はその者のためにする場合を除き、執行文の付された債務名義の正本に基づいて実施する（25）。本肢の場合、債務名義は「確定判決」（22①）であるから、その正本に執行文の付与を受けることを必要とする。なお、本肢のような引換給付判決の場合、引換給付義務の履行は、執行開始の要件であって（31Ⅰ）、執行文付与の要件ではない。

(5) 誤　調停調書は、裁判上の和解と同一の効力を有しており（民調16）、確定判決と同一の効力を有するものとして債務名義となる（22⑦、民訴267）。そして、この場合、債務者は、調書作成時に意思表示をしたものとみなされるので（177Ⅰ本文）、調停調書により登記を申請する場合には、執行文の付与を受けることを要しないのが原則である。しかし、債務者の意思表示が反対給付との引換えに係る場合には、執行文が付与された時に意思表示をしたものとみなされる（177Ⅰ但書）。したがって、債権者が、金銭の支払を受けるのと引換えに所有権の移転登記手続をする旨を記載した調停調書により登記を申請する場合には、反対給付又はその提供のあったことを証する文書を裁判所書記官に提出して執行文の付与を受けなければならない（177Ⅱ）。

17b−2(元−8)　執行文

金銭の支払を命ずる債務名義についての執行文に関する次の記述のうち、誤っているものはどれか。(改)

⑴　債務者の給付が反対給付と引換えにすべきものである場合には、執行文は、債権者が反対給付のあったことを証明したときに限り、付与することができる。

⑵　執行証書についての執行文は、その原本を保存する公証人が付与する。

⑶　執行文は、債権の完全な弁済を得るため執行文の付された債務名義の正本が数通必要なときは、更に付与することができる。

⑷　仮執行の宣言を付した支払督促により、これに表示された当事者に対し、又はその者のために強制執行をするには、執行文の付与を受けることを要しない。

⑸　請求が債権者の証明すべき事実の到来に係る場合には、執行文は、債権者がその事実の到来したことを証する文書を提出したときに限り、付与することができる。

学習記録	／	／	／	／	／	／	／	／	／

重要度　A	知識型		正解　(1)

(1)　誤　　債務者の給付が反対給付と引換えにすべきものである場合においては、強制執行は、債権者が反対給付又はその提供のあったことを証明したときに限り、開始することができる（31Ⅰ）。反対給付の証明は執行開始の要件であって執行文付与の要件ではない。反対給付の証明を執行文付与の要件とすると、債権者に先履行を強いることになるからである。

(2)　正　　執行証書については、その原本を保存する公証人が執行文を付与する（26Ⅰ）。執行証書の効力が現存しているか否かの判断は、執行証書の原本を保存する公証人にしてもらうことが最も正確であり、かつ便宜だからである。

(3)　正　　執行文は、債権の完全な弁済を得るため執行文の付された債務名義の正本が数通必要であるとき、又はこれが滅失したときに限り、更に付与することができる（28Ⅰ・執行文の再度付与）。債権者が必ずしも一度の執行で完全な弁済が得られるとは限らないからである。

(4)　正　　少額訴訟における確定判決又は仮執行の宣言を付した少額訴訟の判決若しくは支払督促により、これに表示された当事者に対し、又はその者のためにする強制執行は、その正本に基づいて実施するから（25但書）、執行文の付与を受けることを要しない。

(5)　正　　請求が債権者の証明すべき事実の到来に係る場合においては、執行文は、債権者がその事実の到来したことを証する文書を提出したときに限り、付与することができる（27Ⅰ・条件成就執行文）。条件成就の有無が債務名義自体からは明らかでないので当然そのことの証明が要求されるところ、条件の内容が債権者の証明すべき事実の到来にかかわっている以上、債権者に対しその事実の到来したことを証する文書の提出を要求することが公平だからである。

17b−3(16−7)　執行文

執行文に関する次の(ア)から(オ)までの記述のうち、誤っているものの組合せは、後記(1)から(5)までのうちどれか。

(ア)　強制競売の申立てをする債権者は、強制競売の執行裁判所の裁判所書記官に対し、執行文の付与の申立てをしなければならない。

(イ)　少額訴訟における確定判決に表示された当事者に対し、その正本に基づいて強制執行の申立てをする場合には、執行文の付与を受ける必要がない。

(ウ)　執行文は、債権の完全な弁済を得るため執行文の付された債務名義の正本が数通必要であるとき又はこれが滅失したときに限り、更に付与することができる。

(エ)　債務者の給付が反対給付と引換えにすべきものである場合には、債権者は、反対給付又はその提供のあったことを証明しなければ、執行文の付与を受けることができない。

(オ)　裁判所書記官がした執行文の付与を拒絶する処分に対しては、その裁判所書記官の所属する裁判所に異議の申立てをすることができる。

(1)　(ア)(ウ)　　(2)　(ア)(エ)　　(3)　(イ)(ウ)　　(4)　(イ)(オ)　　(5)　(エ)(オ)

学習記録	／	／	／	／	／	／	／	／	／

重要度　A	知識型		正解　(2)

(ア)　誤　　執行文とは、債務名義の執行力の存在及びその範囲を公証する文言又はこれを記載した文書であって、債務名義の末尾に付記されるものである（26Ⅱ）。強制執行は、原則として、執行文の付された債務名義の正本に基づいて実施される（25本文）。債務名義の作成機関と執行機関とは分離されているから、執行力があるかどうかの調査を執行機関に担当させるのは不適当であり、執行の遅延にもつながる。そこで、執行文は、申立てにより、執行証書以外の債務名義については事件の記録の存する裁判所の裁判所書記官が、執行証書についてはその原本を保存する公証人が付与する（26Ⅰ）。したがって、強制競売の申立てをする債権者は、強制競売の執行裁判所の裁判所書記官に対し、執行文の付与の申立てをすることはできない。

(イ)　正　　強制執行は、執行文の付された債務名義の正本に基づいて実施するのが原則である（25本文）が、少額訴訟における確定判決に表示された当事者に対しその正本に基づいて強制執行の申立てをする場合には、執行文の付与を受ける必要がない（25但書）。

(ウ)　正　　執行文は、債権の完全な弁済を得るため執行文の付された債務名義の正本が数通必要であるとき、又はこれが滅失したときに限り、更に付与することができる（28Ⅰ）。債権者が必ずしも一度の執行で完全な弁済が得られるとは限らないし、また、執行文の付された債務名義の正本が紛失又は毀損した場合にも再度の執行文の付与は債権者にとって便宜だからである。

(エ)　誤　　債務者の給付が反対給付と引換えにすべきものである場合においては、強制執行は、債権者が反対給付又はその提供のあったことを証明したときに限り、開始することができる（31Ⅰ）のであり、その証明をしなくても、執行文の付与を受けることができる。反対給付の証明を執行文の付与の要件とすると、債権者に先履行を強いることになるからである。

(オ)　正　　執行文付与の申立てに関する処分に対しては、裁判所書記官の処分にあってはその裁判所書記官の所属する裁判所に、公証人の処分にあってはその公証人の役場の所在地を管轄する地方裁判所に異議を申し立てることができる（32Ⅰ）。執行文付与の申立てに関する処分とは、執行文付与の処分だけでなく、執行文付与を拒絶した処分も含まれる。

以上から、誤っているものは(ア)(エ)であり、正解は(2)となる。

17b−4(30−7)　執行文

執行文に関する次の(ア)から(オ)までの記述のうち、正しいものの組合せは、後記(1)から(5)までのうち、どれか。

(ア)　執行証書についての執行文は、その原本を保存する公証人の役場の所在地を管轄する地方裁判所の裁判所書記官が付与する。

(イ)　請求が確定期限の到来に係る場合においては、執行文は、その期限の到来後に限り、付与することができる。

(ウ)　請求が債権者の証明すべき事実の到来に係る場合においては、執行文は、債権者がその事実の到来したことを証する文書を提出したときに限り、付与することができる。

(エ)　執行文は、債権の完全な弁済を得るため執行文の付された債務名義の正本が数通必要であるとき、又はこれが滅失したときに限り、更に付与することができる。

(オ)　執行文の付与の申立てに関する処分に対しては、異議の申立てをすることができない。

(1)　(ア)(ウ)　　(2)　(ア)(オ)　　(3)　(イ)(エ)　　(4)　(イ)(オ)　　(5)　(ウ)(エ)

学習記録	／	／	／	／	／	／	／	／	／

重要度　A	知識型		正解　(5)

(ア)　誤　　執行文は、申立てにより、執行証書以外の債務名義については事件の記録の存する裁判所の裁判所書記官が、執行証書についてはその原本を保存する公証人が付与する（26Ⅰ）。これは、判決が確定しているか、又はその後の事情によって失効していないかどうかなどを、訴訟記録を保管している裁判所書記官又は執行証書に関する記録を保管している公証人に調査させることにより、執行機関の負担を減らすことを目的としたものである。

(イ)　誤　　請求が確定期限の到来に係る場合においては、強制執行は、その期限の到来後に限り、開始することができる（30Ⅰ）。これに対して、執行文付与の段階では、調査が容易であることから、確定期限の到来については調査されない（30・31Ⅱ参照）。したがって、請求の確定期限の到来は、執行開始の要件であって、執行文付与の要件ではない。

(ウ)　正　　請求が債権者の証明すべき事実の到来に係る場合においては、執行文は、債権者がその事実の到来したことを証する文書を提出したときに限り、付与することができる（27Ⅰ）。これは、執行が条件の成就や不確定期限の到来に係る場合には、これらの事実の到来の有無は債務名義そのものからは明らかではないので、債権者が証明責任を負うものに限り、あらかじめ文書をもって証明させた上で執行文を付与することとしたものである。

(エ)　正　　執行文は、債権の完全な弁済を得るため執行文の付された債務名義の正本が数通必要であるとき、又はこれが滅失したときに限り、更に付与することができる（28Ⅰ）。

(オ)　誤　　執行文の付与の申立てに関する処分に対しては、裁判所書記官の処分にあってはその裁判所書記官の所属する裁判所に、公証人の処分にあってはその公証人の役場の所在地を管轄する地方裁判所に異議を申し立てることができる（32Ⅰ）。

以上から、正しいものは(ウ)(エ)であり、正解は(5)となる。

17b−5(R4−7)　執行文

執行文に関する次の(ア)から(オ)までの記述のうち、誤っているものの組合せは、後記(1)から(5)までのうち、どれか。

(ア)　執行文の付与の申立てに関する裁判所書記官の処分に対しては、執行異議を申し立てることができる。

(イ)　仮執行の宣言を付した少額訴訟の判決により、これに表示された当事者に対し、又はその者のために強制執行をするには、執行文の付与を受けることを要しない。

(ウ)　執行文の付与は、債権者が債務者に対しその債務名義により強制執行をすることができる場合に、その旨を債務名義の正本の末尾に付記する方法により行う。

(エ)　土地の所有者Ａが、その土地上に建物を所有して土地を占有しているＢに対して建物収去土地明渡請求訴訟を提起し、その全部認容判決が確定した場合において、その事実審の口頭弁論終結後にＡがＣに対してその土地を譲渡したときは、Ｃは、承継執行文の付与を受けることにより、その確定判決を債務名義として強制執行を申し立てることができる。

(オ)　債務者の給付が反対給付と引換えにすべきものである場合においては、執行文は、債権者が反対給付又はその提供のあったことを証明したときに限り、付与することができる。

(1)　(ア)(ウ)　　(2)　(ア)(オ)　　(3)　(イ)(エ)　　(4)　(イ)(オ)　　(5)　(ウ)(エ)

学習記録	／	／	／	／	／	／	／	／	／

重要度 A	知識型		正解 (2)

(ア) 誤　執行文の付与の申立てに関する処分に対しては、裁判所書記官の処分にあってはその裁判所書記官の所属する裁判所に異議を申し立てることができる（32Ⅰ）。この点、当該執行文の付与の申立てに関する処分は、執行機関としての執行裁判所がした処分ではないため、執行異議（11）の対象とはならない。

(イ) 正　強制執行は、執行文の付された債務名義の正本に基づいて実施する（25本文）。しかし、少額訴訟における確定判決又は仮執行の宣言を付した少額訴訟の判決若しくは支払督促により、これに表示された当事者に対し、又はその者のためにする強制執行は、その正本に基づいて実施する（25但書）。なぜなら、少額訴訟や支払督促は、債権者に迅速な執行を可能とするために設けられた制度だからである。

(ウ) 正　執行文は、申立てにより、執行証書以外の債務名義については事件の記録の存する裁判所の裁判所書記官が、執行証書についてはその原本を保存する公証人が付与する（26Ⅰ）。そして、執行文の付与は、債権者が債務者に対しその債務名義により強制執行をすることができる場合に、その旨を債務名義の正本の末尾に付記する方法により行う（26Ⅱ）。

(エ) 正　確定判決の債務名義による強制執行は、当該債務名義に表示された当事者の口頭弁論終結後の承継人に対し、又はその者のためにすることができる（23Ⅰ③・①・22①）。この点、口頭弁論終結後の承継人は、債務名義に表示されておらず、債権者又は債務者が誰であるか明らかにするため、承継執行文を付与することとなる（27Ⅱ参照）。したがって、Cは、承継執行文の付与を受けることにより、その確定判決を債務名義として強制執行を申し立てることができる。

(オ) 誤　債務者の給付が反対給付と引換えにすべきものである場合において、強制執行は、債権者が反対給付又はその提供のあったことを証明したときに限り、開始することができる（31Ⅰ）。すなわち、反対給付の履行又はその提供が執行開始の要件である（31Ⅰ参照）。これは、請求債権と反対給付の履行又は提供とは同時履行の関係にあり、仮に反対給付の履行又は提供を執行文付与の要件にしてしまうと、債権者が先履行を強いられることとなるため、執行開始の要件としたものである。

以上から、誤っているものは(ア)(オ)であり、正解は(2)となる。

17d－1(60－8)　請求異議の訴え

請求異議の訴えに関する次の記述のうち、誤っているものはどれか。

(1)　請求異議の訴えは、債権者が強制執行の申立てをしなければ、提起することができない。

(2)　確定判決についての請求異議の訴えにおいて主張することができる異議事由は、口頭弁論終結後に生じたものに限られる。

(3)　裁判上の和解についての請求異議の訴えにおいては、和解に無効原因があることを異議事由として主張することができる。

(4)　請求異議の訴えを提起しても、強制執行の手続は、当然には停止され又は取り消されない。

(5)　確定判決による強制執行の不許を求めるための請求異議の訴えは、第１審の判決をした裁判所の管轄に専属する。

学習記録	／	／	／	／	／	／	／	／	／

重要度 B	知識型		正解 (1)

執行機関と権利判定（裁判）機関は分離され、執行機関としては、債務名義に表示された権利の存否について調査することはできず、真実は権利がないとしても（当初より不存在の場合も又はその後に消滅するに至った場合も）、専ら債務名義に従ってその執行をすることになるから、債務者が不当な執行を受けるという事態も生じ得る。そこで、これに対する救済手段として認められたのが、請求異議の訴えである。

(1) 誤　請求異議の訴え（35Ⅰ）は、債務名義に係る請求権の存在又は内容について異議のある債務者が、債務名義による強制執行の不許を求めるための救済訴訟であるから、請求権の消滅など強制執行の開始前でも、訴え提起を認める実益がある。したがって、請求異議の訴えは、債権者が強制執行の申立てをする前でも提起することができる。

(2) 正　確定判決についての異議の事由は、当該判決の前提となった口頭弁論の終結後に生じたものに限られる（35Ⅱ）。既判力によって確定される法律関係は、事実審の口頭弁論終結時を基準とするものであり（既判力の基準時）、確定判決による紛争解決の実効性を確保すべき要請から、当事者が基準時前に存在した事由に基づく主張をして確定された権利関係を争うことは、許されない（既判力の遮断効）。

(3) 正　請求異議の事由は、債務名義に係る請求権の存在又は内容についてのものに限られるのが原則である（35Ⅰ前段）。しかし、裁判以外の債務名義については、その成立についてのものも含まれる（35Ⅰ後段）。したがって、裁判上の和解についての請求異議の訴えにおいては、和解に無効原因があることを異議事由として主張することができる。

(4) 正　請求異議の訴え（35Ⅰ）を提起しても、強制執行手続は、当然には停止され又は取り消されない。請求異議の訴えが濫用されて、強制執行手続の迅速性が害されないようにするためである。もっとも、受訴裁判所は、申立てにより強制執行の停止又は既にした執行処分の取消しを命ずることができる（36Ⅰ）。

(5) 正　請求異議の訴えについての管轄は専属管轄であり（19）、債務名義が確定判決（22①）の場合には、第一審裁判所に訴えを提起しなければならない（35Ⅲ・33Ⅱ①）。

17d−2(14−6)　請求異議の訴え

請求異議の訴えに関する次の(ア)から(オ)までの記述のうち、正しいものの組合せは、後記(1)から(5)までのうちどれか。

(ア)　公正証書を債務名義として不動産に対し強制執行がされた場合、債務者は、当該公正証書の作成後に当該公正証書に係る債務を任意に弁済したことを理由として請求異議の訴えを提起することができる。

(イ)　仮執行の宣言を付した判決を債務名義として不動産に対し強制執行がされた場合、債務者は、当該判決の確定前に請求異議の訴えを提起することができる。

(ウ)　不動産を目的とする担保権の実行としての競売がされた場合、債務者は、当該担保権の被担保債権が時効により消滅したことを理由として請求異議の訴えを提起することができる。

(エ)　売買代金の支払請求を認容した確定判決を債務名義として不動産に対し強制執行がされた場合、債務者は、当該売買契約を債権者の詐欺によるものとして取り消したことを理由として請求異議の訴えを提起することができる。

(オ)　公正証書を債務名義として不動産に対し強制執行がされた場合、債務者は、当該公正証書が無権代理人の嘱託に基づき作成されたものであることを理由として請求異議の訴えを提起することができる。

(1)　(ア)(ウ)　　(2)　(ア)(オ)　　(3)　(イ)(エ)　　(4)　(イ)(オ)　　(5)　(ウ)(エ)

学習記録	／	／	／	／	／	／	／	／	／

重要度　B	知識型		正解　(2)

(ア) 正　請求異議の訴えは、仮執行宣言付判決、仮執行宣言付損害賠償命令、仮執行宣言付届出債権支払命令、及び仮執行宣言付支払督促で確定前のものを除き、22条に掲げられたあらゆる債務名義について提起することができる(35Ⅰ前段)。また、請求異議の事由は、「請求権の存在又は内容についての異議」、すなわち、債務名義で表示された給付請求権が現在の実体関係と符合しないことを理由とするものである(35Ⅰ前段)。したがって、公正証書を債務名義として不動産に対し強制執行がされた場合、債務者は、当該公正証書の作成後に当該公正証書に係る債務を任意に弁済したことを理由として請求異議の訴えを提起することができる。

(イ) 誤　仮執行の宣言を付した判決を債務名義として不動産に対し強制執行がされた場合、債務者は、当該判決の確定前に請求異議の訴えを提起することはできない(35Ⅰ・22②)。

(ウ) 誤　不動産を目的とする担保権の実行としての競売がされた場合、債務者は、当該担保権の被担保債権が時効により消滅したことを理由として請求異議の訴え(35Ⅰ)を提起することはできない。不動産を目的とする担保権の実行としての競売は、債務名義がなくても簡単に開始され(181Ⅰ・Ⅱ)、しかも、買受人の代金納付による不動産の取得は、担保権の不存在又は消滅によって妨げられない(184)。そこで、これとの引換えとして、債務者に簡易な救済方法を与えるために、担保権の不存在又は消滅を理由としても執行異議の申立てをすることが認められている(182)。

(エ) 誤　確定判決が債務名義の場合、債務者は、当該売買契約を債権者の詐欺によるものとして取り消したことを理由として請求異議の訴えを提起することはできない(35Ⅱ)。

(オ) 正　公正証書を債務名義として不動産に対し強制執行がされた場合、債務者は、当該公正証書が無権代理人の嘱託に基づき作成されたものであることを理由として請求異議の訴えを提起することができる(35Ⅰ後段)。公正証書など裁判以外の債務名義については、その取消し又は変更を求めるための上訴・異議・再審などによる不服申立ての方法がないことから、その成立についての瑕疵も請求異議事由とすることが認められている。

以上から、正しいものは(ア)(オ)であり、正解は(2)となる。

17f－1(58－6)　強制執行の停止・取消し

「甲は乙に対し100万円を支払え」との判決が確定していた後に、乙が甲に対し、１年間その弁済を猶予した場合に関する次の記述のうち、正しいものはどれか。

(1) 執行機関は、その弁済猶予の事実を知ったときは、その確定判決により強制執行を開始することができない。

(2) 乙は、その弁済猶予の期間が経過した後でなければ、その確定判決について執行文の付与を受けることができない。

(3) 甲は、その弁済猶予の期間内は、弁済の猶予を承諾した旨を記載した文書を執行機関に提出して、その確定判決による強制執行の停止を求めることができる。

(4) 乙は、その弁済猶予の期間が経過する前であっても、甲に対する他の債権者の申立てによって開始した甲の不動産の強制競売手続において、その確定判決に基づき配当要求をすることができる。

(5) 乙の申立てによって開始した甲の不動産の強制競売手続において、売却の実施が終了した後にその弁済猶予がされ、甲がその旨を記載した文書を執行裁判所に提出したときは、執行裁判所は売却決定期日を開くことができない。

学習記録	／	／	／	／	／	／	／	／	／

重要度　C	知識型		正解　(4)

(1) 誤　執行機関は、債務名義の執行力の有無や手続の適法性についての実質的な審査権限を有していないので、単に弁済猶予の事実を知っただけでは、手続は停止されない。したがって、弁済猶予文書（39Ⅰ⑧）が提出されない限り、執行機関は、強制執行を開始しなければならない。

(2) 誤　請求が確定期限の到来に係る場合においては、強制執行は、その期限の到来後に限り、開始することができる（30Ⅰ）。確定期限の到来は執行開始の要件であって執行文付与の要件ではないから、それ以前でも執行文の付与を受けることができる。

(3) 誤　弁済猶予文書の提出による強制執行の停止（39Ⅰ⑧）は、2回に限り、かつ、通じて6月を超えることができない（39Ⅲ）。したがって、乙が甲に対し、1年間その弁済を猶予した場合でも、その旨を記載した文書を執行機関に提出して、1年の全期間にわたっては強制執行の停止を求めることはできない。

(4) 正　確定期限の到来していない債権は、配当等については、弁済期が到来したものとみなされる（88Ⅰ）。したがって、乙が甲に対して1年間その弁済を猶予した場合でも、乙は、その弁済猶予の期間が経過する前の、甲に対する他の債権者の申立てによって開始した甲不動産の強制競売手続においては、その確定判決に基づき配当要求をすることができる（51Ⅰ）。

(5) 誤　売却の実施の終了後に、弁済猶予文書（39Ⅰ⑧）の提出があっても、原則として執行は停止しない（72Ⅲ）。売却により定まった最高価買受申出人の地位を守るためである。したがって、弁済猶予文書の提出があっても、執行裁判所は売却決定期日を開くことができる。

17g－1(10－6)　その他

次の(ア)(イ)(ウ)の各場合にＡが提起すべき訴えを下記(a)(b)(c)の中から選んだ場合に、正しいものの組合せは、後記(1)から(5)までのうちどれか。

(ア)　債権者が債務者の占有する動産を差し押さえた際に、Ａの所有する動産も一緒に差し押さえられてしまったため、Ａが自己の所有する動産に対する強制執行は許されないと主張する場合

(イ)　債権者が停止条件付の権利を表示した債務名義に基づいて強制執行をしたところ、債務者Ａが、停止条件はいまだ成就していないとして、強制執行は許されないと主張する場合

(ウ)　債権者が公正証書を債務名義として強制執行をしたところ、債務者Ａがその公正証書を作成した際の委任状が偽造であったとして、強制執行は許されないと主張する場合

(a)　請求異議の訴え

(b)　第三者異議の訴え

(c)　執行文付与に対する異議の訴え

(1)　(ア)―(a)　(イ)―(c)　(ウ)―(b)

(2)　(ア)―(b)　(イ)―(c)　(ウ)―(a)

(3)　(ア)―(b)　(イ)―(a)　(ウ)―(c)

(4)　(ア)―(c)　(イ)―(a)　(ウ)―(b)

(5)　(ア)―(c)　(イ)―(b)　(ウ)―(a)

学習記録	／	／	／	／	／	／	／	／	／

重要度　B	知識型		正解　(2)

請求異議の訴え（35Ⅰ）とは、債務名義に表示された給付請求権と実体関係とが一致しない場合において、債務者が、実体法上理由のない不当な強制執行を免れることができるように認められた訴訟である。請求異議の事由は、債務名義に係る請求権の存在又は内容についてのものに限られるのが原則である（35Ⅰ前段）。しかし、裁判以外の債務名義については、その成立についてのものも含まれる（35Ⅰ後段）。

第三者異議の訴えとは、第三者が、他人間の強制執行によりその目的物となった財産について自己の有する権利が違法に侵害されることを主張して、その強制執行の排除を求めて提起する訴えである（38Ⅰ）。第三者異議の訴えを提起することができるのは、強制執行の目的物について所有権その他目的物の譲渡又は引渡しを妨げる権利を有する第三者である（38Ⅰ）。

執行文付与に対する異議の訴え（34Ⅰ）とは、条件成就や承継の事実についての証明文書の提出があったとして執行文が付与された場合（27）において、債権者の証明すべき事実の到来したこと又は債務名義に表示された当事者以外の者に対し、若しくはその者のために強制執行をすることができることについて異議のある債務者が、その執行文の付された債務名義の正本に基づく強制執行の不許を求めて提起する訴訟である。

㋐（b）**第三者異議の訴え**　本肢は、執行債務者の占有する動産とともに、執行債務者以外の第三者であるAの所有する動産が差し押さえられてしまったことを理由に、Aが、強制執行の不許を求める場合である。したがって、Aが提起すべき訴えは、第三者異議の訴え（38Ⅰ）である。

㋑（c）**執行文付与に対する異議の訴え**　本肢は、債務名義に付された停止条件の不成就を理由に債務者であるAが強制執行の不許を求める場合である。したがって、Aが提起すべき訴えは、執行文付与に対する異議の訴え（34Ⅰ）である。

㋒（a）**請求異議の訴え**　本肢は、公正証書（裁判以外の債務名義）の成立について、証書を作成した際の委任状が偽造であったこと（代理権の欠缺）を理由に債務者であるAが強制執行の不許を求める場合である。したがって、Aが提起すべき訴えは、請求異議の訴え（35Ⅰ）である。

以上から、正しいものの組合せは㋐－(b)、㋑－(c)、㋒－(a)であり、正解は(2)となる。

17g－2(17－6)　その他

強制執行における不服申立てに関する次の(ア)から(オ)までの記述のうち、誤っているものの組合せは、後記(1)から(5)までのうちどれか。

(ア)　条件成就執行文の付与について、その条件成就に異議のある債務者は、執行文付与に対する異議の申立てをすることなく、直ちに執行文付与に対する異議の訴えを提起することができる。

(イ)　仮執行の宣言を付した判決に基づく強制執行については、当該判決が確定する前であっても請求異議の訴えを提起することができる。

(ウ)　請求異議の訴えは、債務名義の正本に執行文が付与される前であっても提起することができる。

(エ)　債権者は、第三者異議の訴えにおいて敗訴しても、同一の債務名義に基づいて、債務者の責任財産に属する他の財産に対し、強制執行をすることができる。

(オ)　第三者異議の訴えは、強制執行が終了した後であっても提起することができる。

(1)　(ア)(エ)　　(2)　(ア)(オ)　　(3)　(イ)(ウ)　　(4)　(イ)(オ)　　(5)　(ウ)(エ)

学習記録	／	／	／	／	／	／	／	／	／

重要度　B	知識型		正解　(4)

(ア)　正　　条件成就執行文が付与されたことに対して異議のある債務者は、32条の規定による執行文付与に対する異議の申立てのほか執行文付与に対する異議の訴えを提起することもできる（34Ⅰ）。この両者の規定について執行文付与に対する異議の申立てを先にしなければならないとする規定がないため、条件成就執行文が付与されたことに対して異議のある債務者は、執行文付与に対する異議の申立てをすることなく直ちに執行文付与に対する異議の訴えを提起することができる。

(イ)　誤　　仮執行の宣言を付した判決に基づく強制執行については、判決の確定前には請求異議の訴え（35Ⅰ）を提起することはできない。請求異議の訴えは債務名義の執行力の排除を目的とするが、仮執行の宣言を付した判決は上訴をもって債務名義に表示されている給付請求権につき審理・裁判を受け、債務名義としての効力を失わせることができるため、訴えの利益はなく、条文上請求異議の訴えの対象から除かれている（35Ⅰ・22②）。

(ウ)　正　　請求異議の訴え（35Ⅰ）は、債務名義に係る請求権の存在又は内容について異議のある債務者が、債務名義による強制執行の不許を求めるための救済訴訟であるから、債務名義が成立した後であれば債務名義の正本に執行文の付与がされる前であっても請求異議の訴えを提起することができる。

(エ)　正　　第三者異議の訴え（38Ⅰ）は、執行債務者以外の第三者が強制執行により、その目的物について、自己の権利が害され、しかも、執行債務者との関係からみてそれを受忍すべき理由がない場合に、第三者の救済手段としての執行の排除を求める訴えである。そのため、債権者が、第三者異議の訴えにおいて敗訴すると、当該第三者の財産に対して強制執行をすることができなくなるが、第三者異議の訴えは債務名義に基づく強制執行そのものを排除するものではない。そこで、債権者は同一の債務名義に基づいて、債務者の責任財産に属する他の財産に対し強制執行することができる。

(オ)　誤　　第三者異議の訴え（38Ⅰ）は、執行開始後その終了前に提起する必要がある。執行終了後においては、執行阻止の目的はもはや達することができないからである。

以上から、誤っているものは(イ)(オ)であり、正解は(4)となる。

17g−3(26−7)

その他

　執行文付与に対する異議の訴え、請求異議の訴え、第三者異議の訴え及び配当異議の訴え（以下「各種異議の訴え」という。）に関する次の(ア)から(オ)までの記述のうち、正しいものは、幾つあるか。

(ア)　債務者は、執行文付与に対する異議の訴えを提起することができない。

(イ)　債務者は、請求異議の訴えを提起することができない。

(ウ)　債務者は、第三者異議の訴えを提起することができない。

(エ)　債務者は、配当異議の訴えを提起することができない。

(オ)　各種異議の訴えが適法に提起されたときは、当事者は、裁判所において口頭弁論をしなければならない。

(1)　１個　　(2)　２個　　(3)　３個　　(4)　４個　　(5)　５個

学習記録	／	／	／	／	／	／	／	／	／

重要度　B	知識型		正解　(2)

⑺ 誤　執行文付与に対する異議の訴えとは、債務者が執行文付与の際に証明された条件の成就や承継その他の執行力拡張事由の存在を争って、その執行文の付された債務名義の正本に基づく強制執行の不許を求めるために、債権者を被告として提起する訴えであり（34）、債権者の執行文付与の訴えに対応して債務者の救済のために認められる。

⑷ 誤　債務名義（22条2号又は3号の2から4号に掲げる債務名義で確定前のものを除く。以下同じ。）に係る請求権の存在又は内容について異議のある債務者は、その債務名義による強制執行の不許を求めるために、請求異議の訴えを提起することができる（35Ⅰ前段）。これは、裁判以外の債務名義の成立について異議のある債務者も同様である（35Ⅰ後段）。

⑼ 正　第三者異議の訴えの原告となり得るのは、目的物につき譲渡又は引渡しを妨げる法的地位をもつと主張する第三者である（38Ⅰ）。債務者は第三者とはいえないため第三者異議の訴えを提起することはできない。

⑺ 誤　配当期日において、異議の申出をした債権者及び執行力のある債務名義の正本を有しない債権者に対し配当異議の申出をした債務者は、配当異議の訴えを提起しなければならない（90Ⅰ）。なお、執行力のある債務名義の正本を有する債権者に対して異議を申し出た場合は、請求異議の訴えを提起しなければならない（90Ⅴ）。

⑻ 正　執行文付与に関する異議の訴え、請求異議の訴え、第三者異議の訴え及び配当異議の訴えの各種異議の訴えは判決をもって裁判しなければならないため、口頭弁論を経なければならない。例えば、請求異議の訴え（35）については、反対名義形成のための独立の手続を認める必要があり、かつ、その手続においては実体法の存否・内容を確定しなければならないため、必要的口頭弁論に基づき判決で裁判するべきとされている。

以上から、正しいものは⑼⑻の2個であり、正解は⑵となる。

18a−1(61−2)　不動産執行の手続

不動産の強制競売に関する次の記述のうち、正しいものはどれか。

(1)　買受人が不動産の所有権を取得するのは、売却許可決定が確定した時ではなく、代金を納付した時である。

(2)　最高価買受申出人が代金を支払わないため売却許可決定が効力を失った場合において、債権者が再度の売却の実施を申し立てたときは、執行裁判所は、これを実施することを要する。

(3)　債権者及び債務者は、買受けの申出をすることができない。

(4)　債権者は、買受けの申出があった後は、利害関係人全員の同意がなければ、強制競売の申立てを取り下げることができない。

(5)　売却不許可決定に対しては、執行抗告をすることができるが、売却許可決定に対しては、執行抗告をすることができない。

学習記録	／	／	／	／	／	／	／	／	／

重要度 A	知識型	要 *Check!*

正解 (1)

(1) 正　買受人は、代金を納付した時に不動産を取得する (79)。配当等の原資となる代金の納付を確実に行わせるためである。

(2) 誤　買受人が代金を納付しないときは、売却許可決定は、その効力を失う (80Ⅰ前段)。この場合において、次順位買受けの申出があるときは、執行裁判所は、その申出について売却の許可又は不許可の決定をする (80Ⅱ)。そして、次順位買受申出人に対する売却許可決定が確定すれば、裁判所書記官は、これに対する代金納付期限を指定する (78Ⅰ)。しかし、次順位買受けの申出がないか又はこの者について売却不許可決定が確定したときは、執行裁判所は、職権で再度の売却を行う。債権者には、再度の売却の申立権は認められていない。

(3) 誤　債務者は、買受けの申出をすることができない (68)。債務者が買受人になると、満足を受けられなかった債権者が更に強制競売の申立てができることになり手続が複雑になるし、また、債務者が買受代金を有しているのであれば任意に弁済すべきだからである。しかし、債権者は、買受けの申出をすることができる。これを認めても、不都合はないからである。

(4) 誤　強制競売の申立ては、自由に取り下げることができるのが原則である (20、民訴261Ⅰ)。しかし、買受けの申出をした者がある場合にまでこれを認めると、最高価買受申出人又は買受人及び次順位買受申出人は、競売不動産の所有権を取得するために買受申出の保証 (66) 等の負担をしていることから、これらの買受申出人の利益を不当に害することになる。そこで、法は、買受けの申出があった後に強制競売の申立てを取り下げるには最高価買受申出人又は買受人及び次順位買受申出人の同意を得なければならないとしている (76Ⅰ本文)。したがって、利害関係人全員の同意は不要である。

(5) 誤　売却の許可又は不許可の決定に対しては、その決定により自己の権利が害されることを主張するときに限り、執行抗告をすることができる (74Ⅰ)。売却の許可決定に対しても、執行抗告をすることができる。

18a−2(62−8)　不動産執行の手続

確定判決による強制執行とその強制執行につき権限を有するものとに関する次の(ア)から(オ)の組合せのうち、誤っているものは幾つあるか。(改)

(ア)	執行文の付与	裁判所書記官
(イ)	強制競売に係る差押えの登記の嘱託	裁判所書記官
(ウ)	物件明細書の作成	裁判所書記官
(エ)	売却基準価額の決定	執行裁判所
(オ)	不動産引渡命令	執行裁判所

(1)　０個　　(2)　１個　　(3)　２個　　(4)　３個　　(5)　４個

学習記録	／	／	／	／	／	／	／	／	／

重要度 A | **知識型** | **要 *Check!*** | **正解 (1)**

(ア) 正　執行証書以外の債務名義についての執行文は、事件の記録の存する裁判所の裁判所書記官が付与する（26Ⅰ）。判決が確定しているかどうか、その後の事情によって失効していないかどうかなどの事項は、訴訟記録を保管している裁判所書記官に調査してもらうことが最も正確であり、かつ便宜だからである。なお、執行証書については、その原本を保存する公証人が付与する（26Ⅰ）。

(イ) 正　強制競売に係る差押えの登記の嘱託は、裁判所書記官が行う（48Ⅰ）。

(ウ) 正　裁判所書記官は、一定の事項（①不動産の表示、②不動産に係る権利の取得及び仮処分の執行で売却によりその効力を失わないもの、③売却により設定されたものとみなされる地上権の概要）を記載した物件明細書を作成し、一般の閲覧に供するために、その写しを執行裁判所に備え置かなければならない（62Ⅰ・Ⅱ）。

(エ) 正　売却基準価額の決定は、評価人の評価に基づいて執行裁判所が行う（60Ⅰ）。なお、平成16年法改正以前においては、ブローカー等が不動産を不当に低廉な価額で買い受けて暴利を貪るといった行為を防止するため、買受申出価額の下限として、執行裁判所は最低売却価額を定めていた。しかし、不動産の実勢価格が最低売却価額に満たないために、買受人の現れない物件が一定数存在するといった問題なども生じていた。このような問題に対処するため、最低売却価額は売却基準価額と改められ、買受けの申出は、売却基準価額からその10分の２を控除した価額（買受可能価額）以上でなければならないこととなり（60Ⅲ）、適正価格による売却と執行手続の円滑化の調整が図られることとなった。

(オ) 正　執行裁判所は、代金を納付した買受人の申立てにより、債務者又は不動産の占有者に対し、不動産を買受人に引き渡すべき旨を命ずることができる（83Ⅰ本文・不動産引渡命令）。

以上から、誤っているものはなく、正解は(1)となる。

18a−3(3−6)　不動産執行の手続

金銭債権についての不動産執行に関する次の記述のうち、正しいものはどれか。

(1)　強制競売の方法と強制管理の方法を併用して不動産執行を行うことができない。

(2)　強制競売の開始決定がなされた不動産について、強制競売の申立てがあったときは、更に強制競売の開始決定がなされる。

(3)　地上権は登記されたものであっても、不動産執行の対象とならない。

(4)　不動産執行の執行機関は、執行裁判所及び執行官である。

(5)　不動産執行で差押えがなされたときは、債務者が不動産を使用、収益することが禁止される。

学習記録	／	／	／	／	／	／	／	／	／

重要度　A	知識型	要 *Check!*

正解　(2)

(1) 誤　不動産の強制執行の方法には、強制競売と強制管理の二つがあり、債権者の選択によりその併用も認められている（43Ⅰ）。強制競売は、売却によって一時に多額の満足を得ることができるという利点を有するが、手続が長引いたとしてもその間の不動産の使用収益からは満足を得ることはできない。これに対し強制管理においては、その使用収益が満足の対象となるから、ここに両者を併用する実益がある。

(2) 正　強制競売又は担保権の実行としての競売の開始決定がされた不動産について強制競売の申立てがあったときは、執行裁判所は、更に強制競売の開始決定をすることになる（47Ⅰ）。先行事件が取消し等により消滅したときに限り開始決定を行うこととすると、後行事件で手続が進行する場合にはその公示が欠けることになり、当事者や利害関係人に不都合が生ずるおそれがある。そこで、法は、二重開始決定を認めて、後行事件の公示方法及びその差押えの効力発生時期（46Ⅰ）を明確にすることで、当事者や利害関係人の保護を図った。

(3) 誤　不動産執行の対象となる不動産とは、登記することができない土地の定着物を除く民法上の不動産、その不動産の共有持分、登記された地上権及び永小作権並びにこれらの権利の共有持分をいう（43Ⅰ・Ⅱ）。したがって、登記された地上権は、不動産執行の対象となる。

(4) 誤　不動産は、一般に動産に比べ高価であり、権利関係も複雑であることが多く、その執行については複雑な手続が予定されることから、不動産執行については執行裁判所が執行機関とされている（44Ⅰ）。

(5) 誤　強制競売による差押えは、債務者が通常の用法に従って不動産を使用し、又は収益することを妨げない（46Ⅱ）。通常の用法に従った使用又は収益であれば、差押えの目的である不動産の交換価値の維持に反しないからである。

18a−4(5−7)　不動産執行の手続

不動産の強制競売に関する次の記述のうち、誤っているものはどれか。

(1)　強制競売の開始決定に対しては、執行抗告をすることができる。

(2)　強制競売の開始決定がされた不動産について強制競売の申立てがあったときは、執行裁判所は、更に強制競売の開始決定をする。

(3)　差押えは、債務者が通常の用法に従って不動産を使用し、又は収益することを妨げない。

(4)　土地及びその上にある建物が債務者の所有に属する場合において、その土地又は建物の差押えがあり、強制競売におけるその売却により所有者を異にするに至ったときは、その建物について、地上権が設定されたものとみなされる。

(5)　債務者は、不動産の売却の手続において、買受けの申出をすることができない。

学習記録	／	／	／	／	／	／	／	／	／

重要度　A	知識型	要 *Check!*	正解　(1)

(1)　誤　　強制競売の申立てを却下する裁判に対しては、執行抗告が認められている（45Ⅲ）。しかし、強制競売の開始決定に対する不服申立てについては、これを認める明文規定がなく、執行異議（11）が認められるにすぎない。債務者には、後に売却許可決定に対する執行抗告（74Ⅰ）による救済の余地が残されているからである。

(2)　正　　強制競売の開始決定がされた不動産について強制競売の申立てがあったときは、執行裁判所は、更に強制競売の開始決定をする（47Ⅰ）。先行事件が取消し等により消滅したときに限り開始決定の効力が生ずるとすると、後行事件で手続が進行する場合にはその公示が欠けることになり、当事者や利害関係人に不都合が生ずるおそれがある。そこで、法は、二重開始決定を認めて、後行事件の公示方法及びその差押えの効力発生時期（46Ⅰ）を明確にすることで、当事者や利害関係人の保護を図った。

(3)　正　　差押えは、債務者が通常の用法に従って不動産を使用し、又は収益することを妨げない（46Ⅱ）。通常の用法に従った使用又は収益であれば、差押えの目的である不動産の交換価値の維持に反しないからである。

(4)　正　　強制競売におけるように強制的な移転により土地と建物の所有者を異にするに至った場合には、建物の土地利用権を設定する機会がないのが通常であり、にもかかわらず建物の土地利用権を確保できず、建物を取り壊さなければならないとすると社会的な損失が大きくなってしまう。そこで、法は、社会経済上の配慮から、土地及びその上にある建物が債務者の所有に属する場合において、その土地又は建物の差押えがあり、その売却により所有者を異にするに至ったときは、その建物について、地上権が設定されたものとみなすとしている（81前段）。

(5)　正　　債務者は、買受けの申出をすることができない（68）。債務者が買受人になると、満足を受けられなかった債権者が更に強制競売の申立てができることになり手続が複雑になるし、また、債務者が買受代金を有しているのであれば任意に弁済すべきだからである。

18a−5(7−6)　不動産執行の手続

金銭債権についての不動産に対する強制執行に関する次の記述のうち、誤っているものはどれか。(改)

⑴　強制執行の方法には、強制競売と強制管理とがあり、これらの方法は併用することができる。

⑵　強制管理の管理人は、強制管理の開始決定がなされた不動産について、債務者の占有を解いて自らこれを占有することができる。

⑶　借地上の建物に対し、強制競売の開始決定がなされた場合において、債務者がその地代を支払わなかったときは、差押債権者は、執行裁判所に対し、その不払の地代についての代払の許可の申立てをすることができる。

⑷　売却許可決定がされた後においては、強制競売の申立てを取り下げることはできない。

⑸　執行裁判所は、評価人の評価に基づいて、不動産の売却基準価額を定めなければならない。

学習記録	／	／	／	／	／	／	／	／	／

重要度 A	知識型	要 *Check!*

正解 (4)

(1) 正　不動産の強制執行の方法には、強制競売と強制管理の二つがあり、債権者の選択によりその併用も認められている（43Ⅰ)。強制競売は、売却によって一時に多額の満足を得ることができるという利点を有するが、手続が長引いたとしてもその間の不動産の使用収益からは満足を得ることはできない。これに対し強制管理においては、使用収益が満足の対象となるので、ここに両者を併用する実益がある。

(2) 正　管理人が不動産から収益を収取するためには、管理人において、不動産を自己の管理の下に置くことが必要である。そこで、管理人は、不動産について、債務者の占有を解いて自らこれを占有することができる（96Ⅰ)。

(3) 正　建物に対し強制競売の開始決定がされた場合において、その建物の所有を目的とする地上権又は賃借権について債務者が地代又は借賃を支払わないときは、執行裁判所は、申立てにより、差押債権者（配当要求の終期後に強制競売又は競売の申立てをした差押債権者を除く。）がその不払の地代又は借賃を債務者に代わって弁済することを許可することができる（56Ⅰ)。債務不履行による解除により借地権が消滅してしまい、当該建物の価格が材木価格に下落してしまうのを避ける趣旨である。

(4) 誤　強制競売の申立ては、自由に取り下げることができるのが原則である（20、民訴261Ⅰ)。しかし、買受けの申出をした者がある場合にまでこれを認めると、最高価買受申出人又は買受人及び次順位買受申出人は、競売不動産の所有権を取得するために買受申出の保証（66）等の負担をしていることから、これらの買受申出人の利益を不当に害することになる。そこで、法は、買受けの申出があった後に強制競売の申立てを取り下げるには最高価買受申出人又は買受人及び次順位買受申出人の同意を得なければならないとしている（76Ⅰ本文)。したがって、買受人が代金を納付するまでは（79)、売却許可決定後（74Ⅴ）といえども、最高価買受申出人又は買受人及び次順位買受申出人の同意を得て、強制競売の申立てを取り下げることができる。

(5) 正　売却基準価額の決定は、評価人の評価に基づいて執行裁判所が行う（60Ⅰ)。不当に低い価格での買受けによって、ブローカー等が暴利を貪るのを防止するため、執行裁判所が売却価格の基準（売却基準価額）を定め、その10分の2を控除した価額（買受可能価額）に満たない額での売却を禁止（60Ⅲ）することによって、適正な価格での売却を保障する趣旨である。

18a−6(9−6)　不動産執行の手続

不動産の強制競売に関する次の記述のうち、正しいものはどれか。

(1)　買受人は、不動産の上に存する留置権を引き受ける。

(2)　強制競売の開始決定に対する執行異議の申立てにおいては、債務名義に表示された請求権の不存在又は消滅を理由とすることができる。

(3)　抵当権の実行としての競売の開始決定がされた不動産について強制競売の申立てがあったときは、執行裁判所は、強制競売の開始決定を留保しなければならない。

(4)　買受人は、売却許可決定が確定した時に不動産を取得する。

(5)　売却許可決定の確定後、買受人が執行裁判所の定める期限までに代金を執行裁判所に納付しないときは、執行裁判所は、買受人に対し、代金の支払を命ずることができる。

学習記録	／	／	／	／	／	／	／	／	／

重要度 A **知識型** **要 *Check!*** **正解 (1)**

(1) 正　留置権（民295）は、目的物を占有することで債務の弁済を間接的に強制する作用を営む権利であって、目的物の価値を支配する権利ではない。したがって、留置権は優先弁済的効力を有さず、消除主義にはなじまない。そこで、法は、不動産の上に存する留置権については、その成立時期を問わず、買受人が引き受けるものとした（59Ⅳ・引受主義）。

(2) 誤　強制競売の開始決定に対しては、執行異議（11）の申立てをすることができる。しかし、債務名義に表示された請求権の不存在又は消滅を理由とすることはできない。執行異議の理由となるのは、原則として手続上の瑕疵に限られ、「債務名義に係る請求権の存在又は内容」について異議のある債務者は、請求異議の訴えを提起することになる（35Ⅰ）。なお、担保権実行のための不動産競売開始決定に対しては、担保権の不存在又は消滅を理由とすることが認められている（182）。

(3) 誤　強制競売又は担保権の実行としての競売の開始決定がされた不動産について強制競売の申立てがあったときは、執行裁判所は、更に強制競売の開始決定をすることになる（47Ⅰ）。先行事件が取消し等により消滅したときに限り開始決定を行うこととすると、後行事件で手続が進行する場合にはその公示が欠けることになり、当事者や利害関係人に不都合が生ずるおそれがある。そこで、法は、二重開始決定を行うこととして、後行事件の公示方法及びその差押えの効力発生時期（46Ⅰ）を明確にすることで、当事者や利害関係人の保護を図った。

(4) 誤　買受人は、代金を納付した時に不動産を取得する（79）。配当等の原資になる代金の納付を確実に行わせるためである。

(5) 誤　売却許可決定の確定後、買受人が裁判所書記官の定める期限までに代金を執行裁判所に納付しないときは、売却許可決定は、その効力を失うから（80Ⅰ前段）、執行裁判所は、買受人に対し、代金の支払を命ずることができない。

18a−7(19−7)　不動産執行の手続

不動産の強制競売に関する次の(ア)から(オ)までの記述のうち、正しいものの組合せは、後記(1)から(5)までのうちどれか。

(ア)　第一審裁判所が地方裁判所である訴訟の確定判決によって行われる強制競売については、当該第一審裁判所が、執行裁判所として管轄する。

(イ)　強制競売の申立てを却下する裁判に対しては、執行異議を申し立てることができる。

(ウ)　強制競売の開始決定前においては、債務者が当該不動産について価格減少行為をするときであっても、当該行為を禁止し、又は一定の行為を命ずる保全処分をすることはできない。

(エ)　強制競売の開始決定が債務者に送達される前に、差押えの登記がされたときは、差押えの効力は、当該登記がされた時に生ずる。

(オ)　執行裁判所は、差押債権者の債権に優先する債権があり、不動産の買受可能価額が手続費用及び当該優先債権の見込額の合計に満たないときは、直ちに強制競売の手続を取り消さなければならない。

(1)　(ア)(イ)　　(2)　(ア)(オ)　　(3)　(イ)(エ)　　(4)　(ウ)(エ)　　(5)　(ウ)(オ)

学習記録	／	／	／	／	／	／	／	／	／

重要度　A	知識型	要 *Check!*	正解　(4)

(ア)　誤　　不動産執行については、その所在地（43条２項により不動産とみなされるものにあっては、その登記すべき地）を管轄する地方裁判所が、執行裁判所として管轄する（44Ⅰ）。したがって、本肢の第一審裁判所が、執行裁判所として管轄するとは限らない。

(イ)　誤　　執行裁判所の執行処分で執行抗告をすることができないものに対しては、執行裁判所に執行異議を申し立てることができる（11Ⅰ前段）。そして、強制競売の申立てを却下する裁判に対しては、執行抗告をすることができるため（45Ⅲ）、執行異議を申し立てることはできない。

(ウ)　正　　不動産の強制競売の手続においては、強制競売の開始決定後の保全処分に関する規定は存在するが（55・68の２・77参照）、強制競売の開始決定前の保全処分に関する規定は存在しない。なお、担保不動産競売の手続においては、担保不動産競売の開始決定前の保全処分が認められている（187参照）。

(エ)　正　　差押えの効力は、強制競売の開始決定が債務者に送達された時に生ずるのが原則であるが、差押えの登記がその開始決定の送達前にされたときは、登記がされた時に生ずる（46Ⅰ）。

(オ)　誤　　不動産の強制競売の手続において、執行裁判所は、差押債権者の債権に優先する債権（優先債権）があり、不動産の買受可能価額が手続費用及び当該優先債権の見込額の合計に満たないと認めるときは、差押債権者にその旨を通知しなければならない（63Ⅰ②）。そして、差押債権者がその通知を受けた日から１週間以内に、手続費用及び優先債権の見込額の合計額以上の額（申出額）を定めて、申出及び保証の提供をしないときは、原則として、執行裁判所は、強制競売の手続を取り消さなければならない（63Ⅱ本文）。

以上から、正しいものは(ウ)(エ)であり、正解は(4)となる。

18a－8(21－7)　不動産執行の手続

不動産の強制競売に関する次の(ア)から(オ)までの記述のうち、正しいものの組合せは、後記(1)から(5)までのうちどれか。

(ア)　強制競売の開始決定がされた不動産について強制競売の申立てがあったときは、執行裁判所は、更に強制競売の開始決定をするものとされているが、先の開始決定に係る強制競売の手続が取り消されたときは、執行裁判所は、後の開始決定に係る強制競売の手続も取り消さなければならない。

(イ)　売却許可決定については、執行抗告をすることができないが、強制競売の開始決定については、執行抗告をすることができる。

(ウ)　強制競売の開始決定がされた不動産について、差押えの登記後に抵当権の設定の登記をすることも可能であるが、その抵当権を有する債権者は、当該競売手続において配当を受けることができない。

(エ)　買受人が代金を納付したときは、裁判所書記官は、買受人の取得した不動産についての所有権の移転の登記を嘱託しなければならないが、買受人及び買受人から当該不動産の上に抵当権の設定を受けようとする者が、代金の納付後に申出をしたときは、この登記の嘱託は、登記の申請の代理を業とすることができる者で申出人が指定するものに嘱託情報を提供して登記所に提供させる方法によってしなければならない。

(オ)　執行裁判所は、買受人に対抗することができない権原により強制競売に係る不動産を占有する者に対しては、その者が債務者との関係で正当な占有権原を有する場合であっても、当該不動産を買受人に引き渡すべき旨を命ずることができる。

(1)　(ア)(エ)　(2)　(ア)(オ)　(3)　(イ)(ウ)　(4)　(イ)(エ)　(5)　(ウ)(オ)

学習記録	／	／	／	／	／	／	／	／	／

重要度 A	知識型	要 *Check!*	正解 (5)

(ア) 誤　強制競売の開始決定がされた不動産について強制競売の申立てがあったときは、執行裁判所は、更に強制競売の開始決定をする（47 I・二重開始決定)。そして、先の開始決定に係る強制競売の手続が取り消されたときは、執行裁判所は、後の強制競売の開始決定に基づいて手続を続行しなければならない（47 II）。

(イ) 誤　売却許可決定については、執行抗告をすることができる（74 I）が、強制競売の開始決定については、執行抗告をすることができない。なお、強制競売の開始決定については、執行異議（11）が認められる。

(ウ) 正　強制競売の開始決定がされた不動産について差押えの登記がされると、債務者は、差押えの効力として不動産の処分を制限される（46)。この場合、債務者は当該不動産に関する処分（譲渡、担保権・用益権の設定等）をし、これを登記することはできるが、その差押えによる手続が存続する限り、執行手続上は無効となる（手続相対効)。したがって、差押えの登記後に抵当権を設定し登記することも可能であるが、抵当権者は配当を受けることができない（87 I ④・II・III）。

(エ) 誤　買受人が代金を納付したときは、裁判所書記官は、買受人の取得した不動産について所有権の移転の登記を嘱託しなければならない（82 I ①)。そして、買受人及び買受人から当該不動産の上に抵当権の設定を受けようとする者が申出をしたときは、この登記の嘱託は登記の申請の代理を業とすることができる者で申出人が指定するものに嘱託情報を提供して登記所に提供させる方法によってしなければならないが、この申出は代金の納付の時までにしなければならない（82 II）。

(オ) 正　執行裁判所は、債務者又は不動産の占有者に対し、不動産を買受人に引き渡すべき旨を命ずることができる（83 I 本文・引渡命令)。この引渡命令の相手方である不動産の占有者のうち、事件の記録上買受人に対抗することができる権原により不動産を占有していると認められる者は除かれる（83 I 但書)。したがって、使用借権者や対抗要件を欠く賃借権者のように、債務者との関係で正当な占有権原を有していても、買受人に対抗することができない権原により不動産を占有する者に対しては、引渡命令を発することができる。

以上から、正しいものは(ウ)(オ)であり、正解は(5)となる。

18a−9(R5−7)　不動産執行の手続

不動産の強制競売に関する次の(ア)から(オ)までの記述のうち、正しいものの組合せは、後記(1)から(5)までのうち、どれか。

(ア)　執行裁判所は、不動産の強制競売の開始決定をする場合には、債務者を審尋しなければならない。

(イ)　強制競売の開始決定がされた不動産について強制競売の申立てがあったときは、執行裁判所は、更に強制競売の開始決定をすることができない。

(ウ)　差押えの登記がされる前に不動産の強制競売の開始決定が債務者に送達された場合であっても、差押えの効力は、登記がされた時に生ずる。

(エ)　不動産の強制競売の申立てを却下する裁判に対しては、執行抗告をすることができる。

(オ)　不動産の強制競売の開始決定に係る差押えの登記の嘱託は、裁判所書記官が職権により行う。

(1)　(ア)(イ)　　(2)　(ア)(エ)　　(3)　(イ)(ウ)　　(4)　(ウ)(オ)　　(5)　(エ)(オ)

学習記録	／	／	／	／	／	／	／	／	／

重要度 A　知識型　要 *Check!*　　**正解　(5)**

(ア) 誤　　執行裁判所は、任意的口頭弁論による裁判をする（4）ために、民事訴訟の一般原則によって当事者を審尋することが「できる」(20､民訴87Ⅱ)。なお、執行裁判所は、執行処分をするに際し、必要があると認めるときは、利害関係を有する者その他参考人を審尋することができる（5）。

(イ) 誤　　強制競売又は担保権の実行としての競売の開始決定がされた不動産について強制競売の申立てがあったときは、執行裁判所は、更に強制競売の開始決定をするものとする（47Ⅰ）。これは、二重の開始決定自体を許さないと、債務名義を有する債権者の権利行使が配当要求に限定され、執行手続が取下げ等で終了した場合や停止した場合に、債権者が不当に害される結果になるため規定されたものである。

(ウ) 誤　　差押えの効力は、強制競売の開始決定が債務者に送達された時に生ずるが、差押えの登記がその開始決定の送達前にされたときは、登記がされた時に生ずる（46Ⅰ）。この点、差押えとは、債務者所有の不動産の処分権を奪ってそれを国家の執行機関に付与することを内容とすることから、その効力も、開始決定が債務者に送達された時に生ずるのが本則とされる。しかし、差押えの効力が発生しても差押えの登記がされる前に債務者が当該不動産を処分し第三者がその旨の登記を備えてしまうと差押えが実質的に無意味なものとなってしまうことから、差押えの登記が強制競売開始決定の送達前にされた場合は、登記がされた時に差押えの効力が生ずるものとされる。

(エ) 正　　強制競売の申立てを却下する裁判に対しては、執行抗告をすることができる（45Ⅲ）。なぜなら、申立て却下の裁判は、債権者に対し、強制競売手続への関与を全面的に拒絶し、しかも手続を最終的に終局させる内容のものであるから、これに対する不服については、上級審の判断を得る機会を与えるのが相当と考えられるからである。

(オ) 正　　強制競売の開始決定がされたときは、裁判所書記官は、直ちに、その開始決定に係る差押えの登記を嘱託しなければならない（48Ⅰ）。これは、不動産の交換価値を確保するための差押えの効力を実効あらしめるため、強制競売の開始決定がされたときは、まず最初の手続として、直ちに差押えの登記の嘱託をすることにしたものである。

以上から、正しいものは(エ)(オ)であり、正解は(5)となる。

18b－1(57－6)　配当要求（横断型の知識整理を含む）

不動産の強制競売事件において配当を受けることができない債権者は次のうちどれか。

(1)　強制競売の開始決定後に、その不動産が第三者に譲渡された場合において、その譲渡後配当要求の終期までの間に執行力のある債務名義の正本に基づき、配当要求をした一般債権者。

(2)　配当要求の終期までに先取特権の存在を証する確定判決の謄本を提出して、配当要求をした一般の先取特権を有する債権者。

(3)　差押えの登記後配当要求の終期前に、仮差押えの登記がされたが、配当要求をしなかった仮差押債権者。

(4)　債権届出の催告を受けたのにもかかわらず、配当要求の終期までに債権の存否並びにその原因及び額の届出をしなかった差押えの登記前に登記された根抵当権を有する債権者。

(5)　差押えの登記前に仮登記された抵当権を有する債権者。

学習記録	／	／	／	／	／	／	／	／	／

重要度 A	知識型		正解 (3)

(1) できる　強制競売の開始にかかわる差押え（45Ⅰ）により、債務者は、目的財産の処分制限を受け、これに反する処分は、最初の差押債権者だけではなく、配当要求の終期までにその執行手続に参加した他の債権者に対しても対抗することができない（手続相対効）。したがって、開始決定後に、目的不動産が第三者に譲渡された場合であっても、配当要求の終期までに執行力のある債務名義の正本に基づき配当要求をした一般債権者は、目的不動産から配当を受けることができる（51Ⅰ・87Ⅰ②）。

(2) できる　配当要求の終期までに配当要求をした債権者は、配当を受けることができる（87Ⅰ②）。その配当要求をなし得る債権者は、①執行力のある債務名義の正本を有する債権者、②強制競売の開始決定に係る差押えの登記後に登記された仮差押債権者、及び、③法定の文書（181Ⅰ各号）により一般の先取特権を有することを証明した債権者である（51Ⅰ）。したがって、配当要求の終期までに先取特権の存在を証する確定判決の謄本（181Ⅰ①）を提出して、配当要求をした一般の先取特権を有する債権者は、配当を受けることができる（87Ⅰ②・51Ⅰ）。

(3) できない　差押えの登記前に登記された仮差押債権者は、配当要求をしなくても当然に配当を受けるべき地位が認められているが（87Ⅰ③）、差押えの登記後に登記された仮差押債権者は、その存在が執行裁判所に明らかでないため、配当要求をしない限り、配当を受けることができない（87Ⅰ②・51Ⅰ）。

(4) できる　差押えの登記前に登記された根抵当権を有する債権者は、配当要求をせずに配当を受けることができる（87Ⅰ④）。債権届出の催告（49Ⅱ）を受けた者は、債権の存否並びにその原因及び額を配当要求の終期までに届け出る義務を負うが（50Ⅰ）、この義務を怠ったからといって配当を受けることができなくなるわけではなく、損害賠償責任を負うという不利益を受けるにすぎない（50Ⅲ）。

(5) できる　差押登記前に抵当権設定の仮登記を受けた債権者は、配当要求をせずに配当を受けることができる（87Ⅰ④）。ただし、仮登記にとどまるうちは配当期間に配当実施を受けることができず、配当額は本登記を具備するまでは供託される（91Ⅰ⑤）。

18b－2(58－2)　配当要求（横断型の知識整理を含む）

配当要求をしなければ配当にあずかることができない者は、次のうちどれか。

⑴　動産の強制執行において、自ら占有する質物を執行官に提出した質権者

⑵　強制競売に係る不動産についてされている担保仮登記に係る権利を有する者

⑶　差押えに係る金銭債権の全額に相当する金銭を第三債務者が供託所に供託するまでに、その債権を重ねて差し押さえた債権者

⑷　強制競売の開始決定後、配当要求の終期までに競売の申立てをした一般の先取特権を有する者

⑸　最初の強制競売の開始決定に係る差押えの登記前に登記された抵当権に係る抵当証券の所持人

学習記録	／	／	／	／	／	／	／	／	／

重要度 A	知識型		正解 (1)

(1) できない　動産の強制執行において配当を受けるべき債権者は、差押債権者のほか、先取特権又は質権を有する者で、その権利を証する文書を提出して、配当要求をした者である（140・133）。したがって、本肢のような、自ら占有する質物を執行官に提出しただけで、自ら差押えをしているとの事情がない質権者は、配当要求をしなければ配当にあずかることができない。

(2) できる　担保仮登記がされている土地等に対する強制競売等においては、その担保仮登記の権利者は、他の債権者に先立って、その債権の弁済を受けることができる（仮登記担保13Ⅰ）。ただし、登記記録上の仮登記の記録だけでは仮登記担保の存在は明らかとはいえないので、差押えの登記前にされた担保仮登記に係る権利で売却により消滅するものを有する債権者は、裁判所書記官の催告に対して、担保仮登記である旨並びに債権の存否、原因及び額を、配当要求の終期までに執行裁判所に届け出る必要があり、この届出をしたときに限り、配当要求をせずに配当にあずかることができる（仮登記担保17Ⅰ・Ⅱ）。

(3) できる　第三債務者の供託によって配当等の原資となるべきものが確定された時点をもって配当要求の終期とする趣旨から、第三債務者が供託（156）をした時までに、差押え、仮差押えの執行又は配当要求をした債権者は、配当要求をしなくても配当にあずかることができる（165①）。

(4) できる　最初の差押債権者だけでなく、配当要求の終期までに強制競売又は一般の先取特権の実行としての競売の申立てをした差押債権者も、配当要求をすることなく配当にあずかることができる（87Ⅰ①）。

(5) できる　抵当証券が発行されると、抵当権と被担保債権とが証券に化体され、裏書によって譲渡され、その証券の所持人は抵当権者として取り扱われる（抵証38参照）。したがって、最初の強制競売の開始決定に係る差押えの登記前に登記された抵当権に係る抵当証券の所持人は、差押えの登記前に登記された抵当権で売却により消滅するものを有する債権者に当たるから、配当要求をせずに配当にあずかることができる（87Ⅰ④）。

18b－3(60－6)　配当要求（横断型の知識整理を含む）

配当要求に関する次の(ア)から(オ)までの記述のうち、正しいものは幾つあるか。（改）

(ア)　不動産に対する強制競売においては、差押えの登記後配当要求の終期までに登記した抵当権者は、配当要求をすることができる。

(イ)　不動産に対する強制競売においては、差押えの登記後配当要求の終期までに仮差押えをした債権者は、配当要求をしないでも、配当を受けることができる。

(ウ)　不動産に対する強制管理においては、一般の先取特権を有する者は、配当要求をすることができる。

(エ)　質権実行としての動産競売においては、一般の先取特権を有する者は、配当要求をすることができる。

(オ)　金銭債権に対する強制執行において、第三債務者が差押えに係る金銭債権の全額を供託したときは、第三債務者がその事情を執行裁判所に届け出るまでは、配当要求をすることができる。

(1)　１個　　(2)　２個　　(3)　３個　　(4)　４個　　(5)　５個

学習記録	／	／	／	／	／	／	／	／	／

重要度　A	知識型		正解　(2)

(ア)　誤　　配当要求のできる債権者は、①執行力のある債務名義の正本を有する債権者、②強制競売の開始決定に係る差押えの登記後に登記された仮差押債権者、及び、③不動産競売の申立てに必要な証明文書（181 I）により一般の先取特権を有することを証明した債権者に限られる（51 I）。したがって、差押えの登記後配当要求の終期までに登記した抵当権者は、配当要求をすることができない。差押えの登記後に、目的不動産に抵当権が設定・登記された場合、当該抵当権者は、執行手続に参加する全ての債権者に対して抵当権を主張することができないからである（手続相対効）。

(イ)　誤　　差押えの登記前に登記された仮差押債権者は、配当要求をしなくても当然に配当を受けるべき地位が認められているが（87 I ③）、差押えの登記後に登記された仮差押債権者は、その存在が執行裁判所に明らかでないため、配当要求をしない限り、配当を受けることができない（51 I）。

(ウ)　正　　執行力のある債務名義の正本を有する債権者及び181条１項各号に掲げる文書により一般の先取特権を有することを証明した債権者は、執行裁判所に対し、配当要求することができる（105 I・181 I）。

(エ)　正　　担保権の実行としての動産競売には、動産に対する強制執行の規定が準用されるから（192）、質権実行としての動産競売においては、一般の先取特権を有する者は、その権利を証する文書を提出して、配当要求をすることができる（192・133）。

(オ)　誤　　債権執行において、第三債務者が差押えに係る金銭債権の全額を供託した場合（156 I）に、債権者が配当を受けるためには、その供託をした時までに配当要求をしなければならない（165①）。第三債務者の供託によって、配当等の原資となるべきものが確定されるので、その時点を配当要求の終期とする趣旨である。

以上から、正しいものは(ウ)(エ)の２個であり、正解は(2)となる。

18b－4(63－7)　配当要求（横断型の知識整理を含む）

不動産の強制競売において、配当要求によって配当を受けることができる債権者は、次のうちどれか。

(1)　差押えの登記後に登記された仮差押えの債権者

(2)　差押えの登記後に登記された仮処分の債権者

(3)　差押えの登記後に登記された不動産工事の先取特権を有する債権者

(4)　差押えの登記後に登記された質権を有する債権者

(5)　差押えの登記後に登記された抵当権を有する債権者

学習記録	／	／	／	／	／	／	／	／	／

重要度　A	知識型		正解　(1)

(1)　できる　　差押えの登記前に登記された仮差押債権者は、配当要求をしなくても当然に配当を受けるべき地位が認められているが（87Ⅰ③）、差押えの登記後に登記された仮差押債権者は、その存在が執行裁判所に明らかでないため、配当要求をしない限り、配当を受けることができない（87Ⅰ②・51Ⅰ）。したがって、差押えの登記後に登記された仮差押えの債権者は、配当要求によって配当を受けることができる。

(2)　できない　　仮処分とは、金銭債権以外の給付請求権の保全（民保23Ⅰ）又は争いがある権利関係の保全（民保23Ⅱ）を目的とするので、仮処分によって保全される権利又は権利関係は、性質上、不動産の強制競売のような財産換価手続によって満足を図ることができない。したがって、差押えの登記後に登記された仮処分の債権者は、配当要求によって配当を受けることができない（51Ⅰ参照）。

(3)　できない　　配当要求によって配当を受けることができる債権者は、①執行力のある債務名義の正本を有する債権者、②強制競売の開始決定に係る差押えの登記後に登記された仮差押債権者、③不動産競売の申立てに必要な証明文書（181Ⅰ）により一般の先取特権を有することを証明した債権者に限られる（51Ⅰ・87Ⅰ②）。これに対して、差押えの登記前に登記された先取特権（87条1項1号又は2号によって配当等に加えられる一般先取特権を除く。）、質権又は抵当権を有する債権者は、自ら競売の申立てや配当要求をしなくても当然に配当等を受けることができる（87Ⅰ④）。しかし、目的不動産の交換価値を損なう債務者の処分行為を制限する差押えの効力が発生した後に登記された先取特権、質権又は抵当権は、執行手続に参加する全ての債権者との関係で、その処分行為は無効である（手続相対効）。したがって、差押えの登記後に登記された先取特権、質権又は抵当権を有する債権者は、差押債権者だけでなく他の配当要求をした一般債権者にも、その権利を主張し得ず、配当を受けることができない。

(4)　できない　　(3)の解説参照。

(5)　できない　　(3)の解説参照。

18c－1(58－3)　売却条件

不動産の強制競売において、利害関係を有する者の合意がなくても買受人が引き受けることになる権利は、次のうちどれか。

(1)　最先順位にある不動産質権

(2)　差押えの後に生じた当該不動産上の留置権

(3)　差押えには先立つが、その不動産に設定されている抵当権には後れる賃借権

(4)　差押えに先立つ担保仮登記に係る権利

(5)　登記された抵当権の被担保債権の債務不履行を停止条件とする仮登記された短期賃借権で、その抵当権の設定と同時に設定されたもの

学習記録	／	／	／	／	／	／	／	／	／

重要度　B	知識型		正解　(2)

差押えの登記前に不動産上に設定された用益権・担保権等の負担の処遇に関しては、引受主義と消除主義の二つの考え方がある。引受主義とは、差押えに対抗できる不動産上の負担を買受人が引き受けるものとする建前である。消除主義とは、差押えに対抗できる不動産上の負担を売却によって消滅させ、買受人に負担のない完全な所有権を取得させる建前である。この点、現行法は、消除主義を原則としている（59Ⅰ）。

⑴　引き受けない場合がある　　最先順位にある不動産質権であっても、使用・収益しない旨の定めのあるときは、その質権は売却によって消滅し、買受人は、これを引き受けない（59Ⅰ）。不動産質権は、目的不動産の使用・収益をすることができる（民356）が、特約で別段の定めをすることが可能であり（民359）、使用・収益をしない旨の定めをしたときは実質的には抵当権と同様の効力を有するにすぎないことから、消除主義によるものとされた。

⑵　引き受ける　　留置権は、目的物を占有することで債務の弁済を間接的に強制する作用を営む権利であって、目的物の価値を支配する権利ではない。そのため、留置権は優先弁済的効力を有さず、消除主義にはなじまない。したがって、不動産の上に存する留置権については、その成立時期を問わず、買受人が引き受ける（59Ⅳ・引受主義）。

⑶　引き受けない　　売却により消滅する抵当権（59Ⅰ）を有する者に対抗することができない不動産に係る権利の取得は、売却によりその効力を失う（59Ⅱ）。したがって、その抵当権に対抗することができない不動産賃借権は、売却によりその効力を失い、買受人は引き受けない。

⑷　引き受けない　　担保仮登記がされている不動産につき強制競売が行われたときは、担保仮登記に係る権利は、差押債権者に対抗できる場合（仮登記担保15Ⅱ）を除き、その土地等の売却によって消滅し（仮登記担保16Ⅰ）、買受人は引き受けない。

⑸　引き受けない　　登記された抵当権の被担保債権の債務不履行を停止条件とする仮登記された短期賃貸借で、その抵当権の設定と同時に設定された併用賃借権は、強制競売における売却がされた場合、目的を失って消滅し（最判昭52.2.17）、買受人は引き受けない。なお、抵当権との併用型のみならず、原則として59条２項により、売却により消滅する抵当権に対抗できない不動産に係る権利（賃借権等）は、売却により効力を失う。

18c－2(62－6)　売却条件

不動産の強制競売において、売却により消滅せず、又は効力を失わないものは、次のうちどれか。

(1)　抵当権

(2)　仮差押えの執行

(3)　留置権

(4)　先取特権

(5)　使用収益をしない旨の定めのある質権

学習記録	／	／	／	／	／	／	／	／	／

重要度　B	知識型		正解　(3)

強制競売による売却によって、その不動産の上にある抵当権等の負担はどのように取り扱われるか、すなわち、売却によりこれらの負担を消滅させ、買受人に全く負担のない不動産を取得させるのか（消除主義）、あるいは消滅させずに買受人にこれらの負担を引き受けさせるのか（引受主義）が問題となる。

引受主義を採用すると、買受申出の価格を正確に算出することが困難になるなどの実務上生ずるであろう混乱が大きいと思われるし、また、負担付不動産であれば買受けの申出をする者が少ないであろうと予想される。そのため、法定売却条件を規定する59条は、原則として消除主義をとり、これに、引受主義を併用する立場をとっている。

(1)　消滅する　　不動産の上に存する先取特権、使用及び収益をしない旨の定めのある質権並びに抵当権は、売却により消滅する（59Ⅰ）。これらの担保物権は目的物の占有を伴わず、専ら被担保債権の弁済のために交換価値を把握するにとどまるので、これらを売却によって消滅させて、買受人に担保物権の付着しない権利を取得させることが合理的だからである。

(2)　効力を失う　　不動産に係る差押え、仮差押えの執行及び59条１項の規定により消滅する権利（不動産の上に存する先取特権、使用及び収益をしない旨の定めのある質権並びに抵当権）を有する者、差押債権者又は仮差押債権者に対抗することができない仮処分の執行は、売却によりその効力を失う（59Ⅲ）。

(3)　消滅しない　　留置権は、目的物を占有することで債務の弁済を間接的に強制する作用を営む権利であって、目的物の価値を支配する権利ではない。そのため、留置権は優先弁済的効力を有さず、消除主義にはなじまない。したがって、不動産の上に存する留置権は、その成立時期を問わず、売却により消滅しない（59Ⅳ・引受主義）。

(4)　消滅する　　(1)の解説で述べたように、不動産の上に存する先取特権は、売却により消滅する（59Ⅰ）。

(5)　消滅する　　(1)の解説で述べたように、不動産の上に存する使用及び収益をしない旨の定めのある質権は、売却により消滅する（59Ⅰ）。

19－1(59－6)　動産執行

金銭の支払を目的とする債権についてする強制執行のうち不動産に対する強制執行（不動産執行）と動産に対する強制執行（動産執行）との比較に関する次の記述のうち、誤っているものはどれか。

(1)　目的物を二重に差し押さえることは、不動産執行において認められるが、動産執行においては認められない。

(2)　債権及び執行費用の弁済に必要な限度を超えた強制執行が行われることを防ぐため、動産執行においては超過差押えが禁止されているのに対して、不動産執行においては超過売却が禁止されている。

(3)　不動産執行及び動産執行のいずれについても、売却によって、目的物たる不動産又は動産の上に存する留置権は、消滅する。

(4)　債務名義を有する一般の債権者は、不動産執行においては配当要求をすることができるが、動産執行においては配当要求をすることができない。

(5)　強制執行を実施する機関は、不動産執行においては執行裁判所、動産執行においては執行官とされているが、不動産執行においても執行官が、動産執行においても執行裁判所がそれぞれ手続に関与することがある。

学習記録	／	／	／	／	／	／	／	／	／

重要度　A	知識型		正解　(3)

(1)　正　　強制競売の開始決定がされた不動産について、更に強制競売の申立てがあったときは、執行裁判所は、重ねて強制競売の開始決定をして（47Ⅰ）、目的物を二重に差し押さえる。先行事件が取消し等により消滅したときに限り開始決定の効力が生ずるとすると、後行事件で手続が進行する場合にその公示が欠けることになり、当事者や利害関係人に不都合が生ずるおそれがあるからである。これに対して、動産執行の場合は、執行官は、差押物を重ねて差し押さえることができない（125Ⅰ）。動産執行は執行官による目的物の占有取得という方法によってされるので（122Ⅰ）、同一の目的物を二重に差し押さえることを許すと、手続を複雑にし混乱させることになるからである。

(2)　正　　数個の不動産を売却した場合において、ある者の買受けの申出の額で各債権者の債権及び執行費用の全部を弁済することができる見込みがあるときは、執行裁判所は、他の不動産についての売却許可決定を留保しなければならない（73Ⅰ・超過売却の禁止）。また、動産の差押えは、差押債権者の債権及び執行費用の弁済に必要な限度を超えてはならない（128Ⅰ・超過差押えの禁止）。

(3)　誤　　留置権は、目的物を占有することで債務の弁済を間接的に強制する作用を営む権利であって、目的物の価値を支配する権利ではない。そのため、留置権は優先弁済的効力を有さず、消除主義にはなじまない。そこで、不動産執行において、不動産の上に存する留置権は、その成立時期を問わず、買受人が引き受け、消滅しないものとされた（59Ⅳ・引受主義）。また、動産執行においては、執行官は留置権者が任意に占有動産を提出しない限り、これを差し押さえることができないものとされているが（124）、留置権は占有喪失により消滅してしまうため（民302）、動産の上に存する留置権は、売却によってではなく、動産の任意提出の段階で消滅することとなる。

(4)　正　　不動産執行における配当要求権者は、①執行力のある債務名義の正本を有する債権者、②強制競売の開始決定に係る差押えの登記後に登記された仮差押債権者、及び、③法定の証明文書（181Ⅰ）により一般の先取特権を有することを証明した債権者である（51Ⅰ）。これに対して、動産執行における配当要求権者は、先取特権又は質権を有する者に限られる（133）。したがって、債務名義を有する一般の債権者は、不動産執行においては配当要求をすることができるが、動産執行においては配当要求をすることができない。

(5)　正　　不動産は、一般に高価で、権利関係も複雑であることが多く、その執行については複雑な手続が予定される。これに対して、動産は、一般に不動産に比して廉価で、権利関係も複雑でなく、直接支配（占有）に適している。そこで、不動産執行については執行裁判所が、動産執行については執行官が、執行機関とされている（44Ⅰ・122Ⅰ）。ただし、不動産執行においても執行官が、動産執行においても執行裁判所がそれぞれ手続に関与することがある。

19−2(61−7)　動産執行

動産執行の対象とならないものは、次のうちどれか。

(1)　裏書の禁止されている手形以外の手形

(2)　未登録の自動車

(3)　登記された建設機械

(4)　土地から分離する前の天然果実で１か月以内に収穫することが確実であるもの

(5)　建設中の建物

学習記録	／	／	／	／	／	／	／	／	／

重要度 A	知識型		正解 (3)

動産執行は、執行官が動産の占有を債務者等から移す方法で行われる（123Ⅰ）から、このような執行方法に適するものが動産執行の対象として規定されている（122Ⅰ）。

(1) なる　動産執行の対象は、①民法上の動産（民86Ⅱ、ただし、総トン数20トン以上の船舶（112）・登録自動車（民執規86）等は除く。）、②登記することができない土地の定着物（122Ⅰ）、③土地から分離する前の天然果実で１月以内に収穫することが確実であるもの（122Ⅰ）及び、④裏書の禁止されている有価証券以外の有価証券（122Ⅰ）である。したがって、裏書の禁止されている手形以外の手形は、④に当たるから、動産執行の対象となる。なお、裏書の禁止されている有価証券は、債権執行の対象とされている（143）。

(2) なる　登録された自動車は、自動車執行の対象となり（民執規86）、動産執行の対象とならないが、未登録の自動車は動産執行の対象となる。

(3) ならない　動産執行の対象となる動産は、執行官による執行手続に対する適性から合目的的に決定されている。登記された建設機械は民法上は動産であるが、民事執行法上は、既登録の自動車との類似点が多いことから、自動車執行の規定を準用することとされており（民執規98）、動産執行の対象とならない。

(4) なる　土地から分離する前の天然果実は、民法では原則として独立の権利の対象物とはならないが、民事執行法では、社会取引上の要請から、１月以内に収穫することが確実であるものという条件の下、動産執行の対象となる（122Ⅰ）。

(5) なる　登記することができない土地の定着物は動産執行の対象となる（122Ⅰ）。

19−3(元−7)　動産執行

動産執行に関する次の記述のうち、誤っているものはどれか。

⑴　執行官は、相当であると認めるときは、債務者に差し押さえた動産を保管させることができる。

⑵　執行官は、差し押さえた動産について相当な方法による売却の実施をしてもなお売却の見込みがないときは、差押えを取り消すことができる。

⑶　動産の差押えは、差押債権者の債権及び執行費用の弁済に必要な限度を超えてすることができない。

⑷　執行官は、差し押さえた動産を更に差し押さえることができる。

⑸　執行官は、債務者の占有する動産の差押えをするに際し、債務者の住居その他の債務者の占有する場所に立ち入ることができる。

学習記録	／	／	／	／	／	／	／	／	／

重要度 A	知識型		正解 (4)

(1) 正　執行官は、相当であると認めるときは、債務者に差し押さえた動産を保管させることができる（123Ⅲ）。差押物は執行官が保管するのが原則ではあるが、運搬や保管に過分な費用がかかる場合もある。そこで、債務者に保管、使用させても価値の減耗の著しくない物や執行逸脱のおそれの少ない物について、執行官の裁量により、債務者による差押物の保管を認めた。

(2) 正　差し押さえた動産について相当な方法による売却の実施をしてもなお売却の見込みがないときは、執行官は、その差押えを取り消すことができる（130）。相当な売却方法によってもなお売却の見込みのない物について、差押えを続けても意味がないからである。

(3) 正　動産の差押えは、差押債権者の債権及び執行費用の弁済に必要な限度を超えてはならない（128Ⅰ）。強制執行は債権者の債権の満足を図ることを目的とするので、その債権と執行費用の弁済に必要な限度を超えて差押えをして、債務者に必要以上の苦痛を与えることになってはならないからである（超過差押えの禁止）。

(4) 誤　執行官は、既に差押え又は仮差押えの執行がされた動産に対して、更に差押えをすることができない（125Ⅰ）。動産執行は、不動産執行（47Ⅰ）や債権執行（149）の場合と異なり、執行官による目的物の占有取得という方法によって行われるので（122Ⅰ）、同一の目的物を二重に差し押さえるというのは相当ではないからである（二重差押えの禁止）。

(5) 正　執行官は、債務者の占有する動産の差押えをするに際し、債務者の住居その他の債務者の占有する場所に立ち入ることができる（123Ⅱ前段）。動産執行は、債務者の占有する動産を、執行官が取り上げて、自らが占有することにより差し押さえるという事実的かつ実力的な方法によって開始する手続であるから（122Ⅰ）、債務者の住居等に立ち入る権限が与えられていなければ、事実上執行手続を遂行することが困難になるからである。

20－1(61－8)　債権執行

債権差押命令に関する次の記述のうち、正しいものはどれか。

(1)　債権差押命令の申立てにつき、これを認める決定は執行抗告の対象とならないが、これを却下する決定は執行抗告の対象となる。

(2)　差し押さえようとする債権の額が執行債権の額よりも多額であるときは、その債権のうち執行債権の額を超えて差し押さえることはできない。

(3)　裁判所は、債権差押命令を発するにあたっては、債務者及び第三債務者を審尋することができない。

(4)　債権差押命令は、債務者に送達された時にその効力を生ずる。

(5)　債権差押えが効力を生じたときは、差押債権者は、直ちにその債権を取り立てることができる。

学習記録	／	／	／	／	／	／	／	／	／

重要度 A	知識型		正解 (3)

(1) 誤　不動産の強制競売の場合と異なり（45Ⅲ）、債権執行の場合には、却下・棄却決定のみならず、認容決定に対しても執行抗告が認められる（145Ⅵ）。債権者に被差押債権の取立権（155Ⅰ）が認められていることから、債権差押命令が、最終処分の可能性を有するからである。

(2) 誤　差し押さえようとする債権の価額が差押債権者の債権及び執行費用の額を超えるときでも、執行裁判所は、差し押さえるべき債権の全部について差押命令を発することができる（146Ⅰ）。他の債権者から配当要求がされたような場合にも、差押債権者により十分な満足を与えられるように配慮したものである。ただし、執行裁判所は、他の債権を差し押さえてはならない（146Ⅱ）。

(3) 正　債権差押命令は、債務者及び第三債務者を審尋しないで発せられる（145Ⅱ）。債務者や第三債務者を審尋することで、債権者の企図が債務者の知るところとなり、債務者が強制執行を免れるために当該債権を譲渡するなどの処分行為に出るおそれがあるからである。

(4) 誤　差押命令は債務者へも送達されるが（145Ⅲ）、差押えの効力は、差押命令が第三債務者に送達された時に生ずる（145Ⅴ）。差押えの目的が第三債務者の債務者への弁済を禁ずる点にあることから、差押えの効力発生時も第三債務者への送達時とされている。

(5) 誤　差押えの効力は、差押命令が第三債務者に送達された時点で直ちに生ずる（145Ⅴ）。しかし、その債権についての取立権は、債務者が差押命令に対して執行抗告（145Ⅵ）をする機会を保障する趣旨から、債務者に対して差押命令が送達された日から1週間を経過した時に発生するとされている（155Ⅰ本文）。

20－2(3－7)　債権執行

債権執行に関する次の記述のうち、誤っているものはどれか。

(1) 執行裁判所は、差押命令を発するにあたって、債務者及び第三債務者を審尋することができる。

(2) 差押えの効力は、差押命令が第三債務者に送達された時に生ずる。

(3) 差押命令の申立てについての裁判に対しては、執行抗告をすることができる。

(4) 差押債権者の債権の額が、差し押さえた債権の価額に満たないときといえども債権全額を差し押さえることができる。

(5) 差押えに係る債権について証書があるときは、債務者は差押債権者に対して、その証書を引き渡さなければならない。

学習記録	／	／	／	／	／	／	／	／	／

重要度　A	知識型		正解　(1)

(1) 誤　差押命令は、債務者及び第三債務者を審尋しないで発する（145Ⅱ）。債務者や第三債務者を審尋することで、債権者の企図が債務者の知るところとなり、債務者が強制執行を免れるために当該債権を譲渡するなどの処分行為に出るおそれがあるからである。

(2) 正　差押命令は債務者へも送達されるが（145Ⅲ）、差押えの効力は、差押命令が第三債務者に送達された時に生ずる（145Ⅴ）。差押えの目的が第三債務者の債務者への弁済を禁ずる点にあることから、差押えの効力発生時も第三債務者への送達時とされている。

(3) 正　債権執行の場合、差押命令の申立てについての裁判に対しては、執行抗告をすることができる（145Ⅵ）。不動産の強制競売の場合（45Ⅲ）と異なり、債権執行の場合には、却下・棄却決定のみならず、認容決定に対しても執行抗告が認められる。これは、債権者に被差押債権の取立権（155Ⅰ）が認められていることから、債権差押命令が、最終処分の可能性を有するからである。

(4) 正　差し押さえようとする債権の価額が差押債権者の債権及び執行費用の額を超えるときでも、執行裁判所は、差し押さえるべき債権の全部について差押命令を発することができる（146Ⅰ）。他の債権者から配当要求がされたような場合にも、差押債権者により十分な満足を与えられるように配慮したものである。ただし、執行裁判所は、他の債権を差し押さえてはならない（146Ⅱ）。

(5) 正　差押えに係る債権について証書があるときは、債務者は、差押債権者に対し、その証書を引き渡さなければならない（148Ⅰ）。①差押債権者にとって債権証書は、被差押債権の存在を簡易に証明できる証拠方法であること、②債権証書がある場合には、第三債務者から弁済に際してその返還を請求されれば差押債権者としてはこれを返還しなければならないこと（民487）による。

20－3(8－6)　債権執行

金銭債権に対する強制執行に関する次の記述のうち、正しいものはどれか。

(1)　金銭債権の執行は、債権者の普通裁判籍の所在地を管轄する地方裁判所が管轄する。

(2)　差押命令は、差し押さえられた金銭債権に対しても、更に発することができる。

(3)　差押命令は、これが債務者に対して送達された時点で効力を生ずる。

(4)　差押命令を発するときには、第三債務者を審尋することができる。

(5)　金銭債権を差し押さえた債権者は、差押命令が債務者に送達された日から１か月を経過しなければ、その債権を取り立てることができない。

学習記録	／	／	／	／	／	／	／	／	／

重要度　A	知識型		正解　(2)

(1)　誤　　債権執行については、第1次的に債務者の普通裁判籍の所在地を管轄する地方裁判所が、第2次的に差し押さえるべき債権の所在地を管轄する地方裁判所が執行裁判所として管轄する（144Ⅰ）。そして、差し押さえるべき債権は、原則としてその債権の債務者（第三債務者）の普通裁判籍の所在地にあるものとする（144Ⅱ本文）。債務者に防御の機会を与える便宜や、執行手続上の便宜を考慮したものである。

(2)　正　　債権は無形のものであって、外部から差し押さえられていることを認識することが困難であるから、法も、同一の債権について複数の債権者が重ねて差押命令を得る可能性があることを前提に手続を組み立てている（144Ⅲ・149・156Ⅱ・165参照）。したがって、差押命令は、差し押さえられた金銭債権に対しても、更に発することができる。

(3)　誤　　差押命令は債務者へも送達されるが（145Ⅲ）、差押えの効力は、差押命令が第三債務者に送達された時に生ずる（145Ⅴ）。差押えの目的が第三債務者の債務者への弁済を禁ずる点にあることから、差押えの効力発生時も第三債務者への送達時とされている。

(4)　誤　　債務者や第三債務者を審尋することで、債権者の企図が債務者の知るところとなり、債務者が強制執行を免れるために当該債権を譲渡するなどの処分行為に出るおそれがある。そこで、債務者の処分行為を防ぐ趣旨から、差押命令は、債務者及び第三債務者を審尋しないで発せられる（145Ⅱ）。

(5)　誤　　差押えの効力は、差押命令が第三債務者に送達された時点で直ちに生ずる（145Ⅴ）。しかし、その債権についての取立権は、債務者が差押命令に対して執行抗告（145Ⅵ）をする機会を保障する趣旨から、債務者に対して差押命令が送達された日から1週間を経過した時に発生するとされている（155Ⅰ本文）。

20−4(12−6)　債権執行

金銭の支払を目的とする債権（以下「金銭債権」という。）に対する強制執行に関する次の(ア)から(オ)までの記述のうち、誤っているものの組合せは、後記(1)から(5)までのうちどれか。

(ア)　金銭債権に対する差押えの効力は、差押命令が第三債務者に送達された時に生ずる。

(イ)　金銭債権については、当該債権のうち差押債権者の債権及び執行費用の額を超えて差押えをしてはならない。

(ウ)　第三債務者は、差押えに係る金銭債権の全額に相当する金銭を債務の履行地の供託所に供託することができる。

(エ)　ある債権者が金銭債権の一部を差し押さえた場合において、その残余の部分を超えて他の債権者が差押えをしたときは、いずれの差押債権者も、取立訴訟を提起することはできない。

(オ)　転付命令が第三債務者に送達される時までに、転付命令に係る金銭債権について他の債権者が差押えをしたときは、転付命令は、その効力を生じない。

(1)　(ア)(ウ)　　(2)　(ア)(オ)　　(3)　(イ)(ウ)　　(4)　(イ)(エ)　　(5)　(エ)(オ)

学習記録	／	／	／	／	／	／	／	／	／

重要度 A　知識型　　　　**正解　(4)**

(ア)　正　　債権に対する差押えの効力は、差押命令が第三債務者に送達された時に生ずる（145Ⅴ）。差押命令は、債務者及び第三債務者に送達しなければならないが（145Ⅲ）、差押えの目的が第三債務者による債務者への弁済を禁ずる点にあることから（145Ⅰ）、差押えの効力発生時も第三債務者への送達時とされている。

(イ)　誤　　差し押さえるべき債権の価額が差押債権者の債権及び執行費用の額を超える場合であっても、執行裁判所は、差し押さえるべき債権の全部について差押命令を発することができる（146Ⅰ）。他の債権者から配当要求がされたような場合にも、差押債権者が十分な満足を得られるように配慮したものである。なお、差し押さえるべき債権の価額が差押債権者の債権及び執行費用の額を超える場合、執行裁判所は、他の債権を差し押さえてはならない（146Ⅱ）。

(ウ)　正　　第三債務者は、差押えに係る金銭債権の全額に相当する金銭を債務の履行地の供託所に供託することができる（156Ⅰ）。他人間の執行手続に巻き込まれた第三債務者の地位を保護する趣旨から、第三債務者には、競合する差押債権者の存否にかかわらず、債権全額につき供託する権利が与えられている。

(エ)　誤　　債権に対する差押えが競合する場合は、債権者平等の原則から、いずれの差押債権者にも直接の取立てが認められない代わりに、第三債務者に供託義務が課せられており（156Ⅱ）、第三債務者がこの義務供託を行わないときは、いずれの差押債権者も、取立訴訟を提起して、供託の方法により支払うよう請求することができる（157Ⅳ参照）。

(オ)　正　　転付命令が第三債務者に送達される時までに、転付命令に係る金銭債権について、他の債権者が差押え、仮差押えの執行又は配当要求をしたときは、転付命令は、その効力を生じない（159Ⅲ）。転付命令は、差し押さえた金銭債権を支払に代えて券面額で差押債権者に転付するものであり（159Ⅰ）、事実上、差押債権者に優先的満足を与えるものであるので、他に配当を受けることができる債権者（165参照）がいるときは、債権者平等の原則から、転付を認めるべきではないからである。

以上から、誤っているものは(イ)(エ)であり、正解は(4)となる。

20－5(18－7)　債権執行

債権執行に関する次の(1)から(5)までの記述のうち、判例の趣旨に照らし正しいものはどれか。(改)

(1)　差し押さえるべき債権が金銭債権である場合には、差押債権者の債権額及び執行費用の額を超えて差押えをすることはできない。

(2)　差押債権者は、差押命令が第三債務者に送達された後であっても、第三債務者の陳述の催告の申立てをすることができる。

(3)　金銭債権を差し押さえた債権者は、差押命令が債務者に送達されれば、直ちに、差し押さえた債権を取り立てることができる。

(4)　差し押さえた債権に譲渡制限特約が付されているときは、その債権については、転付命令を発することはできない。

(5)　転付命令の効力が生じた場合において、転付命令に係る債権が存在しなかったときは、差押債権者の債権及び執行費用が弁済されたものとみなされる効力は生じない。

学習記録	／	／	／	／	／	／	／	／	／

重要度 A	知識型		正解 (5)

(1) 誤　執行裁判所は、差し押さえるべき債権の全部について差押命令を発することができる（146Ⅰ）ので、差押債権者の債権額及び執行費用の額を超えて差押えをすることができる。他の債権者から配当要求がされたような場合にも、差押債権者に十分な満足を与えられるように配慮したものである。なお、差し押さえた債権の価額が差押債権者の債権額及び執行費用の額を超える場合、執行裁判所は、他の債権を差し押さえてはならない（146Ⅱ）。

(2) 誤　差押債権者の申立てがあるときは、裁判所書記官は、差押命令を送達するに際し、第三債務者に対し、差押命令の送達の日から２週間以内に差押えに係る債権の存否その他の最高裁判所規則で定める事項について陳述すべき旨を催告しなければならない（147Ⅰ）。したがって、差押債権者の当該申立ては、差押命令が第三債務者に送達される前にする必要があり、差押命令が第三債務者に送達された後においては、もはや申立てをすることはできない。

(3) 誤　金銭債権を差し押さえた債権者は、差押命令が債務者に送達された日から１週間を経過したときは、その債権を取り立てることができる（155Ⅰ）。債権についての取立権は、債務者が差押命令に対して執行抗告（145Ⅵ）をする機会を保障する趣旨から、債務者に対して差押命令が送達された日から１週間を経過したときに発生するとされており、差押命令が債務者に送達された後「直ちに」取り立てることはできない。

(4) 誤　差し押さえた債権に譲渡制限特約が付されているときであっても、その債権について、転付命令を発することができる（民466Ⅰ・Ⅲ・Ⅱ・466の４Ⅰ）。私人間の譲渡制限の合意に強制執行を制限する効力を認めることは妥当ではないからである。

(5) 正　転付命令が効力を生じた場合においては、差押債権者の債権及び執行費用は、転付命令に係る金銭債権が存する限り、その券面額で、転付命令が第三債務者に送達されたときに弁済されたものとみなす（160）とされている。したがって、転付命令の効力が生じた場合において、転付命令に係る債権が存在しなかったときは、差押債権者の債権及び執行費用が弁済されたものとみなされる効力は生じない。

20−6(24−7)　債権執行

ＡとＢは、婚姻中に長男Ｃをもうけたが、平成23年５月31日、家庭裁判所の家事調停において、①離婚をしてＣの親権者をＡとすること及び②Ｃが成人に達するまでの間、ＢがＣの養育費として毎月末日限り８万円をＡに対して支払うことを合意し、その旨が調停調書に記載された。Ｂは、Ｄ社に勤務して月額40万円の給料（所得税、住民税及び社会保険料を控除した手取り額）を得ているが、Ｅ社に対し、貸金債務を負担している。Ｂは、Ｃの養育費につき平成24年３月分までは支払ってきたが、同年４月分から６月分までの３か月分の支払を怠った。

この事例に関する次の(ア)から(オ)までの記述のうち、正しいものの組合せは、後記(1)から(5)までのうちどれか。

(ア)　Ａは、養育費に係る金銭債権の強制執行として、ＢのＤ社に対する給料債権を差し押さえることはできるが、間接強制の方法によることはできない。

(イ)　ＢのＤ社に対する給料債権をＡが差し押さえた後、当該給料債権につき転付命令を申し立てた場合において、Ａの申立てに係る転付命令がＤ社に送達される前に、Ｅ社がＢに対する貸金債権の回収のため、当該給料債権を差し押さえたときであっても、転付命令の効力が生じ、Ａは、当該給料債権を有効に取得することができる。

(ウ)　Ａは、Ｂが支払を怠った３か月分の養育費だけでなく、期限が到来していない平成24年７月分以降の養育費についても、債権執行を開始することができる。

(エ)　ＢのＤ社に対する給料債権をＡが差し押さえたところ、Ｄ社は、差し押さえられた給料債権の額に相当する金銭を供託した。この場合において、Ｅ社は、その後に配当要求をしたとしても、当該供託金につき配当を受けることはできない。

(オ)　Ａは、Ｂの毎月の給料の額のうち10万円を超える部分を差し押さえることはできない。

(1)　(ア)(イ)　　(2)　(ア)(オ)　　(3)　(イ)(ウ)　　(4)　(ウ)(エ)　　(5)　(エ)(オ)

学習記録	／	／	／	／	／	／	／	／	／

重要度　A	知識型		正解　(4)

(ア) 誤　子の扶養義務に係る金銭債権（いわゆる養育費、以下同じ。）についての強制執行は、一般の金銭執行の方法としての差押えにより行うほか、債権者の申立てがあるときは、間接強制の方法により行うことができる（167の15Ⅰ・143・172Ⅰ、民877Ⅰ）。

(イ) 誤　転付命令が第三債務者に送達される時までに、転付命令に係る金銭債権について、他の債権者が差押えをしたときは、転付命令は、その効力を生じない（159Ⅲ）。

(ウ) 正　養育費が確定期限の定めのある定期金債権である場合において、その一部に不履行があるときは、当該定期金債権のうち確定期限が到来していないものについても、債権執行を開始することができる（151の２、民877Ⅰ）。

(エ) 正　第三債務者は、差押命令により差し押さえられた金銭債権の全額に相当する金銭を債務の履行地の供託所に供託することができる（156Ⅰ）。そして、債権者が配当を受けるためには、当該供託がされるまでに、配当要求をしなければならない（165①）。

(オ) 誤　給与に係る債権については、その支払期に受けるべき給付の４分の３に相当する部分は、差し押さえてはならない（152Ⅰ）。ただし、養育費を請求する場合においては、差押えを禁止される部分は２分の１となる（152Ⅲ・151の２、民877Ⅰ）。

以上から、正しいものは(ウ)(エ)であり、正解は(4)となる。

20－7(28－7)　債権執行

金銭債権（動産執行の目的となる有価証券が発行されている債権を除く。）に対する強制執行に関する次の(ア)から(オ)までの記述のうち、誤っているものの組合せは、後記(1)から(5)までのうち、どれか。

なお、少額訴訟債権執行については考慮しないものとする。

(ア)　金銭債権に対する強制執行は、執行裁判所の差押命令により開始する。

(イ)　差押命令は、第三債務者を審尋して発しなければならない。

(ウ)　金銭債権の一部が差し押さえられた後、その残余の部分を超えて別に差押命令が発せられたときは、各差押えの効力が及ぶ範囲は、当該金銭債権の全額を各差押債権者の請求債権の額に応じて按分した額に相当する部分となる。

(エ)　執行裁判所は、債務者の申立てにより、債務者及び債権者の生活の状況その他の事情を考慮して、差押命令の全部又は一部を取り消すことができる。

(オ)　執行裁判所は、差押債権者の申立てにより、支払に代えて券面額で差し押さえられた金銭債権を差押債権者に転付する命令を発することができる。

(1)　(ア)(ウ)　　(2)　(ア)(エ)　　(3)　(イ)(ウ)　　(4)　(イ)(オ)　　(5)　(エ)(オ)

学習記録	／	／	／	／	／	／	／	／	／

重要度　A	知識型		正解　(3)

(ア)　正　　金銭の支払を目的とする債権に対する強制執行は、執行裁判所の差押命令により開始する（143）。なぜなら、無形の観念的存在である権利に対する強制執行であるため、差押えの登記又は占有によって債務者の処分を禁止することができないからである。

(イ)　誤　　差押命令は、債務者及び第三債務者を審尋しないで発する（145Ⅱ）。なぜなら、債務者又は第三債務者を審尋すれば、債権者がその債権について強制執行を企図していることが察知され、債務者が債権の譲渡等の処分行為に出ることによって、強制執行がその功を奏さなくなるおそれがあるからである。

(ウ)　誤　　債権の一部が差し押さえられ、又は仮差押えの執行を受けた場合において、その残余の部分を超えて差押命令が発せられたときは、各差押え又は仮差押えの執行の効力は、その債権の全部に及ぶ（149前段）。これは、差押え等の競合が生じた場合には、債権の一部に対する差押え等であってもその効力が債権全体に及ぶことを規定したものである。

(エ)　正　　執行裁判所は、申立てにより、債務者及び債権者の生活の状況その他の事情を考慮して、差押命令の全部若しくは一部を取り消すことができる（153Ⅰ前段）。なぜなら、債務者及び債権者の具体的な状況によっては、差押えの範囲に変更を加える必要が生ずる場合があるからである。

(オ)　正　　執行裁判所は、差押債権者の申立てにより、支払に代えて券面額で差し押さえられた金銭債権を差押債権者に転付する命令（転付命令）を発することができる（159Ⅰ）。これにより、転付命令を得た債権者は、他の債権者が競合する機会を排除して、被転付債権から独占的な満足を受けることができることとなる。

以上から、誤っているものは(イ)(ウ)であり、正解は(3)となる。

21－1(20－7)　その他の強制執行

間接強制に関する次の(ア)から(オ)までの記述のうち、判例の趣旨に照らし正しいものの組合せは、後記(1)から(5)までのうちどれか。

(ア)　不動産の引渡しについての強制執行は、間接強制の方法によることができる。

(イ)　金銭債権についての強制執行は、間接強制の方法によることができない。

(ウ)　不作為を目的とする債務についての強制執行を間接強制の方法によってするには、債務者が現に不作為義務に違反していることが必要である。

(エ)　間接強制決定をするには、相手方を審尋しなければならない。

(オ)　間接強制決定により支払われた金銭は、債務不履行による損害賠償債務の弁済に充当されない。

(1)　(ア)(イ)　　(2)　(ア)(エ)　　(3)　(イ)(オ)　　(4)　(ウ)(エ)　　(5)　(ウ)(オ)

学習記録	／	／	／	／	／	／	／	／	／

重要度　A	知識型		正解　(2)

(ア)　正　　不動産の引渡しについての強制執行は、債権者の申立てがあるときは、執行裁判所が間接強制（172Ⅰ）に規定する方法により行うことができる（173Ⅰ・168Ⅰ）。物の引渡し債務（168～170）や代替執行の方法によることができる代替的な作為債務及び不作為債務（171）についても事案によっては、間接強制の方法による方が迅速かつ効率的に執行の目的を達成することができる場合もあるからである。

(イ)　誤　　間接強制は作為又は不作為を目的とする債務で代替執行ができないものについての強制執行であるので（172Ⅰ）、金銭債権については間接強制の方法による強制執行をすることはできないのが原則であるが、扶養義務等に係る金銭債権についての強制執行は、債権者の申立てがあるときは、間接強制に規定する方法によることができる（167の15Ⅰ本文）。なぜなら、養育費等を支払うべき債務者がその債務を履行しない場合には、裁判所が一定の金銭を支払うことを命ずることにより、その債務者に心理的強制を加えることができるからである。

(ウ)　誤　　不作為を目的とする債務の強制執行として間接強制決定をするには債務者がその不作為義務に違反するおそれがあることを立証すれば足り、債務者が現にその不作為義務に違反していることを立証する必要はない（最決平17.12.9）。

(エ)　正　　執行裁判所は、間接強制の方法による決定をする場合、申立ての相手方を審尋しなければならない（172Ⅲ）。

(オ)　誤　　間接強制の決定により支払われた金銭は、その限度で債務不履行による損害額に充当される。更に、損害額が支払額を超える場合は、債権者は債務者に対し、その支払を請求することができる（172Ⅳ）。なお、反対に、間接強制により債務者が債権者に支払った金額が債務不履行による損害額より多いとしても、債務者はその超過分の支払を債権者に請求することはできない。

以上から、正しいものは(ア)(エ)であり、正解は(2)となる。

21－2(29－7)　その他の強制執行

間接強制に関する次の(ア)から(オ)までの記述のうち、正しいものの組合せは、後記(1)から(5)までのうち、どれか。

(ア)　金銭債権についての強制執行は、直接強制の方法のみによることができ、間接強制の方法によることはできない。

(イ)　事情の変更があったときは、執行裁判所は、申立てにより、間接強制決定を変更することができる。

(ウ)　執行裁判所は、相当と認めるときは、申立ての相手方を審尋しないで、間接強制決定をすることができる。

(エ)　間接強制決定に対しては、執行抗告をすることができる。

(オ)　不作為を目的とする債務についての強制執行は、代替執行の方法によることができる場合には、間接強制の方法によることはできない。

(1)　(ア)(エ)　　(2)　(ア)(オ)　　(3)　(イ)(ウ)　　(4)　(イ)(エ)　　(5)　(ウ)(オ)

学習記録	／	／	／	／	／	／	／	／	／

重要度 A	知識型		正解 (4)

(ア) 誤　間接強制は作為又は不作為を目的とする債務で代替執行ができないものについての強制執行であるため（172Ⅰ）、金銭債権については間接強制の方法による強制執行をすることはできないのが原則であるが、扶養義務等に係る金銭債権についての強制執行は、債権者の申立てがあるときは、間接強制の方法によることができる（167の15Ⅰ本文）。

(イ) 正　事情の変更があったときは、執行裁判所は、申立てにより、間接強制決定を変更することができる（172Ⅱ）。これは、例えば、間接強制の決定の際には債務者に債務の弁済に必要な資力があるとして認容決定がなされたが、その後、債務者が資力を失った場合に、そのまま債務者に対し間接強制金が課されると、債務者に過酷な結果になることがあるためである。

(ウ) 誤　執行裁判所は、間接強制の方法による決定をする場合、申立ての相手方を審尋しなければならない（172Ⅲ）。これは、間接強制の決定は債務者にとって重大な利害関係があることから、債務者に防御の機会を与え、適正な手続による執行を図ろうとするものである。

(エ) 正　民事執行の手続に関する裁判に対しては、特別の定めがある場合に限り、執行抗告をすることができる（10Ⅰ）。この点、間接強制の申立てについての裁判に対しては、執行抗告をすることができる（172Ⅴ）。したがって、間接強制を認める決定又は間接強制の申立てを却下する決定に対しては、執行抗告をすることができる。

(オ) 誤　作為又は不作為を目的とする債務で、代替執行（171Ⅰ）ができないものについての強制執行は、間接強制の方法により行う（172）。もっとも、債権者の申立てがあるときは、執行裁判所が間接強制の方法により行うことができる（173Ⅰ・172Ⅰ）。これは、権利実現の実効性を高める観点から、間接強制の適用範囲を拡張し、物の引渡債務や代替的作為債務及び不作為債務につき代替執行ができる場合にも、間接強制の方法によることを認めたものである。

以上から、正しいものは(イ)(エ)であり、正解は(4)となる。

22－1(6－6)　担保権の実行としての競売等

不動産を目的とする抵当権の実行手続に関する次の記述のうち、正しいものはどれか。

⑴　抵当権の実行手続は、強制管理の方法によっても行うことができる。

⑵　抵当権の実行としての競売は、債務名義が提出されたときに限り、開始される。

⑶　抵当権の実行としての競売の開始決定がされた不動産については、他の抵当権に基づく競売の申立てがされた場合であっても、更に競売の開始決定をすることができない。

⑷　抵当権の実行としての競売の開始決定に対する執行異議の申立てにおいては、債務者又は不動産の所有者は、抵当権の不存在又は消滅を理由とすることができる。

⑸　抵当権の実行としての競売手続における買受人は、代金を納付した場合であっても、代金の納付前に抵当権が消滅していたときは、不動産を取得することができない。

学習記録	／	／	／	／	／	／	／	／	／

重要度　C	知識型	要 *Check!*		正解　(4)

(1) 誤　　不動産担保権の実行の方法として、担保不動産競売又は担保不動産収益執行を行うことができる（180）。担保不動産収益執行と強制管理は、管理人による不動産の管理等により債権の満足を図る方法として、執行手続においても多くの共通点をもっている。しかし、抵当権の実行手続は強制管理の方法によることはできない。

(2) 誤　　抵当権の実行としての競売は、債務名義が提出されなくても、抵当権の存在を証する一定の法定文書が提出されれば、開始される（181Ⅰ）。これは、法定文書の提出により競売開始の適法性を確保できることから、担保権の実行は担保権に内在する換価権の直接の行使であって債務名義を要しないとする競売法以来の伝統を尊重したものである。なお、ここに法定文書とは、①抵当権の存在を証する確定判決・家事事件手続法の審判又はこれらと同一の効力を有するものの謄本、②抵当権の存在を証する公正証書の謄本、③抵当権の登記に関する登記事項証明書、④抵当証券のことをいう（181Ⅰ・Ⅱ）。

(3) 誤　　不動産担保権の実行としての競売には、執行裁判所についての規定（44）、及び不動産の強制競売に関する規定（81条を除く、45～92）が準用されている（188）。したがって、抵当権の実行としての競売の開始決定がされた不動産については、他の抵当権に基づく競売の申立てがされた場合に、更に競売の開始決定をすることができる（188・47Ⅰ）。

(4) 正　　執行異議（11）は、実体法上の事由を理由として、行うことができないのが原則であるが、不動産担保権の実行の開始決定に対しては、債務者又は不動産の所有者は、担保権の不存在又は消滅を理由とする執行抗告又は執行異議の申立てをすることができる（182）。これは、債務名義がなくても簡単に不動産競売が開始されること（181Ⅰ・Ⅱ）の引換えとして、債務者に簡易な救済方法を与えたものである。

(5) 誤　　代金の納付による買受人の不動産の取得は、担保権の不存在又は消滅により妨げられない（184）。債務者・所有者には簡単な手続でその正当な権利を守る機会が保障されていたため（182）、その権利が行使されなかった以上、代金を納付するに至った買受人の法的地位の安定性を重視すべきだからである。したがって、抵当権の実行としての競売手続における買受人は、売却許可決定に基づいて買受代金を納付した場合には、代金の納付前に抵当権が消滅していたときでも、不動産を取得することができる。

22－2(23－7)　担保権の実行としての競売等

担保不動産競売の手続に関する次の(ア)から(オ)までの記述のうち、誤っているものの組合せは、後記(1)から(5)までのうちどれか。

(ア)　担保不動産競売の申立てがされた不動産について、既に強制競売の開始決定がされているときは、執行裁判所は、担保不動産競売の開始決定をすることができない。

(イ)　担保不動産競売の開始決定に対しては、担保権の不存在又は消滅を理由として執行異議の申立てをすることができる。

(ウ)　買受人が代金を納付した後は、担保権のないことを証する確定判決の謄本を提出しても、担保不動産競売の手続を停止することはできない。

(エ)　担保不動産について不動産の所有者が不動産の価格を減少させ、又は減少させるおそれがある行為をしていた場合には、当該不動産の担保権者は、担保不動産競売の申立てをした後に限り、当該行為を禁止することを命ずる保全処分の申立てをすることができる。

(オ)　担保不動産競売の手続において、配当表に記載された各債権者の債権又は配当の額について不服がある場合には、債務者ではない不動産の所有者も、配当異議の申出をすることができる。

(1)　(ア)(エ)　　(2)　(ア)(オ)　　(3)　(イ)(ウ)　　(4)　(イ)(エ)　　(5)　(ウ)(オ)

学習記録	／	／	／	／	／	／	／	／	／

重要度　C	知識型	要 *Check!*	正解　(1)

(ア)　誤　　強制競売の開始決定がされている不動産について、担保不動産競売の申立てがあったときは、執行裁判所は、更に担保不動産競売の開始決定をすることができる（188・47Ⅰ）。

(イ)　正　　執行抗告（10）及び執行異議（11）の理由となるのは、原則的に手続上の瑕疵を理由とする場合である。しかし、不動産担保権の実行の開始決定に対する執行抗告又は執行異議の申立ての場合においては、担保権の不存在又は消滅を理由とすることができる（182）。

(ウ)　正　　担保不動産競売の実行の手続は、担保権のないことを証する確定判決の謄本の提出があった場合は、停止しなければならない（183Ⅰ①）。しかし、担保不動産競売において、不動産の買受人が代金の納付をした後は、買受人が不動産を確定的に取得することとなる（184）。そのため、買受人が代金の納付をした後に、担保権のないことを証する確定判決の謄本を提出して、担保不動産競売の手続を停止することはできない。

(エ)　誤　　執行裁判所は、担保不動産競売開始決定前であっても、債務者又は不動産の所有者若しくは占有者が価格減少行為をする場合において、特に必要があるときは、当該不動産につき担保不動産競売の申立てをしようとする者の申立てにより、買受人が代金を納付するまでの間、当該行為を禁止することを命ずることができる（187Ⅰ）。なお、強制執行における売却のための保全処分は、競売申立て以降でないと申立てをすることはできない（55参照）。

(オ)　正　　担保不動産競売において、配当表に記載された各債権者の債権又は配当の額について不服のある債権者及び債務者は、配当期日において、異議の申出をすることができる（188・89Ⅰ）。そして、この「債務者」には当該不動産の所有者（物上保証人）も含まれる（最判平9.2.25）。

以上から、誤っているものは(ア)(エ)であり、正解は(1)となる。

22−3(25−7)　担保権の実行としての競売等

担保不動産競売における売却手続に関する次の(ア)から(オ)までの記述のうち、判例の趣旨に照らし正しいものの組合せは、後記(1)から(5)までのうち、どれか。

(ア)　不動産の上に存する留置権は、売却により消滅する。

(イ)　期間入札において、自らが最高の価額で買受けの申出をしたにもかかわらず、執行官の誤りにより当該入札が無効と判断されて他の者が最高価買受申出人と定められたため、買受人となることができなかったことを主張する入札人は、この者が受けた売却許可決定に対し、執行抗告をすることができる。

(ウ)　買受人は、売却許可決定後に自己の責めに帰することができない事由により不動産に損傷が生じた場合には、当該損傷が軽微であるときであっても、執行裁判所に対し、代金を納付する時までにその決定の取消しの申立てをすることができる。

(エ)　申立債権者は、買受人が代金を納付する期限までに代金を納付しなかった場合には、次順位買受申出人がいないときであっても、当該買受人の同意を得なければ、不動産担保権の実行の申立てを取り下げることができない。

(オ)　執行裁判所は、担保不動産競売の対象とされた土地上に、その競売の対象とはされていない建物が存在する場合であっても、当該土地を買受人に引き渡すべき旨を命ずることができる。

(1)　(ア)(ウ)　　(2)　(ア)(エ)　　(3)　(イ)(エ)　　(4)　(イ)(オ)　　(5)　(ウ)(オ)

学習記録	／	／	／	／	／	／	／	／	／

重要度 C	知識型	要*Check!*		正解 (4)

(ア) 誤　担保不動産の上に存する留置権は、買受人が引き受ける（188・59Ⅳ）ため、消滅しない。これは、留置権が売却によって消滅するとすれば、留置権者は、代金から弁済を全く受ける機会を与えられることなく留置権を失うこととなり、その利益が害されるからである。

(イ) 正　売却の許可又は不許可の決定に対しては、その決定により自己の権利が害されることを主張するときに限り、執行抗告をすることができる（188・74Ⅰ）。そして、売却許可決定に対する執行抗告は、71条各号に掲げる事由があること又は売却許可決定の手続に重大な誤りがあることを理由としなければならない（188・74Ⅱ）。この点、執行官の誤りにより最高価買受申出人でない者を最高価買受申出人と定めたことは、71条８号に掲げる事由に該当するため執行抗告をすることができる。

(ウ) 誤　担保不動産の買受人は、買受けの申出をした後、天災その他自己の責めに帰することができない事由により不動産が損傷した場合には、執行裁判所に対し、売却許可決定前にあっては売却の不許可の申出をし、売却許可決定後にあっては代金を納付する時までにその決定の取消しの申立てをすることができる（188・75Ⅰ本文）。ただし、不動産の損傷が軽微であるときは、この限りでない（188・75Ⅰ但書）。

(エ) 誤　買受けの申出があった後に強制競売の申立てを取り下げるには、最高価買受申出人又は買受人及び次順位買受申出人の同意を得なければならない（188・76Ⅰ本文）。しかし、買受人が代金を納付しないときは、売却許可決定は、その効力を失う（188・80Ⅰ前段）。したがって、申立債権者は、買受人が代金を納付する期限までに代金を納付しなかった場合において、次順位買受申出人がいないときは、当該買受人の同意なしに、不動産担保権の実行の申立てを取り下げることができる。

(オ) 正　執行裁判所は、競売の対象とされた土地上に競売の対象とはされていない建物など土地の定着物が存在する場合であっても、代金を納付した当該土地の買受人の申立てにより、債務者又は占有者に対して当該土地を買受人に引き渡すべき旨を命ずることができる（最決平11.10.26）。

以上から、正しいものは(イ)(オ)であり、正解は(4)となる。

23－1(11－6)　総合問題

担保権の実行としての不動産競売と不動産の強制競売に関する次の(ア)から(オ)までの記述のうち、誤っているものの組合せは、後記(1)から(5)までのうちどれか。(改)

(ア)　担保権の実行としての不動産競売は、債務名義はなくとも担保権の登記に関する登記事項証明書の提出があれば開始されるが、不動産の強制競売は、債務名義により行われる。

(イ)　開始決定前の保全処分の制度は、担保権の実行としての不動産競売にはあるが、不動産の強制競売にはない。

(ウ)　不動産の所有者が第三者異議の訴えを提起することは、担保権の実行としての不動産競売ではできないが、不動産の強制競売ではできる。

(エ)　開始決定に対する執行異議の申立ては、担保権の実行としての不動産競売では担保権の不存在又は消滅を理由としてすることができるが、不動産の強制競売では請求権の不存在又は消滅を理由としてすることはできない。

(オ)　不動産の上に存する抵当権は、担保権の実行としての不動産競売では売却によって消滅するが、不動産の強制競売では売却によって消滅しない。

(1)　(ア)(イ)　　(2)　(ア)(エ)　　(3)　(イ)(オ)　　(4)　(ウ)(エ)　　(5)　(ウ)(オ)

学習記録	／	／	／	／	／	／	／	／	／

重要度　A	知識型		正解　(5)

(ア)　正　　債務名義（22）とは、私法上の給付請求権の存在と内容を証明する公の文書をいう。担保権の実行としての不動産競売においては、債務名義制度は採用されておらず、担保権の登記に関する登記事項証明書（181Ⅰ③）のほか、一定の法定書面の提出により、競売が開始される（181Ⅰ・Ⅱ）。これに対して、不動産の強制競売においては、執行機関が請求権の存在について調査することなく速やかに確実な執行手続を進めることができるように、債務名義制度が採用されている。

(イ)　正　　担保権の実行としての不動産競売においては、開始決定前の保全処分の制度が存在する。執行裁判所は、不動産競売の開始決定前であっても債務者又は不動産の所有者、占有者がその不動産の価格減少行為をする場合に保全処分又は公示保全処分を命ずることができる（187）。これに対して、不動産の強制競売における売却のための保全処分は、開始決定後、債務者又は不動産の占有者による差押不動産の価値を減少させる行為を阻止し、差押債権者の利益を保護することをその目的とするもので、開始決定後、差押債権者の申立てにより行われる（55Ⅰ）。

(ウ)　誤　　担保権の実行としての不動産競売の目的物について所有権その他目的物の譲渡又は引渡しを妨げる権利を有する第三者は、債権者に対し、その強制執行の不許を求めるために、第三者異議の訴えを提起することができる（194・38）。そして、第三者異議の訴えは、不動産の強制競売においても可能である（38）。

(エ)　正　　不動産担保権の実行の開始決定に対しては、担保権の不存在又は消滅を理由として執行抗告又は執行異議の申立てをすることができる（182）。債務名義がなくても簡単に不動産競売が開始されること（181Ⅰ・Ⅱ）の引換えとして、債務者に簡易な救済方法を与えたものである。これに対して、不動産の強制競売の開始決定に対しても、執行異議（11）が認められるが、債務名義制度を採用している不動産の強制競売の場合、その異議事由は、手続上の瑕疵に限られるから、請求権の不存在又は消滅を理由として執行異議の申立てをすることはできず、請求異議の訴え（35）によることになる。

(オ)　誤　　担保権の実行としての不動産競売においては、不動産の上に存する先取特権、使用及び収益をしない旨の定めのある質権並びに抵当権は、売却により消滅する（188・59Ⅰ）。そして、売却に伴い抵当権等の担保物権が消滅することは、不動産の強制競売においても同様である（59Ⅰ）。

以上から、誤っているものは(ウ)(オ)であり、正解は(5)となる。

23−2(13−7)　総合問題

強制執行に関する次の(1)から(5)までの記述のうち、その目的物が不動産であるか、又は動産であるかにかかわらず正しいものはどれか。

(1)　申立ては、目的物の所在地を管轄する地方裁判所に対してしなければならない。

(2)　申立てにおいては、目的物を特定しなければならない。

(3)　差押債権者の債権及び執行費用の弁済に必要な限度を超えて差押えをしてはならない。

(4)　債務者は、差押物を使用することができない。

(5)　第三者が目的物を占有する場合でも、することができる。

学習記録	／	／	／	／	／	／	／	／	／

重要度 A	知識型		正解 (5)

(1) 動産の場合は誤　不動産競売の申立ては、不動産所在地を管轄する地方裁判所に対してしなければならない（44Ⅰ）。これに対して、動産に対する強制執行における執行機関は執行官であるから（122Ⅰ・123Ⅰ）、その申立ては、目的物の所在地を管轄する地方裁判所に所属する執行官（執行官4）に対してしなければならない。

(2) 動産の場合は誤　不動産競売の申立てにおいては、目的物を特定しなければならない（民執規23参照）。これに対して、動産に対する強制執行の申立てにおいては、差押債権者が目的物を特定することは困難なため、差し押さえるべき動産は執行官が選択することとされており（民執規99・100参照）、目的物を特定する必要はない。

(3) 不動産の場合は誤　不動産競売においては、差押債権者の債権及び執行費用の弁済に必要な限度を超えて差押えをすることができる。ただし、超過売却となる場合には、執行裁判所は、他の不動産につき売却許可決定を留保しなければならない（73）。これに対して、動産に対する強制執行においては、超過差押えは禁止されており、差押債権者の債権及び執行費用の弁済に必要な限度を超えて差押えをしてはならない（128Ⅰ）。

(4) いずれも誤　不動産競売においては、差押えは観念的な執行処分である強制競売の開始決定によってされ（45Ⅰ、その公示は登記による（48））、処分禁止の効力が認められるにすぎないから、債務者は差し押さえられた不動産を使用することができる（46Ⅱ）。また、動産に対する強制執行においては、差押えは事実的な執行処分である執行官の占有によってされるが（123Ⅰ）、執行官の許可があるときは、債務者は差押物を使用することができる（123Ⅳ）。

(5) いずれも正　不動産競売は、差し押さえた目的物を売却して換価しその売得金を債権者に配当するという手続で行われるが、この手続は、第三者の占有関係と矛盾するものではないから、第三者が目的物を占有していても、することができる。動産に対する強制執行も、第三者が目的物を占有する場合でも、その第三者が提出を拒まないときは、することができる（124・123Ⅰ）。

23−3(15−7)　総合問題

同一の財産に対する差押えの競合に関する次の(ア)から(オ)までの記述のうち、誤っているものの組合せは、後記(1)から(5)までのうちどれか。

(ア)　強制競売の開始決定がされた不動産について更に強制競売の開始決定がされた場合において、先の開始決定に係る強制競売の手続が取り消されたときは、後の強制競売の開始決定に基づいて手続が続行される。

(イ)　抵当権者による担保権の実行としての競売の開始決定がされた不動産については、一般債権者は、強制競売の申立てをすることはできない。

(ウ)　動産に対する強制執行による差押えを受けた動産についても、更に差押えをすることができる。

(エ)　一般債権者の甲が債権の一部について差押えをした場合であっても、他の一般債権者の乙は、当該債権の全部を更に差し押さえることができるが、その場合には、甲を債権者とする先の差押えの執行の効力は、当該債権の全部に及ぶ。

(オ)　一般債権者の甲が転付命令を得、その転付命令が第三債務者に送達される時までに、転付命令に係る金銭債権について、他の一般債権者の乙が差押えをしたときは、転付命令は、その効力を生じない。

(1)　(ア)(イ)　　(2)　(ア)(オ)　　(3)　(イ)(ウ)　　(4)　(ウ)(エ)　　(5)　(エ)(オ)

学習記録	／	／	／	／	／	／	／	／	／

重要度　A	知識型		正解　(3)

(ア)　正　　強制競売の開始決定がされた不動産について更に強制競売の開始決定がされた場合において、先の開始決定に係る強制競売の手続が取り消されたときは、後の強制競売の開始決定に基づいて手続が続行される（47Ⅱ）。不動産を換価し、債権者の満足を図るという点で共通の目的と手段を有していた先行事件の既往の手続を後行事件が引き継ぐことにより、手続の重複を避け、執行経済や手続の迅速化に資するためである。

(イ)　誤　　抵当権者による担保権の実行としての競売の開始決定がされた不動産について更に競売の申立てがあったときは、競売の二重開始決定がされることになる（47Ⅰ）ので、一般債権者でも強制競売の申立てをすることができる。

(ウ)　誤　　動産に対する強制執行による差押え又は仮差押えの執行がされた動産に対しては、更に差し押さえることができない（125Ⅰ）。執行官による占有取得という現実的処分を内容とする動産執行の性質上、二重差押えになじまないからである。なお、同一の債務者に対し、同一の場所について重ねて動産執行の申立てがあった場合は、必ず事件の併合をしなければならない（125Ⅱ）ものとするとともに、事件併合の方法並びにその効果を定めている（125Ⅲ）。

(エ)　正　　債権の一部が差し押さえられ、又は仮差押えの執行を受けた場合において、その残余の部分を超えて差押命令が発せられたときは、各差押え又は仮差押えの執行の効力は、その債権の全部に及ぶ（149前段）。本条は競合する執行債権者間の公平を図ろうとしており、配当要求の効力の拡張とせずに差押えの効力としたのは、取立訴訟（157）を起こすときに、この訴訟が差押債権者の差押命令による各自の取立権（155Ⅰ）に基づいてされることから、差押えの効力を債権全体に及ぼしておかないと、債権者の保護に欠けることになるからである。

(オ)　正　　転付命令が第三債務者に送達される時までに、転付命令に係る金銭債権について、他の債権者が差し押さえたときは、転付命令は、その効力を生じない（159Ⅲ）。転付命令は、平等主義の例外として転付債権者に独占的満足を与える制度であるから、発令時に既に他の債権者が差押えをしている場合には、発令は許されないからである。

以上から、誤っているものは(イ)(ウ)であり、正解は(3)となる。

23－4(31－7)　総合問題

次の対話は、民事執行に関する教授と学生との対話である。教授の質問に対する次の学生の解答のうち、正しいものはどれか。(改)

教授：　まず、民事調停において当事者間に合意が成立し、これが調書に記載されて調停が成立したときは、その記載は、強制執行をするために必要な債務名義に該当しますか。

学生：(1)　該当しません。

教授：　では、金銭の支払を目的とする請求について公証人が作成した公正証書で、債務者が直ちに強制執行に服する旨の陳述が記載されているものは、強制執行をするために必要な債務名義に該当しますか。

学生：(2)　そのような公正証書であれば、その支払の額が明記されておらず、かつ、公正証書の記載から一定の数額を確認、算定することができない場合であっても、強制執行をするために必要な債務名義に該当します。

教授：　強制執行の開始には、債務名義又は確定により債務名義となるべき裁判の正本又は謄本が債務者に送達されたことが必要ですか。

学生：(3)　強制執行の開始には、債務名義又は確定により債務名義となるべき裁判の正本又は謄本が、あらかじめ、又は同時に、債務者に送達されたことが必要ですが、執行裁判所の許可を受ければ債務者に対する送達前に強制執行を開始することができます。

教授：　確定した執行判決のある外国裁判所の判決は、強制執行をするために必要な債務名義に該当しますか。

学生：(4)　該当します。

教授：　最後に、仮執行の宣言を付した判決を有する金銭債権の債権者が財産開示手続を申し立てることは、認められていますか。

学生：(5)　認められていません。

総合問題

学習記録	／	／	／	／	／	／	／	／	／

重要度 A	知識型			正解 (4)

(1) 誤　確定判決と同一の効力を有するものは債務名義に該当する（22⑦）。この点、和解又は請求の放棄若しくは認諾を調書に記載したときは、その記載は、確定判決と同一の効力を有する（民訴267）。そして、調停において当事者間に合意が成立し、これを調書に記載したときは、調停が成立したものとされ、その記載は、裁判上の和解と同一の効力を有する（民調16）。

(2) 誤　金銭の一定の額の支払又はその他の代替物若しくは有価証券の一定の数量の給付を目的とする請求について公証人が作成した公正証書で、債務者が直ちに強制執行に服する旨の陳述が記載されているもの（執行証書）は、債務名義に該当する（22⑤）。すなわち、公正証書が執行証書として債務名義となるためには、公正証書に請求権の金額・数量が明記されているか、公正証書自体により、これらが算定できるものでなければならない（大決昭5.7.17）。

(3) 誤　強制執行は、債務名義又は確定により債務名義となるべき裁判の正本又は謄本が、あらかじめ、又は同時に、債務者に送達されたときに限り、開始することができる（29前段）。この点、執行裁判所の許可を受ければ債務者に対する送達前に強制執行を開始することができるとの規定はない。

(4) 正　確定した執行判決のある外国裁判所の判決は、債務名義となる（22⑥）。なお、外国裁判所の確定判決は、一定の要件を具備すれば債務名義となり強制執行が可能となるが、外国裁判所の確定判決が当該要件を具備していると判断した裁判所の判決を執行判決という（24参照）。

(5) 誤　執行裁判所は、執行力のある債務名義の正本を有する金銭債権の債権者の申立てにより、債務者について、財産開示手続を実施する旨の決定をしなければならない（197Ⅰ柱書本文）。したがって、仮執行の宣言を付した判決（22②）を有する金銭債権の債権者が財産開示手続を申し立てることは認められる。

23−5(R2−7)　総合問題

次の対話は、民事執行に関する教授と学生との対話である。教授の質問に対する次の(ア)から(オ)までの学生の解答のうち、正しいものの組合せは、後記(1)から(5)までのうち、どれか。

教授：　不動産の明渡しを目的とする請求について公証人が作成した公正証書で、債務者が直ちに強制執行に服する旨の陳述が記載されているものは、債務名義に該当しますか。

学生：(ア)　はい。債務名義に該当します。

教授：　それでは、債務名義に該当する判決は、確定判決以外にもありますか。

学生：(イ)　はい。例えば、仮執行の宣言を付した判決は債務名義に該当します。

教授：　次に、債権者が養育費に係る確定期限の定めのある定期金債権について債務名義を有する場合において、その一部に不履行があるときは、当該定期金債権のうち確定期限が到来していないものについても、債権執行を開始することができますか。

学生：(ウ)　いいえ。その場合、当該定期金債権のうち確定期限が到来していないものについては債権執行を開始することはできません。

教授：　それでは、養育費に係る金銭債権についての債務名義に基づいて、債務者の給料債権を差し押さえる場合に、当該給料債権の支払期に受けるべき給付の4分の1に相当する部分を超えて差し押さえることはできますか。

学生：(エ)　はい。その場合には、当該給付の2分の1に相当する部分まで差し押さえることができます。

教授：　最後に、民事執行法上、確定判決を有する金銭債権の債権者に財産開示手続の申立てが認められるのはどのような場合ですか。

学生：(オ)　財産開示手続の申立てが認められるのは、強制執行又は担保権の実行における配当等の手続において、申立人が当該金銭債権の完全な弁済を得ることができなかったことを疎明した場合に限られます。

(1)　(ア)(エ)　　(2)　(ア)(オ)　　(3)　(イ)(ウ)　　(4)　(イ)(エ)　　(5)　(ウ)(オ)

総合問題

学習記録	／	／	／	／	／	／	／	／	／

重要度　A	知識型		正解　(4)

(ア) 誤　金銭の一定の額の支払又はその他の代替物若しくは有価証券の一定の数量の給付を目的とする請求について公証人が作成した公正証書で、債務者が直ちに強制執行に服する旨の陳述が記載されているもの（執行証書）は、債務名義となる（22⑤）。これは、不当執行の可能性を考慮し、それによって生ずる損害を金銭賠償で回復できるような場合に限定して、執行証書としての効力を認めたものである。したがって、債務者が直ちに強制執行に服する旨の陳述が記載されている公正証書であっても、不動産の明渡しを目的とする請求について記載されている場合には、債務名義とはならない。

(イ) 正　仮執行の宣言を付した判決は、債務名義となる（22②）。

(ウ) 誤　民事執行法上、請求が確定期限の到来に係る場合には、その期限が到来しない限り、強制執行を開始することができない（30Ⅰ）。しかし、養育費等の生計維持に必要不可欠な定期金債権について、各定期金の確定期限が到来するごとに反覆して強制執行の申立てをしなければならないとすると、債権者の手続的な負担が大きい。そこで、債権者が養育費に係る確定期限の定めのある定期金債権を有する場合において、その一部に不履行があるときは、当該定期金債権のうち確定期限が到来していないものについても、債権執行を開始することができる（151の２Ⅰ③）。

(エ) 正　養育費に係る金銭債権についての債務名義に基づいて、債務者の給料債権を差し押さえる場合には、当該給料債権の支払期に受けるべき給付の２分の１に相当する部分まで差し押さえることができる（152Ⅲ・Ⅰ②・151の２Ⅰ③）。

(オ) 誤　執行裁判所は、①強制執行又は担保権の実行における配当等の手続において、申立人が当該金銭債権の完全な弁済を得ることができなかったとき、「又は」②知れている財産に対する強制執行を実施しても、申立人が当該金銭債権の完全な弁済を得られないことの疎明があったときのいずれかに該当するときは、執行力のある債務名義の正本を有する金銭債権の債権者の申立てにより、当該執行力のある債務名義の正本に基づく強制執行を開始することができないときを除き、債務者について、財産開示手続を実施する旨の決定をしなければならない（197Ⅰ）。

以上から、正しいものは(イ)(エ)であり、正解は(4)となる。

23－6(R3－7)　総合問題

民事執行に関する次の(ア)から(オ)までの記述のうち、正しいものの組合せは、後記(1)から(5)までのうち、どれか。

(ア)　不動産に対する強制執行については、その所在地を管轄する地方裁判所のほか、債務者の普通裁判籍の所在地を管轄する地方裁判所が、執行裁判所として管轄する。

(イ)　不動産に対する強制執行の方法は、強制競売と強制管理とがあり、これらの方法は併用することができる。

(ウ)　金銭債権を差し押さえた債権者は、他の債権者が当該金銭債権を差し押さえた場合には、第三債務者に対して取立訴訟を提起することができない。

(エ)　不作為を目的とする債務で代替執行ができないものについては、間接強制の方法により、強制執行を行うことができる。

(オ)　仮執行の宣言を付した判決に係る請求権の存在又は内容について異議のある債務者は、その判決が確定する前後を問わず、その判決による強制執行の不許を求めるために、請求異議の訴えを提起することができる。

(1)　(ア)(ウ)　　(2)　(ア)(エ)　　(3)　(イ)(エ)　　(4)　(イ)(オ)　　(5)　(ウ)(オ)

学習記録	／	／	／	／	／	／	／	／	／

重要度　A	知識型		正解　(3)

(ア)　誤　　不動産執行については、その所在地（43条２項により不動産とみなされるものにあっては、その登記すべき地）を管轄する地方裁判所が、執行裁判所として管轄する（44Ⅰ）。

(イ)　正　　不動産執行は、強制競売の方法と強制管理の方法を併用して行うことができる（43Ⅰ後段）。なお、双方を申し立てたときは、双方の手続が同時に進行することになるが、強制競売により売却が終了し、所有権が買受人に移転すれば、強制管理もその対象を失って消滅する。

(ウ)　誤　　差押債権者が第三債務者に対し差し押さえた債権に係る給付を求める訴え（取立訴訟）を提起したときは、受訴裁判所は、第三債務者の申立てにより、他の債権者で訴状の送達の時までにその債権を差し押さえたものに対し、共同訴訟人として原告に参加すべきことを命ずることができる（157Ⅰ）。これは、他の債務者が同一の債務を差し押さえた場合でも取立訴訟を提起できることを前提としている。

(エ)　正　　間接強制は作為又は不作為を目的とする債務で代替執行ができないものについての強制執行である（172Ⅰ）。なお、不作為の例として、営業禁止（最決平17.12.9）、建築工事妨害禁止（東京高決平3.5.29）等がある。

(オ)　誤　　債務名義（22条２号又は３号の２から４号までに掲げる債務名義で確定前のものを除く。以下本肢において同じ。）に係る請求権の存在又は内容について異議のある債務者は、その債務名義による強制執行の不許を求めるために、請求異議の訴えを提起することができる（35Ⅰ前段）。そのため、仮執行宣言付判決（22②）は、その確定後でなければ請求異議の訴えは認められない（35Ⅰ前段括弧書）。なぜなら、未確定の間は上訴の提起又は異議の申立てによって、請求権の存在や内容を争う機会が与えられているため、請求異議の訴えの利益がないからである。

以上から、正しいものは(イ)(エ)であり、正解は(3)となる。

23－7(R6－7)　総合問題

民事執行における債務者の財産状況の調査に関する次の(ア)から(オ)までの記述のうち、正しいものの組合せは、後記(1)から(5)までのうち、どれか。

(ア)　債務者の財産について一般の先取特権を有する債権者であっても、その被担保債権について執行力のある債務名義の正本を有しない場合には、当該債務者について、財産開示手続を申し立てることができない。

(イ)　財産開示手続の申立人以外の者であっても、債務者に対する金銭債権について執行力のある債務名義の正本を有する債権者は、当該財産開示手続に係る事件の記録中財産開示期日に関する部分の閲覧をすることができる。

(ウ)　貸金返還請求権について執行力のある債務名義の正本を有する債権者は、第三者からの情報取得手続において、債務者の給与債権に係る情報の提供を求めることができる。

(エ)　債務者の預貯金債権に関する金融機関からの情報取得手続は、先に財産開示期日における手続が実施されていなければ、申し立てることができない。

(オ)　第三者からの情報取得手続の申立人は、当該手続において得られた債務者の財産に関する情報を、当該債務者に対する債権をその本旨に従って行使する目的以外の目的のために利用し、又は提供してはならない。

(1)　(ア)(ウ)　　(2)　(ア)(エ)　　(3)　(イ)(ウ)　　(4)　(イ)(オ)　　(5)　(エ)(オ)

学習記録	／	／	／	／	／	／	／	／	／

総合問題

重要度　A	知識型		正解　(4)

(ア)　誤　　執行裁判所は、実施決定の要件を満たすときは、債務者の財産について一般の先取特権を有することを証する文書を提出した債権者の申立てにより、当該債務者について、財産開示手続を実施する旨の決定をしなければならない（197Ⅱ参照）。民執法は、一般先取特権を有する債権者に対し、財産開示手続の申立権を付与している。

(イ)　正　　利害関係を有する者は、財産開示事件の記録中、財産開示期日に関する部分以外の部分について、記録の閲覧・謄写、謄本の交付等を請求することができ（17）、財産開示期日に関する部分については、利害関係を有する者のうち、債務者に対する金銭債権について執行力のある債務名義の正本を有する者（201②）等がすることができる。

(ウ)　誤　　公的機関からの債務者の給与債権に関する情報の取得は、その必要性が特に高い扶養義務等に係る請求権（151の２）及び人の生命・身体の侵害による損害賠償請求権を有する債権者に限定して認められている（206柱書）。

(エ)　誤　　預貯金債権・振替社債等に関する情報取得については、公的機関からの情報取得手続は財産開示手続を先行するとする財産開示手続の前置（205Ⅱ参照）を要しない（207が205Ⅱを準用していない）。

(オ)　正　　申立人が第三者からの情報取得手続により得た債務者の財産に関する情報（210Ⅰ）及び申立資格を有する債権者が事件記録のうち情報の提供に関する部分の閲覧等により得た情報（210Ⅱ）を、債務者に対する債権をその本旨に従って行使する目的以外の目的のために利用し、又は提供してはならない（210）。

以上から、正しいものは(イ)(オ)であり、正解は(4)となる。

民事保全法

第１編　民事保全総則
第２編　保全命令に関する手続
第３編　保全執行に関する手続
第４編　仮処分の効力
第５編　総合問題

25－1(4－8)　保全命令

保全命令に関する次の記述のうち、正しいものはどれか。

(1) 保全命令は、当事者に送達しなければならない。

(2) 保全命令の発令後に、保全命令の申立てを取り下げるには、債務者の同意を得なければならない。

(3) 保全命令は、急迫の事情があるときに限り、受命裁判官が発することができる。

(4) 保全すべき権利又は権利関係及び保全の必要性は、証明しなければならない。

(5) 保全命令は、担保を立てさせないで発することができない。

学習記録	／	／	／	／	／	／	／	／	／

重要度　A	知識型		正解　(1)

(1)　正　　保全命令は、当事者に送達しなければならない（17）。当事者に確実に保全命令を了知させるとともに、その証明方法を残すことで無用の紛争を未然に防止する趣旨である。

(2)　誤　　保全命令の申立てを取り下げるには、債務者の同意を得ることを要しない（18）。保全命令は、本案訴訟が確定するまでの暫定的な処分にすぎず、取下げにより債務者が不利益を被るおそれはないからである。

(3)　誤　　保全命令は、原則として、裁判所が発するが（２Ⅰ）、急迫の事情があるときに限り、裁判長が発することができる（15）。民事保全事件はその本来的特質として緊急性を有するものなので、その裁判が合議体によって行われる場合に、単独の裁判長による決定を認めることで、保全の目的を迅速に達成することができるようにする趣旨である。

(4)　誤　　保全命令の申立ては、①申立ての趣旨、②保全すべき権利又は権利関係、③保全の必要性を明らかにする必要がある（13Ⅰ）。そして②③の事項については、申立権の濫用を防止しつつ迅速な保護を債権者に与える趣旨から、証明ではなく疎明が要求されている（13Ⅱ）。

(5)　誤　　保全命令は、担保を立てさせて、若しくは相当と認める一定の期間内に担保を立てることを保全執行の実施の条件として、又は担保を立てさせないで発することができる（14Ⅰ）。担保を提供させて保全命令を発するか否かは、裁判所の裁量に委ねられている。

25−2(9−7)　保全命令

保全命令に関する次の記述のうち、正しいものはどれか。

(1)　保全命令の申立てをした者は、裁判所の許可を得た場合には、保証金の供託をすることをもって、保全の必要性の疎明に代えることができる。

(2)　裁判所は、保全命令を発する場合には、一定の期間内に担保を立てることを保全執行の実施の条件としなければならない。

(3)　保全命令の担保を立てるには、金銭を供託所に供託する方法によらなければならない。

(4)　裁判所は仮差押命令を発する場合には、仮差押えの執行の停止を得るため、又は既にした仮差押えの執行の取消しを得るために債務者が供託すべき金銭（仮差押解放金）の額を定めなければならない。

(5)　保全命令の担保として金銭を供託する場合、その供託は、担保を立てるべきことを命じた裁判所の管轄区域内の供託所にしなければならない。

学習記録	／	／	／	／	／	／	／	／	／

重要度　A	知識型		正解　(4)

(1) 誤　　保全命令の申立てにおいては、保全すべき権利又は権利関係及び保全の必要性を疎明しなければならないが（13Ⅱ）、この疎明は、保証金の供託をもって、これに代えることはできない。保全すべき権利等について疎明することは必ずしも困難ではないにもかかわらず、保証金の供託等の代用手段を認めることは、債権者を過大に保護することになるからである。

(2) 誤　　保全命令は、担保を立てさせて、若しくは相当と認める一定の期間内に担保を立てることを保全執行の実施の条件として、又は担保を立てさせないで発することができる（14Ⅰ）。担保を提供させて保全命令を発するか否かは、裁判所の裁量に委ねられている。

(3) 誤　　法が担保の提供を要求するのは、相手方の被る損害を担保するためである。その提供方法は、①金銭又は担保を立てるべきことを命じた裁判所が相当と認める有価証券を供託する方法（４Ⅰ本文）、②民事保全規則２条で定められた支払い保証委託契約を締結する方法、③当事者間の特別の契約による方法（４Ⅰ但書）の３種類がある。したがって、保全命令の担保を立てる方法は金銭による供託に限定されていない。

(4) 正　　仮差押命令においては、仮差押えの執行の停止を得るため、又は既にした仮差押えの執行の取消しを得るために債務者が供託すべき金銭（仮差押解放金）の額を定めなければならない（22Ⅰ）。金銭債権の強制執行を保全することを目的とする仮差押えの場合には、債務者がその金銭債権の額に相当する金銭を供託することで債権者の保護を図ることができ、また、債務者としても、仮差押執行から解放される方法が認められれば便宜だからである。

(5) 誤　　保全命令の担保として金銭を供託する場合、その供託場所は、担保を立てるべきことを命じた裁判所又は保全執行裁判所の所在地を管轄する地方裁判所の管轄区域内の供託所が原則である（４Ⅰ）。また、緊急性を有する保全執行を円滑に実施する目的で、遅滞なくこの供託所に供託することが困難な事由があるときは、裁判所の許可を得て、債権者の住所地又は事務所の所在地その他裁判所が相当と認める地を管轄する地方裁判所の管轄区域内の供託所にも供託することができる（14Ⅱ）。

25－3(14－7)　保全命令

保全命令に関する次の(ア)から(オ)までの記述のうち、正しいものの組合せは、後記(1)から(5)までのうちどれか。

(ア)　保全命令の申立てにおいては、保全すべき権利又は権利関係及び保全の必要性を明らかにしなければならないが、急迫の事情があるときは、保全の必要性は疎明することを要しない。

(イ)　保全命令の申立てを取り下げるには、保全異議又は保全取消しの申立てがあった後においても、債務者の同意を得ることを要しない。

(ウ)　保全命令の申立てを却下する裁判に対しては、債権者は、告知を受けた日から１週間内に限り、即時抗告をすることができる。

(エ)　不動産の仮差押命令は目的物を特定して発しなければならないが、動産の仮差押命令は目的物を特定しないで発することができる。

(オ)　仮差押命令は、金銭の支払を目的とする債権であっても、条件付又は期限付であるものについては、発することができない。

(1)　(ア)(イ)　　(2)　(ア)(オ)　　(3)　(イ)(エ)　　(4)　(ウ)(エ)　　(5)　(ウ)(オ)

学習記録	／	／	／	／	／	／	／	／	／

重要度　A	知識型		正解　(3)

(ア)　誤　　保全命令の申立てにおいては、その趣旨並びに保全すべき権利又は権利関係及び保全の必要性を明らかにしなければならず（13Ⅰ）、また、保全すべき権利又は権利関係及び保全の必要性は、疎明しなければならない（13Ⅱ）。そして、保全命令に関する手続が本案訴訟とは独立の手続とされているのは、保全の必要性によるといえるから、急迫の事情があるときであっても疎明することを要する。

(イ)　正　　保全命令の申立てを取り下げるには、保全異議又は保全取消しの申立てがあった後においても、債務者の同意を得ることを要しない（18）。保全命令は、本案訴訟が確定するまでの暫定的な処分にすぎず、取下げにより債務者が不利益を被るおそれはないからである。

(ウ)　誤　　保全命令の申立てを却下する裁判に対して、債権者が即時抗告をすることができるのは、告知を受けた日から２週間の不変期間内であって（19Ⅰ）、１週間ではない。民事訴訟法332条においては即時抗告期間を１週間の不変期間内としているが、民事保全においては将来の強制執行の保全を目的とするため複雑な事案も考えられ、準備期間を考慮したものである。

(エ)　正　　不動産の仮差押命令は目的物を特定して発しなければならないが、動産の仮差押命令は目的物を特定しないで発することができる（21）。不動産について目的物の特定が要求されているのは、仮差押えの目的物が具体的に特定されていないと、担保の額を的確に定めることができないといった不都合が生ずるからである。一方、動産について特定が要求されていないのは、その性質から流動性があり、申立時において債権者が目的物を個々に特定することは困難だからである。

(オ)　誤　　仮差押命令の被保全権利は、金銭の支払を目的とする債権に限定されている（20Ⅰ）。更に、その債権が条件付又は期限付であるものについても発することができる（20Ⅱ）。債務者が将来行われるであろう強制執行をおそれて、債務の引当てとなる責任財産を第三者に処分し、強制執行を事実上無意味なものにしてしまう危険性があり、そこに仮差押えを認める必要性があるからである。

以上から、正しいものは(イ)(エ)であり、正解は(3)となる。

25－4(R6－6)　保全命令

民事保全に関する次の(ア)から(オ)までの記述のうち、誤っているものの組合せは、後記(1)から(5)までのうち、どれか。

(ア)　裁判所は、口頭弁論又は債務者が立ち会うことができる審尋の期日を経ることにより仮処分命令の申立ての目的を達することができない事情があるときは、その期日を経ずに、仮の地位を定める仮処分命令を発することができる。

(イ)　保全命令に対しては、その命令につき不服のある債務者は、即時抗告をすることができる。

(ウ)　保全命令が発せられた後であっても、保全命令の申立てを取り下げるには、債務者の同意を得ることを要しない。

(エ)　物の給付を命ずる仮処分の執行については、仮処分命令が債務名義とみなされる。

(オ)　不動産の占有移転禁止の仮処分命令の執行は、債務者に対してその不動産の占有の移転を禁止することを命ずるとともに、その旨の登記をする方法により行う。

(1)　(ア)(イ)　　(2)　(ア)(エ)　　(3)　(イ)(オ)　　(4)　(ウ)(エ)　　(5)　(ウ)(オ)

学習記録	／	／	／	／	／	／	／	／	／

重要度 A	知識型		正解 (3)

(ア) 正　仮の地位を定める仮処分命令は、口頭弁論又は債務者が立ち会うことができる審尋の期日を経なければ、これを発することができない（23Ⅳ本文)。しかし、仮の地位を定める仮処分命令であっても、その期日を経ることにより仮処分命令の申立ての目的を達することができない事情があるときは、口頭弁論又は債務者が立ち会うことができる審尋の期日を経る必要はない(23Ⅳ但書参照)。

(イ) 誤　保全異議及び保全取消しは、民事保全命令の相手方である債務者の救済方法であるところ、保全命令の申立てを却下する裁判に対しては、債権者は、告知を受けた日から２週間の不変期間内に、即時抗告をすることができる（19Ⅰ)。

(ウ) 正　保全命令の申立てを取り下げるには、保全異議又は保全取消しの申立てがあった後においても、債務者の同意を得ることを要しない（18)。これは、保全命令が発令された後であっても、債務者の同意を得ずに取り下げることができるということである。

(エ) 正　物の給付その他の作為又は不作為を命ずる仮処分の執行については、仮処分命令を債務名義とみなす（52Ⅱ)。

(オ) 誤　占有移転禁止の仮処分の執行は、債務者の占有を解く執行は物の引渡請求の執行の規定（民執168 ～ 170）の準用によってなされ、執行官の保管は執行官が保全執行裁判所の補助機関として行う。

以上から、誤っているものは(イ)(オ)であり、正解は(3)となる。

26－1(60－2)　仮差押命令

仮差押命令申立て事件に関する次の記述のうち、誤っているものはどれか。(改)

(1)　仮差押命令の申立ては、書面でしなければならない。

(2)　仮差押命令の申立ては、簡易裁判所に対してすることはできない。

(3)　被保全権利及び保全の必要性について疎明がある場合でなければ、仮差押命令を発することができない。

(4)　仮差押命令に不服のある債務者は、保全異議の申立てをすることもできる。

(5)　仮差押命令に対して保全異議の申立てをした債務者も、仮差押えの必要性が消滅したことを理由として、仮差押命令の取消しの申立てをすることができる。

学習記録	／	／	／	／	／	／	／	／	／

重要度 A | **知識型** | **要 *Check!*** | **正解 (2)**

(1) 正　仮差押命令の申立ては、書面でしなければならない（民保規1①）。審理の対象を明確にし、迅速に処理するためである。

(2) 誤　保全命令事件は、本案の管轄裁判所又は仮に差し押さえるべき物若しくは係争物の所在地を管轄する地方裁判所が管轄する（12Ⅰ）。そして、本案の管轄裁判所は、原則として第一審裁判所とするとされている（12Ⅲ本文）。したがって、第一審裁判所が簡易裁判所であれば、そこに仮差押命令の申立てをすることができる。

(3) 正　保全命令の申立ては、①申立ての趣旨、②保全すべき権利又は権利関係、③保全の必要性を明らかにする必要がある（13Ⅰ）。②③の事項については、申立権の濫用を防止しつつ迅速な保護を債権者に与える趣旨から、疎明が要求されている（13Ⅱ）。

(4) 正　仮差押命令に不服のある債務者は、保全命令を発した裁判所に保全異議の申立てをすることができる（26）。この裁判は、保全命令を発した裁判所が、被保全権利と保全の必要性の存否を再審理するという性格を有し、保全異議の申立てについての決定においては、裁判所は、保全命令を認可し、変更し、又は取り消さなければならない（32Ⅰ）。

(5) 正　保全すべき権利若しくは権利関係又は保全の必要性の消滅その他の事情の変更があるときは、保全命令を発した裁判所又は本案の裁判所は、債務者の申立てにより、保全命令を取り消すことができる（38Ⅰ）。これは、保全命令がその発令の当初は理由があっても、その後の事情の変更によってもはや維持できなくなることは十分予想されることから、保全異議（26）又は保全抗告（41）等の不服申立手段が尽きた後の保全命令の取消しを求める手段について規定したものである。

26−2(3−8)　仮差押命令

仮差押えに関する次の記述のうち、誤っているものはどれか。

⑴　仮差押命令は本案の管轄裁判所又は仮に差し押さえるべき物の所在地を管轄する地方裁判所が管轄する。

⑵　仮差押命令は、保全すべき金銭債権が条件付又は期限付である場合においても、発することができる。

⑶　仮差押命令においては、仮差押えの執行の停止を得るために又は既にした仮差押えの執行の取消しを得るために債務者が供託すべき金銭の額を定めなければならない。

⑷　仮差押えの執行は、仮差押命令が債務者に送達される前であってもこれをすることができる。

⑸　仮差押えの執行は、申立て又は職権により執行裁判所又は執行官がする。

学習記録	／	／	／	／	／	／	／	／	／

重要度　A	知識型	要 *Check!*		正解　(5)

⑴　正　　保全命令は、本案の管轄裁判所又は仮に差し押さえるべき物若しくは係争物の所在地を管轄する地方裁判所が管轄する（12Ⅰ）。保全命令の管轄を当事者の自由な選択に委ねることで、事件の事情に対応した迅速適切な解決を可能にしようとの考慮による。なお、本案の管轄裁判所は原則、第一審裁判所だが（12Ⅲ本文）、本案が控訴審に係属するときは、控訴裁判所である（同但書）。

⑵　正　　仮差押命令は、保全すべき金銭債権が条件付又は期限付である場合においても、これを発することができる（20Ⅱ）。債務者が将来行われるであろう強制執行をおそれて、債務の引当てとなる責任財産を第三者に処分し、強制執行を事実上無意味なものにしてしまう危険性があり、そこに仮差押えを認める必要性があるからである。

⑶　正　　仮差押命令においては、仮差押えの執行の停止を得るため、又は既にした仮差押えの執行の取消しを得るために債務者が供託すべき金銭（仮差押解放金）の額を定めなければならない（22Ⅰ）。金銭債権の強制執行を保全することを目的とする仮差押えの場合には、債務者がその金銭債権の額に相当する金銭を供託することで債権者の保護は十分図れるし、また、債務者としても、仮差押執行から解放される方法が認められれば便宜だからである。

⑷　正　　保全執行は、保全命令が債務者に送達される前であっても、これをすることができる（43Ⅲ）。債務者からの執行妨害を防止するためには、債務者に保全命令が送達される前に保全執行をすることが最も有効だからである。

⑸　誤　　仮差押えの執行は、申立てにより、裁判所又は執行官が行うのであり、職権で行うことはできない（２Ⅱ）。なお、保全執行の申立ては書面でしなければならない（民保規１⑥）。

26－3(8－7)　仮差押命令

仮差押命令に関する次の記述のうち、正しいものはどれか。

(1) 仮差押命令は、債権を目的とする場合でも、その目的債権を特定しないで発することができる。

(2) 仮差押命令は、支払期限が到来していない金銭債権を保全する場合でも発することができる。

(3) 仮差押命令は、保全の必要性の疎明があれば保全すべき権利の疎明がない場合でも発することができる。

(4) 債務者は、裁判所が定めた担保額を提供することを理由として、仮差押命令の取消しを申し立てることができる。

(5) 債務者が仮差押解放金を供託したことを証明した場合は、裁判所は仮差押命令を取り消さなければならない。

学習記録	／	／	／	／	／	／	／	／	／

重要度 A	知識型	要 *Check!*	正解 (2)

(1) 誤　債権を目的とする仮差押命令は、その目的債権を特定して発しなければならない（21本文）。仮差押えの目的が具体的に特定されていないと、担保（14Ⅰ）の額を的確に定めることも、また、超過仮差押えの有無についても判断することができないからである。

(2) 正　仮差押命令は、支払期限が到来していない金銭債権を保全する場合でも発することができる（20Ⅱ）。債務者が将来行われるであろう強制執行をおそれて、債務の引当てとなる責任財産を第三者に処分し、強制執行を事実上無意味なものにしてしまう危険性があり、そこに仮差押えを認める必要性があるからである。

(3) 誤　保全命令の申立ては、①申立ての趣旨、②保全すべき権利又は権利関係、③保全の必要性を明らかにする必要がある（13Ⅰ）。そして、申立権の濫用を防止しつつ迅速な保護を債権者に与える趣旨から、保全の必要性のみならず保全すべき権利又は権利関係についても、疎明が要求されている（13Ⅱ）。

(4) 誤　仮差押命令の取消しを求める方法としては保全異議（26）又は保全取消し（37・38）の申立てがある。保全異議は、被保全権利ないし保全の必要性がないにもかかわらず発せられた仮差押命令につき取消し、変更を求めることを理由とする不服申立てである。保全取消しは、本案の訴えが定められた期間内に提起されないことを理由とする場合（37）、保全の要件・保全の必要性の消滅等の事情の変更を理由とする場合（38）にすることができる不服申立てである。いずれの方法によっても、裁判所が定めた担保額を提供することを理由として仮差押命令の取消しを申し立てることはできない。

(5) 誤　債務者が仮差押解放金を供託しその事実を証明したときは、保全執行裁判所は仮差押えの執行を取り消さなければならない（51Ⅰ）。仮差押命令自体を取り消すには、債務者から保全異議（26）又は保全取消し（37・38）の申立てがなければならない。

26－4(21－6)　仮差押命令

仮差押命令に関する次の(1)から(5)までの記述のうち、正しいものはどれか。

(1)　仮差押命令の申立てに当たり、保全をすべき権利又は権利関係及び保全の必要性の立証は、即時に取り調べることができる証拠によってしなければならない。

(2)　特定の目的物について既に仮差押命令を得た債権者は、同一の被保全債権に基づき、異なる目的物に対し、更に仮差押命令の申立てをすることができない。

(3)　保全異議又は保全取消しの申立てがあった後に仮差押命令の申立てを取り下げるには、債務者の同意を得なければならない。

(4)　金銭債権を被保全権利とする仮差押命令については、担保を立てさせなければ発することができない。

(5)　債務者が仮差押命令に対して保全異議を申し立てる場合には、２週間以内に、その命令を発した裁判所に申立てをしなければならない。

学習記録	／	／	／	／	／	／	／	／	／

重要度　A	知識型	要 *Check!*		正解　(1)

(1)　正　　保全命令の申立てにおいて、保全すべき権利又は権利関係及び保全の必要性は、疎明しなければならない（13Ⅱ）。そして、疎明は即時に取り調べることができる証拠によってしなければならない（7、民訴188）。

(2)　誤　　特定の目的物について既に仮差押命令を得た債権者は、これと異なる目的物について更に仮差押えをしなければ、金銭債権の完全な弁済を受けるに足りる強制執行をすることができなくなるおそれがあるとき、又はその強制執行をするのに著しい困難を生ずるおそれがあるときには、既に発せられた仮差押命令と同一の被保全債権に基づき、異なる目的物に対し、更に仮差押命令の申立てをすることができる（最決平15.1.31）。

(3)　誤　　保全命令の申立てを取り下げるには、保全異議又は保全取消しの申立てがあった後においても、債務者の同意を得ることを要しない（18）。

(4)　誤　　保全命令は、担保を立てさせて、若しくは相当と認める一定の期間内に担保を立てることを保全執行の実施の条件として、又は担保を立てさせないで発することができる（14Ⅰ）。担保を提供させて保全命令を発するか否かは、裁判所の裁量に委ねられている。

(5)　誤　　債務者が保全命令に対して保全異議を申し立てる場合に、申立て期間を制限する規定はないため、保全異議の利益がある間はいつでも、申し立てることができる。

26－5(25－6)

仮差押命令

仮差押命令に関する次の(ア)から(オ)までの記述のうち、誤っているものの組合せは、後記(1)から(5)までのうち、どれか。

(ア)　主たる債務者の委託を受けない保証人が弁済をした場合に取得する求償権は、当該弁済の前であっても、仮差押命令の被保全権利とすることができる。

(イ)　仮差押命令は、動産を目的とする場合であっても、その目的物を特定して発しなければならない。

(ウ)　仮差押命令の申立てについて口頭弁論を経て決定をする場合には、その決定には、理由を付さなければならない。

(エ)　仮差押命令において定められた仮差押解放金を債務者が供託したときは、その仮差押命令は、発令の時に遡ってその効力を失う。

(オ)　仮差押えの執行は、債権者に対して仮差押命令が送達された日から２週間を経過したときは、これをしてはならない。

(1)　(ア)(ウ)　　(2)　(ア)(エ)　　(3)　(イ)(エ)　　(4)　(イ)(オ)　　(5)　(ウ)(オ)

学習記録	／	／	／	／	／	／	／	／	／

重要度 A | **知識型** | **要 *Check!*** | **正解 (3)**

⑺ 正　仮差押命令の被保全権利は、期限付又は条件付のものや将来の請求権でもよい（20Ⅱ参照）。この点、将来の請求権には、保証人の主債務者に対する将来の求償権や履行不能の場合の損害賠償請求権などが含まれる。

⑴ 誤　仮差押命令は、特定の物について発しなければならないが、動産の仮差押命令は、目的物を特定しないで発することができる（21）。

⑼ 正　保全命令の申立てについての決定には、原則として理由を付さなければならない（16本文）。もっとも、口頭弁論を経ないで決定をする場合には、理由の要旨を示せば足りる（同但書）。この点、本肢は、口頭弁論を経て決定をする場合であるから、当該決定には、理由を付さなければならない。

㈱ 誤　債務者が仮差押解放金として定められた金銭の額に相当する金銭を供託したことを証明したときは、保全執行裁判所は、仮差押えの執行を取り消さなければならない（51Ⅰ）。この点、仮差押えの執行が取り消されるにすぎず、仮差押命令が発令の時にさかのぼってその効力を失うわけではない。

㈹ 正　保全執行は、債権者に対して保全命令が送達された日から２週間を経過したときは、これをしてはならない（43Ⅱ）。

以上から、誤っているものは⑴㈱であり、正解は⑶となる。

27－1(63－3)　仮処分命令

仮処分に関する次の記述のうち、正しいものはどれか。(改)

(1)　仮処分は、金銭債権以外の権利についての強制執行を保全するためにのみすることができる。

(2)　仮処分命令は、急迫な場合には、係争物の所在地を管轄する地方裁判所又は簡易裁判所が管轄する。

(3)　急迫な場合には、裁判長のみで、仮処分を命ずる決定をすることができる。

(4)　仮処分に関する決定に対しては、特別抗告をすることができない。

(5)　仮処分命令を取り消す決定については、仮執行宣言を付さなければならない。

学習記録	／	／	／	／	／	／	／	／	／

重要度 A 知識型 | 正解 (3)

(1) 誤　仮処分は、金銭債権以外の権利に対する強制執行を保全することを目的とする（23Ⅰ・係争物に関する仮処分）ほか、争いのある権利関係について、権利関係の確定までに生ずる著しい損害又は急迫の危険を避けるために行われる（23Ⅱ・仮の地位を定める仮処分）。したがって、「金銭債権以外の権利についての強制執行の保全」に限定されていない。

(2) 誤　保全命令は、本案の管轄裁判所又は仮に差し押さえるべき物若しくは係争物の所在地を管轄する地方裁判所が管轄権を有する（12Ⅰ）。したがって、仮処分命令は、急迫な場合でなくても、係争物の所在地を管轄する地方裁判所が管轄するが、係争物の所在地を管轄する簡易裁判所は管轄しない。

(3) 正　保全命令は、原則として、裁判所が発するが（２Ⅰ）、急迫の事情があるときに限り、裁判長が発することができる（15）。民事保全事件はその本来的特質として緊急性を有するものなので、その裁判が合議体によって行われる場合に、単独の裁判長による決定を認めることで、保全の目的を迅速に達成することができるようにする趣旨である。

(4) 誤　仮処分に関する決定に対しては、保全異議（26）と保全取消し（37以下）により不服を申し立てることができる。また、この保全異議と保全取消しの裁判に対しては、保全抗告（41Ⅰ）をすることができ、これに、憲法解釈の誤りがあることその他憲法の違反があることを理由とするときは、特別抗告をすることができる（７、民訴336）。

(5) 誤　仮処分を取り消す旨の裁判（保全異議等）は決定手続でされるので、その効力は告知によって直ちに生ずることになる（７、民訴119）。したがって、仮処分を取り消す裁判に仮執行宣言を付すことは無意味であるから、付す必要はない。

27−2(6−7)　仮処分命令

不動産の処分禁止の仮処分に関する次の記述のうち、誤っているものはどれか。

(1)　不動産の処分禁止の仮処分の命令の申立ては、当該不動産の所在地を管轄する地方裁判所にもすることができる。

(2)　抵当権設定登記請求権を保全するための処分禁止の仮処分の執行は、処分禁止の登記とともに、仮処分による仮登記をする方法により行う。

(3)　不動産の処分禁止の仮処分の執行がなされた後に、仮処分命令の申立てを取り下げるには、債務者の同意を得なければならない。

(4)　所有権移転登記請求権を保全するための処分禁止の仮処分の登記がされた後に、第三者への所有権移転登記がなされている場合には、債権者は、仮処分の本案の債務名義に基づいて所有権移転登記の申請をする際に、第三者への所有権移転登記の抹消を申請することができる。

(5)　建物収去土地明渡請求権を保全するための、建物の処分禁止の仮処分の執行として処分禁止の登記がされたときは、債権者は、本案の債務名義に基づき、その登記がされた後に建物を譲り受けた者に対し、建物収去土地明渡の強制執行をすることができる。

学習記録	／	／	／	／	／	／	／	／	／

重要度 A	知識型		正解 (3)

(1) 正　保全命令は、本案の管轄裁判所又は仮に差し押さえるべき物若しくは係争物の所在地を管轄する地方裁判所が管轄する（12Ⅰ）。したがって、不動産の処分禁止の仮処分の命令の申立ては、当該不動産の所在地を管轄する地方裁判所にすることができる。

(2) 正　不動産に関する所有権以外の権利の保存、設定又は変更についての登記請求権を保全するための処分禁止の仮処分の執行は、本案訴訟に関して債務者につき当事者恒定の効力を有する処分禁止の登記（53Ⅰ）とともに、登記の順位を確保するための仮処分による仮登記（保全仮登記）をする方法により行う（53Ⅱ）。

(3) 誤　保全命令が本案訴訟が確定するまでの暫定的な処分であることから、保全命令の申立てを取り下げるには、債務者の同意を得ることを要しない（18）。

(4) 正　処分禁止の仮処分の効果として、仮処分債権者は、処分禁止の登記（53Ⅰ）に後れる登記を抹消することができる（58Ⅱ）。そして、仮処分債権者は、仮処分債務者を登記義務者として所有権の登記を申請する場合においては、これと同時に申請するときに限り、その仮処分の登記に後れる第三者への所有権移転登記の抹消を単独で申請することができる（平2.11.8民三5000号）。

(5) 正　建物収去土地明渡請求権を保全するため、その建物の処分禁止の仮処分命令が発せられ、これに基づいて処分禁止の登記がされた（55Ⅰ）場合、仮処分債権者は、本案の債務名義に基づき、承継執行文（民執27Ⅱ）を得た上で、その登記がされた後に建物を譲り受けた者に対し、建物収去土地明渡の強制執行をすることができる（64）。

27−3(12−7)　仮処分命令

係争物に関する仮処分と仮の地位を定める仮処分とを比較した次の(ア)から(オ)までの記述のうち、正しいものの組合せは、後記(1)から(5)までのうちどれか。

(ア)　係争物に関する仮処分命令事件の管轄裁判所は、係争物の所在地を管轄する地方裁判所であるが、仮の地位を定める仮処分命令事件の管轄裁判所は、本案の管轄裁判所である。

(イ)　係争物に関する仮処分命令の申立ても、仮の地位を定める仮処分命令の申立ても、保全すべき権利又は権利関係及び保全の必要性を明らかにしてしなければならない。

(ウ)　係争物に関する仮処分命令は、口頭弁論又は債務者が立ち会うことができる審尋の期日を経ないでも発することができるが、仮の地位を定める仮処分命令は、口頭弁論又は債務者が立ち会うことができる審尋の期日を経ないで発することはできない。

(エ)　係争物に関する仮処分命令も、仮の地位を定める仮処分命令も、担保を立てさせないで発することができる。

(オ)　係争物に関する仮処分命令は、相当と認める方法で当事者に告知すれば足りるが、仮の地位を定める仮処分命令は、当事者に送達しなければならない。

(1)　(ア)(ウ)　　(2)　(ア)(オ)　　(3)　(イ)(ウ)　　(4)　(イ)(エ)　　(5)　(エ)(オ)

学習記録	／	／	／	／	／	／	／	／	／

重要度 A **知識型**

正解 (4)

仮処分には、係争物に関する仮処分（23Ⅰ）と仮の地位を定める仮処分（23Ⅱ）とがある。前者は、金銭以外の物又は権利に対する給付請求権についての将来の権利の実行の保全を目的とするもので、現状の変更により、債権者が権利を実行することができなくなるおそれがあるとき、又は権利を実行するのに著しい困難を生ずるおそれがあるときに発することができる（23Ⅰ）。一方、後者は、争いがある権利関係について債権者に生ずる著しい損害又は急迫の危険を避けるためこれを必要とするときに発することができる（23Ⅱ）。保全されるべき権利関係は、金銭債権でもよく、また、将来強制執行を予定していないものでもよい。

(ア) 誤　仮処分事件の管轄は、①本案の管轄裁判所、又は②仮に差し押さえるべき物若しくは係争物の所在地を管轄する地方裁判所である（12Ⅰ）。この係争物には、係争物に関する仮処分の目的物に限らず、仮の地位を定める仮処分の目的物をも含む（旧法下における判例として大判大10.10.15）。

(イ) 正　保全命令の申立ては、①申立ての趣旨、②保全すべき権利又は権利関係、及び③保全の必要性を明らかにしてしなければならない（13Ⅰ）。この点については、係争物に関する仮処分命令の申立てと、仮の地位を定める仮処分命令の申立てとで差異はない。

(ウ) 誤　係争物に関する仮処分命令は、密行性があり、現状維持が目的であるから、書面審理だけで発令に至る場合もあり、口頭弁論又は債務者が立ち会うことができる審尋の期日を経ないでも発することができる（23Ⅳ本文参照）。これに対して、仮の地位を定める仮処分命令は、通常密行性がなく、口頭弁論又は債務者が立ち会うことのできる審尋の期日を経なければ、これを発することができないのが原則である（23Ⅳ本文）。ただし、その期日を経ることにより仮処分命令の申立ての目的を達することができない事情があるときは、その期日を経ることを要しない（23Ⅳ但書）。

(エ) 正　保全命令は、担保を立てさせて、若しくは相当と認める一定の期間内に担保を立てることを保全執行の実施の条件として、又は担保を立てさせないで発することができる（14Ⅰ）。この点については、係争物に関する仮処分命令の申立てと、仮の地位を定める仮処分命令の申立てとで差異はない。

(オ) 誤　係争物に関する仮処分命令も、仮の地位を定める仮処分命令も、当事者に送達しなければならない（17）。

以上から、正しいものは(イ)(エ)であり、正解は(4)となる。

27－4(19－6)　仮処分命令

仮処分命令に関する次の(ア)から(オ)までの記述のうち、正しいものの組合せは、後記(1)から(5)までのうちどれか。

(ア)　被保全権利が条件付である場合であっても、係争物に関する仮処分命令を発することができる。

(イ)　仮の地位を定める仮処分命令は、これを発することにより債務者に著しい損害が生ずるおそれがあるときに限り、口頭弁論又は債務者が立ち会うことができる審尋の期日を経なければならない。

(ウ)　仮処分命令においては、仮処分の執行の停止を得るため、又は既にした仮処分の執行の取消しを得るために債務者が供託すべき金銭の額を定めることはできない。

(エ)　占有移転禁止の仮処分命令であって、係争物が不動産であるものについては、その執行前に債務者を特定することを困難とする特別の事情があるときは、債務者を特定しないで、これを発することができる。

(オ)　占有移転禁止の仮処分命令の執行後にその執行がされたことを知らないで当該係争物について債務者の占有を承継した者に対しては、本案の債務名義に基づいて当該係争物の引渡し又は明渡しの強制執行をすることはできない。

(1)　(ア)(イ)　　(2)　(ア)(エ)　　(3)　(イ)(ウ)　　(4)　(ウ)(オ)　　(5)　(エ)(オ)

学習記録	／	／	／	／	／	／	／	／	／

重要度 A	知識型		正解 (2)

(ア) 正　仮処分命令は、保全すべき権利又は権利関係が条件付又は期限付きである場合においても、発することができる（23Ⅲ・20Ⅱ）。

(イ) 誤　仮の地位を定める仮処分命令は、争いがある権利関係について債権者に生ずる著しい損害又は急迫の危険を避けるためこれを必要とするときに発することができ（23Ⅱ）、口頭弁論又は債務者が立ち会うことができる審尋の期日を経なければ、これを発することができないのが原則である（23Ⅳ本文）。したがって、仮処分命令を発することにより債務者に著しい損害が生ずるおそれがあるときに限られず、原則として口頭弁論又は債務者が立ち会うことができる審尋の期日を経なければならない。なお、口頭弁論又は債務者が立ち会うことができる審尋の期日を経ることにより仮処分命令の申立ての目的を達することができない事情があるときは、例外的にこれらの期日を経ないで発することができる（23Ⅳ但書）。

(ウ) 誤　裁判所は、保全すべき権利が金銭の支払を受けることをもってその行使の目的を達することができるものであるときに限り、債権者の意見を聴いて、仮処分の執行の停止を得るため、又は既にした仮処分の執行の取消しを得るために債務者が供託すべき金銭の額を定めることができる（25Ⅰ）。したがって、係争物に関する仮処分については、解放金を定めることができる。なお、仮の地位を定める仮処分の場合は仮処分解放金を定めることはできない。

(エ) 正　占有移転禁止の仮処分命令であって、係争物が不動産であるものについては、その執行前に債務者を特定することを困難とする特別の事情があるときは、裁判所は、債務者を特定しないでこれを発することができる（25の２Ⅰ）。この処分は、係争物の引渡・明渡請求権の保全のために、その物の占有者を債務者として、その占有を他に移転することを暫定的に禁止しておくものである。

(オ) 誤　債権者は、占有移転禁止の仮処分の執行後に、その執行がされたことを知らないで債務者の占有を承継した者に対しても、本案の債務名義に基づき、係争物の引渡し又は明渡しの強制執行をすることができる（62Ⅰ②）。承継占有者は、債務者が債権者に対して主張することができる範囲内でその地位を承継するにとどまる以上、債務者に引渡し又は明渡し義務があるのであれば、占有移転禁止の仮処分が執行されたことにつき善意であっても、これに従わざるを得ないからである。

以上から、正しいものは(ア)(エ)であり、正解は(2)となる。

27−5(22−6)　仮処分命令

仮処分命令に関する次の(ア)から(オ)までの記述のうち、正しいものは幾つあるか。

(ア)　仮の地位を定める仮処分命令及び係争物に関する仮処分命令は、いずれも急迫の事情があるときに限り、裁判長が発することができる。

(イ)　仮の地位を定める仮処分命令の申立書及び係争物に関する仮処分命令の申立書は、いずれも相手方に送達しなければならない。

(ウ)　仮の地位を定める仮処分命令の申立てについて口頭弁論を経ないで決定する場合には、決定に理由を付さなければならないが、係争物に関する仮処分命令の申立てについて口頭弁論を経ないで決定する場合には、理由の要旨を示せば足りる。

(エ)　仮の地位を定める仮処分命令及び係争物に関する仮処分命令は、いずれも争いがある権利関係について債権者に著しい損害又は急迫の危険を避けるためこれを必要とするときに限り、発することができる。

(オ)　仮の地位を定める仮処分命令及び係争物に関する仮処分命令は、いずれも債権者に担保を立てさせないで発することができる。

(1)　１個　(2)　２個　(3)　３個　(4)　４個　(5)　５個

学習記録	／	／	／	／	／	／	／	／	／

重要度　A	知識型		正解　(2)

(ア)　正　　保全命令は、原則として裁判所が発するが、急迫の事情があるときに限り、裁判長が発することができる（15）。裁判が合議体によって行われる場合には、合議体の裁判長は本来、合議体に代わって裁判をする権限をもたないが、急迫な事情があるときに限り、裁判長が単独で保全命令を発することができる旨を定めたものである。なお、この場合は、裁判長が裁判所に代わって裁判するので、その形式は決定であって、命令ではない。

(イ)　誤　　保全命令は、当事者に送達しなければならない（17）。これは、係争物に関する仮処分命令、仮の地位を定める仮処分命令に共通である。そして、送達すべき書類は、判決に準じて、保全命令の正本を送達する（7、民訴122、民訴規50Ⅲ、民保43参照）。また、調書決定（民保規10）のときも、当該調書の正本を送達する。しかし、保全命令の申立書を送達すべき旨の規定はない。

(ウ)　誤　　係争物に関する仮処分命令も、仮の地位を定める仮処分命令も、保全命令の申立てについての決定には、理由を付さなければならない（16本文）。ただし、口頭弁論を経ないで決定をする場合には理由の要旨を示せば足りる（16但書）。

(エ)　誤　　係争物に関する仮処分命令は、その現状の変更により、債権者が権利を実行することができなくなるおそれがあるとき、又は権利を実行するのに著しい困難を生ずるおそれがあるときに発することができる（23Ⅰ）。この係争物に関する仮処分命令の被保全権利は、金銭以外の有体物又は権利など、係争物に関する請求権であり、物に関しない出演請求権や競業避止請求権については、仮の地位を定める仮処分による。これに対して、仮の地位を定める仮処分命令は、争いがある権利関係について債権者に生ずる著しい損害又は急迫の危険を避けるためこれを必要とするときに発することができる（23Ⅱ）。この仮処分の被保全権利は、広く「争いがある権利関係」であって、その内容を問わない。したがって、争いがある権利関係について債権者に生ずる著しい損害又は急迫の危険を避けるためこれを必要とするときに限り、発することができるとするのは、仮の地位を定める仮処分命令の被保全権利について言及したものであり、係争物に関する仮処分命令の被保全権利についてのものではない。

(オ)　正　　保全命令は、あらかじめ担保を立てさせて、若しくは相当と認める一定の期間内に担保を立てることを保全執行の実施の条件として、又は担保を立てさせないで発することができる（14Ⅰ）。

以上から、正しいものは(ア)(オ)の２個であり、正解は(2)となる。

27－6(26－6)　仮処分命令

仮の地位を定める仮処分命令に関する次の(ア)から(オ)までの記述のうち、誤っているものの組合せは、後記(1)から(5)までのうち、どれか。

(ア)　仮の地位を定める仮処分命令は、争いがある権利関係について債権者に生ずる著しい損害又は急迫の危険を避けるためこれを必要とするときに発することができる。

(イ)　仮の地位を定める仮処分命令の申立てにおいては、保全すべき権利関係及び保全の必要性を疎明しなければならない。

(ウ)　仮の地位を定める仮処分命令は、口頭弁論又は債務者が立ち会うことができる審尋の期日を経ることにより仮処分命令の申立ての目的を達することができない事情があるときは、その期日を経ることなく、発することができる。

(エ)　裁判所は、仮の地位を定める仮処分命令において、仮処分解放金を定めることができる。

(オ)　仮の地位を定める仮処分命令に対し保全異議の申立てがあった後に、当該仮の地位を定める仮処分命令の申立てを取り下げるには、債務者の同意を得ることを要する。

(1)　(ア)(イ)　　(2)　(ア)(オ)　　(3)　(イ)(ウ)　　(4)　(ウ)(エ)　　(5)　(エ)(オ)

学習記録	／	／	／	／	／	／	／	／	／

重要度　A	知識型		正解　(5)

(ア)　正　　仮の地位を定める仮処分命令は、争いがある権利関係について債権者に生ずる著しい損害又は急迫の危険を避けるためこれを必要とするときに発することができる（23Ⅱ）。

(イ)　正　　保全命令の申立ては、その趣旨並びに保全すべき権利又は権利関係及び保全の必要性を明らかにして、これをしなければならず（13Ⅰ）、保全すべき権利又は権利関係及び保全の必要性は、疎明しなければならない（13Ⅱ）。

(ウ)　正　　仮の地位を定める仮処分命令は、原則として口頭弁論又は債務者が立ち会うことができる審尋の期日を経なければ、これを発することができない（23Ⅳ本文）が、その期日を経ることにより仮処分命令の申立ての目的を達することができない事情があるときは、口頭弁論又は債務者が立ち会うことができる審尋の期日を経ることを要しない（23Ⅳ但書）。

(エ)　誤　　裁判所は、保全すべき権利が金銭の支払を受けることをもってその行使の目的を達することができるものであるときに限り、債権者の意見を聴いて、仮処分の執行の停止を得るため、又は既にした仮処分の執行の取消しを得るために債務者が供託すべき金銭の額を仮処分命令において定めることができる（25Ⅰ）。この点、仮の地位を定める仮処分命令は金銭の支払を受けることをもってその行使の目的を達することができるものではないため、仮処分解放金を定めることはできない。

(オ)　誤　　保全命令の申立てを取り下げるには、保全異議又は保全取消しの申立てがあった後においても、債務者の同意を得ることを要しない（18）。

以上から、誤っているものは(エ)(オ)であり、正解は(5)となる。

27−7(28−6)　仮処分命令

係争物に関する仮処分に関する次の(ア)から(オ)までの記述のうち、判例の趣旨に照らし正しいものの組合せは、後記(1)から(5)までのうち、どれか。

(ア)　裁判所は、係争物に関する仮処分命令において、仮処分の執行の停止を得るため、又は既にした仮処分の執行の取消しを得るために債務者が供託すべき金銭の額を定めることができない。

(イ)　土地の売買に基づく所有権移転登記手続請求権を被保全権利として、当該土地について処分禁止の仮処分を得た債権者は、当該売買が無効であっても、当該売買によって当該土地の占有を開始し仮処分後にこれを時効により取得したときは、時効完成後に当該土地を債務者から取得した第三者に対し、当該仮処分が時効取得に基づく所有権移転登記手続請求権を保全するものとして、その効力を主張することができる。

(ウ)　占有移転禁止の仮処分命令の執行後、第三者がその執行がされたことを知らないで係争物である土地について債務者の占有を承継した場合であっても、債権者は、本案の債務名義に基づき、当該第三者に対し、当該土地の明渡しの強制執行をすることができる。

(エ)　占有移転禁止の仮処分命令は、債務者を特定することを困難とする特別の事情がある場合には、係争物が動産であるときであっても、債務者を特定しないで発することができる。

(オ)　土地について処分禁止の仮処分がされる前に債務者が第三者に当該土地を売っていた場合には、その売買による所有権の移転の登記が当該仮処分の登記より後にされたときであっても、当該第三者は、債権者に対し、当該土地に係る所有権の取得を対抗することができる。

(1)　(ア)(エ)　　(2)　(ア)(オ)　　(3)　(イ)(ウ)　　(4)　(イ)(エ)　　(5)　(ウ)(オ)

学習記録	／	／	／	／	／	／	／	／	／

重要度　A	知識型		正解　(3)

(ア) 誤　　裁判所は、保全すべき権利が金銭の支払を受けることをもってその行使の目的を達することができるものであるときに限り、債権者の意見を聴いて、仮処分の執行の停止を得るため、又は既にした仮処分の執行の取消しを得るために、債務者が供託すべき金銭の額（仮処分解放金）を定めることができる（25Ⅰ）。この点、仮処分解放金を定めることができるのは、係争物に関する仮処分のみであり、仮の地位を定める仮処分については定めることができないとされている。

(イ) 正　　不動産の売買に基づく所有権移転登記手続請求権を被保全権利として処分禁止の仮処分を得た仮処分債権者は、当該売買が無効であっても、当該売買によって当該不動産の占有を開始し仮処分後にこれを時効により取得したときは、時効完成後に当該不動産を仮処分債務者から取得した第三者に対し、当該仮処分が時効取得に基づく所有権移転登記手続請求権を保全するものとして、その効力を主張することができる（最判昭59.9.20）。なぜなら、当該仮処分は、当該取得時効の完成後は、時効取得に基づく所有権移転登記手続請求権を被保全権利とする処分禁止の効力を有するものと解すべきだからである。

(ウ) 正　　占有移転禁止の仮処分命令の執行がされたときは、債権者は、本案の債務名義に基づき、当該占有移転禁止の仮処分命令の執行後にその執行がされたことを知らないで当該係争物について債務者の占有を承継した者に対し、係争物の引渡し又は明渡しの強制執行をすることができる（62Ⅰ②）。これにより、債権者は、訴訟係属中に係争物の占有が第三者に変動したとしても、本案判決の執行力を当該第三者に及ぼすという効果（当事者恒定効）が得られることとなる。

(エ) 誤　　占有移転禁止の仮処分命令であって、係争物が不動産であるものについては、その執行前に債務者を特定することを困難とする特別の事情があるときは、裁判所は、債務者を特定しないで、これを発することができる（25の2Ⅰ柱書）。この点、本条は不動産の執行妨害事案に対処するために設けられた規定であるため、係争物が不動産であるものに適用が限定されている。

(オ) 誤　　処分禁止の仮処分前にされた処分行為に基づく権利取得の登記であっても、当該登記が当該仮処分の登記後にされたものであるときは、当該権利取得をした第三者は、これをもって仮処分債権者に対抗することはできない（最判昭30.10.25）。なぜなら、仮処分債権者は、第三者の権利取得につき登記の欠缺を主張し得る地位にあるからである。

以上から、正しいものは(イ)(ウ)であり、正解は(3)となる。

27−8(31−6)　仮処分命令

仮の地位を定める仮処分命令に関する次の(ア)から(オ)までの記述のうち、正しいものの組合せは、後記(1)から(5)までのうち、どれか。

(ア)　仮の地位を定める仮処分命令は、保全すべき権利が条件付又は期限付である場合には、発することができない。

(イ)　仮の地位を定める仮処分命令は、金銭の支払を目的とする債権を保全すべき権利とする場合でなければ、発することができない。

(ウ)　仮の地位を定める仮処分命令は、口頭弁論の期日を経ない場合には、発することができない。

(エ)　仮の地位を定める仮処分命令の申立てを却下する裁判に対しては、債権者は、告知を受けた日から２週間の不変期間内に、即時抗告をすることができる。

(オ)　仮の地位を定める仮処分命令は、債務者だけでなく、債権者にも送達しなければならない。

(1)　(ア)(ウ)　　(2)　(ア)(オ)　　(3)　(イ)(ウ)　　(4)　(イ)(エ)　　(5)　(エ)(オ)

学習記録	／	／	／	／	／	／	／	／	／

重要度　A	知識型		正解　(5)

(ア)　誤　　仮処分命令は、保全すべき権利が条件付又は期限付である場合においても、これを発することができる（23Ⅲ・20Ⅱ）。

(イ)　誤　　仮の地位を定める仮処分命令は、争いがある権利関係について債権者に生ずる著しい損害又は急迫の危険を避けるためこれを必要とするときに発することができる（23Ⅱ）。

(ウ)　誤　　仮の地位を定める仮処分命令は、口頭弁論又は債務者が立ち会うことができる審尋の期日を経なければ、これを発することができない（23Ⅱ・Ⅳ本文）。ただし、その期日を経ることにより仮処分命令の申立ての目的を達することができない事情があるときは、この限りでない（23Ⅱ・Ⅳ但書）。

(エ)　正　　保全命令の申立てを却下する裁判に対しては、債権者は、告知を受けた日から２週間の不変期間内に、即時抗告をすることができる（19Ⅰ）。なお、当該即時抗告を却下する裁判に対しては、更に抗告をすることができない（19Ⅱ）。

(オ)　正　　保全命令は、債権者及び債務者に送達しなければならない（17）。これは、保全命令は決定の方式で行われるため、本来であれば相当と認める方法により告知すれば足りるところ（７、民訴119）、保全命令は民事保全手続における基本的で重要な裁判であり、その内容を当事者に確実に了知させて、その証明方法を残す必要があることから、当事者双方に送達する方法によるべきである。

以上から、正しいものは(エ)(オ)であり、正解は(5)となる。

28－1(18－6)　保全異議

保全異議に関する次の(1)から(5)までの記述のうち、正しいものはどれか。

(1) 保全異議事件については、保全命令を発した裁判所が管轄権を有し、同裁判所は、事件を他の裁判所に移送することはできない。

(2) 保全異議の申立てがあった場合において、裁判所が原決定は相当であると判断したときは、裁判所は、保全異議の申立てを却下するとの決定をする。

(3) 債務者が保全異議の申立てを取り下げるには、債権者の同意を得ることを要しない。

(4) 裁判所は、口頭弁論期日を経なければ、保全異議についての決定をすることができない。

(5) 保全異議の申立てにより保全命令を取り消す決定は、債権者がその決定の送達を受けた日から２週間を経過しなければ、効力を生じない。

学習記録	／	／	／	／	／	／	／	／	／

重要度　C	知識型		正解　(3)

(1) 誤　保全命令に対しては、債務者は、その命令を発した裁判所に保全異議を申し立てることができる（26）。裁判所は、当事者、尋問を受けるべき証人及び審尋を受けるべき参考人の住所その他の事情を考慮して、保全異議事件につき著しい遅滞を避け、又は当事者間の衡平を図るために必要があるときは、申立てにより又は職権で、当該保全命令事件につき管轄権を有する他の裁判所に事件を移送することができる（28）。

(2) 誤　裁判所は、保全異議の申立てについての決定においては、保全命令を認可し、変更し、又は取り消さなければならない（32Ⅰ）。保全異議の申立てがあった場合、裁判所が原決定が相当であると判断したときは、裁判所は保全命令を認可することになり、却下する必要はないと解される。

(3) 正　債務者が保全異議の申立てを取り下げるには、債権者の同意を得ることを要しない（35）。債権者には何の不利益も生じないからである。

(4) 誤　裁判所は、口頭弁論又は当事者双方が立ち会うことができる審尋の期日を経なければ、保全異議の申立てについての決定をすることができない（29）。したがって、口頭弁論期日に限られず、審尋の期日を経れば足りる。

(5) 誤　裁判所は、32条１項の規定により保全命令を取り消す決定において、その送達を受けた日から２週間を超えない範囲内で相当と認める一定の期間を経過しなければその決定の効力が生じない旨を宣言することができる（34本文）。民事保全法における裁判は決定の形式でされ、その告知によって直ちに効力を生ずる（３・７、民訴119）ことから、保全命令の取消しの効力を直ちに生じさせることが適切でない場合（債務者が目的財産を処分した場合、後に債権者が取消決定に対する保全抗告によって取消決定の効力を停止する裁判（42）を得ても無意味となる。）において、裁判所の裁量により、その効力の発生を遅らせることを認めたものであって、常に取消決定の効力が送達を受けた日から２週間後に生ずるわけではない。

29－1(7－7)　保全取消し

保全取消しに関する次の記述のうち、誤っているものはどれか。(改)

(1) 保全取消しの申立てがあった後に、保全命令の申立てを取り下げるには、債務者の同意を得なければならない。

(2) 起訴命令が発せられた場合において、本案に関し仲裁合意があるときは、債権者が仲裁手続の開始の手続をとれば、本案の訴えを提起したものとみなされる。

(3) 保全命令が発せられた後に、保全の必要性が消滅したときは、債務者は、本案の裁判所に対しても、保全命令の取消しの申立てをすることができる。

(4) 仮処分命令により償うことができない損害を生ずるおそれがあるときは、債務者は、本案の裁判所に対しても、仮処分命令の取消しの申立てをすることができる。

(5) 起訴命令が発せられた場合において、債権者が、起訴命令に定められた期間内に本案の訴えを提起したことを証する書面を提出したが、その後その本案の訴えを取り下げたときは、保全命令を発した裁判所は、債務者の申立てにより、保全命令を取り消さなければならない。

学習記録	／	／	／	／	／	／	／	／	／

重要度　B	知識型		正解　(1)

(1)　誤　　保全命令の申立てを取り下げるには、保全異議又は保全取消しの申立てがあった後においても、債務者の同意を得ることを要しない（18）。保全命令は、本案訴訟が確定するまでの暫定的な処分にすぎず、取下げにより債務者が不利益を被るおそれはないからである。

(2)　正　　起訴命令（37Ⅰ）が発せられた場合において、本案に関し仲裁合意があるときは、債権者が仲裁手続の開始の手続をとれば、本案の訴えを提起したものとみなされる（37Ⅴ）。仲裁手続開始の手続をとることは、本案訴訟の提起に代わるものだからである。

(3)　正　　保全すべき権利若しくは権利関係又は保全の必要性の消滅その他の事情の変更があるときは、保全命令を発した裁判所又は本案の裁判所は、債務者の申立てにより、保全命令を取り消すことができる（38Ⅰ）。保全命令の取消しの裁判は、本案に付随する裁判としての性格を有することから、本案の裁判所に対しても申し立てることができる。

(4)　正　　仮処分命令により償うことができない損害を生ずるおそれがあるときその他の特別の事情があるときは、仮処分命令を発した裁判所又は本案の裁判所は、債務者の申立てにより、担保を立てることを条件として仮処分命令を取り消すことができる（39Ⅰ）。仮処分命令の取消しの裁判が本案に付随する裁判としての性格を有することから、本案の裁判所に対しても申し立てることができる。

(5)　正　　起訴命令が発せられた場合において、債権者が、起訴命令に定められた期間内に本案の訴えを提起したことを証する書面（37Ⅰ）を提出したが、その後その本案の訴えが取り下げられ、又は却下されたときには、その書面を提出しなかったものとみなされる(37Ⅳ)。この場合、保全命令を発した裁判所は、債務者の申立てにより、保全命令を取り消さなければならない（37Ⅲ）。

29－2(15－6)　保全取消し

民事保全手続における保全取消しに関する次の(ア)から(オ)までの記述のうち、正しいものの組合せは、後記(1)から(5)までのうちどれか。

(ア)　事情の変更による保全取消しは、保全命令を発した裁判所又は本案の裁判所のいずれに対しても申立てをすることができる。

(イ)　起訴命令において、本案の訴えの提起又はその係属を証する書面を提出すべき期間として定められる期間は、１月以上でなければならない。

(ウ)　起訴命令に定められた期間内に民事調停の申立てがされた場合には、当該申立ては、保全取消しとの関係では、本案の訴えの提起とみなされる。

(エ)　仮処分命令により償うことができない損害を生ずるおそれがあるときは、仮処分命令を発した裁判所又は本案の裁判所は、職権で、仮処分命令を取り消すことができる。

(オ)　起訴命令に定められた期間内に本案の訴えの提起又はその係属を証する書面が提出された場合でも、その後に当該本案の訴えが取り下げられ、又は却下されたときは、その書面を提出しなかったものとみなされる。

(1)　(ア)(エ)　　(2)　(ア)(オ)　　(3)　(イ)(ウ)　　(4)　(イ)(エ)　　(5)　(ウ)(オ)

学習記録	／	／	／	／	／	／	／	／	／

重要度　B	知識型		正解　(2)

(ア)　正　　事情の変更による保全取消しの管轄裁判所は、保全命令を発した裁判所又は本案の裁判所のいずれでもよい（38Ⅰ）。本案を現に審理している裁判官が保全取消事件を担当するとは限らず、本案の裁判所を優先的な管轄にする必然性がないからである。

(イ)　誤　　保全命令を発した裁判所は、債務者の申立てにより、債権者に対し、相当と認める一定の期間内に、本案の訴えを提起するとともにその提起を証する書面を提出し、既に本案の訴えを提起しているときはその係属を証する書面を提出すべきことを命じなければならない（37Ⅰ・起訴命令）。そして、37条１項の期間は、２週間以上でなければならない（37Ⅱ）。

(ウ)　誤　　37条５項は、調停前置事件の家事調停の申立てを、本案が労働審判法１条に規定する事件であるときは地方裁判所に対する労働審判手続の申立てを、本案に対して仲裁合意があるときは仲裁手続の開始の手続を、本案が公害に係る被害についての損害賠償請求に関する事件であるときは責任裁定の申請を本案の訴えの提起とみなしているが、民事調停の申立てについては規定していない。家事調停の申立ても民事調停の申立てについても、これらが成立しない場合に当然に訴訟に移行する制度ではないことから、民事調停の申立てについては、本案の訴えの提起とみなされなかったが、家事調停の申立てについては、調停前置主義を定めている（家事手続257）。この調停に本案の資格を与えて保護したものである。

(エ)　誤　　特別の事情による保全取消しについて、裁判所の職権で行うとすると多数の事件をかかえる裁判所の負担を重くすることになり、また、職権で判断できないようなこともあることから、債務者の申立てによる（39Ⅰ）。

(オ)　正　　本案の訴えの提起又はその係属を証する書面の提出後に、本案の訴えが取り下げられ、又は却下された場合には、紛争は解決されないことになり、迅速な裁判が要請される保全手続に反することになるので、その書面を提出しなかったものとみなされ（37Ⅳ）、裁判所は、債務者の申立てにより、保全命令を取り消さなければならない（37Ⅲ）。

以上から、正しいものは(ア)(オ)であり、正解は(2)となる。

31－1(2－6)　保全執行に関する手続

次の文章中の ＿＿ の中に「仮差押債権者」「仮差押債務者」及び「第三債務者」の語句のうちから適切なものを選んで補えば完全な文章となる。最初の ＿＿ の部分に補うべき語句が使用される回数は全部で何回か。(改)

「債権に対する仮差押えの執行によって、当該債権につき ＿＿ は支払を差し止められ、＿＿ は取立て・譲渡等の処分をすることができないが、このことは、これらの者がその禁止に反する行為をしても、＿＿ に対抗し得ないことを意味するにとどまり、＿＿ はこの債権について、＿＿ に対し給付訴訟を提起し、又これを追行する権限を失うものではなく、無条件の勝訴判決を得ることができると解すべきである。このように解して、その ＿＿ が当該債権につき債務名義を取得し、又時効を更新するための適切な手段をとることができることになるのである。ことに、もし給付訴訟の進行中、当該債権に対し仮差押えがされた場合に ＿＿ が敗訴を免れないとすれば、将来その仮差押えが取り消されたときは、＿＿ は ＿＿ に対し改めて訴訟を提起せざるを得ない結果となり、訴訟経済に反することともなるのである。そして以上のように ＿＿ について考えられる利益は、ひいては、＿＿ にとっても、当該債権を保存する結果となる。更に、もしこの判決に基づき強制執行が開始されたときに ＿＿ が二重払の負担を免れるためには、当該債権に仮差押えがされていることを執行上の障害として執行機関に提示することにより、執行手続が満足的段階に進むことを阻止し得るものと解すれば足りる。」

(1)　２回　　(2)　３回　　(3)　４回　　(4)　５回　　(5)　６回

学習記録	／	／	／	／	／	／	／	／	／

重要度　C	推論型	

正解　(3)

本問は、債権に対する仮差押執行の効力について問うものであり、問題文は、判例（最判昭48.3.13）をもとにした文章である。問題文の前段では債権に対する仮差押えの相対的効力について、後段ではその意義が述べられており、債権執行についての基本的な知識を応用すれば、比較的容易に空欄を埋めることができる。以下に問題文を完全な文章にして掲載する。

「債権に対する仮差押えの執行によって、当該債権につき《第三債務者》は支払を差し止められ、〈仮差押債務者〉は取立て・譲渡等の処分をすることができないが、このことは、これらの者がその禁止に反する行為をしても、〈仮差押債権者〉に対抗し得ないことを意味するにとどまり、〈仮差押債務者〉はこの債権について、《第三債務者》に対し給付訴訟を提起し、又これを追行する権限を失うものではなく、無条件の勝訴判決を得ることができると解すべきである。このように解して、その〈仮差押債務者〉が当該債権につき債務名義を取得し、又時効を更新するための適切な手段をとることができることになるのである。ことに、もし給付訴訟の進行中、当該債権に対し仮差押えがされた場合に〈仮差押債務者〉が敗訴を免れないとすれば、将来その仮差押えが取り消されたときは、〈仮差押債務者〉は《第三債務者》に対し改めて訴訟を提起せざるを得ない結果となり、訴訟経済に反することともなるのである。そして以上のように〈仮差押債務者〉について考えられる利益は、ひいては、〈仮差押債権者〉にとっても、当該債権を保存する結果となる。更に、もしこの判決に基づき強制執行が開始されたときに《第三債務者》が二重払の負担を免れるためには、当該債権に仮差押えがされていることを執行上の障害として執行機関に提示することにより、執行手続が満足的段階に進むことを阻止し得るものと解すれば足りる。」

以上から、最初の □ の部分に補うべき語句は、「第三債務者」であり、それが4回使用されていることから、正解は(3)となる。

31−2(11−7)　保全執行に関する手続

保全執行に関する次の(ア)から(オ)までの記述のうち、正しいものの組合せは、後記(1)から(5)までのうちどれか。

(ア)　保全執行は、執行文の付された保全命令の正本に基づいて実施する。

(イ)　保全執行は、債権者に対して保全命令が送達された日から２週間を経過したときは、これをしてはならない。

(ウ)　保全執行は、保全命令が債務者に送達される前であっても、これをすることができる。

(エ)　不動産に対する仮差押えの執行は、これを強制管理の方法により行うことはできない。

(オ)　金銭債権に対する仮差押えの執行は、保全執行裁判所が債務者に対し債権の取立てその他の処分を禁止する命令を発する方法により行う。

(1)　(ア)(エ)　　(2)　(ア)(オ)　　(3)　(イ)(ウ)　　(4)　(イ)(エ)　　(5)　(ウ)(オ)

学習記録	／	／	／	／	／	／	／	／	／

重要度　B	知識型		正解　(3)

民事保全法では、民事執行法第１章の総則規定及び同法第２章第１節の強制執行の総則規定の多くを、保全執行に準用しており（46)、保全執行と請求権の終局的満足を実現するための強制執行（本執行）との共通点は多い。しかし、保全執行は、その性質を反映して、本執行と比較すれば、緊急性及び密行性の保障に注意を払っている点に大きな特徴がある。

(ア)　誤　　保全執行は、保全命令に表示された当事者以外の者に対し、又はその者のためにする保全執行を除き（43Ⅰ但書)、執行文の付与を要せず、保全命令の正本に基づいて実施される（43Ⅰ本文)。民事保全における暫定性・迅速性の要請から、執行機関による執行力の調査は省略されるからである。

(イ)　正　　保全執行は、債権者に対して保全命令が送達された日から２週間を経過したときは、これをしてはならない（43Ⅱ)。保全命令は、緊急の必要により発せられたものであり、担保の額も発令当時の事情を前提としているし、長期間経過すると事情の変更により不当執行となるおそれがあるからである。

(ウ)　正　　保全執行は、保全命令が債務者に送達される前であっても、これをすることができる（43Ⅲ)。債務者からの執行妨害を防止するためには、債務者に保全命令が送達される前に保全執行をすることが最も有効となるからである。

(エ)　誤　　不動産に対する仮差押えの執行は、仮差押えの登記をする方法又は強制管理の方法で行われる（47Ⅰ前段、民執43Ⅰ・Ⅱ)。したがって、不動産の仮差押命令に基づいて、債権者は、その不動産の強制管理の申立てをすることができる。

(オ)　誤　　金銭債権に対する仮差押えの執行は、保全執行裁判所が第三債務者に対して債務者への弁済を禁止する命令を発する方法で行われる（50Ⅰ)。なお、本執行としての債権差押えの場合には、差押命令において、債務者に対し債権の取立てその他の処分を禁止し、かつ、第三債務者に対し債務者への弁済を禁止することになる（民執145Ⅰ)。

以上から、正しいものは(イ)(ウ)であり、正解は(3)となる。

32－1(13－6)　仮処分の効力

占有移転禁止の仮処分に関する次の(ア)から(オ)までの記述のうち、正しいものの組合せは、後記(1)から(5)までのうちどれか。

(ア)　占有移転禁止の仮処分でも、目的物を執行官に保管させ、かつ、債務者の使用を許さないものの場合には、仮処分命令の主文に、債務者に対して目的物の占有の移転を禁止する旨を掲げることはできない。

(イ)　債権者は、占有移転禁止の仮処分の執行がされたことを知って目的物を占有した者に対しては、その者が債務者の占有を承継した者でない場合であっても、本案の債務名義に基づき目的物の引渡しの強制執行をすることができる。

(ウ)　債権者は、占有移転禁止の仮処分の執行がされたことを知らないで債務者の占有を承継した者に対しても、本案の債務名義に基づき目的物の引渡しの強制執行をすることができる。

(エ)　債権者は、占有移転禁止の仮処分の執行がされたことを知って債務者の占有を承継した者に対して本案の債務名義に基づき目的物の引渡しの強制執行をする場合には、承継執行文の付与を受けることを要しない。

(オ)　占有移転禁止の仮処分の執行後に目的物を占有した者は、債務者の占有を承継したものと推定される。

(1)　(ア)(イ)　　(2)　(ア)(オ)　　(3)　(イ)(ウ)　　(4)　(ウ)(エ)　　(5)　(エ)(オ)

仮処分の効力

学習記録	／	／	／	／	／	／	／	／	／

重要度　C	知識型		正解　(3)

(ア)　誤　　占有移転禁止の仮処分（62）の目的は、当事者を恒定することにあるが、当事者恒定の効力が生ずる根拠は、債務者に占有移転を禁ずる命令をし、その地位を第三者が承継することになるという点に求められるのであって、執行官の保管自体に求められるものではない。目的物を執行官に保管させ、かつ、債務者の使用を許さない場合であっても、債務者は当該物につき間接占有（代理占有）を有するため債務者に対して間接占有の移転禁止を命ずる必要性がある。したがって、債務者の使用の許否にかかわらず、仮処分命令の主文に、債務者に対して目的物の占有の移転を禁止する旨の記載が必要となる。

(イ)　正　　債権者は、占有移転禁止の仮処分の執行がされたことを知って目的物を占有した者に対しては、その者が債務者の占有を承継した者でない場合であっても、本案の債務名義に基づき目的物の引渡しの強制執行をすることができる（62Ⅰ①）。目的物の占有者には、債務者の占有を承継した承継占有者と非承継占有者（例えば、債権管理と称して債務者の不動産を占拠する者）とがある。そして、占有移転禁止の仮処分は公示をすることが要件の一つとして要求されており（民保規44Ⅰ）、当該仮処分が執行されたことにつき悪意の占有者に対しては、承継占有者・非承継占有者を問わず仮処分の効力を及ぼしても、不意打ちとならないからである。

(ウ)　正　　債権者は、占有移転禁止の仮処分の執行がされたことを知らないで債務者の占有を承継した者に対しても、本案の債務名義に基づき目的物の引渡しの強制執行をすることができる（62Ⅰ②）。承継占有者は、債務者が債権者に対して主張することができる範囲内でその地位を承継するにとどまる以上、債務者に明渡義務があるのであれば、たとえ占有移転禁止の仮処分が執行されたことにつき善意であっても、これに従わざるを得ないからである。

(エ)　誤　　債権者は、占有移転禁止の仮処分の執行がされたことを知って債務者の占有を承継した者に対して本案の債務名義に基づき目的物の引渡しの強制執行をする場合にも、承継執行文の付与（民執27Ⅱ）を受けることを要する（63参照）。

(オ)　誤　　占有移転禁止の仮処分命令の執行後に目的物を占有した者は、その執行がされたことを知って占有したものと推定されるが（62Ⅱ）、債務者の占有を承継したものと推定されることはない。

以上から、正しいものは(イ)(ウ)であり、正解は(3)となる。

32−2(24−6)　仮処分の効力

占有移転禁止の仮処分に関する次の(ア)から(オ)までの記述のうち、正しいものの組合せは、後記(1)から(5)までのうちどれか。

(ア)　占有移転禁止の仮処分命令事件について管轄権を有する裁判所は、事件の著しい遅滞を避けるために必要があるときは、管轄権を有しない他の裁判所に当該仮処分命令事件を移送することができる。

(イ)　占有移転禁止の仮処分命令であって、係争物が不動産であるものについては、その執行前に債務者を特定することを困難とする特別の事情があるときは、裁判所は、債務者を特定しないで、これを発することができる。

(ウ)　占有移転禁止の仮処分命令のうち、係争物を執行官に保管させ、かつ、債務者の使用を許さないものについては、口頭弁論又は債務者が立ち会うことができる審尋の期日を経なければ、これを発することができない。

(エ)　占有移転禁止の仮処分命令は、仮処分命令が債務者に送達される前であっても、その執行に着手することができる。

(オ)　占有移転禁止の仮処分命令の執行後に債務者からの占有の承継によらないで目的物を占有した第三者は、その執行がされたことを知らずに占有したことを証明した場合であっても、当該仮処分命令の効力が及ぶことを免れることができない。

(1)　(ア)(イ)　(2)　(ア)(ウ)　(3)　(イ)(エ)　(4)　(ウ)(オ)　(5)　(エ)(オ)

学習記録	／	／	／	／	／	／	／	／	／

重要度　C	知識型		正解　(3)

(ア)　誤　　特別の定めがある場合を除き、民事保全の手続に関しては、民事訴訟法の規定を準用する（7）。第一審裁判所は、訴訟がその管轄に属する場合においても、当事者及び尋問を受けるべき証人の住所、使用すべき検証物の所在地その他の事情を考慮して、訴訟の著しい遅滞を避け、又は当事者間の衡平を図るため必要があると認めるときは、申立てにより又は職権で、訴訟の全部又は一部を他の管轄裁判所に移送することができる（民訴17）。したがって、管轄権を有しない他の裁判所に移送することはできない。

(イ)　正　　25条の2の要件を満たす占有移転禁止の仮処分命令であって、係争物が不動産であるものについては、その執行前に債務者を特定することを困難とする特別の事情があるときは、裁判所は、債務者を特定しないで、これを発することができる（25の2）。

(ウ)　誤　　仮の地位を定める仮処分命令は、口頭弁論又は債務者が立ち会うことができる審尋の期日を経なければ、これを発することができない（23Ⅳ本文）。口頭弁論又は債務者が立ち会うことができる審尋の期日を経ることを要するのは、仮の地位を定める仮処分命令の発令の場合であって、係争物に関する仮処分命令を発する場合には、口頭弁論又は債務者が立ち会うことができる審尋の期日を経ることは要しない。

(エ)　正　　保全執行は、保全命令が債務者に送達される前であっても、これをすることができる（43Ⅲ）。

(オ)　誤　　62条1項の本案の債務名義につき同項の債務者以外の者に対する執行文が付与されたときは、その者は、執行文の付与に対する異議の申立てにおいて、仮処分の執行がされたことを知らず、かつ、債務者の占有の承継人でないことを理由とすることができる（63）。

以上から、正しいものは(イ)(エ)であり、正解は(3)となる。

33－1(5－2)　総合問題

民事保全法上の不服申立てに関する次の記述のうち、正しいものはどれか。

(1) 債務者は、保全命令に対して、その告知を受けた日から２週間以内に即時抗告を申し立てることができる。

(2) 債権者は、保全命令の申立てを却下する決定に対して、保全異議を申し立てることができる。

(3) 保全異議の手続において、裁判所は、口頭弁論又は当事者双方が立ち会うことができる審尋の期日を経なければ、保全異議の申立てについての決定をすることができない。

(4) 原裁判所は、保全抗告を受けた場合において、保全抗告に理由があると認めるときには、その裁判の更正をすることができる。

(5) 保全抗告についての裁判に対して、更に抗告をすることができる。

学習記録	／	／	／	／	／	／	／	／	／

重要度 A	知識型	要 *Check!*

正解 (3)

⑴ 誤　保全命令に対しては、債務者は、その命令を発した裁判所に保全異議を申し立てることができ（26）、即時抗告を申し立てることができない。なお、保全異議を申し立てるべき期間については別段の定めがなく、保全命令が有効に存在する限りいつでもすることができる。

⑵ 誤　保全命令の申立てを却下する裁判に対しては、債権者は、即時抗告をすることができ（19Ⅰ）、保全異議を申し立てることはできない。却下の裁判に対する不服申立方法を即時抗告に限ることにより、告知を受けた日から２週間の不変期間の提訴期間を設け、権利の速やかな保全を可能にする趣旨である。

⑶ 正　裁判所は、口頭弁論又は当事者双方が立ち会うことができる審尋の期日を経なければ、保全異議の申立てについての決定をすることができない（29）。本来、決定手続であれば必ずしも当事者双方を立ち会わせて審理をする必要はない（民訴87Ⅰ但書）。しかし、保全異議事件では、保全命令の申立てについて、被保全権利と保全の必要性の有無を再審理するという性質上、とりわけ債務者の手続保障が重視されなければならないからである。

⑷ 誤　原裁判所は、保全抗告を受けた場合には、保全抗告の理由の有無につき判断しないで、事件を抗告裁判所に送付しなければならない（41Ⅱ）。保全抗告の前段階である保全異議や保全取消しがある程度対審的構造をとって審理の充実を図っているため（29・31・40Ⅰ）、原裁判所に容易な更正を認める必要がなく、かえってこれを認めると保全命令手続の迅速な完結を図る必要が害されるからである。

⑸ 誤　保全抗告についての裁判に対しては、更に抗告をすることができない（41Ⅲ）。保全命令の暫定性及び迅速な解決の要請を踏まえて、二審制の保障で足りるとされたからである。

33−2(10−7)　総合問題

民事保全手続中の申立てに関する次の記述中の(ア)から(エ)までに当てはまる用語の組合せとして正しいものは次の(1)から(5)までのうちどれか。

「保全命令が発せられた場合、債務者はその発令前に被保全権利が弁済により消滅していたことを主張しようとするときには、(ア)の申立てをすることになる。これに対し、その発令後に被保全権利が弁済により消滅したことを主張しようとするときには、(イ)の申立てをすることができる。これらの申立てが却下されたときは、債務者は、その決定に対して(ウ)の申立てをすることができる。他方で、保全命令の申立てをした債権者は、申立てを却下する決定に対して、(エ)の申立てをすることができる。」

	(ア)	(イ)	(ウ)	(エ)
(1)	保全異議	即時抗告	保全抗告	保全取消し
(2)	保全異議	保全取消し	保全抗告	即時抗告
(3)	保全抗告	保全異議	即時抗告	保全取消し
(4)	即時抗告	保全取消し	保全異議	保全抗告
(5)	保全異議	保全抗告	保全取消し	即時抗告

学習記録	／	／	／	／	／	／	／	／	／

重要度　A	知識型	要 *Check!*	正解　(2)

(ア)　保全異議　　ここには、保全命令が発せられたことに対してその発令前に被保全権利が弁済により消滅していたことを理由に債務者が主張する不服申立方法が入る。したがって、保全命令に対する不服申立方法である保全異議が入る（26）。

(イ)　保全取消し　　ここには、保全命令発令後に被保全権利が弁済により消滅したことを理由に債務者が主張する不服申立方法が入る。したがって、保全命令発令後の事情の変更に基づいて保全命令を取り消す保全取消しが入る（38 I）。

(ウ)　保全抗告　　ここには、保全異議及び保全取消しの申立てについての裁判に不服のある当事者に許される上訴の方法が入る。したがって、保全抗告が入る（41 I）。

(エ)　即時抗告　　ここには、保全命令の申立てを却下する決定に対する債権者からの不服申立方法が入る。したがって、即時抗告が入る（19 I）。

以上から、(ア)保全異議、(イ)保全取消し、(ウ)保全抗告、(エ)即時抗告となり、正解は(2)となる。

33−3(16−6)　総合問題

民事保全事件の審理に関する次の(ア)から(オ)までの記述のうち、誤っているものの組合せは、後記(1)から(5)までのうちどれか。

(ア)　民事保全の手続に関する裁判は、口頭弁論を経ないですることができるが、口頭弁論を開いたときは、判決によらなければならない。

(イ)　民事保全事件の審理において書証が提出されたときは、これを民事保全事件の資料とするには、その成立について認否をとる必要がある。

(ウ)　保全命令の申立てについての決定には、理由を付さなければならないが、口頭弁論を経ないで決定をする場合には、理由の要旨を示せば足りる。

(エ)　保全命令の申立てについての審理において提出された資料は、保全異議事件の審理において、すべて資料として利用することができる。

(オ)　裁判所は、当事者双方が立ち会うことができる審尋の期日においては、直ちに保全異議事件の審理を終結することができる。

(1)　(ア)(イ)　　(2)　(ア)(オ)　　(3)　(イ)(ウ)　　(4)　(ウ)(エ)　　(5)　(エ)(オ)

学習記録	／	／	／	／	／	／	／	／	／

重要度　A	知識型	要 *Check!*

正解　(1)

(ア)　誤　　民事保全の手続に関する裁判は、口頭弁論を経ないですることができる（3・任意的口頭弁論）が、たとえ口頭弁論を開いたときであっても、判決をもってすることはできない。民事保全の手続に関する裁判は、権利や権利関係を最終的に確定するものではなく、迅速性、柔軟性が要求されることから、全て決定の形式で行われる（民訴87Ⅰ但書参照）。

(イ)　誤　　民事保全事件の審理において書証が提出されたときは、これを民事保全事件の資料とするには、その成立について認否をとる必要はない。民事保全手続に関する決定の手続は迅速性が要求される略式訴訟であるため、迅速審理のために証明の代わりに疎明で足りる（13Ⅱ・38Ⅱ・39Ⅱ等）。すなわち、書証として提出された文書はその成立が真正であることの証明を要するという民事訴訟法228条１項の規定は、７条により準用されない。

(ウ)　正　　保全命令の申立てについての決定には、理由を付さなければならないが、口頭弁論を経ないで決定をする場合には、理由の要旨を示せば足りる（16）。口頭弁論が開かれる事件は、当事者に重大な利益・不利益が生ずるか又は当事者間の主張が鋭く対立していることが考えられるから、理由を付さなければならない。しかし、口頭弁論が開かれない事件にあっては、むしろ緊急に事件を処理する要請が強いことから、「理由の要旨」を示せば足りる。

(エ)　正　　保全命令の申立てについての審理において提出された資料は、保全異議事件の審理において、全て資料として利用することができる。保全異議は保全命令の発令についての同一審級における再審理の申立てであり、申立てがされると保全命令の発令の直前の状態に復して審理が続行されるため、保全命令の申立ての審理終結の時点での資料に基づいて裁判されるからである。

(オ)　正　　裁判所は、保全異議事件の審理を終結するには、それ以後攻撃防御方法の提出が制限されてしまう当事者の手続保障のため、相当の猶予期間を置いて、審理を終結する日を決定しなければならない（31本文）。ただし、裁判所は、口頭弁論又は当事者双方が立ち会うことができる審尋の期日においては、直ちに保全異議事件の審理を終結することができる（31但書）。

以上から、誤っているものは(ア)(イ)であり、正解は(1)となる。

33－4(17－7)　総合問題

強制執行としての差押えと保全執行としての仮差押えの執行との異同に関する次の(ア)から(オ)までの記述のうち、誤っているものの組合せは、後記(1)から(5)までのうちどれか。

(ア)　差押えは、債務名義が債務者に送達された以後でなければすることができないが、仮差押えの執行は、保全命令が債務者に送達される前であってもすることができる。

(イ)　差押えは、承継執行文の付与を受ければ、債務名義に表示された当事者の承継人の財産に対してもすることができるが、仮差押えの執行は、保全命令に表示された当事者の承継人の財産に対してはすることができない。

(ウ)　差押えは、債務名義が債権者に送達された日から一定の期間内にこれに着手すべきものとはされていないが、仮差押えの執行は、保全命令が債権者に送達された日から法定の期間を経過したときは、することができない。

(エ)　差押えは、その目的物が動産の場合であっても、目的物を特定してしなければならないが、仮差押えの執行は、その目的物が動産の場合には、目的物を特定しないですることができる。

(オ)　差押えは、債務者が債務名義に表示された債権に対する弁済をしたことを証明しても、それだけで執行裁判所がこれを取り消すことはできないが、仮差押えの執行は、債務者が保全命令に表示された仮差押解放金を供託したことを証明したときは、保全執行裁判所がこれを取り消さなければならない。

(1)　(ア)(イ)　　(2)　(ア)(ウ)　　(3)　(イ)(エ)　　(4)　(ウ)(オ)　　(5)　(エ)(オ)

学習記録	／	／	／	／	／	／	／	／	／

重要度 A | **知識型** | **要 *Check!*** | **正解 (3)**

(ア) 正　強制執行は、債務名義又は確定により債務名義となるべき裁判の正本又は謄本が、あらかじめ、又は同時に、債務者に送達されたときに限り、開始することができる（民執29前段）。これに対して、保全執行は、保全命令が債務者に送達される前であっても、これをすることができる（43Ⅲ）。仮差押えの執行については、密行性を要するからである。

(イ) 誤　強制執行は、原則として執行文の付与された債務名義の正本に基づいて実施される（民執25本文）。そして、債務名義に表示された当事者以外の者を債権者又は債務者とする場合、その者に債務名義の執行力が及ぶことが証明されたときに限り執行文が付与される（民執27Ⅱ）。すなわち、執行文の付与を受ければ、債務名義に表示された当事者の承継人の財産についても強制執行が可能となる。保全執行においては、保全命令に表示された当事者以外の者を債権者又は債務者とする場合を除いて、保全命令執行文の付与を要せず、保全命令正本に基づいてされる（43Ⅰ）。したがって、執行文の付与を受ければ、保全命令に表示された当事者の承継人の財産についても保全執行が可能となる。

(ウ) 正　保全執行は、債権者に対して保全命令が送達された日から２週間を経過したときは、これをしてはならない（43Ⅱ）。保全命令は緊急の必要により発せられるものであり、放置しておくと、事情の変更により不当執行となるおそれがあるためである。これに対して、強制執行については、執行期間の制限は定められていない。

(エ) 誤　動産に対する差押えの申立てにおいては、差押債権者が目的物を特定することは困難であるため、執行官が差し押さえるべき動産を選択することとされている（民執規99・100）。したがって、債権者は目的物を特定する必要はない。この規定は、動産に対する仮差押えの執行についても準用されており、債権者は目的物を特定する必要はないことになる（民保規40、民執99・100）。

(オ) 正　強制執行が執行力ある債務名義の正本に基づいて開始された後に、債権者が弁済を受けたこと（債務者が弁済したこと）を証する文書が提出されたときには、執行裁判所は強制執行の停止をしなければならない（民執39Ⅰ⑧）。しかし、これはあくまで手続を一時停止することができるだけで、執行手続の取消しの効力を有するものではない。これに対して、仮差押えの執行においては、債務者が仮差押解放金を供託したことを証明したときは、保全執行裁判所は仮差押えの執行を取り消さなければならない（51）。

以上から、誤っているものは(イ)(エ)であり、正解は(3)となる。

33－5(20－6)　総合問題

民事保全に関する次の(ア)から(オ)までの記述のうち、誤っているものの組合せは、後記(1)から(5)までのうちどれか。

(ア) 口頭弁論又は債務者が立ち会うことができる審尋の期日を経ることにより仮処分命令の申立ての目的を達することができない事情があるときは、裁判所は、当該期日を経ることなく、仮の地位を定める仮処分命令を発することができる。

(イ) 仮の地位を定める仮処分命令の申立てにおいては、保全すべき権利又は権利関係及び保全の必要性は、証明しなければならない。

(ウ) 保全執行は、保全命令が債務者に送達される前であっても、これをすることができる。

(エ) 保全命令の申立ての取下げは、保全異議又は保全取消しの申立てがあった後においては、債務者の同意を得てしなければならない。

(オ) 仮差押命令は、被保全債権である金銭債権が条件付又は期限付である場合であっても、発することができる。

(1) (ア)(ウ)　(2) (ア)(エ)　(3) (イ)(エ)　(4) (イ)(オ)　(5) (ウ)(オ)

学習記録	／	／	／	／	／	／	／	／	／

総合問題

重要度 A | **知識型** | **要 *Check!*** | **正解 (3)**

(ア) 正　仮の地位を定める仮処分命令は、争いがある権利関係について債権者に生ずる著しい損害又は急迫の危険を避けるためこれを必要とするときに発することができ（23Ⅱ）、原則として口頭弁論又は債務者が立ち会うことができる審尋の期日を経なければ、これを発することができない（23Ⅳ本文）。しかし、口頭弁論又は債務者が立ち会うことができる審尋の期日を経ることにより仮処分命令の申立ての目的を達することができない事情があるときは、例外的にこれらの期日を経ないで発することができる（23Ⅳ但書）。

(イ) 誤　保全命令の申立ては、①申立ての趣旨、②保全すべき権利又は権利関係、③保全の必要性を明らかにする必要がある（13Ⅰ）。そして、申立権の濫用を防止しつつ迅速な保護を債権者に与える趣旨から、②③については、証明ではなく疎明が要求されている（13Ⅱ）。

(ウ) 正　保全執行は、保全命令が債務者に送達される前であっても、これをすることができる（43Ⅲ）。なぜなら、債務者からの執行妨害を防止するためには、債務者に保全命令が送達される前に保全執行をすることが最も有効となるからである。

(エ) 誤　保全命令の申立てを取り下げるには、保全異議又は保全取消しの申立てがあった後においても、債務者の同意を得ることを要しない（18）。なぜなら、保全命令は、本案訴訟が確定するまでの暫定的な処分にすぎず、取下げにより債務者が不利益を被るおそれはないからである。

(オ) 正　仮差押命令は、保全すべき金銭債権が条件付又は期限付である場合についても、これを発することができる（20Ⅱ）。これは、債務者が将来行われるであろう強制執行をおそれて、債務の引当てとなる責任財産を第三者に処分し、強制執行を事実上無意味なものにしてしまう危険性があるため、このような場合にも仮差押えを認める必要性があるからである。

以上から、誤っているものは(イ)(エ)であり、正解は(3)となる。

33−6(23−6)　総合問題

保全異議及び保全取消しに関する次の(ア)から(オ)までの記述のうち、正しいものの組合せは、後記(1)から(5)までのうちどれか。

(ア)　保全異議の申立ては、保全命令を発した裁判所又は本案の裁判所にすることができ、本案の訴えの不提起による保全取消しの申立ては、保全命令を発した裁判所にすることができる。

(イ)　保全異議の申立て又は保全取消しの申立てを取り下げるには、債権者の同意を得ることを要しない。

(ウ)　裁判所は、保全異議の申立てについての決定をする場合には、口頭弁論又は当事者双方が立ち会うことのできる審尋の期日を経ることを要しない。

(エ)　保全命令が発せられた後、債権者が相当と認められる期間内に本案の訴えを提起していないことが判明した場合には、裁判所は、職権で、債権者に対し、相当と認める一定の期間内に本案の訴えを提起するように命ずることができ、これに応じない場合には、その保全命令を取り消すことができる。

(オ)　保全異議の申立て又は保全取消しの申立てについての決定には、理由を付さなければならず、理由の要旨を示すことでは足りない。

(1)　(ア)(ウ)　　(2)　(ア)(エ)　　(3)　(イ)(ウ)　　(4)　(イ)(オ)　　(5)　(エ)(オ)

学習記録	／	／	／	／	／	／	／	／	／

重要度 A | **知識型** | **要 *Check!*** | **正解 (4)**

(ア) 誤　保全命令に対する保全異議の申立ては、その命令を発した裁判所にすることができ（26）、本案の裁判所にすることはできない。これは、本案の訴えの不提起による保全取消しの申立てをする場合においても同様である（37Ⅰ）。

(イ) 正　保全異議の申立てを取り下げるには、債権者の同意を得ることを要しない（35）。これは、保全取消しの申立てを取り下げる場合においても同様である（40Ⅰ・35）。

(ウ) 誤　保全命令についての不服申立てについての裁判は、全て判決ではなく、決定によってされる（3、民訴87Ⅰ但書参照）。この点、裁判所は、口頭弁論又は当事者双方が立ち会うことができる審尋の期日を経なければ、保全異議の申立てについての決定をすることができない（29）。これは、両当事者に対審的構造による審理の機会を保証するために定められたものである。なお、保全取消しの申立てについて決定をする場合においても、口頭弁論又は当事者双方が立ち会うことができる審尋の期日を経る必要がある（40Ⅰ・29）。

(エ) 誤　保全命令を発した裁判所は、債務者の申立てにより、債権者に対し、相当と認める一定の期間内に、本案の訴えを提起するとともにその提起を証する書面を提出し、既に本案の訴えを提起しているときはその係属を証する書面を提出すべきことを命じなければならない（37Ⅰ）。そして、債権者が一定の期間内に当該書面を提出しなかったときは、裁判所は、債務者の申立てにより、保全命令を取り消さなければならない（37Ⅲ）。

(オ) 正　保全異議の申立てについての決定には、理由を付さなければならない（32Ⅳ・16本文）。これは、保全取消しの申立てについての決定についても同様である（37Ⅷ・38Ⅲ・39Ⅲ）。

以上から、正しいものは(イ)(オ)であり、正解は(4)となる。

33−7(27−6)　総合問題

保全異議及び保全取消しに関する次の(ア)から(オ)までの記述のうち、正しいものの組合せは、後記(1)から(5)までのうち、どれか。

(ア)　債務者は、保全命令に対し、その命令を発した裁判所に保全異議を申し立てることができる。

(イ)　保全異議の申立てを取り下げるには、債権者の同意を得なければならない。

(ウ)　裁判所は、保全異議の申立てについての決定をする場合には、口頭弁論又は当事者双方が立ち会うことができる審尋の期日を経ることを要しない。

(エ)　保全命令を発した裁判所又は本案の裁判所は、保全すべき権利又は権利関係が消滅したときに限り、保全命令を取り消すことができる。

(オ)　仮処分命令を発した裁判所又は本案の裁判所は、仮処分命令により償うことができない損害を生ずるおそれがあるときその他の特別の事情があるときは、債務者の申立てにより、担保を立てることを条件として仮処分命令を取り消すことができる。

(1)　(ア)(イ)　　(2)　(ア)(オ)　　(3)　(イ)(エ)　　(4)　(ウ)(エ)　　(5)　(ウ)(オ)

総合問題

学習記録	／	／	／	／	／	／	／	／	／

重要度 A | **知識型** | **要 *Check!*** | **正解 (2)**

(ア) 正　保全命令に対しては、債務者は、その命令を発した裁判所に保全異議を申し立てることができる（26）。これは、保全命令申立手続においては、迅速性の要請の下、必ずしも債務者に主張・立証を行う機会が十分に保障されるとは限らないことから、同一審級における再審理の機会を設けたものである。

(イ) 誤　保全異議の申立てを取り下げるには、債権者の同意を得ることを要しない（35）。

(ウ) 誤　裁判所は、口頭弁論又は当事者双方が立ち会うことができる審尋の期日を経なければ、保全異議の申立てについての決定をすることができない（29）。これは、保全命令の申立段階では、緊急性と密行性の要請から、原則として債務者の審尋をしないまま発令することができたのに対して、保全異議の段階では緊急性と密行性の要請はなくなっているため、審尋の期日を経て両当事者に対等の手続的地位を回復させようとしたものである。

(エ) 誤　保全すべき権利若しくは権利関係又は保全の必要性の消滅その他の事情の変更があるときは、保全命令を発した裁判所又は本案の裁判所は、債務者の申立てにより、保全命令を取り消すことができる（38Ⅰ）。これは、変更後の事情を考慮すれば保全命令の要件が欠けるとみられる場合にまで、保全命令の効力を存続させ、債務者を拘束することは不当だからである。

(オ) 正　仮処分命令により償うことができない損害を生ずるおそれがあるとき、その他の特別の事情があるときは、仮処分命令を発した裁判所又は本案の裁判所は、債務者の申立てにより、担保を立てることを条件として、仮処分命令を取り消すことができる（39Ⅰ）。これは、仮処分命令を取り消すに足りる特別の事情がある場合に限り、債務者に担保を立てさせて仮処分命令を取り消すことによって、債権者と債務者の公平を図る趣旨である。

以上から、正しいものは(ア)(オ)であり、正解は(2)となる。

33－8(29－6)　総合問題

民事保全に関する次の(ア)から(オ)までの記述のうち、正しいものの組合せは、後記(1)から(5)までのうち、どれか。

(ア)　不動産の仮差押命令は目的物を特定して発しなければならないが、動産の仮差押命令は目的物を特定しないで発することができる。

(イ)　仮差押命令においては、仮差押えの執行の停止を得るため、又は既にした仮差押えの執行の取消しを得るために債務者が供託すべき金銭の額を定めることを要しない。

(ウ)　抵当権の実行を禁止する仮処分命令は、係争物に関する仮処分命令であり、その現状の変更により、債権者が権利を実行することができなくなるおそれがあるとき、又は権利を実行するのに著しい困難を生ずるおそれがあるときに発することができる。

(エ)　保全命令の申立ては、その趣旨並びに保全すべき権利又は権利関係及び保全の必要性を明らかにして、これをしなければならないところ、保全すべき権利又は権利関係については証明を要するが、保全の必要性については疎明で足りる。

(オ)　保全命令の申立てについての決定には、理由を付さなければならないが、口頭弁論を経ないで決定をする場合には、理由の要旨を示せば足りる。

(1)　(ア)(イ)　(2)　(ア)(オ)　(3)　(イ)(ウ)　(4)　(ウ)(エ)　(5)　(エ)(オ)

学習記録	／	／	／	／	／	／	／	／	／

重要度 A	知識型	要 *Check!*	正解 (2)

(ア) 正　仮差押命令は、特定の物について発しなければならない（21本文）。しかし、動産の仮差押命令は、目的物を特定しないで発することができる（21但書）。なぜなら、動産は、可動性があるため個々に特定することが難しいからである。

(イ) 誤　仮差押命令においては、仮差押えの執行の停止を得るため、又は既にした仮差押えの執行の取消しを得るために債務者が供託すべき金銭（仮差押解放金）の額を定めなければならない（22Ⅰ）。これは、金銭債権の強制執行を保全することを目的とする仮差押えの場合には、債務者がその金銭債権の額に相当する金銭を供託することで債権者の保護は十分であるし、また、債務者としても、仮差押執行から解放される方法が認められれば便宜だからである。

(ウ) 誤　係争物に関する仮処分命令は、その現状の変更により、債権者が権利を実行することができなくなるおそれがあるとき、又は権利を実行するのに著しい困難を生ずるおそれがあるときに発することができる（23Ⅰ）。また、仮の地位を定める仮処分命令は、争いがある権利関係について債権者に生ずる著しい損害又は急迫の危険を避けるためこれを必要とするときに発することができる（23Ⅱ）。そして、抵当権の実行を禁止する仮処分命令は、仮の地位を定める仮処分命令に該当する。

(エ) 誤　保全命令の申立ては、①申立ての趣旨、②保全すべき権利又は権利関係、③保全の必要性を明らかにしてする必要がある（13Ⅰ）。そして、保全すべき権利又は権利関係及び保全の必要性は、疎明で足りる（13Ⅱ）。

(オ) 正　保全命令の申立てについての決定には、理由を付さなければならない（16本文）。しかし、口頭弁論を経ないで決定をする場合には、理由の要旨を示せば足りる（16但書）。これは、口頭弁論を経ないで行った決定については、これを経た事件とは異なり、緊急に事件処理を行わなければならない要請が強いことから、「理由の要旨」を示せば足りるとしたものである。

以上から、正しいものは(ア)(オ)であり、正解は(2)となる。

33－9(30－6)　総合問題

民事保全に関する次の(ア)から(オ)までの記述のうち、正しいものの組合せは、後記(1)から(5)までのうち、どれか。

(ア)　貸金債権を被保全債権とする仮差押命令は、本案の管轄裁判所又は仮に差し押さえるべき物の所在地を管轄する地方裁判所が管轄する。

(イ)　占有移転禁止の仮処分命令の執行後に係争物を占有した者は、その執行がされたことを知って占有したものとみなされる。

(ウ)　保全命令は、保全すべき権利若しくは権利関係又は保全の必要性の疎明がない場合であっても、これらに代わる担保を立てさせて発することができる。

(エ)　保全執行は、申立てにより又は職権で、裁判所又は執行官が行う。

(オ)　保全執行は、保全命令が債務者に送達される前であっても、これをすることができる。

(1)　(ア)(ウ)　　(2)　(ア)(オ)　　(3)　(イ)(ウ)　　(4)　(イ)(エ)　　(5)　(エ)(オ)

学習記録	／	／	／	／	／	／	／	／	／

重要度　A	知識型	要 *Check!*

正解　(2)

(ア)　正　　保全命令事件は、本案の管轄裁判所又は仮に差し押さえるべき物若しくは係争物の所在地を管轄する地方裁判所が管轄する（12Ⅰ）。これは、当事者の便宜及び保全命令手続の審査の便宜を考慮したものである。

(イ)　誤　　占有移転禁止の仮処分命令の執行後に当該係争物を占有した者は、その執行がされたことを知って占有したものと推定する（62Ⅱ）。

(ウ)　誤　　保全命令の申立てにおいて、保全すべき権利又は権利関係及び保全の必要性は疎明しなければならない（13Ⅱ）。そして、担保を立てることによっても、疎明に代えることはできない。なぜなら、保全命令事件において疎明の代用を認めると、相手方に重大な不利益と損害を生じさせるためである。

(エ)　誤　　民事保全の執行は、申立てにより、裁判所又は執行官が行う（２Ⅱ）。

(オ)　正　　保全執行は、保全命令が債務者に送達される前であっても、これをすることができる（43Ⅲ）。なぜなら、債務者からの執行妨害を防止するためには、債務者に保全命令が送達される前に保全執行をすることが有効だからである。

以上から、正しいものは(ア)(オ)であり、正解は(2)となる。

33－10(R2－6)　総合問題

民事保全に関する次の(ア)から(オ)までの記述のうち、正しいものの組合せは、後記(1)から(5)までのうち、どれか。

(ア)　保全命令に対しては、債務者は、その命令を発した裁判所に保全抗告をすることができる。

(イ)　占有移転禁止の仮処分命令については、係争物が動産である場合であっても、その執行前に債務者を特定することを困難とする特別の事情があるときは、裁判所は、債務者を特定しないで、これを発することができる。

(ウ)　保全命令を発する場合には、あらかじめ担保を立てさせなければならない。

(エ)　仮差押命令は、被保全権利である金銭の支払を目的とする債権が条件付又は期限付である場合においても、これを発することができる。

(オ)　保全命令の申立てを取り下げるには、保全異議又は保全取消しの申立てがあった後においても、債務者の同意を得ることを要しない。

(1)　(ア)(イ)　(2)　(ア)(オ)　(3)　(イ)(ウ)　(4)　(ウ)(エ)　(5)　(エ)(オ)

学習記録	／	／	／	／	／	／	／	／	／

重要度　A	知識型	要 *Check!*		正解　(5)

(ア)　誤　　保全命令の申立てが認容されて保全命令が発令された場合の債務者からする不服申立ては、保全異議（26）と保全取消し（37・38・39）であり、保全抗告（41）はこれら保全異議又は保全取消しの申立ての裁判に対する不服申立てである。

(イ)　誤　　占有移転禁止の仮処分命令であって、係争物が不動産であるものについては、その執行前に債務者を特定することを困難とする特別の事情があるときは、裁判所は、債務者を特定しないで、これを発することができる（25の２Ⅰ柱書）。この点、本条は不動産の執行妨害事案に対処するために設けられた規定であることから、係争物が不動産の場合に限定されている。

(ウ)　誤　　保全命令は、担保を立てさせて、若しくは相当と認める一定の期間内に担保を立てることを保全執行の実施の条件として、又は担保を立てさせないで発することができる（14Ⅰ）。この点、担保は違法ないし不当な執行によって生じた損害から債務者を保護する機能を有し、また、債権者に経済的な負担を課すことによって安易な保全命令の申立てを事実上抑制する機能なども有する。そして、このような担保の機能に配慮しつつ、担保を提供させて保全命令を発するか否かについては、裁判所の自由裁量に委ねられている。

(エ)　正　　仮差押命令は、金銭の支払を目的とする債権について、強制執行をすることができなくなるおそれがあるとき、又は強制執行をするのに著しい困難を生ずるおそれがあるときに発することができる（20Ⅰ）。そして、仮差押命令は、その債権が条件付又は期限付である場合においても、発することができる（20Ⅱ）。

(オ)　正　　保全命令の申立てを取り下げるには、保全異議又は保全取消しの申立てがあった後においても、債務者の同意を得ることを要しない（18）。なぜなら、保全命令は、本案の訴えの終結までの暫定的な処分にすぎず、取下げにより債務者が不利益を被るおそれはないからである。

以上から、正しいものは(エ)(オ)であり、正解は(5)となる。

33−11(R3−6)　総合問題

民事保全に関する次の(ア)から(オ)までの記述のうち、誤っているものの組合せは、後記(1)から(5)までのうち、どれか。

(ア)　仮の地位を定める仮処分命令の申立てについて口頭弁論を経た場合には、その申立てについての裁判は、判決をもってしなければならない。

(イ)　100万円の貸金返還請求権を被保全権利とする債権の仮差押命令の申立てについては、簡易裁判所に申し立てることができる。

(ウ)　民事保全の手続に関しては、民事訴訟法の文書提出命令に関する規定は準用されない。

(エ)　仮差押命令の申立てを却下する決定は、債務者に告知しなければならない。

(オ)　仮差押命令に対する保全異議の申立ては、本案の訴えが提起された後であってもすることができる。

(1)　(ア)(イ)　(2)　(ア)(エ)　(3)　(イ)(オ)　(4)　(ウ)(エ)　(5)　(ウ)(オ)

学習記録	／	／	／	／	／	／	／	／	／

重要度　A	知識型	要 *Check!*	正解　(2)

(ア) 誤　民事保全手続は、手続迅速化の見地から、口頭弁論を経た場合であっても、全て決定手続とされている。

(イ) 正　訴訟の目的の価額が140万円を超えない請求につき、簡易裁判所は第一審の裁判権を有する（裁33Ⅰ①）。そして、保全命令事件は、本案の管轄裁判所又は仮に差し押さえるべき物若しくは係争物の所在地を管轄する地方裁判所が管轄する（12Ⅰ）。したがって、100万円の貸金返還請求権を被保全権利とする債権の仮差押命令の申立てについては、簡易裁判所に申し立てることができる。

(ウ) 正　特別の定めがある場合を除き、民事保全の手続に関しては、民事訴訟法の規定を準用する（7）。そして、保全すべき権利又は権利関係及び保全の必要性は、疎明しなければならない（13Ⅱ）。この点、疎明は、即時に取り調べることができる証拠によらなければならず（7、民訴188）、即時とは、口頭弁論又は審尋の期日が開かれるときはその期日、書面審理のときは申立てに際しての趣旨であるため、文書提出命令申立てに関する規定（民訴221以下）は認められない。

(エ) 誤　保全命令の申立てを却下する決定及びこれに対する即時抗告を却下する決定は、債務者に対し口頭弁論又は審尋の期日の呼出しがされた場合を除き、債務者に告知することを要しない（民保規16Ⅰ）。

(オ) 正　裁判所が仮差押命令を発したときは、債務者は、その命令を発した裁判所に保全異議を申し立てることができる（26）。そして、保全異議の申立てに、期限の制限はない。

以上から、誤っているものは(ア)(エ)であり、正解は(2)となる。

33－12(R4－6)　総合問題

民事保全に関する次の(ア)から(オ)までの記述のうち、誤っているものの組合せは、後記(1)から(5)までのうち、どれか。

(ア)　保全命令の申立てにおいては、保全すべき権利又は権利関係及び保全の必要性のほか、管轄や当事者能力についても疎明することで足りる。

(イ)　占有移転禁止の仮処分命令は、口頭弁論又は債務者が立ち会うことができる審尋の期日を経なければ、これを発することができない。

(ウ)　仮差押命令においては、仮差押えの執行の停止を得るため、又は既にした仮差押えの執行の取消しを得るために債務者が供託すべき金銭の額を定めなければならない。

(エ)　仮差押えの執行は、仮差押命令が債務者に送達される前であっても、することができる。

(オ)　裁判所が保全命令を発した後、債権者が本案の訴えを提起しないときは、保全命令を発した裁判所は、債務者の申立てにより、債権者に対し、2週間以上の相当と認める一定の期間を定めた上で、その期間内に本案の訴えを提起するとともにその提起を証する書面を提出すべきことを命じなければならない。

(1)　(ア)(イ)　　(2)　(ア)(エ)　　(3)　(イ)(ウ)　　(4)　(ウ)(オ)　　(5)　(エ)(オ)

学習記録	／	／	／	／	／	／	／	／	／

重要度　A	知識型	要 *Check!*		正解　(1)

(ア)　誤　　保全命令の申立ては、その趣旨並びに保全すべき権利又は権利関係及び保全の必要性を明らかにしてしなければならず（13Ⅰ）、保全の実体的要件である保全すべき権利又は権利関係及び保全の必要性は、疎明しなければならない（3Ⅱ）。これは、保全命令手続が権利義務の存否を暫定的に定める手続であって、緊急性があることから、迅速な判断を可能とするためである。一方、保全の形式的要件（適法要件）である管轄、当事者能力などは、その存在を証明しなければならない。

(イ)　誤　　仮の地位を定める仮処分命令は、原則として、口頭弁論又は債務者が立ち会うことができる審尋の期日を経なければ、これを発することができない（23Ⅳ本文・Ⅱ）。しかし、占有移転禁止の仮処分命令では、口頭弁論又は債務者が立ち会うことができる審尋の期日を経ることを要しない（23Ⅳ参照）。

(ウ)　正　　仮差押命令においては、仮差押えの執行の停止を得るため、又は既にした仮差押えの執行の取消しを得るために債務者が供託すべき金銭の額を定めなければならない（22Ⅰ）。これは、仮差押えが金銭債権を保全する方法であり、債務者からその金銭債権に相当する金銭の供託があれば、仮差押執行が停止又は取り消されても債権者は何ら不利益を受けず、債務者にとっても金銭の供託によって仮差押えの執行から解放され、仮差押執行の目的物である財産を自由に処分することができるからである。

(エ)　正　　保全執行は、保全命令が債務者に送達される前であっても、これをすることができる（43Ⅲ）。これは、迅速に保全執行を行い、債務者による執行妨害や第三債務者による債務の弁済を阻止するために定められた規定である。

(オ)　正　　保全命令を発した裁判所は、債務者の申立てにより、債権者に対し、２週間以上の相当と認める一定の期間内に、本案の訴えを提起するとともにその提起を証する書面を提出し、既に本案の訴えを提起しているときはその係属を証する書面を提出すべきことを命じなければならない（37Ⅰ・Ⅱ）。

以上から、誤っているものは(ア)(イ)であり、正解は(1)となる。

33－13(R5－6)　総合問題

民事保全に関する次の(ア)から(オ)までの記述のうち、誤っているものの組合せは、後記(1)から(5)までのうち、どれか。

(ア)　仮差押命令は、金銭の支払を目的とする債権について、強制執行をすることができなくなるおそれがあるとき、又は強制執行をするのに著しい困難を生ずるおそれがあるときに発することができる。

(イ)　裁判所は、保全すべき権利が金銭の支払を受けることをもってその行使の目的を達することができるものであるときは、仮処分命令において仮処分解放金の額を定めなければならない。

(ウ)　保全命令に関する手続については、債権者であっても、保全命令の申立てに関し口頭弁論若しくは債務者を呼び出す審尋の期日の指定があり、又は債務者に対する保全命令の送達があるまでの間は、裁判所書記官に対し、事件の記録の閲覧を請求することができない。

(エ)　保全命令の申立てについて、口頭弁論を経ないで決定をする場合には、理由の要旨を示せば足りる。

(オ)　保全命令は、債権者にも送達しなければならない。

(1)　(ア)(エ)　　(2)　(ア)(オ)　　(3)　(イ)(ウ)　　(4)　(イ)(オ)　　(5)　(ウ)(エ)

学習記録	／	／	／	／	／	／	／	／	／

重要度　A	知識型	要 *Check!*		正解　(3)

(ア)　正　　仮差押命令は、金銭の支払を目的とする債権について、強制執行をすることができなくなるおそれがあるとき、又は強制執行をするのに著しい困難を生ずるおそれがあるときに発することができる（20Ⅰ）。

(イ)　誤　　仮処分解放金とは、仮処分の執行停止又は取消しを得るために債務者が供託すべき金銭のことである。この点、裁判所は、保全すべき権利が金銭の支払を受けることをもってその行使の目的を達することができるものであるときに限り、債権者の意見を聴いて、仮処分の執行の停止を得るため、又は既にした仮処分の執行の取消しを得るために債務者が供託すべき金銭の額を仮処分命令において定めることができる（25Ⅰ）。なお、仮処分解放金を定めることができるのは、係争物に関する仮処分のみであって、仮の地位を定める仮処分について仮処分解放金を定めることはできない。

(ウ)　誤　　保全命令に関する手続又は保全執行に関し裁判所が行う手続について、利害関係を有する者は、裁判所書記官に対し、事件の記録の閲覧若しくは謄写、その正本、謄本若しくは抄本の交付又は事件に関する事項の証明書の交付を請求することができる（5）。ただし、債権者以外の者にあっては、保全命令の申立てに関し口頭弁論若しくは債務者を呼び出す審尋の期日の指定があり、又は債務者に対する保全命令の送達があるまでの間は、この限りでない（5但書）。これは、保全命令事件はその性質上密行性を要することから、債権者以外の利害関係人からの閲覧等の請求を、密行性が害されるおそれがないと認められるまでの間、制限する必要があるからである。

(エ)　正　　保全命令の申立てについての決定には、理由を付さなければならない（16本文）。ただし、口頭弁論を経ないで決定をする場合には、理由の要旨を示せば足りる（16但書）。これは、保全手続においては迅速性の要請があるため、口頭弁論を経たか否かによって理由記載の詳細さの程度を区別したものである。

(オ)　正　　保全命令は、当事者に送達しなければならない（17）。なぜなら、保全命令は民事保全手続における基本的で重要な裁判であり、その内容を当事者に確実に知らせ、その証明方法を残す必要があるからである。

以上から、誤っているものは(イ)(ウ)であり、正解は(3)となる。

《主要参考文献一覧》

共　通

＊『ジュリスト』(有斐閣)
＊『判例時報』(判例時報社)
＊『重要判例解説』(有斐閣)
＊『［法律時報別冊］ 私法判例リマークス』(日本評論社)

民事訴訟法

＊兼子一＝松浦馨＝新堂幸司＝竹下守夫 著「条解・民事訴訟法」〔第２版〕(弘文堂)
＊新堂幸司 著「新民事訴訟法〔第６版〕」(弘文堂)
＊「基本法コンメンタール新民事訴訟法１・２・３〔第３版追補版〕」(日本評論社)
＊「注釈民事訴訟法(1)～(9)」(有斐閣)
＊「Ｑ＆Ａ［新版］ 平成16年４月１日施行民事訴訟法の要点」(新日本法規出版)
＊高橋宏志＝高田裕成＝畑瑞穂 編「民事訴訟法判例百選〔第５版〕」(有斐閣)
＊飯倉一郎 著「やさしい民事訴訟法〔第４版〕」(法学書院)
＊伊藤眞 著「民事訴訟法〔第７版〕」(有斐閣)
＊上田徹一郎 著「民事訴訟法〔第７版〕」(法学書院)
＊裁判所職員総合研修所 監修「民事訴訟法講義案〔３訂版〕」(司法協会)
＊高橋宏志 著「重点講義民事訴訟法（上）〔第２版補訂版〕」(有斐閣)
＊高橋宏志 著「重点講義民事訴訟法（下）〔第２版補訂版〕」(有斐閣)
＊中野貞一郎＝松浦馨＝鈴木正裕 編「新民事訴訟法講義〔第３版〕」(有斐閣)
＊林屋礼二 著「新民事訴訟法概要〔第２版〕」(有斐閣)
＊松本博之＝上野泰男 著「民事訴訟法」〔第８版〕(弘文堂)
＊「基本法コンメンタール民事訴訟法１・２・３〔第３版〕」(日本評論社)

民事執行法・民事保全法

＊「基本法コンメンタール民事執行法〔第６版〕」(日本評論社)
＊「注解民事保全法上・下」(青林書院)
＊「一問一答新民事保全法」(社団法人商事法務研究会)
＊裁判所職員総合研修所 監修「民事執行実務講義案〔改訂再訂版〕」(司法協会)
＊飯倉一郎 著「やさしい民事執行法・民事保全法〔第５版〕」(法学書院)
＊須藤典明＝深見敏正＝金子直史 著「リーガルプログレッシブシリーズ民事保全〔４訂版〕」(青林書院)
＊山崎潮 著「新民事保全法の解説〔増補改訂版〕」(社団法人金融財政事情研究会)
＊上原敏夫＝長谷部由起子＝山本和彦 著「民事執行・保全法〔第６版〕」(有斐閣アルマ)
＊中野貞一郎 編「民事執行・保全法概説〔第３版〕」(有斐閣双書)

＊中野貞一郎 著「民事執行法〔増補新訂６版〕」(青林書院)
＊「新基本法コンメンタール民事保全法」(日本評論社)
＊「新基本法コンメンタール民事執行法」(日本評論社)
＊「条解　民事執行法」(弘文堂)

令和７年版　司法書士　合格ゾーン　択一式過去問題集
8 民事訴訟法・民事執行法・民事保全法

1991年２月20日　第１版　第１刷発行
2024年11月25日　第28版　第１刷発行
編著者●株式会社　東京リーガルマインド
LEC総合研究所　司法書士試験部
発行所●株式会社　東京リーガルマインド
〒164-0001　東京都中野区中野4-11-10
アーバンネット中野ビル
LECコールセンター　0570-064-464
受付時間　平日9：30〜19：30/土・日・祝10：00〜18：00
※このナビダイヤルは通話料お客様ご負担となります。
書店様専用受注センター　TEL 048-999-7581 / FAX 048-999-7591
受付時間　平日9：00〜17：00/土・日・祝休み
www.lec-jp.com/

印刷・製本●株式会社サンヨー

ISBN978-4-8449-6332-5

司法書士講座のご案内

新15ヵ月合格コース

短期合格のノウハウが詰まったカリキュラム

LECが初めて司法書士試験の学習を始める方に自信をもってお勧めする講座が新15ヵ月合格コースです。司法書士受験指導40年以上の積み重ねたノウハウと、試験傾向の徹底的な分析により、これだけ受講すれば合格できるカリキュラムとなっております。司法書士試験対策は、毎年一発・短期合格を輩出してきたLECにお任せください。

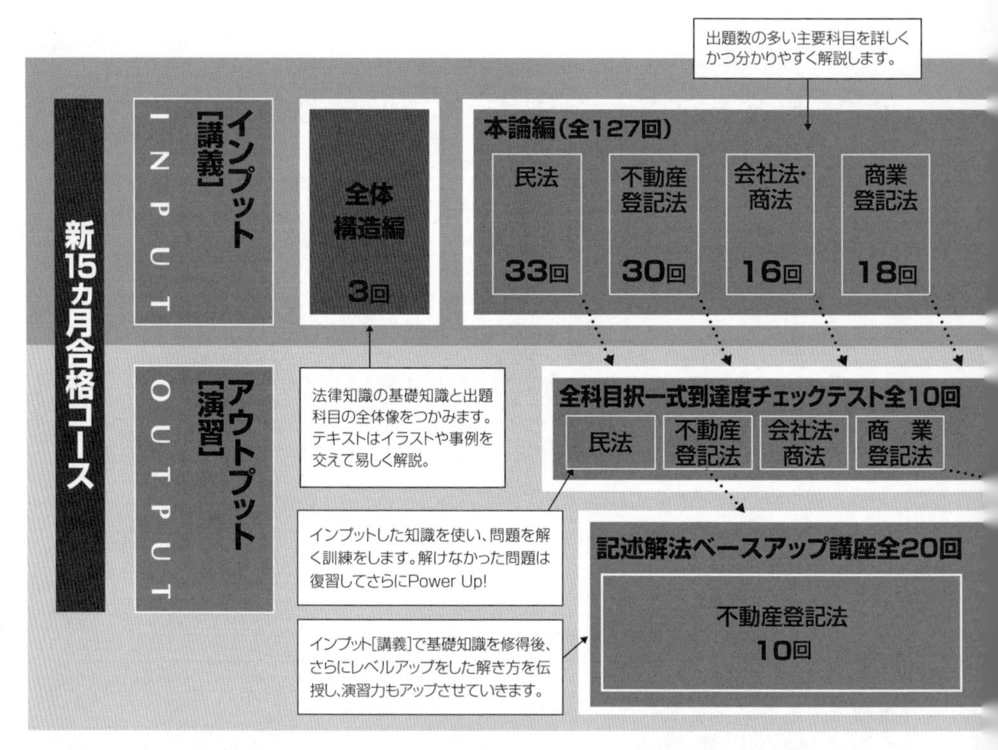

インプットとアウトプットのリンクにより短期合格を可能に！

合格に必要な力は、適切な情報収集（インプット）→知識定着（復習）→実践による知識の確立（アウトプット）という３つの段階を経て身に付くものです。新15ヵ月合格コースではインプット講座に対応したアウトプットを提供し、これにより短期合格が確実なものとなります。

通学／通信

初学者向け総合講座

本コースは全くの初学者からスタートし、司法書士試験に合格することを狙いとしています。入門から合格レベルまで、必要な情報を詳しくかつ法律の勉強が初めての方にもわかりやすく解説します。

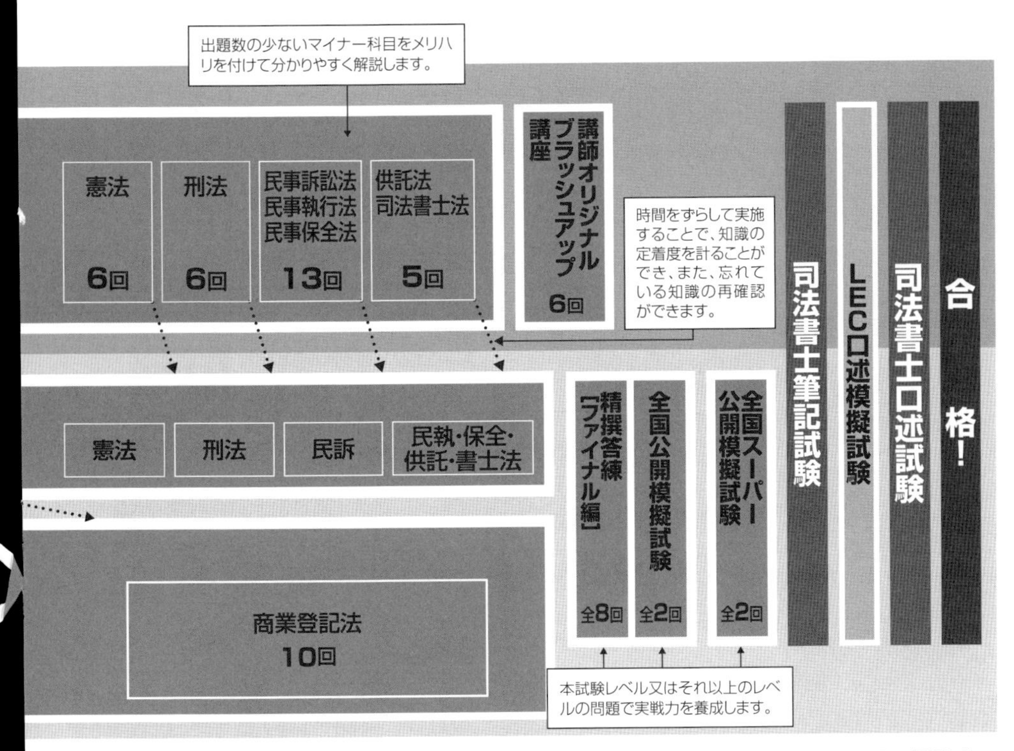

※本カリキュラムは、2024年８月１日現在のものであり、講座の内容・回数等が変更になる場合があります。予めご了承ください。

司法書士講座のご案内

スマホで司法書士　S式合格講座

スキマ時間を有効活用！1回15分で続けやすい講座

講義の視聴が**スマホ完結！**

1回15分のユニット制だから**スキマ時間**にいつでもどこでも**手軽に学習可能**です。忙しい方でも続けやすいカリキュラムとなっています。
本講座は、LECが40年以上の司法書士受験指導の中で積み重ねた学習方法、短期合格を果たすためのノウハウを凝縮し、本試験で必ず出題されると言ってもいい重要なポイントに絞って講義をしていきます。

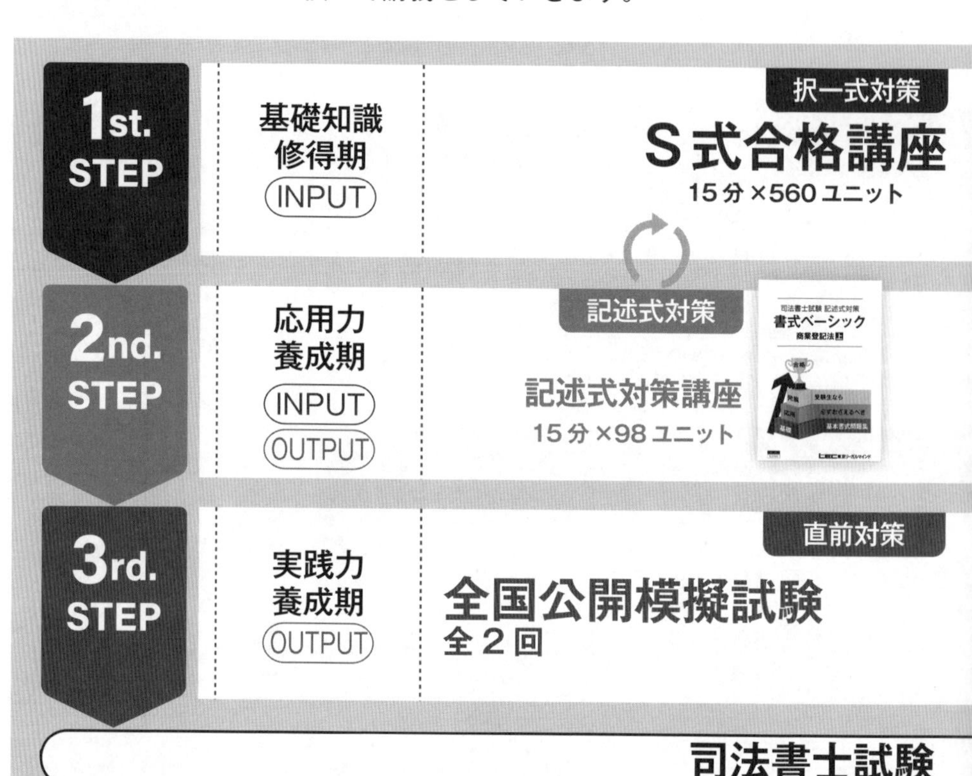

※過去問対策、問題演習対策を独学で行うのが不安な方には、それらの対策ができる講座・コースもご用意しています。

LEC全国学校案内

＊講座のお問合せ，受講相談は最寄りのLEC各校へ

LEC本校

北海道・東北

札　幌本校　☎011(210)5002
〒060-0004 北海道札幌市中央区北4条西5-1　アスティ45ビル

仙　台本校　☎022(380)7001
〒980-0022 宮城県仙台市青葉区五橋1-1-10　第二河北ビル

関東

渋谷駅前本校　☎03(3464)5001
〒150-0043 東京都渋谷区道玄坂2-6-17　渋東シネタワー

池　袋本校　☎03(3984)5001
〒171-0022 東京都豊島区南池袋1-25-11　第15野萩ビル

水道橋本校　☎03(3265)5001
〒101-0061 東京都千代田区神田三崎町2-2-15　Daiwa三崎町ビル

新宿エルタワー本校　☎03(5325)6001
〒163-1518 東京都新宿区西新宿1-6-1　新宿エルタワー

早稲田本校　☎03(5155)5501
〒162-0045 東京都新宿区馬場下町62　三朝庵ビル

中　野本校　☎03(5913)6005
〒164-0001 東京都中野区中野4-11-10　アーバンネット中野ビル

立　川本校　☎042(524)5001
〒190-0012 東京都立川市曙町1-14-13　立川MKビル

町　田本校　☎042(709)0581
〒194-0013 東京都町田市原町田4-5-8　MIキューブ町田イースト

横　浜本校　☎045(311)5001
〒220-0004 神奈川県横浜市西区北幸2-4-3　北幸GM21ビル

千　葉本校　☎043(222)5009
〒260-0015 千葉県千葉市中央区富士見2-3-1　塚本大千葉ビル

大　宮本校　☎048(740)5501
〒330-0802 埼玉県さいたま市大宮区宮町1-24　大宮GSビル

東海

名古屋駅前本校　☎052(586)5001
〒450-0002 愛知県名古屋市中村区名駅4-6-23　第三堀内ビル

静　岡本校　☎054(255)5001
〒420-0857 静岡県静岡市葵区御幸町3-21　ペガサート

北陸

富　山本校　☎076(443)5810
〒930-0002 富山県富山市新富町2-4-25　カーニープレイス富山

関西

梅田駅前本校　☎06(6374)5001
〒530-0013 大阪府大阪市北区茶屋町1-27　ABC-MART梅田ビル

難波駅前本校　☎06(6646)6911
〒556－0017 大阪府大阪市浪速区湊町1-4-1
大阪シティエアターミナルビル

京都駅前本校　☎075(353)9531
〒600-8216 京都府京都市下京区東洞院通七条下ル2丁目
東塩小路町680-2　木村食品ビル

四条烏丸本校　☎075(353)2531
〒600-8413　京都府京都市下京区烏丸通仏光寺下ル
大政所町680-1　第八長谷ビル

神　戸本校　☎078(325)0511
〒650-0021 兵庫県神戸市中央区三宮町1-1-2　三宮セントラルビル

中国・四国

岡　山本校　☎086(227)5001
〒700-0901 岡山県岡山市北区本町10-22　本町ビル

広　島本校　☎082(511)7001
〒730-0011 広島県広島市中区基町11-13　合人社広島紙屋町アネクス

山　口本校　☎083(921)8911
〒753-0814 山口県山口市吉敷下東 3-4-7　リアライズⅢ

高　松本校　☎087(851)3411
〒760-0023 香川県高松市寿町2-4-20　高松センタービル

松　山本校　☎089(961)1333
〒790-0003 愛媛県松山市三番町7-13-13　ミツネビルディング

九州・沖縄

福　岡本校　☎092(715)5001
〒810-0001 福岡県福岡市中央区天神4-4-11
天神ショッパーズ福岡

那　覇本校　☎098(867)5001
〒902-0067 沖縄県那覇市安里2-9-10　丸姫産業第2ビル

EYE関西

EYE 大阪本校　☎06(7222)3655
〒530-0013　大阪府大阪市北区茶屋町1-27　ABC-MART梅田ビル

EYE 京都本校　☎075(353)2531
〒600-8413　京都府京都市下京区烏丸通仏光寺下ル
大政所町680-1　第八長谷ビル

LEC提携校

＊提携校はLECとは別の経営母体が運営をしております。
＊提携校は実施講座およびサービスにおいてLECと異なる部分がございます。

北海道・東北

八戸中央校【提携校】 ☎0178(47)5011
〒031-0035 青森県八戸市寺横町13 第1朋友ビル
新教育センター内

弘前校【提携校】 ☎0172(55)8831
〒036-8093 青森県弘前市城東中央1-5-2
まなびの森 弘前城東予備校内

秋田校【提携校】 ☎018(863)9341
〒010-0964 秋田県秋田市八橋鯲沼町1-60
株式会社アキタシステムマネジメント内

関東

水戸校【提携校】 ☎029(297)6611
〒310-0912 茨城県水戸市見川2-3079-5

所沢校【提携校】 ☎050(6865)6996
〒359-0037 埼玉県所沢市くすのき台3-18-4 所沢K・Sビル
合同会社LPエデュケーション内

日本橋校【提携校】 ☎03(6661)1188
〒103-0025 東京都中央区日本橋茅場町2-5-6 日本橋大江戸ビル
株式会社大江戸コンサルタント内

北陸

新潟校【提携校】 ☎025(240)7781
〒950-0901 新潟県新潟市中央区弁天3-2-20 弁天501ビル
株式会社大江戸コンサルタント内

金沢校【提携校】 ☎076(237)3925
〒920-8217 石川県金沢市近岡町845-1
株式会社アイ・アイ・ピー金沢内

福井南校【提携校】 ☎0776(35)8230
〒918-8114 福井県福井市羽水2-701
株式会社ヒューマン・デザイン内

中国・四国

松江殿町校【提携校】 ☎0852(31)1661
〒690-0887 島根県松江市殿町517 アルファステイツ殿町
山路イングリッシュスクール内

岩国駅前校【提携校】 ☎0827(23)7424
〒740-0018 山口県岩国市麻里布町1-3-3 岡村ビル 英光学院内

新居浜駅前校【提携校】 ☎0897(32)5356
〒792-0812 愛媛県新居浜市坂井町2-3-8
パルティフジ新居浜駅前店内

九州・沖縄

佐世保駅前校【提携校】 ☎0956(22)8623
〒857-0862 長崎県佐世保市白南風町5-15 智翔館内

日野校【提携校】 ☎0956(48)2239
〒858-0925 長崎県佐世保市椎木町336-1 智翔館日野校内

長崎駅前校【提携校】 ☎095(895)5917
〒850-0057 長崎県長崎市大黒町10-10 KoKoRoビル
minatoコワーキングスペース内

高原校【提携校】 ☎098(989)8009
〒904-2163 沖縄県沖縄市大里2-24-1
有限会社スキップヒューマンワーク内

※上記は2024年10月1日現在のものです。

書籍の訂正情報について

このたびは，弊社発行書籍をご購入いただき，誠にありがとうございます。
万が一誤りの箇所がございましたら，以下の方法にてご確認ください。

1 訂正情報の確認方法

書籍発行後に判明した訂正情報を順次掲載しております。
下記Webサイトよりご確認ください。

www.lec-jp.com/system/correct/

2 ご連絡方法

上記Webサイトに訂正情報の掲載がない場合は，下記Webサイトの
入力フォームよりご連絡ください。

lec.jp/system/soudan/web.html

フォームのご入力にあたりましては，「Web教材・サービスのご利用について」の
最下部の「ご質問内容」に下記事項をご記載ください。

- 対象書籍名（○○年版，第○版の記載がある書籍は併せてご記載ください）
- ご指摘箇所（具体的にページ数と内容の記載をお願いいたします）

ご連絡期限は，次の改訂版の発行日までとさせていただきます。
また，改訂版を発行しない書籍は，販売終了日までとさせていただきます。

※上記「2ご連絡方法」のフォームをご利用になれない場合は，①書籍名，②発行年月日，③ご指摘箇所，を記載の上，郵送にて下記送付先にご送付ください。確認した上で，内容理解の妨げとなる誤りについては，訂正情報として掲載させていただきます。なお，郵送でご連絡いただいた場合は個別に返信しておりません。

送付先：〒164-0001 東京都中野区中野4-11-10 アーバンネット中野ビル
株式会社東京リーガルマインド 出版部 訂正情報係

- 誤りの箇所のご連絡以外の書籍の内容に関する質問は受け付けておりません。
  また，書籍の内容に関する解説，受験指導等は一切行っておりませんので，あらかじめご了承ください。
- お電話でのお問合せは受け付けておりません。

講座・資料のお問合せ・お申込み